V staat voor Vergelding

Sue Grafton bij Boekerij:

A staat voor Alibi
B staat voor Bedrog
C staat voor Crimineel
D staat voor Doodslag
E staat voor Explosief
F staat voor Fataal
G staat voor Genadeloos
H staat voor Hartstocht
I staat voor In Memoriam
J staat voor Jaloezie
K staat voor Killer
L staat voor Leugens
J-K-L Omnibus
M staat voor Misdaad
N staat voor Nekslag
O staat voor Onheil
M-N-O Omnibus
P staat voor Pijngrens
Q staat voor Qui-vive
R staat voor Rekening
P-Q-R Omnibus
S staat voor Stilte
T staat voor Tevergeefs
U staat voor Ultimatum
V staat voor Vergelding

www.boekerij.nl

Sue Grafton

V staat voor Vergelding

ISBN 978-90-225-6214-7
ISBN 978-94-6023-276-3 (e-boek)
NUR 330

Oorspronkelijke titel: *V is for Vengeance*
Oorspronkelijke uitgever: G.P. Putnam's Sons, Penguin Inc.
Vertaling: Ineke de Groot
Omslagontwerp: marliesvisser.nl
Omslagbeeld: Getty Images
Zetwerk: Mat-Zet bv, Soest

Dit boek is opgedragen aan de Humphrey-bende ter ere van de vele jaren dat we al samen zijn
Chuck en Theresa
Pam en Jim
Peter, Joanna en de kleine Olivia
Meredith
Kathy en Ron
Gavin
En natuurlijk mijn allerliefste Steven

Heel veel liefs

1

Wat voorafging,

Las Vegas, augustus 1986

Phillip Lanahan was onderweg naar Las Vegas in zijn Porsche 911 Carrera coupé, een pittige rood autootje dat zijn ouders hem twee maanden eerder hadden geschonken toen hij van Princeton afstudeerde. Zijn stiefvader had de auto tweedehands gekocht omdat hij een hekel aan waardevermindering had. Die mocht de oorspronkelijke eigenaar incasseren. De auto was in perfecte staat, er stond ongeveer 25.000 kilometer op de kilometerteller, de stoelen waren met zwart leer bekleed, alles zat er op en er aan, inclusief vier gloednieuwe banden. De auto zat binnen vierenhalve seconden op de honderd kilometer.

Met het dak open reed hij langs de kustlijn en vervolgens nam hij snelweg 10 in oostelijke richting door Los Angeles. Daarvandaan sloeg hij af en reed hij de 15 op, rechtstreeks door naar Las Vegas. De zon scheen fel en door de wind was zijn haar een woeste zwarte bos geworden. Op zijn drieëntwintigste was hij zich er maar al te goed van bewust dat hij knap was en hij droeg die kennis met zich mee alsof het een konijnenpootje was waarmee hij het geluk af kon dwingen. Hij had een gladgeschoren, mager gezicht, rechte, donkere wenkbrauwen en zijn oren zaten pal tegen zijn hoofd aan. Hij droeg een spijkerbroek en een zwart poloshirt met korte mouwen. Zijn witlinnen sportjasje lag opgevouwen op de stoel naast hem. In zijn plunjezak zat tienduizend dollar in briefjes van honderd, geld dat hij van een woekeraar had geleend.

Dit was zijn derde tripje naar Las Vegas in evenzoveel weken.

De eerste keer had hij poker gespeeld in het grote Caesars Palace, dat hoe ordinair en overdreven ook, alles in huis had wat je maar wilde. Dat reisje was fantastisch geweest. Het ging hem voor de wind. De kaarten bleven gunstig vallen. Hij wist wat zijn tegenspelers hadden, en kon elk gebaar op de juiste wijze interpreteren, alsof hij paranormaal begaafd was. Hij was met drieduizend dollar die hij van zijn spaarrekening had gehaald naar Las Vegas toe gegaan en had er binnen de kortste keren achtduizend van gemaakt.

Het tweede reisje was goed begonnen, maar hij raakte al snel zijn zelfvertrouwen kwijt. Hij ging terug naar Caesars Palace, in de verwachting dat zijn intuïtie hem weer te hulp zou schieten, maar hij kon zijn tegenspelers niet inschatten, de kaarten waren waardeloos, en niets lukte. Hij liep het casino uit met vijfduizend dollar minder op zak. Vandaar dat hij naar Lorenzo Dante de woekeraar toe was gegaan, die (volgens Phillips vriend Eric) zichzelf als 'bankier' omschreef. Phillip nam aan dat dat ironisch bedoeld was.

Hij had zich niet prettig gevoeld over de afspraak. Eric had hem niet alleen van Dantes criminele achtergrond op de hoogte gesteld, hij had Phillip er ook van verzekerd dat de waanzinnig hoge rente die berekend werd normaal was in die 'bedrijfstak', zoals hij dat noemde. Phillips stiefvader had hem bijgebracht dat hij over financiële zaken altijd moest onderhandelen en Phillip wist dat hij dat te berde moest brengen voordat Dante en hij overeenstemming bereikten. Hij kon zijn ouders niet vertellen waar hij mee bezig was, maar hij stelde de wijze lessen van zijn stiefvader toch op prijs. Phillip mocht hem niet erg graag, maar moest toegeven dat hij hem wel bewonderde.

Hij had met Dante afgesproken in diens kantoor in het centrum van Santa Teresa. Het was een indrukwekkende ruimte, veel glas en glimmend hout, met leer beklede meubels en zachtgrijze vloerbedekking. De receptioniste had hem hartelijk begroet en hem binnengelaten. Een sexy brunette in een strakke spijkerbroek en naaldhakken had bij de deur op hem staan wachten en hem langs tien kantoren geleid naar een groot hoekkantoor achter aan de gang. Iedereen die hij zag was jong en droeg vrijetijdskleding. Hij had zich een hele batterij belastingconsulenten, accountants, financiële genieën, advocaten en administratieve krachten voorgesteld. Dante was aangeklaagd wegens woekerpraktijken en Phillip had verwacht dat de sfeer bedrukt en gespannen zou zijn. Hij had een duur sportjasje aan om zo respect te betonen, maar besefte dat hij het verkeerd had aangepakt. Iedereen had vrijetijdskleding aan; wel mooi, maar niet chic. Hij voelde zich net als een jongetje dat zijn vaders kleren had aangetrokken in de hoop dat men zou denken dat hij volwassen was.

De brunette leidde hem het kantoor in en Dante boog zich over het bureau heen om hem een hand te geven en gebaarde toen dat Phillip in een stoel plaats kon nemen. Tot Phillips verbazing was het een aantrekkelijke man. Hij was halverwege de vijftig, lang, zo'n een meter achtentachtig en had een knappe kop: levendige bruine ogen, grijze krullen, kuiltjes in de wangen en eentje in zijn kin. Zo te zien was hij uiterst fit. Het kletspraatje vooraf ging over Phillips afstuderen aan Princeton, de twee richtingen die hij had gestudeerd (management en economie) en zijn carrièrevooruitzichten. Dante had zo te zien geïnteresseerd geluisterd en af en toe een vraag gesteld. Phillip had nog niet echt een baan aangeboden gekregen, maar daar wilde hij het liever niet over hebben. Hij had het over de vele mogelijkheden die er voor hem in het verschiet lagen en verzuimde te vertellen dat hij weer bij zijn ouders was ingetrokken. Dat vond hij te gênant voor woorden. Phillip werd wat rustiger, hoewel zijn handen nog nat van het zweet waren.

Dante zei: 'Jij bent de zoon van Tripp Lanahan.'

'Hebt u mijn vader gekend?'

'Niet zo goed, maar hij heeft me een keer een dienst bewezen...'

'Heel mooi. Daar ben ik blij om.'

'... Anders had je hier ook niet gezeten.'

'Ik ben blij dat u de moeite hebt genomen.'

'Je vriend Eric zei dat je nogal goed kunt pokeren.'

Phillip ging verzitten, en het leek hem het beste niet al te bescheiden te zijn maar ook niet te gaan opscheppen. 'Ik speelde tijdens mijn studie al, vanaf het eerste jaar aan Princeton.'

Dante glimlachte en de kuiltjes in zijn wangen werden even zichtbaar. 'Dat van Princeton wist ik al, hoor, daar hoef je het niet meer over te hebben. Ging het om hoge bedragen of speelde je alleen met een stel ezels in een of ander studentenhuis?'

'Ik speelde in Atlantic City en sprokkelde bijna elk weekend genoeg bij elkaar om dat te kunnen bekostigen.'

'Heb je tijdens je studie er niet bij gewerkt?'

'Dat hoefde niet.'

'Je boft maar,' zei Dante. 'Maar, als ik het zo moet inschatten, lijkt me dat pokeren niet iets wat je vader bij jou voor ogen had.'

'Dat is zo, meneer. Ik wil ook gaan werken. Daarom ben ik afgestudeerd. Alleen weet ik nog niet zo goed wat ik wil gaan doen.'
'Maar dat zal binnenkort wel komen.'
'Dat hoop ik wel. Dat is in elk geval wel de bedoeling.' Phillip zweette overdadig en het overhemd onder zijn sportjasje plakte op zijn rug. De man was op een bepaalde manier beangstigend, alsof er twee kanten aan hem waren, een vriendelijke en een wrede. Zo op het oog leek hij aardig, maar er lag een donkere persoonlijkheid op de loer, messcherp en snel geïrriteerd. Het was Phillip niet duidelijk met welke kant hij nu te maken had, en het werkte hem op de zenuwen. Dante glimlachte niet meer en de andere kant kwam naar boven. Misschien werd Dante wel gevaarlijk als het om zaken ging.
'En wat doe je hier?'
'Eric zei dat u hem soms wat geld voorschiet als het hem even niet voor de wind gaat. Ik hoopte dat u dat ook voor mij zou willen doen.'
Dante sprak op vriendelijke toon, maar zijn ogen bleven hard. 'Ja, dat klopt. Ik leen geld aan mensen die niets bij de bank los kunnen krijgen. Daar bereken ik wel rente voor en natuurlijk administratiekosten. Hoeveel zou jij willen lenen?'
'Tienduizend?'
Dante keek hem aan. 'Dat is veel geld voor iemand van jouw leeftijd.'
Phillip schraapte zijn keel. 'Nou, met tienduizend, weet u, heb ik weer wat meer armslag. Zo bekijk ik dat tenminste.'
'Ik neem aan dat Eric je mijn voorwaarden heeft uitgelegd?'
Phillip schudde het hoofd. 'Niet helemaal. Het leek me beter dat u me dat zou vertellen.'
'Ik reken per week vijfentwintig dollar tegen honderd dollar. Dat wordt allemaal in één keer afbetaald, tegelijk met de oorspronkelijke lening.'
Phillip kreeg een droge mond. 'Dat is vrij fors.'
Dante trok de onderste la open en haalde er een stapel papieren uit. 'Je kunt natuurlijk ook naar de Bank of America gaan, twee straten verderop. Hier heb je de aanvraagformulieren.' Hij gooide een aanvraagformulier voor een lening op het bureau.
'Nee, nee, ik snap best waarom. U hebt ook zo uw onkosten.'
Dante zei niets.
Phillip boog zich naar voren om oogcontact te krijgen, als twee mannen die zakendeden. 'Kunt u me wellicht een beter aan-

bod doen dan vijfentwintig tegen honderd?'
'Een beter aanbod? Zit jij hier met mij te onderhandelen?'
'O, nee, meneer. Dat niet. Zo bedoelde ik het niet. Ik dacht alleen dat er misschien wat geregeld kon worden.' Zijn wangen werden rood.
'En waarom dan? Omdat we al heel lang winstgevend samenwerken? Omdat je zo goed bent in gokken? Ik heb gehoord dat je verleden week vijfduizend dollar bent kwijtgeraakt in Caesars Palace. Jij wilt die tienduizend van mij gebruiken om je schuld af te betalen en met de rest te spelen. Jij denkt dat je me inclusief de kosten af kunt betalen en er zelf ook nog wat aan overhoudt. Klopt dat?'
'Zo heb ik het in wezen al eerder gedaan.'
'"In wezen" kun je mijn rug op. Ik wil alleen mijn geld terug.'
'Uiteraard. Maar dat krijgt u ook. Dat beloof ik u.'
Dante keek hem aan totdat Phillip zijn blik neersloeg. 'En hoe lang gaat dat duren?'
'Een week?'
Dante boog zich voorover en sloeg een bladzijde in zijn agenda om. 'Op maandag 11 augustus dus.'
'Dat zou helemaal goed zijn.'
Dante schreef iets op.
Phillip vroeg zich af wat er nu ging gebeuren. 'Moet ik wat formulieren invullen?'
'Formulieren?'
'Een schuldbekentenis of een contract of zoiets?'
Dante maakte een afwijzend gebaar. 'Maak je maar geen zorgen. Dit is een overeenkomst van mannen onder elkaar. We schudden elkaar de hand, en daar blijft het bij. Ga maar naar Nico om je geld te halen.'
'Dank u.'
'Graag gedaan.'
'Ik meen het oprecht.'
'Bedank je vader maar. Ik doe dit vanwege een oude dienst,' zei Dante. 'Nu we het daar toch over hebben, een vriend van mij werkt als bedrijfsleider in Binions. Als je daar gaat spelen, krijg je een kamer. Zeg maar tegen hem dat ik dat heb gezegd.'
'Dat zal ik doen, en heel erg bedankt.'
Dante kwam overeind en Phillip volgde zijn voorbeeld. Terwijl ze elkaar een hand gaven, slaakte Phillip een zucht van verlichting. Hij had zich voorgesteld dat hij pittig zou onderhandelen en dat

Dante met twee procent zou zakken omdat hij diep onder de indruk zou zijn van zijn manier van zakendoen. Nu kreeg hij het schaamrood op zijn kaken bij de gedachte alleen al dat hij het bij een man als Dante ter sprake had gebracht. Hij mocht van geluk spreken dat hij er niet uit was gegooid. Of nog erger.

Precies op dat moment ging de deur open en stond de brunette op de drempel.

'Als ik je iets mag aanraden...' zei Dante.

'Ja, meneer?'

'Verknal het niet. Als je me belazert, zul je daar erge spijt van krijgen.'

'Dat begrijp ik. Maar ik verzeker u dat u me kunt vertrouwen.'

'Dat hoor ik graag.'

Binion was een beetje in verval geraakt, maar Phillips kamer was prima in orde. Hij zag er in elk geval schoon uit. Hij liet zijn tas op de grond vallen, deed zevenduizend dollar van de geleende tienduizend in zijn zak en ging naar het casino, waar hij het geld inruilde voor fiches. Hij liep een paar minuten in de pokerruimte rond, om de sfeer op te snuiven. Hij had niet echt haast. Hij was op zoek naar een tafel waar veel geld omging. Hij kwam langs een tafel waar de grote winnaar een Rolex om zijn pols had. Daar dus niet. Die speler was te rijk of te goed en Phillip wilde het niet tegen hem opnemen.

Hij bleef bij een tafel staan waar allemaal ouderen aan zaten die met een bus vanuit het verzorgingshuis hiernaartoe waren gebracht. Ze hadden allemaal hetzelfde T-shirt aan, rood met een witte ondergaande zon erop. Het spel verliep traag, er werd af en toe wat gegokt en een oudere vrouw kon de waarde van de kaarten maar niet onthouden. De man naast haar zei steeds: 'Godsamme, Alice. Hoe vaak heb ik je dat nou al niet gezegd? Een flush is beter dan een straat en een full house is weer beter dan een flush.' Met de kleine hoeveelheid fiches waarmee werd gespeeld, zou hij weken nodig hebben om zijn schuld af te lossen.

Nadat hij de hele kamer door was gelopen, liet hij zich inschrijven voor een Texas Hold'em zonder geldlimiet aan tafel 4 of 8. Het kostte vijfduizend dollar om mee te kunnen doen, wat behoorlijk veel was, maar alleen op die manier zag hij de kans schoon om uit de schulden te komen en er ook nog wat aan over te houden. Hij speelde het liefst aan een tafel met een even getal en 4 was zijn geluksgetal. Al snel kon hij terecht aan tafel 8 op stoel 8, wat hij zag als een goed voorteken, omdat het allebei een tweevoud van vier was. Phillip legde de fiches rechts naast hem en bestelde een wodka-tonic. Er waren al zes mannen aan het spelen en hij was een van de laatste bieders, zodat hij mooi kon toekijken hoe het eraan toeging. Hij paste een paar keer, hield zich de ene keer in met een boer en een koningin en de andere keer met een stel vijven. Hij had er wel mee kunnen spelen, maar ver zou hij er niet mee komen, en dat was wel de bedoeling.

Omdat hij met geleend geld speelde, was de druk om te presteren hoog. Normaal gesproken vond hij die druk prettig, omdat hij erdoor op zijn tenen ging lopen. Maar dit keer speelde hij kaarten niet waarmee hij anders wel zou hebben gespeeld. Hij won wat fiches met twee paren en even later won hij vijftienhonderd dollar met een wheel. Hij had nog niet veel geld verloren, hooguit vierhonderd dollar, en door de warmte van de wodka werd hij algauw rustig. Hoewel hij een tijdlang niet speelde kreeg hij daardoor wel de kans om te zien hoe de mensen aan de tafel het aanpakten.

De dikke vent in het te krappe blauwe overhemd wendde verveling voor als hij goede kaarten had, deed net alsof hij niets in zijn handen had en het voor hem maar snel achter de rug mocht zijn. Dan was er een oudere man met een zuur gezicht die een grijs sportjasje droeg en die zeer beheerste bewegingen maakte. Als hij zijn kaarten bekeek, tilde hij ze maar een heel klein stukje op, wierp er een blik op en keek vervolgens de andere kant op. Phillip hield hem in de gaten, op zoek naar aanwijzingen. Een vent in een groen flanellen overhemd, met de bouw van een houthakker, wilde elke keer dat hij dacht dat hij de slechtste kaarten had een kaart erbij, in de hoop zo iets beters te krijgen. Phillip maakte zich geen zorgen over de andere drie mannen, die te krenterig of te timide waren om een gevaar te vormen.

Hij speelde nog een uur en won vijf kleine potjes. Hij zat er nog niet echt in, maar wist dat zijn geduld vruchten af zou werpen. De oudere man stond op en zijn plaats werd ingenomen door een vrouw van in de veertig met lichtblond haar en een litteken op haar kin. Ze was dronken of een amateur of anders de slechtste pokerspeler die hij ooit had gezien. Hij hield haar vanuit zijn ooghoek in de gaten en zat zich te verbazen over wat ze aan het doen was. Hij verloor een pot van achthonderd dollar aan haar omdat hij dacht dat ze blufte. Vervolgens paste hij omdat hij de indruk kreeg dat ze goede kaarten had, wat niet waar bleek te zijn. Het ging langzaam bij hem dagen dat ze waarschijnlijk van een heel ander kaliber was, een doorgewinterde speler en een fantastische actrice, en veel moeilijker te doorgronden dan hij aanvankelijk dacht. Ze gaf tegenstrijdige signalen af. Hij gaf haar het etiket 'gevaarlijk' in zijn hoofd en concentreerde zich op zijn kaarten en minder op haar. Als het spel voor hem de goede kant op ging, daalde er een bepaalde stilte op hem neer. Het was dan net alsof hij in een geluiddichte ruimte zat. Hij hoorde de mensen om hem heen wel praten, maar van veraf en zonder dat het tot hem doordrong.

Twee uur later had hij tweeduizend dollar gewonnen en ging het hem eindelijk voor de wind. Hij kreeg hartenaas en klavervier. Normaal gesproken had hij gepast, maar zijn intuïtie fluisterde hem in door te gaan, dat hem iets te wachten stond. Het blondje, dat voor hem aan de beurt was, speelde lukraak, liet niet merken waar ze mee bezig was. Door te gokken kon ze met een slechte hand nog winnen, maar uiteindelijk zou ze toch verliezen. Dit keer keek ze even naar haar kaarten en sloot een verzekering af, wat waarschijnlijk betekende dat ze twee azen had. De kans op een paar azen was ongeveer 1 op 220.

De dikkerd vroeg om een kaart. De vent in het groene flanellen overhemd zat zijn mogelijkheden te overwegen terwijl hij de stapels fiches die voor hem lagen netjes ordende. Hij vroeg ook om een kaart, maar zonder al te veel overtuiging. Phillip kreeg de neiging om weer naar zijn hole-kaarten te kijken, maar hij wist precies wat hij had. Hij zou op zijn intuïtie afgaan en nog een kaart vragen en als die niets was zou hij passen. De speler met de button, de kleine blind en de grote blind pasten zonder een poging te wagen.

De dealer legde de bovenste kaart blind weg en de flop bestond uit ruitendrie, schoppenvijf en schoppentwee, en Phillips hart sloeg een slag over. Hij had opeens een wheel in zijn handen. Aas, twee, drie, vier, vijf. Hij keek naar hoe de mensen inzetten en schatte de kaarten van zijn tegenstanders in. De vrouw zette niet in en de dikkerd en de man in het groene flanellen overhemd evenmin. Phillip zette wel in en werd zo de laatste die bij de volgende ronde aan de beurt was. Weer werd er ingezet en iedereen wilde hem zien. De dealer legde de bovenste kaart weer blind weg. De volgende kaart was schoppenaas. De blondine zette in, wat kon betekenen dat ze three of a kind of een flush had. Die kon hij allebei overtroeven. Hij ging alles nog eens na. Hij had een aas in zijn hand, er lag een aas op tafel en zeven spelers hadden meteen al gepast, dus de kans was groot dat zij de andere twee azen niet in haar bezit had. Hij wierp even een blik op haar, maar kon haar niet peilen. Ze had de hele tijd een flauw glimlachje om haar lippen, alsof ze een binnenpretje had. Zijn stiefzus was net zo, arrogant, fanatiek, uitdagend. Hij kon het nooit van haar winnen, en dat stak hem. Phillip zette het van zich af en concentreerde zich weer op het spel. De dikkerd en de vent in het groene flanellen overhemd pasten. Phillip vroeg om een kaart.

De river was schoppenacht, waardoor de kans dat zij een flush had zeer groot werd, en dan kon hij het met zijn straat wel schudden. Hij had na de flop geen betere kaarten gekregen, maar wat maakte dat uit? Hij kon nog steeds de beste kaarten hebben. De vraag was alleen of hij door moest zetten en zo ja, hoe hard. Ze waren de enige twee die nog speelden. De blondine zette in. Hij ging eroverheen en de blondine ging daar weer overheen. Wat voor schitterende kaarten had zij wel niet? Hij wilde zo rustig mogelijk blijven, maar een dun laagje zweet had zich al op zijn voorhoofd gevormd en dat kon hij met geen mogelijkheid verbergen. Er zat achtduizend dollar in de pot. Als hij zou meegaan, zou hem dat tweeduizend dollar kosten en was de kans op de pot vier op één geworden. Niet slecht. Als hij won, zou hij vier keer meer krijgen dan wat meegaan hem gekost zou hebben. Iedereen keek naar hem. Hij had goede kaarten, maar het kon beter. Zij had een flush of een paar. Hij had achter elkaar een paar maal gewonnen, maar hij wist dat dat een keer afgelopen zou zijn. Hij had eigenlijk al eerder moeten ophouden, maar hij wilde het niet van haar verliezen. Voor hetzelfde geld had ze hem voor de gek gehouden en was dit zijn laatste kans om eronderuit te komen. Met pijn in zijn hart schoof hij zijn hole-kaarten naar voren, ten teken dat hij het opgaf. De dealer schoof de pot naar de blondine en zij haalde het met haar raadselachtige glimlachje naar zich toe.

Hij hield zich voor dat het een spelletje poker was en geen wedstrijdje tussen de vrouw en hem. Maar dat glimlachje deed het hem. Hij keek haar aan. 'Was je aan het bluffen?'

'Dat hoef ik niet te zeggen,' zei ze.

'Weet ik. Ik was alleen nieuwsgierig. Had je een flush of een paar?'

Ze stak twee vingers op, alsof ze het vredesteken wilde maken. 'Ik had twee kaarten, een boer en een zes.'

Het bloed trok weg uit zijn hoofd. Ze was hem te slim af geweest en hij was laaiend. Hij vermande zich. Het had geen zin zichzelf verwijten te maken. Gedane zaken namen geen keer. Het had hem geld kost, maar hij had ervan geleerd en dat zou hij de volgende keer tegen haar kunnen gebruiken.

Hij nam even pauze en liet zijn fiches op de tafel liggen terwijl hij naar zijn kamer ging. Hij plaste, waste zijn handen en gezicht en pakte de rest van het geld. In de pokerzaal ruilde hij de bankbiljetten om voor fiches.

Na zes uur spelen lag er veel geld op de tafel, zo'n vijftienduizend dollar. De blondine was zelfs niet even naar de wc gegaan of een frisse neus wezen halen. Ze zette veel geld in en was onvoorspelbaar. Hij mocht haar voor geen meter en kreeg het op zijn zenuwen van haar overmoed.

Bij het volgende potje kreeg hij pocket-azen in zijn handen. De flop was ruitentwee, daarna ruitentien en toen klaveraas. De blondine en hij speelden opeens weer tegen elkaar en verhoogden steeds de inzet. De vierde gemeenschapskaart was ruitenvrouw. De river was schoppentwee, zodat er een paar op tafel lag. Hij had het vermoeden dat de blondine pocket-heren of -vrouwen had. Als ze een heer en een boer of ruitentwee had, had ze kans op een straat of een flush.

Hij had een full house, drie azen en twee tweeën, en dat was hoog genoeg om haar te verslaan. De blondine en hij keken elkaar aan. Hij wilde haar dolgraag verpletterend verslaan. Ze was weer aan het bluffen. Dat wist hij gewoon. Zes uur eerder hadden ze ook tegenover elkaar gestaan, maar dit keer had hij de hoogste kaarten.

Hij zat te bedenken wat zij in haar hand kon hebben. Hoe hij het ook bekeek, hij had betere kaarten. Hij bekeek de kaarten op tafel, stelde zich elke combinatie voor, aan de hand van wat hij kon zien en de pocket-azen die hij zelf had. Ze was aan het bluffen. Dat moest wel. Hij verhoogde de inzet, niet te veel, hij wilde niet dat ze zich terug zou trekken. Ze aarzelde even, maar ging toen mee en verhoogde met tweehonderd dollar. Hij stond op het punt een vergissing te begaan. Dat voelde hij aan zijn water. Maar welke vergissing zou dat zijn? Door het op te geven, zoals de vorige keer en haar de pot laten winnen met een paar waardeloze kaarten? Of zou hij haar voor het blok zetten? Onderschatte hij haar kaarten? Hij zou niet weten hoe dat zou kunnen, maar zijn intuïtie had hem in de steek gelaten. Hij kon niet meer goed nadenken. Zijn hoofd was leeg. Wanneer het goed ging, kon hij de kaarten gewoon zien. Alsof hij röntgenogen had. De getallen zweefden dan door zijn hoofd en hij voelde de magie in de lucht hangen. Nu zag hij alleen nog het groene vilt en de felle lampen en de kaarten, die daar stil lagen te liggen en hem niets toefluisterden. Als hij deze pot won, was hij uit de problemen. Hij zag het al voor zich, dat hij zich aan de etiquette zou houden en niet meteen de pot naar zich toe zou halen, ook al was die voor hem. De dealer zou de fiches naar hem toe schuiven. Hij zou de blondine geen blik waardig keuren, want zij stelde niets voor. Dit was zijn moment. Twijfel had zijn intuïtie in de war gebracht. Hij wist niet meer wat zijn onderbuikgevoel hem had doorgegeven. Het moment leek eindeloos lang te duren. Zij zat te wachten, net als de dealer, en de andere spelers schatten zijn kansen op dezelfde manier in als hij. Als hij de pot won, zou hij ermee ophouden. Dat beloofde hij zichzelf. Hij zou opstaan, de winst pakken en schuldenvrij weglopen.

Ze was een bluffer. Ze had hem één keer te pakken gehad, en als zij zo in elkaar stak, zou ze het weer doen. Hoe groot was de kans dat ze weer tegen elkaar speelden en zij opnieuw zou bluffen? Had ze stalen zenuwen of niet? Was ze erg berekenend? Dat zou ze toch niet doen? Hij moest een beslissing nemen. Hij had het gevoel dat hij in het zwembad op de hoge stond, precies op het randje, en moed aan het verzamelen was om te springen. Verdorie, dacht hij, ik doe het gewoon. Hij zou dat kreng niet nog eens laten winnen.

Hij draaide de pocket-kaarten om en keek toe hoe de andere spelers de kaarten aanvulden: pocket-azen, plus een klaveraas en twee tweeën, zodat hij full house had. Ze wierp hem een eigenaardige blik toe. Hij kon die niet interpreteren totdat hij de kaarten zag die ze voor zich had neergelegd. Iedereen hield zijn adem in. Ze had de pocket-tweeën. Samen met de tweeën op tafel had ze four of a kind. Hij staarde er vol ongeloof naar. Pocket-tweeën? Wie neemt er nou zo'n groot risico? Ze was hartstikke gek om dat te doen. Maar ze had ze wel, vier tweeën… vier scherpe dolksteken in zijn hart.

De dealer hield zijn mond. Hij schoof de pot naar de blondine en die haalde het naar zich toe. Phillip was verbijsterd, hij had er helemaal op gerekend dat hij zou winnen en kon gewoon niet geloven dat ze four of a kind had gehad. Welke idioot hield nu de pocket-tweeën bij zich en speelde ermee door? Hij had een droge mond en zijn handen trilden. De blik die ze hem toewierp was voldaan, bijna sensueel en vriendelijk van voldoening. Ze had hem te pakken genomen, en net toen hij dacht dat hij had gewonnen, had zij hem opnieuw bij de taas gehad. Hij stond snel op en liep weg. Van de tienduizend dollar waren er nog vierhonderd in fiches over.

Hij nam de lift naar de vierde verdieping en zag tot zijn verbazing dat het buiten donker was. Zijn handen trilden zo erg dat hij moeite had de sleutel in het slot te steken. Hij deed de deur achter zich op slot en trok al lopend zijn kleren uit, zodat hij een spoor van kledingstukken achter zich liet: schoenen, sokken, broek, overhemd. Hij stonk naar zweet. In de badkamer deed hij twee aspirines in een glas water en sloeg dat naar binnen. Hij nam een douche en schoor zich, trok de badjas van het hotel aan, een witte die maar tot op zijn knieën kwam en openviel toen hij plaatsnam op de rand van het bed. Hij toetste het nummer van roomservice in, bestelde een biefstuk met brood, medium, met zelfgemaakte patat en twee biertjes.

Drie kwartier later werd het eten gebracht en tegen die tijd waren de patat en de biefstuk koud. Het vlees was van niet al te beste kwaliteit en te taai om op het broodje te eten. Hij legde het broodje opzij en sneed het vlees in stukjes. Hij kauwde op de biefstuk tot er geen smaak meer aan zat. Hij had geen trek. Hij was doodziek. Hij schoof het serveerkarretje aan de kant. Hij zou een uurtje slapen en dan weer naar het casino gaan om zijn geluk te beproeven. Hij moest wel. Het was hem een raadsel hoe hij het met vierhonderd dollar op zak zou gaan redden, maar hij kon pas weggaan als hij Dantes geld bij elkaar had verdiend.

Er werd op de deur geklopt. Hij keek op de klok, het was vijf voor half tien. Hij was zo slim geweest om het bordje *Niet storen* aan de deurknop te hangen, dus hij had de neiging om niet te reageren. Het was vast een schaal met fruit of een fles slechte wijn die hij van het hotel kreeg aangeboden. Dat soort dingen werd altijd op de vreemdste tijdstippen bezorgd zodat je er niets aan had. Er werd weer geklopt. Hij liep naar de deur en keek door het spionnetje.

Dante stond op de gang. Phillip zag nog twee mannen aan komen lopen. Hij had de deur bij binnenkomst op slot gedaan. Zouden de drie weggaan als hij niet opendeed? Dante kon niet weten dat hij in de kamer was. Hij kon de kamer hebben verlaten zonder het bordje te verwijderen dat aan de deurknop hing. Hij dacht er even over na, maar vond het toch beter om hem onder ogen te komen. Zijn hoop was gericht op uitstel van betaling. Dante moest daar bijna wel in toestemmen. Wat kon hij anders? Phillip had het geld niet en als hij het niet had, kon hij het ook niet terugbetalen.

Phillip haalde de deur van het slot en deed hem open.

Dante zei: 'Ik dacht al dat je er niet was.'

'Sorry, ik was aan het bellen.'
Het was even stil.
'Mag ik nog binnenkomen of hoe zit dat?' vroeg Dante. Hij vroeg het vriendelijk, maar Phillip bespeurde het scherpe randje.
'Ja, natuurlijk. Zeker weten.'
Phillip deed een stap naar achteren en Dante kwam de kamer binnen met zijn twee compagnons achter zich aan. De deur bleef openstaan en Phillip vond het geen prettig idee dat iedereen die langs kwam lopen naar binnen kon kijken. Hij voelde zich kwetsbaar op blote voeten en in een badjas die nauwelijks zijn knieën bedekte. Zijn kleren lagen nog op de grond verspreid. Het kliekje op het dienblad rook sterk naar ketchup en koude patat.
Dante had een lichtgrijs zijden overhemd aan dat bij de hals openstond, en een lichtbruine broek. De instappers en de riem waren gemaakt van amberkleurig leer. De twee mannen die bij hem hoorden waren wat minder formeel gekleed.
Dante keek naar een van hen. 'Dat is mijn broer Cappi,' zei hij. 'En dat is Nico, maar die ken je al.'
'Dat weet ik nog. Leuk je weer te zien,' zei Phillip. Geen van de mannen reageerde.
Cappi was in de veertig, ruim acht jaar jonger dan zijn broer; een meter vijfenzeventig, zo te zien, naast Dantes lengte van een meter achtentachtig. Hij had een lichte huid en een woeste bos donkerblond haar die hij in toom hield met gel. Hij had een modieuze baardgroei van twee dagen, lichte ogen en een ietwat uitstekende kin. Door die afwijking was hij niet echt knap te noemen. Hij was niet zo goed gekleed als zijn broer. Dantes kleren waren van de beste kwaliteit en op maat gemaakt, maar Cappi's grijszwarte polyester overhemd hing over een stonewashed spijkerbroek. Phillip vroeg zich af of hij een pistool bij zich had.
Nico, de derde vent, was zwaargebouwd en kwabbig; zijn spijkerbroek en T-shirt waren te krap voor zijn dikke buik. Cappi liep naar de openstaande deur terwijl Nico even in de badkamer keek of daar iemand was. Dante ging naar het raam en draaide zich om om de kamer in zich op te nemen, het roomwitte plafond, de meubels, het kleurloze tapijt, het uitzicht vanaf de vierde etage. Hij zei: 'Niet gek. Al zouden ze er wel wat meer geld in mogen steken.'
Phillip zei: 'Het is prima. Heel fijn dat u een goed woordje voor me hebt gedaan.'
'Zorgen ze goed voor je?'
'Uitstekend. Kon niet beter.'

'Dat is mooi,' zei Dante. 'Ik ben een uur geleden hier geland. Ik ben hier al een tijd niet meer geweest, en ik dacht omdat ik toch in de buurt was, dat ik net zo goed even bij jou langs kon gaan.'

Phillip wist daar niets op te zeggen en hield zijn mond maar. Hij keek welke Dante er voor hem stond, de vriendelijke man of de geheime met het slechte hart en de dode ogen. Hij dacht dat de aardige de overhand had, maar was verstandig genoeg om daar niet op te rekenen.

Dante stond tegen de ladekast aan. 'En, hoe gaat het? Je zei dat je langs zou komen. We hadden een afspraak. Wanneer was dat ook alweer? Op 11 augustus toch, twee dagen geleden?'

'Dat klopt. Sorry dat ik er niet was, maar er kwam iets tussen.'

Het was even stil terwijl Dante dat verwerkte. Hij scheen niet kwaad te zijn. 'Dat kan de beste overkomen. Je had natuurlijk even kunnen bellen, maar enfin.' Hij zei het nonchalant, alsof het hem niet echt kon schelen. Phillip was al een beetje opgelucht. Hij was zich ervan bewust dat hij de afspraak niet was nagekomen en had verwacht dat Dante daar stennis over zou trappen.

Hij zei: 'Fijn dat u het snapt.'

'Hou verdomme nu eens op met die beleefdheden, ik krijg er het lazarus van.'

'Sorry.'

Dante liep weg bij de ladekast. Hij stak zijn handen in zijn broekzakken, slenterde de kamer rond en bekeek het menu van de roomservice dat nog boven op de tv stond. 'Wat kwam er eigenlijk tussen? Was het een belangrijke afspraak, iets waar je absoluut niet onderuit kon?'

'Ik had willen bellen, maar het is door mijn hoofd geschoten.'

'Nou, dat verklaart een hoop,' zei Dante. 'En hoe gaat het met pokeren? Je ziet er niet erg blij uit.'

'Het ging eerst heel goed, maar daarna zat het me steeds tegen. Ik wilde u niet tekortdoen, dus ik wilde doorgaan tot ik het volledige bedrag bij elkaar had.'

'Dat lijkt me redelijk. Wanneer gaat dat gebeuren?'

'Ik wou net naar het casino gaan. Ik heb daar de hele dag gezeten en was even naar boven gegaan om wat te rusten, weet u, me opfrissen...'

'Maak je zakken maar eens leeg, ik wil wel eens zien wat je hebt.'

'Voorlopig alleen dit.' Hij pakte de fiches en stak ze Dante toe die alleen maar toekeek.

'Vierhonderd dollar? Van de tienduizend dollar die ik je toevertrouwd heb, heb je er nog maar vierhonderd over? Ben jij niet goed bij je hoofd of zo? Ik heb je geld geleend. Ik heb je uitgelegd hoeveel het jou ging kosten. Ik was toch duidelijk genoeg, dacht ik zo. We zijn nu ruim een week verder en de kosten zijn opgelopen tot vijfduizend dollar. Dus wat moet ik hiermee?'

'Meer heb ik niet. Maar de rest krijg ik binnen een week bij elkaar.'

'Het was geen spaarregeling, hoor. Je wist wat de voorwaarden waren. Ik heb jou geholpen. Nu is het jouw beurt.'

'Maar dat gaat niet, meneer Dante. Het spijt me heel erg, maar dat lukt me niet. Dat vind ik echt verschrikkelijk.'

'En zo hoort het ook. En hoe wil je de rest bij elkaar krijgen? Je hebt geen krediet meer.'

'Ik hoopte dat u me nog wat zou lenen.'

'Dat heb ik al gedaan en kijk eens wat ik daarvoor terugkrijg. Heb je je ouders al verteld dat je me geld schuldig bent?'

'O, nee, meneer. Beslist niet. Ik heb hun beloofd dat ik niet meer zou gokken als ze me die ene keer nog zouden helpen. Als het moet vertel ik het hun wel, maar liever niet.'

'En hoe zit het met je vriendin?'

'Ik heb haar verteld dat ik met een vriend ging kamperen.'

'Vind je dit kamperen?' Dante schudde het hoofd. 'Wat moet ik met je aan? Je bent een sukkel, weet je dat? Veel gebakken lucht, een opgeblazen ego, maar als puntje bij paaltje komt stel je niets voor. Eerst verspeel je je eigen geld en nu dat van mij. En waarom? Denk je soms dat je een topspeler bent? Echt niet. Het ontbreekt je aan de ervaring, het talent en de hersens. Je bent me zesentwintigduizend dollar schuldig.'

Phillip zei: 'Nee, toch? Dat klopt niet. Dat kan toch niet kloppen?'

'Er zijn ook bepaalde uitgaven waar je voor opdraait.'

'Hoe dat zo?'

'Omdat ik hier vanwege jou ben. Hoe kan ik je anders te spreken krijgen als je niet op komt dagen? Je bent onze afspraak niet nagekomen en dus moest ik hier op korte termijn naartoe, en dat betekende dat ik een vliegtuig moest regelen. En deze twee figuren werken ook niet voor niets.'

'Maar dat gaat niet. U zei dat ik vijfentwintig dollar voor elke honderd dollar moest betalen...'

'Per week.'

'Dat snap ik, maar dat is bij elkaar maar vijfduizend dollar. Dat zei u net zelf.'

'Dan is er de rente boven op de rente, plus de boete voor te laat betalen en de onkosten.'

'Maar dat heb ik niet.'

'Jij hebt het niet. Jij hebt helemaal niets wat geld waard is. Je hebt totaal geen eigen bezit. Wil je me dat soms vertellen?'

'U mag mijn auto hebben.'

'Denk je soms dat ik in tweedehands auto's handel?'

'Nee, zeer zeker niet.'

Dante keek hem aan. 'Wat voor merk is het en welk model?'

'Het is een rode Porsche 911 uit 1985. Hij is ruim dertigduizend dollar waard. Hij is in uitstekende conditie. Perfect.'

'Ik weet wel wat "uitstekend" betekent, lul. Hoeveel moet je er nog op afbetalen?'

'Niets. Hij is helemaal betaald. Ik heb hem van mijn ouders gekregen toen ik slaagde. Ik kan hem nu meteen aan u overdragen.'

'En waar staat deze fantastische afbetaalde auto van jou?'

'In de parkeergarage.'

'Heb je hem laten parkeren?'

'Nee, dat heb ik zelf gedaan om geld uit te sparen.'

'Gut, wat zuinig van je. Waar staat hij?'

'Bovenin.'

'Ik ben te goed voor deze wereld.' Hij keek even naar zijn broer. 'Jullie gaan met deze knul mee, bekijken de auto en dan vertellen jullie mij wat jullie ervan vinden. Ik wil dat die wagen nagekeken wordt. Haal er anders een monteur bij.' Hij wendde zich tot Phillip. 'De auto kan maar beter inderdaad tiptop zijn. Mijn geduld raakt aardig op.'

'Dat zweer ik u, en heel erg bedankt.'

'Denk maar eens goed na. Het is zo langzamerhand tijd om met dat pokergedoe op te houden en een baan te zoeken. Je verspilt je leven op deze manier. Heb je me gehoord?'

'Zeer zeker. Ja. Het zal nooit meer gebeuren. Het was een goede les. Ik ga hier weg. Ik ga ervandoor. Ik zal nooit meer poker spelen, dat meen ik. Mijn ogen zijn geopend. Ik weet niet hoe ik u daarvoor bedanken kan.'

'Cappi, regel jij dit even.' Dante wuifde Phillip weg. 'Jezus, trek wat aan. Je lijkt wel een griet.'

De drie mannen keken zonder iets te zeggen toe terwijl Phillip zijn kleren bijeenraapte. Hij had zich liever in de badkamer omgekleed zonder dat hun ogen op hem gericht waren, maar had geen zin in nog een reprimande. Drie minuten later gingen Cappi, Nico en Phillip op pad, en ze liepen meteen naar de trap naar boven in plaats van naar de lift. Phillip vroeg: 'Waarom gaan we niet met de lift?'

Cappi bleef zo plotseling staan dat Phillip bijna tegen hem op botste. Cappi priemde met zijn wijsvinger in Phillips borst. 'Ik zal jou even wat vertellen, knul. Ik ben nu de baas, oké? We doen het volgens de regels, en jij bemoeit je er verder niet mee.'

'Ik heb hem anders niet horen zeggen dat we met de trap moesten gaan.'

Cappi stond zo dicht bij hem dat hij kon ruiken wat hij had gegeten. 'Weet je wat er met jou aan de hand is? Jij denkt dat jij de uitzondering op de regel bent. Dat iedereen het op jouw manier moet doen, op jouw voorwaarden. Maar zo werkt het niet. Hij zei dat we naar boven moesten. Dus gaan we naar boven. Hij wil weten hoe de auto rijdt, ja? Hij wil weten of hij het goed doet. Jij zegt dat het een uitstekend karretje is, maar je kunt zo veel vertellen. Voor hetzelfde geld is het een roestbak.'

Phillip hield zijn mond maar. Over tien minuten zou alles achter de rug zijn. Hij zou zijn fiches inruilen tegen vierhonderd dollar en een buskaartje naar huis kopen. De twee liepen de trap op, maar Phillip had duidelijk geen conditie. Na twee trappen was hij al buiten adem. Hij wist nog niet hoe hij thuis moest vertellen dat hij geen auto meer had, maar tegen die tijd zou hij wel iets verzinnen.

Ze kwamen aan op de bovenste etage van de parkeergarage. Hoewel hij maar zes verdiepingen telde, was het uitzicht 's avonds indrukwekkend; overal lampjes, waar je ook keek. Hij zag Lady Luck een paar straten verderop en Four Queens aan de overkant van de straat. Die leek zo dichtbij dat hij de indruk had dat hij zich maar naar voren hoefde te buigen om het uithangbord aan te raken. De parkeerplaats stond vol, maar de Porsche viel direct op, glimmend rood in het lamplicht en zonder stof erop. Cappi knipte met zijn vingers. 'Geef die sleutels eens.'

Phillip haalde de autosleutels uit zijn broekzak. Het scheen Nico niet te interesseren. Die had zijn armen over elkaar geslagen en keek een andere kant op alsof hij wel wat anders aan zijn hoofd had. Phillip dacht dat hij degene zou zijn die onder de motorkap zou kijken, maar misschien had hij geen verstand van auto's. Hij dacht niet dat Cappi waar dan ook iets vanaf zou weten.

Drie mannen kwamen de lift uit lopen. Phillip dacht dat ze

monteurs of parkeerhulpen waren, totdat het hem opviel dat ze blauwe latex handschoenen droegen. Dat vond hij aanvankelijk een beetje vreemd, maar dat gevoel sloeg al snel om in angst. Hij zette een stap naar achteren, maar niemand zei iets en ze keken elkaar ook niet aan. Zonder iets te zeggen kwamen ze naderbij, ze pakten hem op, de ene man greep hem onder de oksels en de andere tilde zijn benen op. De derde man haalde zijn portefeuille uit zijn achterzak en trok zijn schoenen uit. De twee mannen sleepten hem naar de reling en slingerden hem van voren naar achteren.

Phillip trappelde met zijn benen en wilde zich losrukken, zijn stem schel door de angst. 'Wat doen jullie nou?'

Geïrriteerd zei Cappi: 'Wat denk je zelf? Dante zei dat ik het moest regelen. Dus ik regel het.'

'Niet doen! We hebben het geregeld. We staan quitte.'

'Zo regelen we dat, oetlul.'

De mannen die hem vasthielden hadden inmiddels flink wat vaart ontwikkeld. Hij dacht dat ze het niet konden menen. Hij dacht dat ze hem alleen maar bang wilden maken. Toen werd hij over de reling gegooid. Hij vloog opeens door de lucht, en hij viel zo snel dat hij pas geluid kon maken toen hij op de stoep kwakte.

Cappi wierp een blik over de rand. 'Nu staan we quitte, eikeltje.'

2

Het verhaal is als volgt gegaan, mensen. Op 5 mei 1988 werd ik achtendertig en als cadeau kreeg ik een stomp in mijn gezicht waar ik twee blauwe ogen en een gebroken neus aan overhield. Ter verhoging van de feestvreugde kreeg ik een rol gaas in beide neusgaten en een dikke lip. Mijn verzekering was goed voor een nieuwe gok van de plastisch chirurg terwijl ik in dromenland was.

Toen ik weer naar huis mocht, ging ik in mijn appartementje op mijn bank liggen en hield ik mijn hoofd zo recht mogelijk om de zwelling tegen te gaan. Zodoende had ik genoeg tijd om te piekeren waar ik deze behandeling van een bijna onbekende aan verdiend had. Ik keek zo'n vijf à zes keer per dag in de badkamerspiegel en zag de prachtige roodpaarse plekken om mijn ogen naar mijn wangen zakken waar het bloed zich verzamelde zodat ik leek op een clown met veel rouge. Ik was blij dat mijn gebit heel was gebleven. Maar toch moest ik dagenlang aan iedereen uitleggen waarom ik eruitzag als een wasbeertje.

Mensen zeiden steeds: 'Goh, te gek! Je hebt eindelijk wat aan je neus laten doen. Mooi geworden, hoor!'

Dat sloeg helemaal nergens op want niemand had ooit iets over mijn neus gezegd, niet tegen mij in elk geval. Mijn arme gok was al twee keer eerder gebroken geweest en het was niet bij me opgekomen dat het nog een keer zou gebeuren. Dat was dit keer wel mijn eigen schuld, want ik had mijn neus in andermans zaken gestoken en het deksel op de neus gekregen.

Het voorval dat daaraan voorafging leek aanvankelijk onbeduidend te zijn. Ik was op de lingerieafdeling van het warenhuis Nordstrom en keek naar de slipjes die in de aanbieding waren. Drie paar voor tien dollar, zo'n koopje kon een krent als ik toch niet laten schieten. Banaler kan bijna niet. Ik hou niet van winkelen, maar ik had de advertentie van een halve pagina groot die ochtend in de krant gezien en wilde gebruikmaken van de kortingen. Dat was op vrijdag 22 april. Dat weet ik nog, want de dag ervoor had ik een zaak afgerond en die ochtend had ik daar een verslag over geschreven.

Mochten jullie me nog niet kennen, ik ben Kinsey Millhone. Ik ben privédetective in Santa Teresa in Californië en mijn bedrijf heet Millhone Investigations. Over het algemeen doe ik de geijkte karweitjes: iemands achtergrond nagaan, mensen opsporen, verzekeringsfraude, het betekenen van dagvaardingen, en getuigen zien te vinden, met tussendoor voor de lol een vervelende scheiding. Dat is niet toevallig, want ik ben een vrouw en daarom zat ik ook in de damesslipjes te wroeten en niet in de herenslips. Gezien mijn beroep heb ik enige ervaring met misdaad en de donkere kant van de menselijke natuur, inclusief die van mezelf, verbaast me niet echt meer. In de loop van dit verhaal komt u meer over me te weten. In elk geval moet ik nog het een en ander uitleggen voordat ik bij de grote klapper beland waardoor ik buiten westen raakte.

Ik ging die dag wat eerder weg van kantoor. Zoals altijd op vrijdag ging ik naar de bank om geld te storten en genoeg wisselgeld op te nemen zodat ik er weer twee weken tegenaan kon. Ik reed van de bank naar de parkeergarage onder het Passages Shopping Plaza. Ik ga over het algemeen naar de goedkopere warenhuizen, waar de rekken volhangen met dezelfde kleding, waarschijnlijk goedkoop laten maken in een land waar er geen wetten tegen kinderarbeid zijn. Nordstrom was daarmee een paleis vergeleken, met een strak en chic interieur. Op de vloer lagen glimmende marmeren tegels en het rook er naar dure parfums. De plattegrond gaf aan dat ik voor damesondergoed op de tweede etage moest zijn, dus liep ik naar de lift.

Zodra ik op de afdeling aankwam zag ik een bak met zijden pyjama's in schitterende edelsteentinten – smaragd, amethist, granaat en saffier – netjes opgevouwen en op maat gesorteerd. Ze kostten oorspronkelijk 199,95 dollar en waren afgeprijsd naar 49,95 dollar. Ik zag mezelf al in een pyjama van tweehonderd dollar. Ik draag meestal een afgedragen bigshirt. Voor 49,95 dollar kon ik mezelf wel eens verwennen. Maar aan de andere kant ben ik wel vrijgezel en slaap ik in mijn eentje, dus had het weinig nut.

Ik kwam bij de tafel waar de slipjes op lagen en snuffelde rond, terwijl ik de voordelen van een hooguitgesneden slip vergeleek met die van een boxershort of een heupbroekje, al wist ik niet wat het verschil ertussen was. Ik koop zelden ondergoed, dus meestal moet ik er weer helemaal inkomen. Stijlen veranderen, merken liggen eruit, zelfs hele fabrieken zijn blijkbaar opgedoekt. Ik beloofde mezelf dat als ik iets naar mijn zin zou ontdekken, ik er meteen minstens twaalf van zou kopen.

Ik was al tien minuten aan het zoeken en had er inmiddels schoon genoeg van om steeds een kanten niemendalletje voor me te houden om te zien of het zou passen. Ik keek om me heen of er misschien iemand kon helpen, maar de dichtstbijzijnde winkeljuffrouw was al met een klant bezig, een gezette vrouw van in de vijftig, met naaldhakken en een strak zwart broekpak waar haar bovenbenen en achterste niet erg gunstig in uitkwamen. Ze had zich beter kunnen kleden als de winkeljuffrouw, die ruim tien jaar jonger was en een donkerblauwe jurk met platte schoenen droeg. De twee stonden bij een rek met kanten bh's en bijpassende slip die aan van die kleine plastic hangertjes hingen. Ik kon me die stevige dame er niet echt in voorstellen, maar dat moest ze zelf weten. Pas toen de twee afscheid van elkaar namen viel me op dat de jongere vrouw een grote leren tas en een boodschappentas bij zich had en ik besefte dat zij ook gewoon een klant was die net als iedereen daar lingerie kwam kopen. Ik richtte mijn aandacht weer op de slipjes en vond dat een small wel zou passen en dus verzamelde ik een hele stapel pastelkleurige slipjes en een paar met tijgerstreepjes tot ik aan de vijftig dollar zat.

Een meisje van een jaar of drie holde langs me heen en verstopte zich in een kledingrek met huispyjama's waarbij een paar hangertjes op de grond vielen. Haar bezorgde moeder was al van verre te horen.

'Portia, waar zit je?'

De huispyjama's bewogen; Portia wrong zich er nog meer tussen.

'Portia?'

De moeder kwam over het gangpad aan lopen, ze was in de twintig en deed vast haar best minder bezorgd over te komen dan ze eigenlijk was. Ik stak mijn hand op en wees naar het rek, waar twee zwartleren schoentjes in korte beentjes onderuit piepten.

De moeder schoof de kleren opzij en sleurde het kind aan haar arm naar voren. 'Verdomme nog aan toe! Ik zei toch dat je daar moest blijven,' zei ze, en ze gaf haar een klap op haar billen. Daarna liep ze met het kind achter haar aan naar de liften toe. Zo te zien trok het meisje zich niets van het standje aan.

Een vrouw die bij me in de buurt stond draaide zich met een afkeurende blik om en zei: 'Verschrikkelijk, toch? We zouden de bedrijfsleider erbij moeten halen. Dat is kindermishandeling.'

Ik haalde mijn schouders op, ik kon me heel wat pakken voor mijn broek voor de geest halen die tante Gin me had gegeven. Ze zei daar altijd bij dat als ik ging huilen ze me iets zou geven waar ik pas echt in snikken van uit zou barsten.

Ik keek weer naar de vrouw in het zwarte broekpak, die net als ik een mismoedige blik op de zijden pyjama's wierp. Ik geef toe dat ik me ietwat bezitterig voelde nadat ik ze zelf had begeerd. Ik keek weer naar haar en knipperde verbaasd met mijn ogen toen ik zag dat ze twee paar pyjama's (een groene en een gele) in haar boodschappentas schoof. Ik keek even weg, in de veronderstelling dat ik zo uitgeput was door het zoeken naar slipjes dat ik was gaan hallucineren.

Ik deed net of een rek met ochtendjassen mijn aandacht had getrokken, maar hield haar vanuit mijn ooghoek in de gaten. Ze verplaatste een paar pyjama's zodat het niet opviel dat er twee weg waren. Als je niet beter wist, was het net of ze het allemaal wat netter neerlegde. Dat heb ik zelf ook vaak gedaan nadat ik, op zoek naar mijn maat, van een stapel truien een puinhoop had gemaakt.

Ze wierp een blik op me, maar op dat moment nam ik net een ochtendjas onder de loep die ik uit het rek had getrokken. Ze lette verder niet meer op me. Ze kwam heel normaal over. Als ik niet had gezien dat ze iets had gestolen, zou ze me amper opgevallen zijn.

Op één dingetje na, dan.

Aan het begin van mijn loopbaan, nadat ik was afgestudeerd aan de politieacademie en twee jaar lang bij de politie van Santa Teresa had gewerkt, zat ik een half jaar lang bij de afdeling diefstallen, waar zaken als inbraak, oplichting, auto- en winkeldiefstal onder vielen. Winkeldieven waren een ramp voor de winkeliers, die miljoenen dollars kwijt waren aan wat men eufemistisch als 'afname van de inventaris' omschreef. Die oude opleiding kwam weer bovendrijven. Ik onthield de tijd (vijf voor half zes) en bestudeerde de vrouw alsof ik al foto's van boeven zat te bekijken, op zoek naar die van haar. Opeens schoot me de jongere vrouw te binnen met wie ze had staan praten. Die vrouw was nergens meer te bekennen, maar het zou me niets verbazen als ze samenwerkten.

Nu ik de oudere vrouw wat beter opnam, schatte ik haar eerder halverwege de zestig dan in de vijftig. Ze was kleiner dan ik en waarschijnlijk een kilo of twintig zwaarder; ze had kort blond haar dat getoupeerd was en stijf stond van de haarlak. In de heldere lampen was haar rouge roze en haar nek spierwit. Ze liep naar een tafel met kanten body's en voelde goedkeurend aan de stof. Ze keek om zich heen of er personeel in de buurt was en pakte toen met haar wijs- en middelvinger een body op en verfrommelde het als een zakdoek in haar hand. Ze stak het kledingstuk in haar tas en haalde er in één soepele beweging haar poederdoos uit. Ze poederde haar neus en werkte haar oogmake-up wat bij, terwijl de body veilig en wel in haar tas zat. Ik keek naar het rek met bh's en bijpassende slipjes waar de twee vrouwen hadden gestaan. Het rek was beduidend minder vol en ik nam aan dat zij of de andere vrouw daar ook wat van had meegenomen. Ik wil niet rot doen, maar ze had er op tijd mee op moeten houden.

Ik liep naar de kassa. De verkoopster glimlachte vriendelijk toen ik de slipjes op de balie legde. Op haar naambordje stond CLAUDIA RINES, VERKOOPSTER. We kenden elkaar van Rosie's Tavern, dat vlak bij mijn appartement ligt, en waar ik haar af en toe zag. Ik ging daar naartoe omdat ik bevriend was met Rosie, maar ik kon me niet voorstellen waarom iemand daar vrijwillig zou gaan eten, op een paar niet erg kritische buren na die meer met alcohol hadden. Toeristen meden het restaurant dat er niet alleen slordig en vooroorlogs uitzag, maar ook nog eens van alle charme was gespeend; erg aantrekkelijk dus voor mensen zoals ik.

Zacht zei ik tegen Claudia: 'Niet meteen kijken, maar de vrouw daar aan die tafel in het zwarte broekpak heeft net een kanten body en twee zijden pyjama's gepikt.'

Ze wierp een blik op de klant. 'Die blonde van middelbare leeftijd?'

'Ja.'

'Dat regel ik wel,' zei ze. Ze pakte de huistelefoon en ging dusdanig staan dat ze de vrouw in de gaten kon houden terwijl ze op zachte toon een gesprek voerde. Zodra hij op de hoogte was gesteld, zou de beveiliger die de monitors onder zijn hoede had de schermen naspeuren op zoek naar de verdachte. Strategisch geplaatste camera's bestreken alle drie de verdiepingen, die ruim negenhonderd vierkante meter verkoopoppervlak besloegen. Zodra hij haar in het oog kreeg, kon hij de camera op en neer en van links naar rechts bewegen om haar voortdurend te volgen, en werd er een andere beveiliger op af gestuurd.

Claudia legde de hoorn neer en glimlachte nog steeds vriendelijk. 'Hij komt eraan. Hij is nu op de verdieping onder ons.'

Ik gaf haar mijn creditcard en wachtte terwijl zij de prijskaartjes eraf haalde en de bedragen aansloeg. Ze deed mijn aankopen in een plastic tas en liep om de balie heen om die aan mij te geven. Ze was zich ongetwijfeld net zo bewust van de winkeldievegge als ik, hoewel we dat zo min mogelijk lieten merken. In de verte gingen de liftdeuren open en een man in een donkergrijs pak kwam er al pratend in een walkietalkie uit. Hij had net zo goed een bord boven zijn hoofd kunnen houden waar BEVEILIGER op stond.

Hij liep langs de kinderkleding naar de lingerieafdeling, waar hij even met Claudia praatte. Ze gaf door wat ik haar had verteld en zei tegen mij: 'Dit is meneer Koslo.'

We knikten elkaar toe.

'Weet u het zeker?' vroeg hij.

Ik zei: 'Zeer zeker.' Ik haalde een kopietje van mijn vergunning als privédetective tevoorschijn en legde dat op de balie zodat hij het kon bekijken. Hoewel we geen van allen rechtstreeks naar de vrouw in het broekpak keken, viel het me op dat ze wit wegtrok. Winkeldieven ruiken het meteen als er gevaar dreigt. Niet alleen de camera's, maar ook de verkoopsters en de beveiligers vormden een gevaar. Ik wist bijna wel zeker dat ze een fotografisch geheugen had voor elke klant in de omgeving.

De klanten schenen niet te merken dat er iets aan de hand was, maar ik was als betoverd. De blik van de winkeldievegge vloog van de beveiliger naar de liften. Als ze daar rechtstreeks naartoe wilde lopen, kwam ze langs hem. Dat leek mij niet zo slim, en haar blijkbaar ook niet. Ze kon beter afstand bewaren en hopen dat het gevaar vanzelf wegging. In de meeste winkels luiden de richtlijnen dat je geen contact met een verdachte klant moet opnemen zolang ze nog in de winkel is en kan betalen. Voorlopig was de vrouw veilig, hoewel het aan haar bewegingen duidelijk te zien was dat ze zich zorgen maakte. Ze keek op haar horloge. Ze wierp een blik op het toilet. Ze pakte een hemdje op, bekeek dat even en legde het toen weer neer. De dingen die ze had gestolen, brandden vast zowat een gat in haar tas, maar ze kon ze niet terugleggen zonder de aandacht te trekken.

Bij het vooruitzicht dat ze opgepakt zou worden, had ze vast van tevoren diverse ontsnappingsmogelijkheden bedacht. Het beste wat ze kon doen, was naar het toilet gaan en daar de gestolen spullen in de prullenmand proppen. Ze kon ook nog de boodschappentas ergens neerzetten en naar de lift lopen, in de hoop dat ze ermee weg zou komen. Zonder de gestolen spullen in haar bezit, zou haar dat ook lukken. Totdat ze de winkel verliet zonder te betalen, was er nog niets aan de hand. Dat wist ze waarschijnlijk ook wel, en ze liep uit het blikveld van meneer Koslo weg naar de grotematenafdeling voor dames, waar ze prima op haar plek leek.

Koslo liep weg bij de balie zonder de vrouw aan te kijken. Ik zag hem een wijde boog maken en haar van achteren benaderen. Claudia nam de roltrap naar beneden, waarschijnlijk om de vrouw tegen te houden als ze die route wilde nemen.

De winkeldievegge zocht naar ontsnappingsmogelijkheden. Ze kon via de lift, de roltrap en de brandtrap naar beneden. Koslo liep tien meter achter haar en de lift en de brandtrap leken haar waarschijnlijk te ver weg om de gok te wagen. Het gangpad waar ze liep verbreedde zich bij de roltrappen, die verleidelijk dichtbij waren. Ze slenterde de grotematenafdeling af en liep op haar gemakje over de marmeren vloer naar de roltrappen. Koslo ging iets langzamer lopen om gelijke tred met haar te houden.

Aan de andere kant van de roltrappen zag ik in het gangetje naar het damestoilet de jongere vrouw in de donkerblauwe jurk aan komen lopen. Ze bleef opeens staan en toen de winkeldievegge bij de roltrap aankwam keken ze elkaar even aan. Als ik al twijfels had of ze onder één hoedje speelden, waren die nu wel verdwenen. Ze waren wellicht zussen of moeder en dochter die regelmatig proletarisch gingen winkelen. In dat korte moment nam ik de jongere vrouw eens goed op. Ze was blond, een jaar of veertig, met ongekamd haar tot op haar schouders en was nauwelijks opgemaakt. Ze draaide zich op haar hakken om en liep terug naar het toilet, terwijl de oudere vrouw de roltrap op stapte, met Koslo zeven passen achter haar. De twee verdwenen uit beeld, eerst zakte het hoofd van de vrouw naar beneden en toen dat van hem.

Ik liep naar de reling en keek eroverheen en zag hem rustig naar de tweede verdieping afdalen. De vrouw was zich vast bewust van het feit dat ze geen kant op kon, want de knokkels van haar rechterhand waren wit, zo stevig hield ze de leuning vast. Door het trage tempo van de roltrap ging haar hart vast als een gek tekeer. Het vluchtinstinct is bijna niet te onderdrukken en ik bewonderde haar zelfbeheersing. Haar partner kon haar niet helpen. Als de jongere vrouw zich ermee bemoeide liep ze het risico ook opgepakt te worden.

Claudia stond op de eerste verdieping onder aan de roltrap te wachten. De winkeldievegge staarde recht voor zich uit, misschien dacht ze wel dat als ze hen niet zag, zij haar ook niet zouden zien. Eenmaal op de tweede verdieping draaide ze snel de volgende roltrap op. Claudia stapte achter haar de roltrap op, dus nu had ze twee winkelmedewerkers in slow motion in haar kielzog. Het feit dat de dievegge zich bewust van hen was, gaf haar een groot voordeel. De achtervolging was echter inmiddels al zo vergevorderd, dat het te laat was om op te geven. Ik zag een gedeelte van de schoenenafdeling op de begane grond, en daarvandaan was het maar een klein stukje naar de automatische deuren van de uitgang. Ik liet de drie hun gang gaan. Ik had niets met de oudere vrouw te maken. Ik was meer geïnteresseerd in haar compagnon.

Ik liep door het gangetje naar het damestoilet en ging naar binnen. Ik hoopte dat ze er nog zou zijn, maar het kon ook dat ze was weggeglipt terwijl ik haar vriendin in de gaten hield. Aan mijn rechterhand was een ruimte voor moeders met een baby, waar ze hun de borst of de fles konden geven, hun vieze luier konden verwisselen of op een comfortabele bank neer konden ploffen. Er was niemand aanwezig.

Ernaast was een ruimte met aan twee muren een aantal wasbakken en spiegels, papieren handdoekjes, handdrogers en afvalbakken. Een Aziatische vrouw was bezig haar handen te wassen, maar zo te zien was ze de enige klant. Er werd een toilet doorgespoeld en de jongere vrouw kwam uit het tweede hokje lopen. Ze had nu een rode baret op en droeg een witlinnen jasje over haar marineblauwe jurk. Ze had nog steeds de boodschappentas en haar grote leren tas bij zich. Het enige wat me opviel was een klein horizontaal streepje tussen haar onderlip en haar kin, het soort litteken dat je krijgt als je als kind van een schommel valt of tegen de punt van de salontafel stoot. Ze wendde haar hoofd af terwijl ze langs me liep. Als ze me al herkende van de lingerieafdeling, liet ze dat niet merken.

Ik deed net of mijn neus bloedde en liep naar de wc waar zij net uit was gekomen. In de afvalbak lagen zes prijskaartjes die uit kleding waren geknipt. Ik hoorde haar weglopen. De deur naar de toiletten werd dichtgedaan. Ik ging haar snel achterna en zette de deur op een kier. Ze was nergens te bekennen, maar erg ver kon ze niet zijn. Ik liep het gangetje in en keek naar rechts. Ze stond bij de liften en drukte op het knopje voor naar beneden. Haar hoofd kwam omhoog, net als dat van mij, toen er op de begane grond opeens een sirene afging. De oudere vrouw was waarschijnlijk met de gestolen spullen door de poortjes bij de deuren gelopen waardoor de sirene was afgegaan. Eenmaal buiten kon de beveiliger haar tegenhouden en verzoeken met hem mee te komen.

De jongere vrouw drukte een paar keer achter elkaar op de knop, alsof de lift daardoor sneller zou komen. De liftdeuren gleden open en er kwamen twee zwangere moeders uit met een buggy. De jongere vrouw wrong zich langs hen heen en een van hen wierp haar een geërgerde blik toe. Een klant kwam haastig aanlopen en riep dat ze meewilde. Een van de zwangere vrouwen hield haar hand voor de deuren zodat ze niet dicht zouden gaan. De klant glimlachte blij en liep de lift in terwijl ze een bedankje mompelde. De liftdeuren gingen dicht en de twee zwangere vrouwen begaven zich naar de kinderafdeling.

Ik trok een sprintje naar het trappenhuis, duwde met mijn achterste de deur open en stond bij de trap. Ik holde met twee treden tegelijk naar beneden, onderwijl inschattend hoe de jongere vrouw weg zou willen komen. Ze kon met de lift naar de eerste verdieping of naar de begane grond gaan, of zelfs helemaal naar de kelder, waar de parkeergarage was. Als ze doorhad dat ik achter haar aanzat, zou ze misschien op de eerste uit de lift stappen en met de roltrap weer naar de tweede gaan om me zo af te schudden. Aan de andere kant wilde ze waarschijnlijk zo snel mogelijk het warenhuis verlaten, waardoor de begane grond veel logischer was. Als ze eenmaal tussen het winkelende publiek liep, hoefde ze alleen maar het witte linnen jasje en de rode baret af te doen en zich uit de voeten te maken, want ik zou toch pas bij de deuren zijn als zij allang in de menigte was opgegaan. Ik was op de eerste verdieping aanbeland, zwierde met behulp van de reling de volgende trap op en rende verder naar beneden. Er viel me al dravend iets in. Als zij naar de winkel was gegaan om eens rustig een dagje te gaan stelen, was ze wellicht met de auto gekomen, vast uitgerust met een ruime kofferbak waar de vele boodschappentassen met gestolen spullen in konden. Hoe vaak had ik klanten niet boodschappentassen in hun auto zien leggen om vervolgens weer terug naar het winkelcentrum te gaan?

Ik kwam op de begane grond aan en liep langs de deur naar de parkeergarage. Het trapje ernaartoe nam ik met twee sprongen. De deur onder aan de trap kwam uit op een kleine hal voorzien van vloerbedekking. Aan weerskanten bevonden zich kantoren met een glazen deur. De deuren van de garage schoven open toen ik aan kwam lopen en gingen weer beleefd achter me dicht. Ik bleef even staan om de grote ondergrondse garage in me op te nemen. Ik stond bij een doodlopend stuk, met de populairste parkeerplekken omdat die dicht bij het warenhuis waren. Ik heb vaak mensen rondjes zien rijden in de hoop zo'n plekje te kunnen bemachtigen. Ze waren dit keer allemaal bezet en bij geen enkele auto brandden de achterlichten om aan te geven dat er snel een plekje vrijkwam.

Ik wandelde door en bekeek de rijweg die naar de achterkant van de garage liep en daar overging in twee rijbanen die via een schuin oplopende bocht uitkwamen op de uitgang op straatniveau. De ruimte werd verlicht door een paar platte tl-buizen aan het lage betonnen plafond. Ik hoorde niemand rennen. Het was een komen en gaan van auto's die de parkeergarage in reden en auto's die weggingen. Om erin te kunnen moest je op een knop drukken en wachten tot je een kaartje uit de automaat kreeg. Wilde je eruit, dan moest je datzelfde kaartje aan de parkeerwacht laten zien, die het stempel met de datum en de tijd moest bestuderen om uit te rekenen hoeveel parkeergeld je schuldig was. Aan mijn rechterhand was de dichtstbijzijnde uitgang, waarvoor je een kleine helling op moest rijden die uitkwam in Chapel Street. Bovenaan stond een bordje waarop stond KIJK UIT VOOR VOETGANGERS, LINKS AFSLAAN VERBODEN. Terwijl ik daar stond, reden er twee auto's langs, een kwam de helling af en de andere reed erop. Ik keek even naar de automobilist die weg wilde, maar het was niet de vrouw naar wie ik op zoek was.

Plotseling hoorde ik een motor aanslaan. Ik kneep mijn ogen

tot spleetjes en hield mijn hoofd schuin om erachter te komen waar het geluid vandaan kwam. Door het kunstlicht in de garage en de sombere betonnen omgeving was het bijna onmogelijk te bepalen. Ik draaide me om en zag zo'n zes meter verderop een paar rode achterlichten branden en de witte flits van achteruitrijlampen. Een zwarte Mercedes coupé schoot met een noodgang achteruit van een parkeerplek, maakte een scherpe bocht en kwam achteruit mijn kant op rijden. De jongere vrouw had haar arm over de stoel naast haar geslagen en kwam recht op me af, af en toe bijsturend als de auto te veel naar rechts of links uitsloeg. De achterkant van de Mercedes kwam verrassend snel mijn richting op. Ik sprong tussen twee geparkeerde auto's en knalde met mijn scheenbeen tegen de bumper van de ene. Ik struikelde en stak mijn rechterhand uit om mijn val te breken. Ik kwam op mijn schouder terecht en krabbelde zo snel mogelijk weer overeind.

De vrouw ramde de versnellingspook in de D-stand en scheurde met piepende banden weg. Noodgedwongen moest ze voor het loket stoppen, en ze overhandigde net het ticket toen ik aan kwam strompelen zonder ook maar een kans om haar in te halen. De parkeerwacht keek op het kaartje en gebaarde dat ze door kon rijden, zich totaal onbewust van het feit dat ze me net bijna omver had gereden. De slagboom ging omhoog en de vrouw glimlachte voldaan naar me terwijl ze de helling op reed en de straat insloeg.

Buiten adem boog ik me voorover en legde mijn handen op mijn knieën. Ik merkte nu pas dat ik mijn rechterhand tot bloedens toe geschaafd had. Mijn rechterscheenbeen deed pijn en ik wist dat het een akelige blauwe plek zou worden.

Ik keek op toen een man aan kwam lopen die me mijn schoudertas aangaf en me bezorgd aankeek. 'Gaat het? Die vrouw reed je bijna van je sokken.'

'Ja, het gaat wel. Maak je maar geen zorgen.'

'Zal ik de beveiliging erbij halen? Je zou eigenlijk aangifte moeten doen.'

Ik schudde het hoofd. 'Heb je het kentekennummer gezien?'

'Nee, dat niet, maar het was een Lincoln Continental. Donkerblauw, als je daar iets aan hebt.'

Ik zei: 'Goed gezien. Bedankt.'

Zodra hij weg was, vermande ik mezelf en ging ik op zoek naar mijn auto. Mijn scheenbeen deed pijn en mijn hand stak op de plek waar het steengruis zich in de wond had vastgebeten. Ik had er niets mee bereikt. Ik had dan wel gezien dat het een zwarte Mercedes was, maar had totaal niet op het nummerbord gelet. Stom, stom, stom.

3

Een kwartier later sloeg ik Cabana Boulevard af en reed ik Albanil Boulevard in. Ik zette mijn Mustang een paar huizen verderop langs de straat en strompelde het stuk naar huis. Ik kon het voorval maar niet van me afzetten. Ongelooflijk wat je allemaal over het hoofd ziet als iemand je overhoop wil rijden. Het had geen zin om mezelf voor mijn kop te slaan omdat ik niet op het kenteken had gelet. Nou oké, een beetje dan wel, maar ik hield me in. Het was alleen te hopen dat de vrouw in het zwarte broekpak was opgepakt en aangeklaagd, dat ze in hechtenis werd genomen, haar vingerafdrukken werden afgenomen en haar foto werd gemaakt. Als zij nog niet lang bezig was, zou een avondje in de cel haar misschien genezen van haar neiging om te stelen. Als ze al heel lang winkeldievegge was, zou ze er misschien even mee ophouden, in elk geval totdat ze voor de rechter moest verschijnen. Misschien dat haar vriendin er ook wat van leerde.

Toen ik aan kwam lopen, zag ik dat Henry de vuilnisbakken al had klaargezet, ook al werd het vuilnis pas op maandag opgehaald. Ik liep door het knarsende hekje en ging achterom. Daar deed ik de deur naar mijn appartement van het slot en ik liet mijn schoudertas op de keukenstoel vallen. Ik knipte de bureaulamp aan en trok mijn broekspijp op om te zien wat de schade was, en had daar meteen spijt van. Er zat een enge glimmende bult op mijn scheenbeen, met aan weerskanten een grote blauwe plek die inmiddels paars gekleurd was. Ik speel liever geen tikkertje met een grote coupé. Ik vind het wat minder om als een stuntvrouw tussen een paar auto's te duiken. Ik was er achteraf nog kwader over dan toen het gebeurde. Er zijn mensen die vinden dat je moet vergeven. En daar ben ik het helemaal mee eens, maar wel nadat ik ze met gelijke munt heb terugbetaald.

Ik stak de patio over naar Henry's huis. Het licht in de keuken brandde en de deur met de glazen ruit stond open, hoewel de hordeur op het haakje zat. Ik rook erwtensoep die op het fornuis stond te pruttelen. Henry was aan het bellen. Ik klopte op de deurplint zodat hij wist dat ik er was. Hij gebaarde dat ik binnen moest komen en toen ik naar de hordeur wees, liep hij zo ver het snoer het toeliet naar de deur toe en maakte het haakje los. Hij ging door met het gesprek en zei terwijl hij druk gebaarde met een envelop waar een ticket in zat: 'Via Denver. Ik heb anderhalf uur de tijd om over te stappen. Ik kom om vijf over drie aan. De retourdatum heb ik opengelaten, dus ik kan terug wanneer ik wil.'

Hij was even stil, terwijl degene die hij aan de telefoon had zo hard terugpraatte dat ik het bijna letterlijk kon verstaan. Henry hield de telefoon een eindje bij zijn oor vandaan en wuifde zichzelf koelte toe met de envelop terwijl hij zijn ogen ten hemel sloeg.

Hij onderbrak de prater al snel. 'Prima. Maak je maar geen zorgen. Ik neem anders wel een taxi. Als je er bent, is dat mooi. Zo niet, dan kom ik zo snel mogelijk naar je toe.'

Het gesprek ging nog een tijdje door en ik stak mijn ontvelde hand op, die aardig gehavend was. Hij keek er eens goed naar en trok een gezicht. Terwijl hij bleef praten, gooide hij de envelop op het werkblad, trok een la open en haalde er een flesje ontsmettingsvloeistof en een pak watten uit.

Nadat hij afscheid had genomen, hing hij de telefoon weer aan de muur en nodigde me uit plaats te nemen. 'Hoe heb je dat voor elkaar gekregen?'

Ik zei: 'Dat is een heel verhaal', en gaf hem de korte versie van de winkeldiefstal en mijn poging om de identiteit van de jongere vrouw te achterhalen. 'Je zou mijn scheenbeen moeten zien,' zei ik. 'Het is net alsof iemand me met een bandenlichter heeft aangevallen. Het gekke is dat ik zelfs niet meer weet hoe het gegaan is. Het ene moment komt ze recht op me af, het volgende moment vlieg ik in de lucht om weg te komen.'

'Waarom ga je ook achter haar aan? Wou je haar soms oppakken of zo?'

'Daar heb ik helemaal niet bij stilgestaan. Ik wou weten wat haar kenteken was, maar dat lukte dus niet,' zei ik. 'Wat er is aan de hand? Ga je op reis?'

'Ik ga naar Detroit. Nell heeft een smak gemaakt. Lewis belde me vanochtend wakker terwijl ik nog in diepe slaap was.'

'Is ze gevallen? Dat is niets voor haar. Ze is vreselijk stabiel.'

Hij druppelde ontsmettingsvloeistof op een watje en drukte dat op de wond. Bij de schaafwond vormde zich een beetje schuim. Het deed geen zeer meer, maar ik genoot ervan dat hij me bemoederde. Hij fronste zijn wenkbrauwen. 'Ze was een blikje tonijn aan het openmaken en de kat liep voortdurend tussen haar benen door. Je kent dat wel. Ze wou zijn bakje op de grond zetten, struikelde over hem, viel en brak haar bekken. Lewis zegt dat het klonk alsof er een honkbal weg werd geslagen. Ze wou opstaan, maar de pijn was verschrikkelijk, dus hebben ze maar het alarmnummer gebeld. Ze is van de Spoedeisende Hulp overgebracht naar de operatiekamer en toen belde hij mij. Ik heb zo snel mogelijk mijn reisagent gebeld en zij heeft een stoel voor de eerste de beste vlucht geregeld.'

'Welke kat? Ik wist niet dat ze een kat hadden.'

'Had ik je dat niet verteld? Charlie heeft een maand geleden een zwervertje in huis gehaald. Een gratenpakhuis, zo te horen, zonder staart en met maar anderhalf oor. Lewis wilde het schooiertje meteen naar het asiel brengen, maar Charlie en Nell wilden daar niets van horen. Lewis voorspelde dat er weinig goeds van zou komen – schurft, allergie, bloedvergiftiging, ringworm – en ja hoor, vanochtend sloeg het noodlot toe, zoals hij het verwoordde. Bijna zijn hele verhaal kwam neer op het feit dat hij het aan had zien komen.' Hij legde de verbandspullen weer in de la.

'Maar met Nell gaat het goed?'

Henry haalde zijn schouders op. 'Lewis zegt dat ze een titanium pin in haar heup hebben gestoken en god weet wat nog meer. Hij was moeilijk te volgen. Ik neem aan dat ze een paar dagen in het ziekenhuis blijft en dan naar een revalidatiekliniek moet.'

'Het arme mens.'

Nell, de zus van Henry, was negenennegentig en normaal gesproken zo gezond als een vis; ze was niet alleen zeer actief maar ook buitengewoon levendig. Voor zover ik wist was de enige andere keer dat ze in het ziekenhuis had gelegen een jaar of negentien geleden toen ze een of ander 'vrouwenkwaaltje' had en haar baarmoeder was verwijderd. Achteraf verklaarde ze dat, hoewel ze zich op haar tachtigste erbij neer had gelegd dat ze geen kinderen meer zou krijgen, ze het toch erg vond dat hij eruit moest. Ze was niet eerder een deel van zichzelf kwijtgeraakt en had gehoopt dat ze met alles erop en eraan het graf in had kunnen gaan. Nell was nooit getrouwd geweest en had geen kinderen. Haar vier jongere broers hadden dat gemis goedgemaakt, en haar in hun jeugd het bloed onder de nagels vandaan gehaald, want zo zijn kinderen nu eenmaal. Henry was de jongste en had een betere band met Nell dan de andere kinderen. Die twee waren net een stel boekensteunen, ze hielden de drie broers tussen hen in overeind. Henry was na Nell de grootste regelaar in de familie. Eerlijk gezegd was hij dat ook voor mij.

William, die met zijn negenentachtig jaar een jaar ouder was dan Henry, was vier jaar geleden in Santa Teresa komen wonen en was vervolgens getrouwd met Rosie, een vriendin van mij, die het eethuis runt waar ik altijd naartoe ga. Lewis en Charlie woonden nog steeds thuis, hoewel ze prima voor zichzelf konden zorgen. Ze hadden het er moeilijk mee dat Nell tijdelijk invalide was. De jongens hadden respect voor haar en hadden hun leven en hun welzijn in haar handen gelegd. Zonder haar, al was het maar even, wisten ze zich geen raad.

'Hoe laat gaat je vliegtuig?'

'Om half zeven. Ik moet dus om half vijf al opstaan, maar ik kan in het vliegtuig nog wat slapen.'

'Gaat William met je mee?'

'Ik heb hem ervan overtuigd dat het niet hoefde. Hij heeft al een tijd last van zijn maag en kreeg het helemaal op zijn heupen nu Nell is gevallen. Als hij meeging zou ik twee patiënten hebben.'

William was een overtuigd hypochonder en kon maar beter niet in de buurt van zieke of gewonde mensen komen. Henry had me eens verteld dat William in de maanden voordat Nells baarmoeder verwijderd zou worden elke maand kramp had, die werd veroorzaakt door een geïrriteerde darm, zoals achteraf werd vastgesteld.

'Ik wil je wel naar het vliegveld brengen,' zei ik.

'Dat is mooi. Dan hoef ik mijn auto daar niet op het parkeerterrein te laten staan.' Hij zette de oven aan om voor te verwarmen en richtte zijn blauwe ogen op mij. 'Wat doe je met eten?'

'Laat maar. Ik wil niet dat je je zorgen over mij gaat maken. Heb je je koffer al gepakt?'

'Nog niet, maar ik moet nog eten. Daarna haal ik mijn koffer wel tevoorschijn. Er zit was in de droger, dus ik kan toch pas gaan inpakken als dat droog is. Er ligt chardonnay in de koelkast.'

Ik schonk mezelf een glas witte wijn in en pakte toen een tumbler en deed daar ijsblokjes in. De Black Jack staat in het gootsteenkastje en ik schonk een driedubbele voor hem in. Ik keek hem aan en hij zei: 'En zo veel water.' Hij hield zijn duim en wijsvinger bijna tegen elkaar aan om de hoeveelheid aan te geven.

Ik deed er wat kraanwater bij en gaf hem het glas aan, waar hij tijdens het koken slokjes van nam.

Ik dekte de tafel. Henry haalde een paar zelfgemaakte broodjes uit de vriezer en legde ze op een bakplaat. Zodra de oven piepte, schoof hij de bakplaat erin en stelde hij de tijd in. Henry is vroeger bakker geweest en hij bakt nog steeds een gestage stroom brood, broodjes, koekjes, cakes en kaneelkoekjes die zo lekker zijn dat ik er de tranen van in mijn ogen krijg.

Ik ging aan tafel zitten en zag een lijst liggen met de dingen die hij voor zijn vertrek nog moest doen. Hij had de krant al tijdelijk opgezegd, kleding bij de stomerij opgehaald en een tandartsafspraak verschoven. Bij dat klusje had hij een smiley getekend. Henry had een hekel aan de tandarts en stelde zijn bezoekjes zo lang mogelijk uit. Hij had de regel doorgestreept dat hij de vuilnisbakken voor maandag buiten moest zetten. Hij had de lampen op de timer gezet en de watertoevoer van de wasmachine dichtgedraaid, zodat er tijdens zijn afwezigheid geen calamiteiten konden plaatsvinden. Hij moest mij nog vragen om voor de planten te zorgen en om de dag even door zijn huis te lopen om te zien of alles in orde was. Ik streepte dat voor hem door. Tegen die tijd had Henry een salade bereid en was hij soep in kommen aan het scheppen. We schrokten zoals altijd het eten naar binnen, alsof we trainden voor een wereldrecord. Ik had een lichte voorsprong.

Na het eten hielp ik hem met de afwas en daarna ging ik met een zak vol bederfelijke waar die hij me had meegegeven naar mijn eigen huis.

De volgende ochtend werd ik om vijf uur wakker, ik poetste mijn tanden, waste mijn gezicht en zette een gebreide muts op, zodat mijn haar, dat aan de ene kant plat zat en aan de andere kant rechtovereind stond, niet meer opviel. Het was zaterdag, de dag waarop ik niet zoals doordeweeks vijf kilometer ging hardlopen, maar voor het gemak trok ik toch mijn joggingpak en sportschoenen aan. Henry stond al achter zijn huis op me te wachten toen ik naar buiten kwam. Hij zag er schattig uit; een nette broek en een wit overhemd met een blauwe kasjmieren trui. Zijn grijze haar, nog vochtig door de douche, was netjes in een scheiding gekamd. Ik zag al voor me hoe weduwen in het vliegtuig alles in de strijd zouden gooien om de stoel naast hem te bemachtigen.

Tijdens het drieëntwintig minuten durende ritje naar het vliegveld zaten we te kletsen, zodat ik niet hoefde stil te staan bij het feit dat ik hem vreselijk zou missen zodra ik hem af had gezet. Ik ging na of zijn vlucht op tijd zou vertrekken en toen zwaaide ik naar hem en reed met een brok in mijn keel weg. Ik mag dan een stoere privédetective zijn, maar wat afscheid nemen betreft ben ik een watje. Eenmaal thuis trok ik mijn schoenen en joggingpak uit, stapte weer in bed en trok de dekens op tot aan mijn kin. Door het dakraam boven mijn bed zag ik nog net de gloed van de dageraad toen ik eindelijk mijn ogen dichtdeed en naar dromenland vertrok.

Om acht uur was ik weer wakker, ik ging onder de douche, trok een spijkerbroek aan, zoals altijd, een coltrui en laarzen en keek even naar het journaal terwijl ik een kom melk met muesli naar binnen werkte. De krant noch de lokale tv-zender maakte melding van de winkeldievegge, er stond zelfs geen berichtje van twee regels in de krant. Ik had graag geweten hoe de vrouw heette en hoe oud ze was, en ook wat er verder met haar ging gebeuren. Was ze gearresteerd en was er een aanklacht ingediend, of was ze de winkel uitgezet en had men gezegd dat ze niet meer welkom was? Elke winkel had daar zijn eigen beleid voor; het varieerde van een waarschuwing en weer op vrije voeten zetten tot een vervolging, iets waar ik persoonlijk voor zou gaan.

Geen idee waarom ik dacht dat het nieuws zou zijn. Er vinden elke dag misdaden plaats die het publiek totaal niet interessant vindt. Kleine criminaliteit als inbraak en diefstal wordt meestal op de achterste bladzijde gezet, voorzien van een lijst met de gestolen goederen. Vandalisme heeft iets meer nieuwswaarde. Afhankelijk van het politieke klimaat krijgen bumperklevers wel of geen berichtje in de krant. Witteboordencriminaliteit – met name fraude en verduistering van gemeenschapsgeld – zal nog meer dan moord een stroom van boze brieven naar de krant teweegbrengen waarin de inhaligheid van mensen fel veroordeeld werd. Mijn winkeldievegge en haar compagnon waren vast al weg; het enige aandenken aan hen was mijn pijnlijke scheenbeen. Ik zou nog een tijdlang voetgangers en zwarte Mercedessen in de gaten houden, in de hoop een van hen te ontdekken. Ik zat me er al helemaal op voor te bereiden.

In de tussentijd zette ik schoonmaakspullen in mijn auto voor de wekelijkse zaterdagse schoonmaakbeurt. Om negen uur was ik bij mijn kantoor en ik kon zowaar voor de deur mijn auto kwijt. Ooit had ik een schoonmaakbedrijf, de Mini-Maids, dat mijn kantoor eens per week onderhanden nam. Ze werkten bijna altijd met z'n vieren, maar het waren nooit dezelfde vier mensen. Ze hadden allemaal hetzelfde T-shirt aan en kwamen voorzien van dweilen, stofdoeken, stofzuigers en verschillende schoonmaakproducten aanzetten. De eerste keer dat ze voor me schoonmaakten kostte het hun een uur van grondig en gewetensvol boenen. Ik legde er grif vijftig dollar voor neer, want de ramen waren gelapt, de meubels geboend en het tapijt was nog nooit zo schoon geweest. Elke schoonmaakbeurt werkten ze wat sneller, totdat ze het in een kwartier voor elkaar kregen en ze zich naar de volgende opdracht haastten alsof hun leven ervan afhing. Zelfs toen waren ze voornamelijk aan het kletsen. Eenmaal weg ontdekte ik dan een dode vlieg op het raamkozijn, een spinnenweb aan het plafond en koffiedik (of waren het mieren?) op het aanrecht in mijn keukentje. Vijftig dollar voor een kwartier lang werken (inclusief gegiechel en geroddel) kwam neer op tweehonderd dollar per uur, en dat was vier keer meer dan ik verdiende. Ik ontsloeg ze met het heerlijke gevoel van soberheid en spaarzaamheid. Nu deed ik het helemaal zelf.

Pas toen ik de stofzuiger uit de kofferbak had getild, zag ik een man bij mij op het stoepje een sigaret zitten roken. Zijn spijkerbroek was op de knieën vaal geworden en zijn bruine laarzen zagen er gehavend uit. Hij had brede schouders en zijn blauwe overhemd was van satijn, hij stond open tot aan de navel en de mouwen waren opgestroopt. De naam Dodie stond op zijn rechterarm getatoeëerd. Ik wist even niet wie hij was, maar toen schoot het me weer te binnen.

Hij grinnikte en zijn gouden snijtanden schitterden in zijn verweerde gezicht. 'Je weet niet meer wie ik ben,' merkte hij op terwijl ik naar hem toe liep.

'Toch wel. Je bent Pinky Ford. Ik dacht dat je nog in de gevangenis zat.'

'Ik ben al sinds mei op vrije voeten. Toegegeven, afgelopen vrijdag werd ik nog opgepakt omdat ik dronken aan het stuur zat, maar vrienden van mij hebben de borgtocht betaald. Daar zijn ze ook voor, nietwaar? Maar goed, ik moest toch vanochtend naar de gevangenis en omdat ik in de buurt was, leek het me een goed idee om even langs te komen om te kijken hoe het met je gaat. Hoe gaat het met je?' Het was aan zijn stem te horen dat hij al zijn hele leven rookte.

'Ja, goed, dank je. En met jou?'

'Goed, hoor,' zei hij. De stofzuiger scheen hem niet op te vallen en ik ging het niet uitleggen. Het ging hem niets aan dat ik af en toe als hulp werkte. Hij gooide zijn peuk op de stoep en kwam overeind terwijl hij zijn broek afklopte. Hij was net zo lang als ik, een meter zevenenzestig, mager, met o-benen en gebruind door te veel zon. Zijn armen en borst waren gespierd en de aderen lagen er dik bovenop. Hij was vroeger jockey geweest, totdat hij er voor de zoveelste keer werd afgeworpen en maar naar een ander baantje ging uitkijken. Hij was op zijn tiende gaan roken en bleef daarmee doorgaan omdat hij alleen op die manier onder de toegestane zevenenvijftig kilo kon blijven. Zo zwaar mocht je hooguit wegen voor de Kentucky Derby, waar hij twee keer aan mee had gedaan. Dat was een tijd geleden, voordat zijn leven faliekant de verkeerde kant op ging. Hij bleef roken om dezelfde reden waarom alle veelplegers dat doen, voor een beetje afleiding als hij in de gevangenis zat.

Ik zette de stofzuiger neer, stak de sleutel in het slot en zei achterom tegen hem: 'Je hebt geluk dat je me treft. Ik ben hier bijna nooit op zaterdag.'

Ik liep met hem naar het kantoor en het viel me op dat hij erger was gaan hinken. Ik kende het gevoel. Pinky was in de zestig, had ravenzwart haar, donkere wenkbrauwen en diepe groeven bij zijn mond. Hij had een licht snorretje en een sikje bestaande uit stoppels. Om zijn linkerpols zat een witte streep waar een horloge had gezeten.

'Ik wilde net koffiezetten, als je daar zin in hebt.'

'Dat zou er wel in gaan.'

Nadat de liefde voor paardrennen was bekoeld, was hij zich gaan toeleggen op een lange, niet erg succesvolle carrière als inbreker bij bedrijven. Ik had gehoord dat hij uiteindelijk ook woonhuizen erbij betrok, maar wist dat niet zeker. Hij was degene die mij een paar jaar geleden een set inbreekwerktuigen in een leren etui had gegeven. Heel handig als een gesloten deur me in de weg stond.

Hij had me een keer ingehuurd toen hij in de gevangenis zat en zich zorgen maakte over zijn vrouw Dodie. Hij was ervan overtuigd dat ze met de buurman lag te rollebollen. Ze bleek volkomen trouw te zijn (voor zover ik dat tenminste kon nagaan), kon ik hem vertellen na haar een maand in de gaten te hebben gehouden.

Hij gaf me het setje in plaats van geld, aangezien hij zijn geld op een illegale manier had verkregen en terug moest geven aan de gemeenschap.

'Waarom ben je gaan inbreken?' heb ik hem een keer gevraagd.

Hij had bescheiden naar me geglimlacht. 'Omdat ik een natuurtalent ben. Ik ben mager en zo lenig als een kat. Ik kan eerder naar binnen dan andere kerels. Het werk is zwaarder dan je denkt. Ik kan honderd keer met één arm push-ups doen, vijftig aan elke kant.'

'Knap, hoor,' had ik gezegd.

'Het is eerlijk gezegd een trucje, een vent in Soledad heeft me dat geleerd.'

'Dat moet je me maar een keer laten zien.'

De koffie liep door. Ik ging op mijn draaistoel zitten en legde mijn benen op de rand van het bureau. Pinky bleef staan en keek rond om te zien waar ik de waardevolle spullen bewaarde.

Hij schudde zijn hoofd. 'Het valt wel tegen. De vorige keer dat ik je zag had je een kantoor aan State Street. Prima locatie. Heel mooi. Maar dit... Tja, ik ben toch gewend dat je een chiquer kantoor hebt.'

'Fijn dat je me dat wilde vertellen,' merkte ik op. Ik was niet beledigd. Pinky mocht dan een veelpleger zijn, maar spitsvondigheid was zijn sterkste kant niet.

Toen de koffie klaar was, schonk ik twee mokken vol en gaf er een aan hem, voordat ik weer in de draaistoel ging zitten. Pinky had eindelijk in een van de bezoekersstoelen plaatsgenomen en dronk slurpend koffie. 'Lekker. Ik hou van sterke koffie.'

'Bedankt. Hoe gaat het met Dodie?'

'Goed. Ze is fantastisch. Ze zit nu in de verkoop, een echte ondernemer.'

'Wat verkoopt ze?'

'Geen verkoop aan de deur. Ze is schoonheidsspecialiste voor een groot nationaal bedrijf: Glorious Womanhood. Je kent het vast wel.'

'Nee, nooit van gehoord,' zei ik.

'Nou, het is anders knap bekend. Het is opgezet door christenen. Zij organiseert partijtjes thuis voor een heleboel vrouwen. Niet bij ons thuis, maar bij iemand anders, en dan serveren ze eerst snacks. Daarna maakt zij mensen op, met make-upspullen die je meteen kunt bestellen. Vorige maand had ze zelfs meer dan haar regiomanager verkocht.'

'Zo te horen gaat ze als een speer. Goed hoor.'

'Ja, hè? Die regiomanager zal wel laaiend zijn geweest. Dat was de eerste keer dat iemand beter was dan zij, maar als Dodie iets wil, gebeurt het ook. Vroeger, als ik er niet was, werd ze chagrijnig en neerslachtig. Ik zat te brommen en zij lag tv te kijken en snacks naar binnen te werken. We praatten wel eens over de telefoon en dan probeerde ik haar op te beuren – haar zelfvertrouwen wat op te vijzelen – maar dat lukte nooit erg. Toen hoorde ze hierover, het is een franchise of zoiets. Ik lette er niet zo op, want ze gaf altijd alles snel weer op, maar dit keer niet. In het afgelopen jaar heeft ze genoeg verdiend om een Cadillac te kunnen kopen en in aanmerking te komen voor een gratis cruise.'

'Waarnaartoe?'

'Naar de Cariben, St. Thomas, die kant uit. Met het vliegtuig naar Fort Lauderdale en daar ga je aan boord.'

'Ga je mee?'

'Uiteraard. Als het me lukt tenminste. We zijn nog nooit samen op vakantie geweest. Het valt niet mee om dingen te plannen als je niet weet of je dan gevangenzit of niet. Ik wil niet echt tijdens de cruise op haar geld teren. De reis is all-in, maar je hebt toch bepaalde kosten, de excursies aan wal en het casino als je op volle zee zit. En je moet ook een paar keer in vol ornaat verschijnen, dus moet ik een smoking huren. Zie je het al voor je? Ik heb altijd gezegd dat je me daarin nog niet dood zal zien, maar ze heeft al een jurk laten maken en is daar helemaal weg van. Niet dat ik hem heb gezien. Ze zegt dat dat ongeluk brengt, net zoals je een bruid ook pas in de kerk in haar bruidsjapon mag zien. Het is een imitatie van de jurk die Debbie Reynolds een keer naar de uitreiking van de Oscars aanhad. De kans bestaat zelfs dat zij de Glorious Woman van het jaar wordt.'

'Jeetje, dat zou pas mooi zijn,' zei ik. Ik liet hem rustig praten. Ik wist dat er iets aan de hand was, anders was hij niet hiernaartoe gekomen, maar als ik hem op zou jutten, zou ik binnen de kortste keren de wc staan te boenen. Daar had ik geen haast mee.

'Maar goed, ik vertel je even wat er speelt.'

'Dat had ik al begrepen.'

'Het punt is dat mijn vrouw een verlovingsring heeft. Een platina ring, met een diamant van anderhalve karaat, die algauw drieduizend dollar waard zal zijn. En ik kan het weten, want ik heb hem twee dagen nadat ik hem in mijn bezit kreeg laten taxeren. Dat is alweer even geleden, in Texas. Zij heeft hem nooit gedragen omdat hij volgens haar te groot is en ze er steeds op moet letten als ze haar handen wast.'

'Ik ben ontzettend benieuwd waar het nu om draait.'

'Ja, nou, er is nog wat. Ze is heel veel afgevallen. Ze is nu net een model, maar dan met een grote reet. Je zult het je waarschijnlijk niet herinneren, maar ze was nogal... dik is het woord niet, maar toch redelijk gezet. Ze is in vijftien maanden tijd zevenentwintig kilo afgevallen. Toen ik thuiskwam herkende ik haar bijna niet. Zo fantastisch ziet ze er nu uit.'

'Wauw, ik ben dol op dat soort verhalen. Hoe is het haar gelukt?'

'Een of ander dieetspul, iets wat je zo in de winkel kunt kopen en waar je geen vergunning voor hoeft te hebben omdat het geen medicijn is. Ze is zo druk in de weer de hele tijd dat ze niet aan eten denkt. Ze moet wel bezig zijn want ze heeft anders veel te veel energie. Het huis is nog nooit zo schoon geweest, dus dat is wel een mooie bijkomstigheid. Voor je het weet heeft ze alle ramen gelapt, zowel vanbinnen als vanbuiten. Maar goed, een half jaar geleden heeft ze de ring in het doosje gestopt en er nooit meer naar omgekeken. Nu wil ze hem kleiner laten maken zodat ze hem tijdens de cruise om kan doen. Ze is helemaal over de rooie omdat ze hem nergens kan vinden, dus ik zei dat ik wel eens zou gaan zoeken.'

'Je hebt hem bij de bank van lening gebracht.'

'Daar komt het wel op neer. Ik wil haar niet belazeren, maar ik heb bijna geen geld en het valt niet mee om werk te krijgen. Ik wil niet op de zak van de vrouw van wie ik hou teren. Het punt is dat mijn expertise niet erg gewild is. Ik heb de ring als onderpand gebruikt voor een lening van vier maanden. Dat was van het voorjaar, toen ik net uit Soledad kwam. Ik ben naar Santa Anita gegaan om op de paarden te wedden. Als ik niet regelmatig daarnaartoe ga, krijg ik het op mijn heupen. Ik ben geen zonnetje in huis, en door de renbaan fleur ik een beetje op.'

'Eens raden, je hebt hartstikke verloren en nu moet je die ring terug zien te krijgen voordat ze erachter komt wat jij hebt gedaan.'

'Klopt als een bus. Ik kon het geleende geld niet terugbetalen dus spreidde ik het uit over nog eens vier maanden en betaalde alleen de rente. Die vier maanden zijn om en de tien dagen extra zijn volgende week dinsdag ook om. Als ik niet betaal, zal ik die ring nooit meer zien, en dat zal ik echt erg vinden. En zij ook, als ze erachter komt.'

'Hoeveel heb je nodig?'
'Tweehonderd dollar.'
'Kreeg je maar zo weinig voor een ring van drieduizend dollar?'
'Erg, hè? Die vent belazerde me waar ik bij stond, maar ik kon niet anders. Ik kan het moeilijk bij de bank gaan lenen. Zie je het al voor je, dat ik tweehonderd dollar wil hebben voor honderdtwintig dagen? Dat doen ze niet. Dus nu ben ik die tweehonderd dollar schuldig plus nog eens vijfentwintig aan rente. Eerlijk gezegd kan het wel even duren voordat ik je terug kan betalen. Maar je krijgt het uiteindelijk wel, natuurlijk.'

Ik keek hem aan terwijl ik over zijn verzoek nadacht. Ik had het geld zo in mijn portemonnee zitten, dus dat was het punt niet. De inbrekersset van hem was me al veel keren goed van pas gekomen, net als de lessen die hij me had gegeven net voordat hij de bak in ging. En wat ook in zijn voordeel werkte was dat ik hem graag mocht. Hij was een goede ziel, maar met het verkeerde beroep. Zelfs inbrekers hadden het soms financieel moeilijk. Na een paar ogenblikken zei ik: 'Wat dacht je hiervan? Ik geef je geen geld, maar ik ga met je mee naar de lommerd en betaal het rechtstreeks aan die man.'

Hij keek gekwetst. 'Vertrouw je me soms niet?'
'Natuurlijk wel, maar we moeten de goden niet verzoeken.'
'Je bent een lastige tante.'
'Ik ben een realist. Gaan we met jouw auto of die van mij?'
'De mijne staat in de garage. Als je me daar straks afzet, kan ik hem ophalen.'

4

De lommerd in Santa Teresa is gevestigd aan State Street. Iets verderop is een wapenwinkel, aan de overkant staat een pompstation en op de hoek zit een tatoeageshop. Er komen hier niet veel toeristen maar wel veel zwervers; ideaal dus voor stadsvernieuwing, als de gemeente daar ooit aan toekomt. De bank van lening zelf is een smalle zaak, ingeklemd tussen een discountwinkel en een slijterij. Pinky hield de deur voor me open en ik ging naar binnen.

Het rook binnen vaag naar alcohol, een geur die sterker werd toen de deur achter ons dichtging. Een gedeelte van het geld dat bij de lommerd werd verkregen, werd waarschijnlijk meteen aan goedkope rode wijn in de slijterij uitgegeven. Een groene neonreclame met de drie ballen die symbool staan voor een bank van lening knipperde zo snel dat je uit moest kijken voor een epileptische aanval.

Aan mijn rechterhand waren hoog aan de muur vijftien schilderijen kunstzinnig opgehangen rondom een veiligheidscamera, die op ons tweeën was gericht. Hierdoor kon ik zien hoe ik er in kleur van bovenaf uitzag. Ik leek in mijn spijkerbroek en coltrui wel een dakloze zonder een cent te makken. Onder de schilderijen lag op planken een verzameling elektrisch, pneumatisch en timmermansgereedschap, spijkerpistolen en inbussleutels uitgestald. Op de onderste planken stonden allerlei tweedehands elektrische spullen: klokken, koptelefoons, speakers, draaitafels, radio's en grote onhandige tv's met een scherm zo groot als de voorruit van een vliegtuig.

Aan mijn linkerhand hing een aantal gitaren achter de toonbank, samen met genoeg violen, fluiten en trompetten om een klein orkest mee te vormen. Tegen de muur stonden vitrinekasten waarin ringen, horloges, armbanden en munten lagen. Mistroostig makende huishoudelijke artikelen – een porseleinen kinderserviesje, een aardewerk vaas, een figuurtje van kristal en een set van vier in elkaar passende houten schalen – stonden bij elkaar op een plank. Er waren geen boeken, geen wapens en geen kledingstukken te zien.

Hier kwamen de eens gekoesterde eigendommen terecht, emotionele waarde ingewisseld voor contanten. Ik zag een vicieuze cirkel voor me van wegbrengen en terughalen, spullen die verwisseld worden voor geld en dan weer worden opgehaald als het financieel wat beter ging. Mensen verhuisden, mensen stierven, mensen gingen naar verzorgingshuizen waar zo weinig plek was dat ze de meeste spullen moesten verkopen, weggeven of weggooien.

De zaken gingen beter dan ik had verwacht. Een man haalde een bladblazer van de muur waar hij al een tijdje naar had staan kijken, en liep ermee naar de toonbank om hem te kopen. Een andere man keek rond bij de elektronische spullen en weer een ander stond achterin met trillende hand een formulier te ondertekenen. Er liepen vier medewerkers rond en twee van hen kenden Pinky bij naam.

De vrouw die hem wilde helpen, was van middelbare leeftijd en had golvend rossig haar met een scheiding aan de zijkant. Er was een grijze uitgroei van vijf centimeter te zien. Ze droeg een zwarte plastic bril, die niet goed bij haar lichte teint paste. Ze had een broek en een witte katoenen blouse aan met een strik bij de kraag die waarschijnlijk haar dikke nek moest verdoezelen, een nek die niet had misstaan bij een gewichtheffer die zich volpropte met anabole steroïden. Ze gaf hem een knipoog, stak haar vinger omhoog en liep toen naar achteren. Ze kwam even later terug met een sieradenplateau bekleed met zwart fluweel.

'Dit is June,' zei hij tegen me, en toen knikte hij naar mij. 'Kinsey Millhone. Ze is privédetective.'

We gaven elkaar een hand. 'Aangenaam kennis te maken,' zei ik.

'Ja, aangenaam.'

Pinky keek toe terwijl zij een strikje losmaakte en twee stukjes stof naar beneden sloeg. Daar lag de ring, die op mij klein en niet erg bijzonder overkwam. Maar Pinky had ook nooit beweerd dat het een familiestuk was, althans niet van zijn familie. De diamant was zo groot als een piepklein oorknopje van rijnsteen, niet dat ik zoiets chics in mijn bezit had.

Hij glimlachte verlegen naar mij. 'Wil je hem passen?'

'Ja hoor.' Ik deed hem aan mijn vinger en hield hem in het licht omhoog terwijl ik mijn hand heen en weer draaide. 'Schitterend.'

'Ja, hè?'

'Zeker weten,' zei ik, mijn vaardigheid om te liegen weer eens uitproberend.

Even later kwamen we ter zake. Ik overhandigde de tweehonderdvijfentwintig dollar en zij regelden het papierwerk.

Vervolgens gaf ik Pinky een lift naar de garage, zo'n zes straten verderop. Terwijl ik de auto wilde parkeren, keek ik langs hem heen door de ruit. Ik zag niemand. De deuren waren dicht en er brandde geen licht. 'Weet je zeker dat er iemand aanwezig is?'

'Zo te zien niet, hè? Ik zal het verkeerd begrepen hebben.'

'Zal ik je thuis afzetten?'

'Nee, dat hoeft niet. Ik woon in Paseo. Dat is niet ver.'

'Doe niet zo gek. Ik kom er toch langs.'

Ik reed de acht straten naar Paseo en sorteerde links voor. Hij wees naar een donkergrijze flat en ik reed naar de kant. Ik kon nergens parkeren, dus stapte hij uit terwijl ik de motor liet draaien. Hij deed het portier achter zich dicht en gebaarde dat ik door kon rijden. Ik zwaaide naar hem in de achteruitkijkspiegel, hoewel hij tegen die tijd al weg was.

Ik ging terug naar kantoor, trok een paar rubberen handschoenen aan en maakte de boel eens grondig schoon. Daarna ging ik naar huis en deed de was. In mijn jeugd was me bijgebracht dat je op zaterdag het huishouden deed en dat je pas buiten kon gaan spelen als je kamer schoon was. Die dingen blijven je bij, of je dat nu leuk vindt of niet.

Om half zes trok ik mijn windjack aan, ik stopte een boek in mijn schoudertas, deed de deur van mijn appartement op slot en liep naar Rosie. Een vrouw kwam tegelijk met mij bij de ingang aan en we reikten allebei naar de deurknop. Toen we elkaar aankeken, wees ik naar haar. 'Jij bent Claudia.'

Ze glimlachte. 'En jij bent Kinsey Millhone. Twaalf hoog uitgesneden slipjes in de maat small.'

'Niet te geloven dat je dat nog weet.'

'Het was gisteren, hoor.'

Ik hield de deur voor haar open, zodat ze voor me langs kon gaan. Haar pikzwarte haar glansde en was met zorg gekapt. Haar ogen waren lichtbruin en ze had een eerlijke blik. Ze was achter in de veertig en zag er chic uit. Ze droeg een designerjasje met een dubbele rij knopen, een uitstekend zittende broek en een helderwitte blouse. Door haar werk bij Nordstrom kon ze niet alleen de mode volgen, maar kreeg ze ook nog eens korting.

'Je woont vast in de buurt. Ik kan me niet voorstellen waarom je anders hier zou komen.'

Ze glimlachte. 'We wonen in oost. Drew werkt als bedrijfsleider in het Ocean View Hotel. We spreken hier af op de avonden dat hij laat moet werken en maar even vrij kan nemen voor het avondeten. Ik was vroeg klaar en ik ben maar wat eerder hiernaartoe gegaan om hem op te wachten. En jij?'

'Ik woon een eindje verderop. Ik ga hier twee tot drie keer per week naartoe als ik geen zin heb om te koken.'

'Heb ik ook. Als hij niet thuis eet, snack ik een beetje,' zei ze. 'Zullen we wat drinken?'

'Graag, dat lijkt me leuk. Ik ben hartstikke benieuwd hoe het met die winkeldievegge is afgelopen.'

'Dat is zo, je was erbij toen meneer Koslo op kwam dagen.'

'Ja, ik genoot met volle teugen. Wat wil je hebben?'

'Een gin-tonic.'

'Ik ben zo terug.'

William had me binnen zien komen en tegen de tijd dat ik bij de bar aankwam had hij al een glas slechte chardonnay voor me ingeschonken. Ik wachtte terwijl hij met de gin-tonic bezig was en liep toen met de twee drankjes naar de tafel en nam plaats. Ik wist niet in hoeverre Claudia over dat soort dingen mocht praten, maar ging verder met het verhaal of het de normaalste zaak in de wereld was.

Ik zei: 'Ik kon mijn ogen niet geloven toen ze die pyjama's in haar tas schoof.'

'De brutaliteit! Ze viel me meteen al op door haar gedrag, dus ik hield haar in de gaten. Winkeldievegges denken altijd dat ze niet opvallen, maar het is net of ze hun slechte bedoelingen uitstralen. Ik was met een klant aan het afrekenen toen jij me kwam vertellen waar ze mee bezig was. Toen ik de beveiliging belde, zag Ricardo haar meteen op de monitor en hij gaf het door aan meneer Koslo. Die zei dat ik haar onder aan de roltrap op moest wachten voor het geval ze op die manier wou ontsnappen. Normaal gesproken zou hij zoiets in zijn eentje afhandelen, maar nog niet zo lang geleden beschuldigde een vrouwelijke klant hem van onnodig geweld. Daar was uiteraard niets van waar, maar sindsdien heeft hij graag een getuige in de buurt.'

'Ik hoorde het alarm afgaan, maar weet niet wat er verder gebeurde. Werd ze opgepakt?'

'Nou en of, mevrouw,' zei ze. 'Hij kreeg haar in het winkelcentrum te pakken en verzocht haar mee te lopen naar de winkel. Zij deed net of ze gek was, en alsof ze geen idee had waar hij het over had. Ze doen vaak net of ze mee willen werken, dus ze liep mee terug, maar wel onder protest.'

'Hoezo? Ze had de gestolen spullen bij zich.'

'Hij vroeg pas of ze de boodschappentas open wou maken toen ze bij het kantoor van de beveiliging aan waren gekomen. Je wilt het risico niet lopen dat je een klant in het openbaar voor schut zet voor het geval ze toch geen dievegge is. Eenmaal in het kantoor liet hij haar de tas uitpakken en daar waren de pyjama's... oeps, zonder bonnetje. Toen verzocht hij haar haar handtas open te maken en daarin zat de body, ook zonder bonnetje. Daar begreep ze werkelijk niets van.'

'Deed ze echt of ze er niets van snapte?'

'Dat doen ze allemaal. Heb je nooit de beveiligingsvideoband gezien waarop een verpleegster geld steelt van een bejaarde patiënt? Ze laten die af en toe zien op tv. Je ziet de verpleegster heel duidelijk de tas van de vrouw openmaken en er geld uithalen, dat ze eerst nog telt voordat ze het in haar zak steekt. Wanneer de politie haar met de band confronteert, bezweert ze bij hoog en bij laag dat ze het niet heeft gedaan.'

'Onterecht beschuldigd.'

'Precies. Dat was hier ook. Aanvankelijk was ze de onschuld zelve. Toen... enfin, ze ontstak in woede! Ze was een trouwe klant bij Nordstrom. Ze deed hier al jaren inkopen. Ze vond het ongelooflijk dat hij haar van diefstal beschuldigde terwijl dat niet in haar hoofd op zou komen. Hij zei dat hij haar nergens van had beschuldigd. Hij wilde alleen weten hoe ze aan die spullen kwam. Zij zei dat ze in elk geval níét had gestolen. Ze had geld genoeg bij zich, dus waarom zou ze? Ze bleef erbij dat ze de spullen had willen kopen, maar toen van gedachten was veranderd. Ze moest naar een afspraak toe en was gehaast, dus verliet ze de winkel zonder zich te realiseren dat ze de spullen niet had teruggelegd.

Meneer Koslo hield zijn mond. Hij liet haar praten omdat het toch allemaal op band stond. Eerst was ze verontwaardigd, maar ze ging al snel tekeer terwijl ze maar doorging over haar rechten. Ze zou contact opnemen met haar advocaat. Ze zou de winkel aanklagen wegens laster en omdat ze haar aan hadden gehouden. Hij bleef vriendelijk, maar gaf geen meter toe. Opeens kon ze niet meer en barstte ze in snikken uit. Zoiets zieligs heb je in je leven niet gezien. Het scheelde niet veel of ze had hem op haar knieën gesmeekt haar te laten gaan. Het enige wat echt overkwam waren de tranen. Toen dat ook niet werkte, ging ze onderhandelen. Ze zou voor de spullen betalen en een formulier ondertekenen voor voorwaardelijke invrijheidsstelling. Ze zou geen voet meer in de winkel zetten. Het ging maar door.'

'Zei ze dat echt, "voorwaardelijke invrijheidsstelling"?'

'Ja.'

'Ze lijkt me een doorgewinterde dievegge, anders zou ze die uitdrukking niet kennen.'

'O, ze wist heel goed wat ze moest doen. Niet dat het enig nut had. Meneer Koslo had Ricardo al gezegd dat hij de politie moest bellen, dus zei hij dat ze moest bedaren en haar smoesjes maar aan de rechter moest vertellen. Dat ontketende opnieuw een rondje tranen en gejammer. Ik weet niet hoe het afliep, want toen de agent aankwam, ben ik weer naar mijn etage gegaan. Ricardo vertelde me dat ze lijkbleek was toen ze in de politiewagen werd gezet.'

'Wisten jullie dat ze met iemand samenwerkte?'

Claudia keek me verbaasd aan. 'Dat meen je niet. Waren er twee vrouwen?'

'Zeker weten. Je hebt haar partner vast wel gezien zonder dat je het besefte. Een jongere vrouw in een donkerblauwe jurk.'

Claudia schudde het hoofd. 'Volgens mij niet.'

'Toen ik ze zag, stonden ze samen te kletsen. Ik dacht eerst dat ze een verkoopster was. Ik nam aan dat de jongere voor Nordstrom werkte en dat de oudere een klant was. Maar toen viel het me op dat die andere vrouw ook een boodschappentas bij zich had, dus ging ik ervan uit dat ze allebei klanten waren en even een praatje maakten.'

'Ze waren waarschijnlijk aan het overleggen wat ze gingen pikken.'

'Dat zou me niets verbazen. Nadat ze uit elkaar gingen, en tegen de tijd dat jullie beveiliger aan kwam lopen, was die andere vrouw al naar het damestoilet gegaan. Ze liep net terug toen ze zag dat haar vriendin de roltrap nam en meneer Koslo haar op de hielen zat. Ze snapte meteen wat er aan de hand was. Ze maakte rechtsomkeert naar de damestoiletten en ging gauw een wc in. Daar haalde ze de prijskaartjes van de gestolen spullen en gooide ze in de prullenbak. Ik ben na haar de wc in gelopen en toen ik de prijskaartjes zag, ben ik als de gesmeerde bliksem de trap af gerend achter haar aan, maar ik was niet snel genoeg. Zij scheurde de parkeergarage uit tegen de tijd dat ik daar aankwam en het ging allemaal zo snel dat ik de kans niet kreeg om haar kenteken te zien.'

'Nu je het over die prijskaartjes hebt. Ricardo zei tegen me dat de schoonmaakploeg ze gevonden heeft toen ze de prullenbakken leegden. De ploegbaas gaf ze aan meneer Koslo en hij vermeldde ze in zijn rapport. Waarschijnlijk dachten Ricardo en hij dat die vrouw dat had gedaan.'

'Nou, als hij een getuige nodig heeft, hoeft hij het maar te vragen.'

'Ik denk niet dat het nodig zal zijn, maar als het OM een aanklacht indient, kun je met hem praten.'

'Hopelijk wordt die vrouw veroordeeld, ook al loopt haar vriendin nog vrij rond.'

'Dat hoop ik ook.'

Op dat moment kwam Claudia's man aan en na ons aan elkaar voorgesteld te hebben, liet ik hen alleen. Ik liep naar de bar en toen ik nog een glas wijn bestelde, merkte William de schaafplekken op mijn rechterhand op. 'Hoe kom je daaraan?'

Ik trok een gezicht en hield mijn hand voor hem op zodat hij het allemaal goed kon zien. 'Ik ben gevallen terwijl ik achter een dief aanzat.'

Ik vertelde hem in het kort wat er was voorgevallen en omdat het voorval mijn vaardigheden als privédetective niet echt goed deed, veranderde ik gauw van onderwerp. 'Wat naar dat Nell is gevallen. Heb je haar al gesproken?'

'Nog niet. Henry belde me zodra hij was aangekomen. De vlucht was vlot verlopen, hij zou zijn tas bij hen thuis neerzetten en meteen doorgaan naar het ziekenhuis.'

'Fijn dat de reis vlot verliep. Hoe gaat het met haar?'

'Redelijk, voor zover ik weet, dan. De heupkop was afgebroken en het dijbeen was verbrijzeld, waarschijnlijk als gevolg van ontkalking.'

'Dat zou me niets verbazen, ze is wel negenennegentig. Henry zei dat ze er een pin in zouden zetten.'

Hij zei mistroostig: 'Hopelijk blijft het daarbij. Als ze lange tijd niet mag lopen, zullen haar spieren atrofiëren en krijgt ze doorligwonden. Vervolgens een longontsteking en dan...' Hij keek me strak aan en maakte de zin niet af.

'Ze is vast al na een dag weer op de been. Zo doen ze dat toch tegenwoordig?'

'Het is te hopen. Je weet wat ze zeggen: alles komt in drieën.'

'Wat is er dan nog meer gebeurd?'

'Nou, mijn dokter belde me de uitslag van mijn bloedonderzoek door. Mijn suikerspiegel is verhoogd. De dokter zei dat vijftig procent van de mensen met dezelfde waarden binnen vijf jaar suikerziekte krijgen.'

Hij haalde onder de bar een vel papier vandaan en legde het voor me neer terwijl hij de betreffende kolom aanwees. De bloedsuikerspiegel hoorde 65–99 te zijn en die van hem was 106. Ik had geen idee of hij daardoor in de gevarenzone zat, maar hij dacht duidelijk van wel.

Ik zei: 'Wauw. Wat stelde de dokter voor?'

'Niets. Hij zei wel dat het stresshormoon soms de suikerspiegel verhoogde. Ik heb meteen het medische handboek erbij gepakt en het opgezocht.' Hij keek schuin naar boven en citeerde waarschijnlijk letterlijk: '"Diabetische atrofie komt voornamelijk bij oudere mannen voor en heeft verzwakking van de spieren bij het bekken en de bovenbenen tot gevolg".'

'En dat heb je dus?'

'De afgelopen maand heb ik af en toe wel eens wat gevoeld, en daarom ben ik naar de dokter gegaan. Na een grondig onderzoek wist hij het nog steeds niet. Hij had werkelijk geen idee wat me mankeerde.' Hij boog zich naar voren. 'Ik zag dat hij op mijn status "etiologie onbekend" schreef. Ik kreeg er de rillingen van. In het handboek staat dat aangezien er geen concrete manier is om diabetes melitus te diagnosticeren, het "een groot probleem blijft". "Het ontstaat vaak spontaan bij kinderen," vermeldt het boek. "Onverhoeds bij oudere patiënten." De idee dat het woord "onverhoeds" op mij van toepassing is vind ik angstaanjagend.'

'Maar je kunt er zelf toch wat aan doen? Hoe zit het met het eten?'

'Hij heeft me een brochure meegegeven, maar ik heb de moed nog niet verzameld om die te lezen. Buiten de zwakheid in de spieren heb ik ook nog eens last van mijn maag.'

'Dat zei Henry gisteren al.'

Hij trok zijn wenkbrauwen op. 'En dan is gevoeligheid in het onderlichaam ook een aanwijzing voor suikerziekte, net als wanneer je adem naar fruit ruikt.' Hij legde zijn hand voor zijn mond en blies erin. Heel even was ik bang dat hij me aan zou bieden om te ruiken, want dat had ik toch echt afgeslagen. 'Gelukkig is het nog niet zo erg, maar ik plas ook meer dan vroeger. Ik moet er 's nachts heel vaak uit.'

'Je hoeft niet uit te wijden over de straal,' zei ik snel. 'Ik dacht dat dat trouwens door je prostaat kwam?'

'Ja, dat dacht ik eerst ook. Maar daar ben ik nu niet meer zo zeker van.'

Ik dacht er even over na, of hij gelijk had of niet. Hij geloofde het, maar was dat terecht? Ook al overdreef hij alles, William liep toch de kans dat hij een keer echt iets had. 'Zit er suikerziekte bij jullie in de familie?' wilde ik weten.

'Hoe moet ik dat nou weten? We zijn nog maar met ons vijven over. En we hebben meer van moeders kant van de familie. Zij was een Tilmann, een degelijk Duits geslacht. Onze grootmoeder van vaders zijde was een Mauritz. Ze had nog vijf andere kinderen die haar genen hadden. Die zijn tijdens de epidemie van 1917 allemaal binnen een paar dagen aan de griep gestorven. Geen idee wat die allemaal voor gezondheidsproblemen hadden ontwikkeld.'

'Wat vindt Rosie ervan?'

'Die steekt haar hoofd in het zand en is er zoals altijd van overtuigd dat er niets aan de hand is. Maar het staat toch echt in het handboek ... letterlijk ... onder het kopje "Inwendige aandoeningen" op bladzijde 1289. Op de bladzijde ervoor hebben ze het over "Vroege puberteit", maar dat is me gelukkig bespaard gebleven.'

'Misschien kun je dat soort dingen maar beter niet lezen. Een leek raakt gauw verstrikt in de medische terminologie.'

'Ik heb vroeger Latijn gestudeerd. *As praesens ova cras pullis sunt meliora.*'

Hij keek me onderzoekend aan om te zien of ik wist waar hij het over had. Waarschijnlijk kwam ik over alsof ik er geen hout van snapte, want hij vertaalde het voor me. 'Je kunt beter vandaag eieren hebben dan morgen kip.'

Ik ging er maar niet op in. 'Maar je kunt het toch mis hebben? Die dokter zei per slot van rekening niet dat je echt suikerziekte had, toch?'

'Waarschijnlijk omdat hij me de tijd wil geven om eraan te wennen. De meeste dokters willen een patiënt in een zo vroeg stadium niet te veel belasten. Ik had verwacht dat hij wat meer tests zou laten uitvoeren, maar daar zag hij duidelijk het nut niet van in. Hij zei tegen de zuster dat ze een afspraak moest maken voor over twee weken. Dat zal dan voortaan wel zo blijven.'

'Nou, als Henry tegen die tijd weer terug is, gaan we met je mee om je bij te staan. Als je van streek bent hoor je niet altijd even goed wat er wordt verteld.'

Rosie stak haar hoofd om de klapdeur van de keuken. 'Ik heb gevuld koolraap. Dat is medicijn voor waar je alles aan lijdt,' zei ze tegen William. En tegen mij zei ze: 'Jij moet ook eet, met schaap. Saus is lekkerste ik hebt gemaak.'

Ik greep de onderbreking aan om met het glas slechte wijn naar mijn lievelingstafeltje terug te gaan. Ik trok mijn jack uit en schoof op de stoel, duimend dat ik geen splinter in mijn achterste zou oplopen. Ik haalde mijn boek tevoorschijn en ging geboeid zitten lezen, in de hoop dat William niet achter me aan zou komen om nog meer over zijn klachten uit te wijden. Ik hield mijn hart vast voor het eten. Rosie is van oorsprong Hongaarse en kookt het liefst schotels uit haar vaderland, vaak met orgaanvlees in een saus van zure room. Die week had ze me gesauteerde zwezerik (iets engs van een kalf) geserveerd. Ik had het met mijn gebruikelijke enorme eetlust naar binnen zitten schuiven en zat net met een stuk brood het bord schoon te vegen toen ze me vertelde wat het was. Een zwezerik? Maar ja, ik had het al op, dus ik kon er niets meer aan doen. Behalve dan naar het toilet rennen en mijn vinger in mijn keel steken. Het vervelende was dat ik het nog lekker had gevonden ook.

Ze kwam aanlopen met het eten en zette het bord voor me neer op tafel. Ze sloeg haar handen ineen en keek toe terwijl ik een hapje nam en net deed of ik het lekker vond. Ze leek niet erg overtuigd.

'Heerlijk,' zei ik. 'Echt, het is verrukkelijk.'

Ze bleef sceptisch, maar er moesten meer maaltijden bereid worden, dus ging ze weer naar de keuken. Zodra ze weg was, pakte ik het bestek op en viel op het vlees aan. Het schapenvlees vereiste veel meer hak- en zaagwerk dan ik had verwacht, maar zo kon ik tenminste niet aan de saus denken, die lang niet zo fantastisch was als ze had beweerd. De koolraap leek op een kleine ufo en smaakte naar een kruising van knolraap en kool, waar het slecht gegiste suikerwater dat ik erbij dronk om het weg te krijgen uitstekend bij paste. Ik stopte een stuk schapenvlees in een servetje en deed dat in mijn schoudertas. Daarna gaf ik William te kennen dat ik de rekening wilde. Ik zei gedag tegen Claudia en Drew en ging naar huis.

Om negen uur lag ik in bed, in de verwachting dat de winkeldiefstalepisode achter ons lag. Ik had beter moeten weten.

5

Nora

Voor Nora was het weekend slecht begonnen. Ze was begin van de week voor de gebruikelijke zaken in Beverly Hills geweest. Ze had haar haar en haar nagels laten doen, had een massage genomen en had de jaarlijkse gezondheidstest gedaan, waarvan ze blij was dat die weer achter de rug was. Op dinsdagmiddag was ze weer thuis in Montebello. Ze had het jaar ervoor samen met Channing het vakantiehuis gekocht en ze genoot er met volle teugen van. Hoewel het huis maar honderdtwintig kilometer vanaf hun woonhuis lag, had ze toch elke keer het gevoel dat ze naar het buitenland ging. Ze ging er dolgraag naartoe. Voor hen beiden was het hun tweede huwelijk. Toen ze Channing had leren kennen, was hij de co-ouder van zijn dertienjarige tweelingdochters. Haar zoon was toen elf. Het leek hen beter samen geen kinderen te krijgen om het niet nog ingewikkelder te maken. In de zomer waren alle drie de kinderen bij hen, en dat was al chaos genoeg, en al helemaal toen de puberteit toesloeg, met de bijbehorende ruzies, tranen, beschuldigingen dat het niet eerlijk was en deuren die dicht werden geknald. Nora keek met liefde terug op die tijd. Toen was de hele familie tenminste nog bij elkaar, ook al was dat schreeuwend en wel.

Channing was van plan geweest om vrijdag voor het avondeten op tijd bij haar te zijn en dan tot maandagmorgen te blijven. Op het laatste moment belde hij echter dat hij de familie Low mee zou brengen. Abner was een senior partner in het advocatenkantoor van Channing en tevens een van zijn beste vrienden. Meredith was Abners tweede vrouw, en degene die zijn eerste huwelijk tien jaar daarvoor ten gronde had gericht. Hij was een notoire vreemdganger en bedroog Meredith momenteel met de vrouw die ongetwijfeld zijn derde echtgenote zou worden, als die het tenminste op de juiste manier wist te spelen.

Nora en Meredith hadden elkaar vijftien jaar eerder tijdens jazzballet leren kennen en ze vonden het heerlijk om schandaaltjes uit te wisselen. Ze hadden elkaar meteen gevonden in een roddel over de vrouw van een pretentieuze bankdirecteur die onverwacht thuis was gekomen en haar echtgenoot had betrapt toen hij zich als vrouw had verkleed in een Armani-mantelpakje en dure pumps. Een andere keer werd een gezamenlijke kennis van hen ervan beschuldigd dat ze zich een grote som geld had toegeëigend van een goed doel waarvoor ze als vrijwilliger de kas bijhield. Ze werd aangeklaagd, maar er kwam geen rechtszaak van. Er werd overeenstemming bereikt en de hele toestand werd in de doofpot gestopt.

Er kwam minstens twee keer per jaar wel een waanzinnig gênant verhaal boven en de twee wisselden dan druk roddels uit en huilden van de pret. Nora en Merediths vriendschap was geheel gebaseerd op sappige roddels. Op deze manier praatten ze elkaar regelmatig bij, toetsten ze hun gemeenschappelijke waarden en normen, steunden ze elkaar door dik en dun en snoefden erover als ze weer eens snobistisch uit de hoek kwamen. Niet dat ze zichzelf snobistisch vonden.

Toen leerde Meredith Abner kennen. Binnen een jaar waren ze allebei van hun wederhelft gescheiden. Nora en Channing waren erbij aanwezig geweest toen ze in het stadhuis trouwden, gevolgd door een elegante lunch in het Bel Air Hotel. Omdat Channing en Abner bevriend waren, werd de band tussen de vrouwen hechter. Nora had achter Meredith gestaan toen ze tot de ontdekking kwam dat Abner een verhouding had. Ze zagen daar allebei de ironie wel van in. Ze hadden een band gesmeed gebaseerd op de ellende van mensen, en nu ging Merediths leven over de tong. Nora werd haar klankbord, gaf haar raad tijdens urenlange telefoongesprekken en vloeibare lunches, waarbij Nora lifecoach en relatie-expert speelde en ze zich wijs en beter en boven alles verheven voelde. Samen hadden ze Abners verliefdheid op die andere vrouw onder de loep genomen, die (althans wat hen betrof) niet alleen ordinair was, maar ook nog de verkeerde plastische chirurg had. Het vervelende was dat Meredith erg hield van het leventje dat Abner haar kon geven, dus toen ze eenmaal emotioneel alles in de strijd had gegooid, gaf ze het maar op en accepteerde ze zijn ontrouw. Hoewel hij nooit had toegegeven een verhouding te hebben, kocht hij een hele lading dure sieraden voor haar en nam hij haar mee op een cruise op de Middellandse Zee.

Toen Meredith erachter kwam dat hij weer een verhouding had, begon alles van voren af aan. Huilbuien, woede en wraakgeloften wisselden elkaar in de maanden erna af. Nora verveelde zich stierlijk, hoewel het even duurde voordat ze het durfde toe te geven. Ze wilde trouw zijn en meeleven, maar het hele gedoe was algauw vervelend en ze ergerde zich aan het verdriet en de woede die toch nooit nut zouden hebben. Meredith ging toch niet scheiden, dus waar maakte ze zich zo druk om? De ommekeer kwam toen Meredith tijdens een etentje een scène trapte omdat de andere vrouw daar ook bij aanwezig was. De gastvrouw smoorde Merediths dronken scheldkanonnade gauw in de kiem, maar die had zichzelf geheel en al voor schut gezet. Nora nam haar dit kwalijk, want zij vond Merediths gedrag onbehoorlijk en ongepast. Het maakte niet uit of Meredith nu gelijk had of niet, ze had altijd nog rekening te houden met de etiquette. In het kringetje waar zij thuishoorden, was iedereen te beschaafd om in het openbaar te tonen dat ze ergens niet blij mee waren. Of ze nu getrouwd waren of niet, dolgelukkig of uit elkaar gegroeid, stellen moesten in elk geval net doen of ze het goed met elkaar konden vinden. Geen bitse opmerkingen, steken onder tafel of vijandelijkheden onder het mom van plagen of elkaar op de kast jagen. Nora besefte dat Meredith zich de rol van slachtoffer had toegeëigend omdat ze het heerlijk vond om in het middelpunt van de belangstelling te staan. Nora uitte dit vermoeden in een openhartig gesprek met een gezamenlijke vriendin. En dat had ze dus beter niet kunnen doen. Ze wist dat het niet erg discreet was om dat soort dingen door te vertellen, maar de andere vrouw was erover begonnen en Nora kon zich niet inhouden. Op de een of andere manier was Meredith erachter gekomen en Nora en zij hadden vreselijke ruzie gehad. Na verloop van tijd was het wat bijgetrokken, maar Nora was zich er maar al te goed van bewust dat ze haar vriendin verraden had en hield daarom maar al te graag wat afstand.

Channing had hen al eens uitgenodigd zonder Nora te raadplegen, en ze had zich groot gehouden. Ze had twee dagen op eieren gelopen, maar toen Abner en Meredith eindelijk weg waren, had ze zich niet meer ingehouden. 'Godsamme, Channing, ik zit er nu niet bepaald op te wachten dat ze haar hart bij me uitstort. Het is allemaal heel zielig voor haar, maar ik heb geen zin om medelijden met haar te hebben. Het zou fijn zijn als je ze niet meer uitnodigt.'

Dat ergerde hem, hoewel het niet aan zijn stem te merken was. 'Omdat Meredith en jij ruzie hebben gehad, hoeven Abner en ik daar nog niet onder te lijden.'

'Dat is wel zo. Maar je moet toegeven dat het niet echt leuk is, nu Abner weer bezig is. Stel nou dat ze het me op de man af vraagt. Wat moet ik dan zeggen?'

'Wat hij uitvoert en wat zij daarvan vindt gaat jou niks aan.'

'Dat mag dan wel zo zijn, maar die man is een echte klootzak.'

'Mee eens, maar zullen we het daarbij laten?'

Sindsdien had Nora haar mening voor zich gehouden.

Ze had geen idee of Meredith van de derde verhouding af wist en daardoor moest ze erg op haar woorden passen. Ze hield niet van geheimen. Ook al was de vriendschap danig bekoeld, dan nog zat ze in een lastig parket. Moest ze het vertellen of niet? Als Meredith al op de hoogte was van de relatie, zou ze meteen in huilen uitbarsten en haar handen wringen en was het hele weekend verder een doffe ellende. Maar stel dat Meredith van niets wist, dan zou Nora als ze het haar niet vertelde, verwijten naar haar hoofd geslingerd krijgen. Waarom heb je me het niet verteld? Je zei niets, terwijl je wist wat er aan de hand was?

Nora liet mevrouw Stumbo, de huishoudster, de logeerkamer in orde maken, met bloemen, spawater in een kristallen karaf met bijpassende glazen en een stapeltje opgevouwen badhanddoeken met een satijnen lint eromheen. Hoewel het al april was, kon het 's avonds nog fris zijn, en dus had ze in elke open haard houtblokken laten leggen. De maaltijden konden een probleem vormen. Onlangs was hun kok opgestapt en mevrouw Stumbo kon het niet aan om voor vier te koken. Nora keek in de vriezer waar nog een paar maaltijden in stonden die de kok had voorbereid voordat ze ontslag had genomen om 'eens wat anders te gaan doen'. Achteraf werd duidelijk dat ze bij hen was weggegaan om voor een ander echtpaar in Montebello te gaan werken, dat duizend dollar per maand meer had geboden. Nora had hartelijk afscheid genomen van de kok en het echtpaar van hun vriendenlijst geschrapt.

Ze haalde de boeuf bourguignon eruit om te laten ontdooien en zou deze die avond serveren met sla, stokbrood en rood fruit als dessert. Voor zaterdagavond had ze in de country club gereserveerd. Ze maakte een boodschappenlijst en stuurde mevrouw Stumbo eropuit om eten voor het ontbijt op zaterdag en zondag te halen en voor de lunch op zaterdag. Abner zou hen voor hun gastvrijheid willen bedanken door hen zondag op de lunch te trakteren en dan had ze het gehad. De Lows zouden rond twee uur weer onderweg zijn naar het Bel Air Hotel en met een beetje geluk zouden Channing en zij de zondagavond voor henzelf hebben.

Ze hoopte dat hij als eerste zou arriveren, zodat ze erachter kon komen of Meredith op de hoogte was van Abners nieuwe relatie. Ze wilde zo veel mogelijk weten zodat ze haar gedrag daarop kon aanpassen. Ze wilde hem ook berispen dat hij op het laatste moment met gasten aan kwam zetten terwijl hij wist dat ze erg had uitgekeken naar een weekend vrij. Dat moest ze echter wel voorzichtig aanpakken. Als Channing in de verdediging werd gedrongen, werd hij net als een zielig klein kind. Hij kon heel goed vriendelijk iets zeggen en toch boos en afstandelijk zijn.

Het lukte niet even met hem te praten, want Channing en de gasten kwamen gelijktijdig aan. Hij zette zijn auto neer op het erf en zij kwamen er achteraan en daarna had ze de kans niet meer hem te ondervragen. Haar ergernis vervloog al snel door de cocktails en de conversatie. Wie kon er nu boos blijven als er dure wijn werd geschonken?

Abner was het toonbeeld van charme, wat aangaf dat hij met zijn hoofd ergens anders zat. Meredith moest toch weten waarom hij zo deed? Nora zag dat Meredith snakte naar de aandacht die hij haar ooit had geschonken. Nora praatte over ditjes en datjes en zag erop toe dat wat zij zeiden ook oppervlakkig bleef. Meredith keek haar twee keer als een geslagen hond aan en een keer leek het erop dat ze iets ging zeggen, maar Nora wist dat te omzeilen.

Toen Channing en Abner drankjes aan het inschenken waren, tikte Meredith Nora op de arm en zei gekweld: 'Ik wil je even spreken.'

'Prima. Wat is er?'

'Ik weet niet waar ik moet beginnen. Zullen we anders morgenochtend een strandwandeling maken? Alleen wij tweeën. Ik heb je erg gemist.'

'Dat is goed. Eens zien wat de mannen van plan zijn en dan kunnen we het misschien erin passen,' zei Nora vrolijk. Ze merkte dat een bepaalde koppigheid bij haar naar boven kwam. Ze had helemaal geen zin in een onderonsje met Meredith en ze zou er alles aan doen om dat te voorkomen. Het was hoog tijd dat Meredith inzag welke verantwoordelijkheden ze op zich had genomen toen ze met die man was getrouwd. Zij was de reden waarom Abner zijn eerste vrouw bedrogen had, dus wat verwachtte ze nu helemaal? Ze moest het slikken of gaan scheiden. Dat zwelgen in zelfmedelijden was oervervelend en al helemaal omdat het haar eigen schuld was.

Tot Nora's grote opluchting was het weekend bijna ten einde zonder dat de gevreesde strandwandeling plaats had gevonden. Toen Abner en Meredith rond één uur wegreden, ontspande Nora zich. Jammer genoeg kon ze van de rest van de zondag niet genieten, want vlak nadat de Lows waren vertrokken, belde iemand van kantoor. Er was iets aan de hand met een van Channings beroemde cliënten en hij moest onmiddellijk op komen draven. Hij hoefde het niet uit te leggen of zich te verontschuldigen, want Nora begreep het wel. Zo gingen de dingen nu eenmaal. Channing was de advocaat van beroemde mensen en onder hen bevonden zich aanstormende talenten, maar ook mensen die al jaren meeliepen in de showbusiness. Doordat hij bij iedereen persoonlijk betrokken was, had hij een vermogen verdiend. Hij was net een dokter, hij was vierentwintig uur per dag beschikbaar, ze hoefden alleen maar te bellen.

Dat betekende dat ze maar even de tijd had om het met hem ergens over te hebben voordat hij wegging, hij was zelfs al dossiers in zijn tas aan het stoppen terwijl hij naar de auto liep. Ze wilde graag een meningsverschil ophelderen dat ze onlangs had gehad met zijn secretaresse. Thelma (haar achternaam was ze even kwijt) werkte al twee jaar voor hem en hoewel Nora af en toe wat aanvarinkjes met haar had gehad, was ze nooit echt brutaal geworden.

Ze had Thelma leren kennen op de dag dat ze voor Channing ging werken. Nora kwam zich altijd bij een nieuwe kracht voorstellen, dat vond ze belangrijk. Dat persoonlijke contact, ook al was het maar eenmalig, zorgde voor een betere telefoonrelatie. Nora belde zelden naar kantoor, maar soms was er iets thuis, of iets met zijn tweelingdochters aan de hand. Channing had altijd dezelfde smaak in ondergeschikten. Alle secretaresses, boekhoudsters, administratief medewerksters en zelfs huishoudsters, waren uit hetzelfde hout gesneden: vrouwen van een bepaalde leeftijd die op waren gegroeid tijdens de grote depressie in een periode van ontbering en tekorten. Dat soort vrouwen was blij met een goedbetaalde baan; ze hadden nog de oude normen en waarden wat werk, trouw en zuinigheid betrof. Iris, zijn vorige 'meisje', had zeven jaar voor hem gewerkt, totdat ze een beroerte kreeg en haar baan op moest geven. Thelma was de uitzondering op de regel; ze was een jaar of twintig jonger, alledaags, een tikje te zwaar en enigszins bemoeizie k.

Nora had haar diverse keren gesproken en had geen spoortje vriendelijkheid bij die vrouw bespeurd. Eerlijk gezegd was Channing ook tegen dat maatjesgedoe. Hij had vaak genoeg geklaagd over Gloria, zijn ex-vrouw, die altijd vriendjes werd met het personeel en betrokken raakte bij hun privéleven. De schoonmaakster, een alcoholiste, belde Gloria vaak midden in de nacht op om een voorschot op haar salaris te vragen. De tuinman haalde haar over nieuwe spullen te kopen nadat zijn gereedschap bij iemand anders was gestolen. Toen de dochter van de kokkin zwanger raakte, was Gloria degene die met haar dochter naar de dokter ging, omdat ze te misselijk was om de bus te pakken. Channing vond het belachelijk dat Gloria voor het personeel klaarstond. Hij had Nora verteld dat hij dat niet wilde en zij had maar al te graag aan zijn wensen voldaan. Ze ging ervan uit dat hij Thelma dat ook had gezegd en daarom was haar toon behoorlijk ijzig.

Thelma, die onzeker van zichzelf of van nature overgedienstig was, stond erop om Channing overal bij te betrekken ook al vroeg Nora nog zoiets kleins. Elke keer dat Nora hem wilde spreken, werd ze door Thelma tegengehouden. Dat deed ze erg subtiel, Nora kon niet echt zeggen dat ze haar tegenwerkte. Als Nora haar vroeg om een cheque voor haar uit te schrijven, vroeg Thelma dat altijd eerst na bij hem. De tweede keer dat dit gebeurde, deed Nora haar beklag bij Channing en die zei dat hij het met Thelma op zou nemen. Thelma gedroeg zich daarna een tijdlang een stuk beter, maar langzaamaan was ze weer teruggevallen in haar nukkige gedrag, zodat Nora in een lastige positie werd gemanoeuvreerd. Ze kon haar mond erover houden of het weer bij Channing te berde brengen, maar daardoor zou zij kinderachtig overkomen. Thelma wilde maar niet erkennen dat Nora ook zeggenschap had. Channing was de baas. Nora mocht dan thuis de vrouw van de baas zijn, maar op kantoor stelde ze niets voor.

Nora ging in de aanval. 'Channing, we moeten het echt even over Thelma hebben.'

'Dat komt wel een keer. Ik moet nu meteen naar kantoor voordat er een ramp gebeurt,' zei hij terwijl hij de deur uit liep. 'Ik zie je woensdag weer. Het verkeer zal wel meevallen. Als je zo rond vijf uur in Malibu bent, heb je tijd genoeg om je om te kleden.'

Nora bleef staan. 'Hoezo? Ik was helemaal niet van plan om daar deze week naartoe te gaan.'

'Toe nou toch. We moeten naar de benefietvoorstelling voor de Alzheimer Stichting.'

'Een benefiet? Midden in de week? Belachelijk!'

'Het jaarlijkse diner dansant. Doe niet zo dom, ik heb het je verleden week verteld.'

Nora liep met hem mee het bordes af. 'Ik weet van niks.'

Hij wierp haar een geïrriteerde blik toe. 'Dat meen je toch niet, hè?'

'Nee, ik weet echt van niets. Ik heb al wat anders.'

'Zeg dat maar af. Ik moet er naartoe en jij gaat mee. Je hebt al zes benefieten verstek laten gaan.'

'Neem me vooral niet kwalijk. Ik wist niet dat je het bijhield.'

'Dat hoeft ook niet. Wanneer ben je de laatste keer met me meegegaan?'

'Hou nou toch op. Je weet best dat ik niet meteen met een voorbeeld op de proppen kan komen. Het punt is dat Belinda's zus uit Houston deze week in de stad is. Ze blijft maar één dag en we hebben kaartjes voor het symfonieorkest. Die plaatsen kosten een vermogen.'

'Zeg maar dat we al iets hadden en dat je dat glad was vergeten.'

'O ja, een benefiet voor de ziekte van Alzheimer en ik ben het "glad vergeten"? Dat kan echt niet, hoor.'

'Verzin maar wat. Ze kan je kaartje toch aan iemand anders geven?'

'Ik kan niet op het laatste moment afzeggen. Dat hoort niet. Je weet trouwens best dat ik een hekel aan dat soort evenementen heb.'

'Dit is geen evenement. Ik heb betaald voor een tafel voor tien. We gaan er al tien jaar lang naartoe.'

'En elke keer heb ik me doodverveeld.'

'Zal ik jou eens wat vertellen? Ik heb het helemaal gehad met je smoesjes. Dat doe je nu elke keer, je laat me op het laatste moment in de steek en ik moet maar iemand anders zien te regelen. Weet je wel hoe gênant dat is?'

'Doe normaal. Je kunt toch in je eentje gaan? Daar ga je echt niet dood aan.'

'Kutwijf,' zei hij.

Hij gooide zijn koffertje en een sporttas in de kofferbak en liep met Nora op zijn hielen naar het portier. Ze vond het knap vervelend dat ze achter hem aan moest lopen, want dat bemoeilijkte het gesprek.

Channing ging in de auto zitten en trok het portier dicht. Hij draaide de sleutel in het contactslot om zodat hij de raampjes naar beneden kon doen. 'Dus jij wilt het over Thelma hebben. Prima. Dan hebben we het over Thelma. Zij zei dat je op vrijdag belde en een cheque voor achtduizend dollar wilde. Zij zei dat je uiterst kil deed toen ze zei dat ze dat eerst met mij wilde opnemen. Ze was bang dat ze je had beledigd.'

'Mooi. Prima. Ze had me ook beledigd. Daar wilde ik het nu juist met jou over hebben. Jij had me moeten zeggen dat zij de baas was over de portemonnee. Dat wist ik dus niet.'

'Zo kan die wel weer. Je weet best hoe het zit. Elke uitgave gaat via haar en dan krijg ik het te zien voordat het naar de boekhouding gaat. We hebben zeventien advocaten bij ons werken, en zo kan ik tenminste in de gaten houden waar het geld naartoe gaat. Ze vraagt eerst aan mij of een verzoek wel of niet wordt ingewilligd. Zo gaat het nu eenmaal.'

'Prima.'

'Daar hoef je je stekels niet voor op te zetten. Ze doet gewoon haar werk.'

'Ik wil het er niet meer over hebben.'

'Dat is anders niets voor jou. Jij blijft altijd over alles doorzeuren.'

'Waarom doe je zo vervelend? Het is maar een diner dansant in Los Angeles, hoor. Het is verdorie geen afspraak in het Witte Huis.'

'Ik heb het je twee keer gezegd.'

'Nee. Dat is niet waar. Dat zeg je alleen maar om van onderwerp te veranderen.'

'Welk onderwerp?' vroeg hij.

'Ik zie niet in waarom ik aan haar uitleg zou moeten geven.'

'Je hebt het helemaal niet uitgelegd. Je hebt alleen gezegd dat ze een cheque uit moest schrijven. Het is toch niet zo gek dat ik wil weten wat je ermee wilt doen? Je gelooft het misschien niet, maar achtduizend dollar is geen kattenpis.'

'Ik wil het er nu niet meer over hebben.'

'Waarom niet?'

'Een half jaar geleden stelde ik voor dat je aandelen moest kopen van IBM. Maar nee hoor, jij vond het maar niets en binnen twee dagen was het aandeel zestien punten gestegen. Als ik toen zelfs maar een bescheiden som geld had gehad, was ik binnen geweest.'

'En twee dagen later zakten ze gigantisch. Dan zou je het allemaal kwijt zijn geweest.'

'Ik had ze voordat de aandelen gingen zakken verkocht en opnieuw gekocht tegen de veel lagere koers. Ik heb heus wel verstand van dat soort dingen, ook al denk jij dan van niet.'

'Waar gaat het nu echt om? Er zit je duidelijk iets dwars.'

'Ik wilde met die achtduizend dollar aandelen bij GE kopen. Nu is het te laat. Tegen de tijd dat de beurs op vrijdag dichtging, waren de aandelen van 82 naar 106 gestegen.'

'En wat had je dan aan die achtduizend gehad?'

'Wat maakt dat uit? Het gaat erom dat ik niet om geld hoef te bedelen.'

'Het is de normale gang van zaken. Als jij geld wilt, open ik wel een rekening voor je.'

'O, jij opent wel een rekening voor me. Ben je mijn vader soms of zo?'

Channing zuchtte en sloeg zijn ogen ten hemel. Het kwam niet vaak voor dat hij zijn emoties toonde. Hij boog verslagen het hoofd. Het raampje ging dicht. Hij zette de auto in zijn achteruit en reed naar achteren totdat hij genoeg ruimte had om op te trekken, wat hij onder begeleiding van luid piepende banden deed.

Hij was weg voor ze er erg in had.

Ze liep naar het huis en deed de deur achter zich dicht. Het was niet hun eerste ruzie en zeker niet hun laatste. De gemoederen zouden tot bedaren komen en ze zouden er weer nuchter over kunnen nadenken, maar ze was niet van plan om het daarbij te laten. Ze waren over het algemeen altijd wel in staat om een overeenkomst te bereiken, maar ze had geleerd om niet te gaan onderhandelen als een van hen zich opwond.

Ze liep naar de keuken, pakte de martiniglazen van het aanrecht en zette ze in de vaatwasser. Ze vond het heerlijk om alleen thuis te zijn. Op maandagochtend zou mevrouw Stumbo alles goed schoonmaken, de lakens verschonen, vier wassen draaien, en de boel op orde brengen. Voorlopig kon Nora van de stilte genieten. Ze ging naar de logeerkamer om te kijken of de Lows niets hadden laten liggen. Nora had er een hekel aan als er flessen shampoo in de douche achter werden gelaten en bovendien bestond de kans dat iemand een sieraad was vergeten of een kledingstuk in de kast had laten hangen. Meredith had een *Los Angeles Magazine* op het nachtkastje achtergelaten.

Nora pakte het op met de bedoeling het in de prullenmand te gooien. Maar bij nader inzien nam ze het mee naar de keuken waar ze thee zette. Ze liep met het kopje thee en het tijdschrift naar de serre en liet zich in een fauteuil zakken. Ze legde haar benen op een voetenbankje en was blij dat ze even rustig kon zitten. Ze bladerde door het tijdschrift, bekeek de advertenties voor winkels aan Rodeo Drive: dure kapsalons, kunstgalerieën en kledingboetieks. Er was een artikel van zes bladzijden over het landhuis van de maand, een overdreven maar met smaak ingericht paleisje dat een van de succesvolle nieuwe filmproducenten had laten bouwen. Ze las ook een lang artikel over een actrice die ze kende en niet mocht, en ze genoot van de zure opmerkingen van de journalist. Wat een luchtig artikel had moeten zijn, bleek verschrikkelijk hatelijk en gemeen.

Toen ze bij het societynieuws kwam ging ze na wie aanwezig waren geweest bij een paar liefdadigheidsevenementen. Channing had gelijk gehad dat ze al zes keer niet mee was geweest. Ze kende de meeste stellen die op de foto's stonden, vaak samen met vrienden, een bestuurslid of een beroemdheid, met een drankje in de hand. De vrouwen hadden allemaal een lange jurk aan en schitterende sieraden om en stonden naast hun echtgenoot die zichzelf erg belangrijk vond. De mannen zagen er chic uit in een smoking, hoewel de kleine foto's wel erg veel op elkaar leken. De foto's vertegenwoordigden de *Who's who* van de society in Hollywood van wie bepaalde mensen overal bij aanwezig waren.

Ze was stiekem blij dat ze al zo vaak onder een saaie avond uitgekomen was, toen ze opeens op een foto Channing zag met Abner en Meredith op het Diamantenbal, waar ze evenmin naartoe was gegaan. De Lows stonden te stralen alsof ze samen zielsgelukkig waren. Wat een giller. Ze keek naar de weelderige roodharige dame die met Channing gearmd stond. Ze kende de vrouw niet, maar de jurk leek wel nagemaakt naar de strapless witte Gucci van Nora die in het huis in Malibu hing. Het kon geen echte zijn, want haar was verzekerd dat haar jurk een uniek exemplaar was. Het schoot even door haar heen hoe afschuwelijk het zou zijn geweest als ze naar het feestje was gegaan in diezelfde japon.

Ze wierp weer een blik op de roodharige dame en plotseling viel haar de toegewijde glimlach voor Channing op. Ze was de enige vrouw op alle foto's die naar haar begeleider keek in plaats van naar de camera. Ze las het fotobijschrift en er liep een rilling over haar rug, alsof er iemand met een ijsblokje overheen ging. Thelma Landice. Haar hand lag op Channings arm. Zijn rechterhand lag op de hare. Thelma was nog steeds te dik, maar ze had elk overbodig pondje in het soort opgezwollen zandloperfiguur geperst waar Marilyn Monroe dertig jaar geleden beroemd mee was geworden. De gele tanden en het saaie kapsel waren verleden tijd. Haar opzichtige rode lokken waren opgestoken in een lage knot. Ze had diamanten oorknopjes in en aan haar glimlach te zien had ze voor duizenden dollars aan kronen in haar mond.

Het bloed steeg Nora naar de wangen toen ze opeens snapte hoe het zat. Ze had het verkeerd begrepen. Ze had de signalen verkeerd geïnterpreteerd. Meredith had haar geen smekende blikken toegeworpen omdat ze haar eigen ellende kwijt wilde. Ze had medelijden met Nora gehad omdat zij samen met half Hollywood wist wat er tussen Channing en Thelma Landice, de godvergeten typiste, gaande was.

6

Dante

Dante was achttien jaar geleden, toen hij de villa in Montebello kocht, weer gaan zwemmen. Hij heette eigenlijk Lorenzo Dante, het als zijn vader. Zijn vader werd Lorenzo en hij werd Dante genoemd. Vanwege veiligheidsredenen sportte hij niet in de buitenlucht, dus joggen, golf en tennis kon hij wel vergeten. Hij had een fitnessruimte in zijn huis ingericht waar hij drie keer per week aan gewichtenheffen deed. Het zwemmen was voor de conditie.

Om het landgoed van dertien hectare stond een stenen muur en de toegang werd verschaft door elektrisch hekken, een aan de voorkant en een aan de achterkant, met een stenen wachthuisje ernaast voor een gewapende bewaker in uniform. In totaal waren dat zes mannen die diensten van acht uur draaiden. Dan was er nog een beveiligingsmedewerker die de beelden van de bewakingscamera's bekeek, overdag in het huis zelf en 's nachts ergens anders. Er stonden vijf gebouwen op het terrein. Het huis was voorzien van een bovenetage en ernaast bevond zich een vrijstaande garage waar vijf auto's in konden en waar twee appartementen boven zaten. Tomasso, Dantes chauffeur, woonde in de ene en in de andere zat Sophie de kokkin.

Er waren ook een gastenhuis met twee slaapkamers en een gebouw bij het zwembad waar Dante zijn fitnessruimte en een bioscoop met twaalf stoelen had ondergebracht. Dantes kantoor was in een ruime bungalow gevestigd, die de 'cottage' werd genoemd, en waarin een zitkamer, een slaapkamer, een grote en een kleine badkamer en een bescheiden keuken zaten. In het centrum van Santa Teresa had hij ook nog een zakenpand en daar zat hij het meest te werken. De cottage en het huis bij het zwembad leken afgescheiden van het hoofdhuis te zijn, maar ze waren ondergronds met elkaar verbonden door een tunnel die zich onder de tennisbaan opsplitste.

Dante had achter het woonhuis een overdekt zwembad laten bouwen, met twee banen van drieëntwintig meter en een schuifdak; in de bodem en de muren zaten iriserende glazen tegels en als de zon erop scheen leken ze net een zinderende regenboog. Zijn moeder had hem op zijn vierde leren zwemmen. Zij was als kind bang voor water geweest en daarom wilde ze dat haar kinderen al op jonge leeftijd goed konden zwemmen. Dante zwom elke dag vijfentwintig baantjes. Hij lag om half zes in het water en telde terug van vijfentwintig naar nul. De temperatuur van het water was altijd eenentwintig en in het zwembad zelf was het negenentwintig graden. Hij vond het heerlijk dat het geluid werd gedempt door het water, genoot van de eenvoudige borstcrawlslag, en voelde zich daarna schoon en leeg.

Hij was samen met Lola, de vriendin met wie hij al acht jaar samen was, de avond ervoor thuisgekomen na een skireisje naar Lake Louise, waar door een onverwachte temperatuurstijging de sneeuw bijna te nat was geworden om te kunnen skiën. Hij had sowieso een hekel aan de kou, en als het aan hem had gelegen waren ze meteen naar huis gegaan, maar Lola wilde per se blijven en was zelfs niet bereid erover te praten. Hij had moeite met vakanties. Hij hield er niet van om te luieren en vond het vervelend dat hij zijn zaak in de steek liet. Hij wilde het liefst weer gewoon gaan werken.

Op maandagmorgen was hij om zeven uur al gedoucht en aangekleed. Hij rook koffie, bacon en iets zoets. Hij keek er naar uit in zijn eentje uitgebreid te ontbijten terwijl hij naar het journaal keek. Voordat hij beneden ging, liep hij even bij zijn vader langs op de eerste verdieping. De deur stond open en de verpleegster was net het bed aan het verschonen. Ze zei dat zijn vader een slechte nacht had gehad en het uiteindelijk maar had opgegeven om in slaap te komen. Hij had zijn pak aangetrokken en had zich door Tomasso naar het kantoor in Santa Teresa laten brengen. De oude man zat vaak urenlang aan zijn bureau koffie te drinken en de biografie van een overleden politicus te lezen of het cryptogram in de *New York Times* te maken, totdat hij weer naar huis kon.

Dante liep naar de kelder en ging de tunnel in naar de cottage. Daar kwam hij naar boven en hij stak het grasveld over naar het gastenhuis om even bij zijn oom Alfredo langs te gaan. Zijn oom had kanker en woonde daar al nadat hij het jaar ervoor geopereerd was. Het gastenverblijf was oorspronkelijk bedoeld om de reeks kinderjuffrouwen onder te brengen voor de vorige eigenaar. Nu stond er in een van de slaapkamers een ziekenhuisbed en de andere kamer was bestemd voor de nachtzuster. Er kwam elke dag een verpleeghulp langs om zijn oom te verzorgen.

Alfredo was de enige broer van zijn vader die nog leefde en hij was praktisch berooid. De twee jongere broers, Donatello en Amo, waren op 7 februari 1943 op negentien- en tweeëntwintigjarige leeftijd bij de Slag om Guadalcanal gesneuveld.

Dante wist niet goed hoe het nu zat met zijn vader en oom Alfredo. Hoe kon je nu zo oud worden en berooid zijn? Zijn vader beweerde dat het door advies van een slechte boekhouder kwam die 'niet langer voor hen werkte', en dus onder de zoden lag. Dante vermoedde dat het eigenlijk te wijten was aan het gat in zijn vaders hand.

Lorenzo Dante was in de buurt geboren en had tijdens de Drooglegging naam gemaakt omdat hij handig inspeelde op de situatie. Je kon alles goed verkopen, en met name slechte sterkedrank. Ook gokken en prostitutie bloeiden op. Hij zag de grote maffiabazen niet als zijn medestanders. New York, Kansas en Las Vegas leken ver weg. Hij was verre familie van de meeste bazen, maar hij hield het binnen de perken en Santa Teresa was groot genoeg voor hem om handel te drijven. Zijn organisatie had lijntjes naar San Francisco en Los Angeles. Maar verder ging hij niet. De grote jongens hadden geen last van hem en hij had geen last van hen. Hij hield zijn deur open voor iedereen die even zijn snor moest drukken. Ook de maten in het middenwesten en aan de oostkust konden van hem op aan. De westkust trok al genoeg rijke en rusteloze mensen uit het hele land, op zoek naar zon, rust en een veilige omgeving waar ze hun lage driften konden stillen.

Lorenzo had zestig jaar lang van zijn positie genoten. Nu werd hij met het respect bejegend dat een man die ooit veel macht heeft gehad verdiende. Alles was veranderd. Je kon nog steeds veel geld verdienen aan dezelfde smerige zaakjes, maar nu moest je er wel veel mannetjes ter beveiliging op zetten. Ze werden nu beschermd door advocaten en het grote geld en dus ging het allemaal zijn gangetje. Hij had de zaak overgedaan aan Dante, zijn oudste zoon, die jarenlang bezig was geweest om het de schijn van fatsoen te geven.

Lorenzo had altijd aangenomen dat hij jong zou sterven en had geen voorbereidingen getroffen voor zijn pensioen. Dat ging evenzeer op voor Alfredo, dus waarschijnlijk was hun dat met de paplepel ingegeven. Maar wat de reden voor deze misvatting ook was, ze leefden nu allebei op Dantes zak. Bovendien onderhield hij ook nog eens zijn broer Cappi die bezig was 'orde op zaken te stellen' nadat hij na een eis van vijf jaar vervroegd was vrijgelaten uit Soledad. Drie van Dantes zussen zaten verspreid over het land en waren getrouwd met een man die het financieel goed deed (godzijdank) en hadden gezamenlijk twaalf kinderen, eerlijk verdeeld over alle vier. Elena woonde in Sparta in New Jersey; Gina in Chicago; en Mia in Denver. Talia, zijn lievelingszus, was twee jaar geleden weduwe geworden en was weer in Santa Teresa komen wonen. Haar twee zoons, inmiddels tweeëntwintig en vijfentwintig, waren afgestudeerd en hadden een goede baan. De jongste, een meisje, zat op het Santa Teresa City College en woonde nog thuis. Met Talia had hij het meeste contact. Haar man had haar veel geld nagelaten en zij had Dantes geld niet nodig, dus dat was mooi. Hij had ook al twaalf fulltime en vijf parttime werknemers in zijn huis rondlopen.

Dante klopte op oom Alfredo's deur en de verpleegster liet hem binnen. Cara had de ochtenddienst en zorgde ervoor dat de oude man gewassen werd, ze trok hem schone kleren aan en gaf hem zijn pillen. Alfredo had vaak pijn, maar af en toe kon hij buiten zitten, tussen de rozen die Dante voor hem had laten planten toen hij hier kwam wonen. Daar zat Dantes oom nu ook, zijn grijze haar nog nat van de wasbeurt. Er lag een sjaal om zijn schouders en zijn ogen waren dicht terwijl hij zat te genieten van het zonnetje.

Dante trok een stoel bij en Alfredo liet weten dat hij wist dat Dante er was zonder zijn ogen open te doen.

'Leuk gehad in Canada?'

Dante zei: 'Het was stomvervelend. Het was te warm om te skiën en te koud voor iets anders. Na twee dagen stierf ik al van de pijn in mijn knieën. Lola beweerde dat het aanstellerij was en had dus totaal geen medelijden. Ze zei dat het alleen maar een smoes was om naar huis te kunnen. Hoe gaat het met u?'

Zijn oom glimlachte scheef. 'Niet zo goed.'

'Het is 's ochtends altijd het ergst, in de loop van de dag gaat het wel beter.'

'Was het maar waar,' zei hij. 'Gisteren kwam pastoor Ignatio langs om de biecht af te nemen. Dat was voor het eerst na vijfenveertig jaar, dus we waren wel even bezig.'

'U zult wel opgelucht zijn.'

'Minder dan ik had gehoopt.'

'Hebt u nog ergens spijt van?'

'Iedereen heeft wel ergens spijt van. De dingen die je hebt gedaan, maar niet had mogen doen. De dingen die je niet hebt gedaan, maar wel had moeten doen. Ik weet niet wat nu erger is.'

Dante zei: 'Waarschijnlijk maakt het niets uit.'

'Geloof mij maar, het maakt wel degelijk uit. Al kun je jezelf natuurlijk wijsmaken dat het niet zo is. Ik heb berouw van mijn zonden, maar daar heb je verder niets aan.'

'U hebt het in elk geval allemaal opgebiecht.'

Alfredo haalde zijn schouders op. 'Ik ben niet helemaal eerlijk geweest. Al heb ik niet lang meer te leven, er zijn toch bepaalde geheimen die ik niet graag onthul. Het is een zware last.'

'U hebt nog de tijd.'

'Was dat maar zo,' zei hij zacht. 'Hoe gaat het met Cappi?'

'Die eikel heeft meer ambitie dan hersens.'

Alfredo glimlachte en deed zijn ogen dicht. 'Dat moet je dan weten te gebruiken. Ken je *Winnen zonder strijd* van Sun-Tzu?'

'Nee, ken ik niet. Wat staat daarin?'

'Dat het aan jezelf ligt om jezelf te beschermen tegen een nederlaag, maar dat de kans om de vijand te verslaan aan de vijand ligt. Snap je wat ik bedoel?'

Dante keek zijn oom aan. 'Ik zal erover nadenken.'

'Zolang het daar maar niet bij blijft.' Oom Alfredo hield verder zijn mond.

Dante zag zijn zwoegende borst, de stakige schouders, de witte armen. De knokkels waren rood en gezwollen en Dante kon zich voorstellen dat ze warm aan zouden voelen. Er werd zacht gesnurkt, gelukkig leefde de oude man dus nog. Hij had bewondering voor Alfredo's gelatenheid. De strijd was vermoeiend en de pijn vrat aan hem, maar hij klaagde niet. Dante kon mensen die piepten en zeurden niet uitstaan, dat had hij van zijn vader overgenomen, die van hem noch van anderen klachten wenste te horen. Zijn hele leven had Dante zijn vader tekeer horen gaan over mensen die hij zwak en dom en geniepig vond.

Dante was de oudste van zes kinderen. Cappi was de jongste en de vier meiden zaten ertussenin. Nadat zijn moeder ervandoor was gegaan, was Lorenzo zijn oudste zoon genadeloos hard gaan slaan. Dante accepteerde het, omdat hij dacht zijn kleine broertje op die manier te beschermen. Hij wist dat Lorenzo de meisjes niets aan zou doen. Cappi kreeg tussen zijn twaalfde en veertiende hetzelfde te verduren, maar opeens was het afgelopen. Cappi pikte het niet langer en vocht terug. Heel even nam het geweld nog meer toe tot Lorenzo er opeens mee ophield. Cappi was net als zijn vader geworden: zorgeloos, gemeen en impulsief.

Er zat niemand in de eetkamer toen Dante binnenkwam. Sophie had de *New York Times*, de *Wall Street Journal*, de *Los Angeles Times* en het plaatselijke sufferdje voor hem neergelegd dat Dante af en toe doorbladerde voor de roddels. Lola zou niet met hem ontbijten. Ze had jetlag aangevoerd om uit te kunnen slapen. Lola was een nachtmens en bleef tot heel laat op terwijl ze op tv naar oude zwart-witfilms keek. Vaak kwam ze pas tegen de middag haar bed uit. Een keer per week ging ze naar kantoor en deed net of ze druk bezig was. Hij gaf haar een salaris en ze stond erop dat ze daar ook iets voor zou doen.

Ze was de eerste vrouw bij wie hij het langer dan een jaar had volgehouden. Hij had altijd zo zijn twijfels gehad bij vrouwen. Hij bleef op afstand, wat de meeste vrouwen aanvankelijk intrigerend vonden, vervolgens irritant en uiteindelijk ontoelaatbaar. Vrouwen wilden een vaste relatie die duidelijk omlijnd was. Al na een paar maanden begonnen ze over verbintenissen en dat werd steeds erger tot hij het een halt toeriep en de vrouwen hem verlieten. Hij was nooit degene geweest die het uitmaakte. Zij maakten het uit, en dat vond hij prima. Er was hem meer dan eens gezegd dat hij altijd op hetzelfde type viel: jong, brunette, donkere ogen en slank; net zijn moeder toen ze er op drieëndertigjarige leeftijd zonder een woord vandoor ging.

Lola was anders, zo kwam het althans over. Ze hadden elkaar op haar achtentwintigste verjaardag in een bar ontmoet. Hij wilde even een borrel drinken en kwam met zijn gebruikelijke gevolg naar binnen: chauffeur, lijfwacht en nog wat vrienden. Ze was hem onmiddellijk opgevallen. Ze was met een aantal vriendinnen haar verjaardag aan het vieren en ze wilden net met champagne gaan toosten toen hij aan de tafel ernaast plaatsnam. Een donkere bos haar, donkere ogen, een wellustige mond. Zij had lange benen en was graatmager en droeg een strakke spijkerbroek en een T-shirt waarin de vorm van haar borstjes was te zien. Hij viel haar ook meteen op, en ze wierpen elkaar een uur lang veelbetekenende blikken toe voordat zij naar hem toe ging en zich voorstelde. Hij had haar meegenomen naar zijn huis met de bedoeling indruk op haar te maken. Maar zij was eerder geamuseerd. Hij hoorde achteraf dat haar vriendinnen haar voor hem hadden gewaarschuwd... dat was ook zonde van de tijd geweest. Lola viel op de verkeerde types. Totdat ze Dante had leren kennen, had ze jarenlang borgtocht voor kerels betaald omdat ze in hun mooie praatjes trapte en dacht dat ze het goede pad in zouden slaan. Lola bleef trouw tijdens hun gevangenisstraf en de rehabilitatie. Haar geloof in hen nam niet af, ook al was de volgende vriend weer een loser.

Dante was daarmee vergeleken 'netjes'. Hij verdiende grof geld en hij liet het rollen ook. Hij was fout, maar wel slimmer en beter beschermd dan haar vorige vriendjes. Lola plaagde hem wel eens met zijn beveiligde limousine en lijfwachten. Hij genoot van haar brutaliteit, het feit dat ze hem zei dat hij haar rug op kon en niet klakkeloos deed wat hij zei.

Na zes jaar werd er voorzichtig over een huwelijk gesproken. Zij was ontevreden met de huidige stand van zaken. Dante was het uit de weg gegaan en had het twee jaar weten uit te stellen, maar hij merkte dat hij het niet lang meer vol zou kunnen houden. Wat maakte het ook uit? Ze woonden al samen zolang ze elkaar kenden. Hij had altijd gezegd dat een boterbriefje niet nodig was. Waarom zou je gaan trouwen als je toch al als man en vrouw leefde? Maar sinds kort was ze het daar niet meer mee eens en zei dat als een huwelijk toch niets voorstelde hij er ook geen halszaak van hoefde te maken.

Om negen uur schoof hij de kranten van zich af en dronk de koffie op. Voordat hij de keuken uit liep, belde hij Tomasso via de intercom. 'Kun je de auto voorrijden?'

'Ik sta bij de achteringang. Hubert rijdt mee.'

'Dat is mooi.'

Dante liep door de portiek bij de bibliotheek naar buiten en Tomasso opende het achterportier en keek toe terwijl hij ging zitten. Hij zou een kwartier kosten om op zijn werk te komen, ongeacht welke route Tomasso nam. Hubert, de potige lijfwacht van Dante, draaide zich om op de passagiersstoel en knikte hem gedag. Hubert kwam uit Tsjecho-Slowakije en sprak amper Engels. Hij was goed in zijn werk en doordat hij de taal nauwelijks verstond konden Dante en Tomasso vrijuit over zaken praten. Hubert was een meter zesennegentig lang, woog zo'n honderdvijfendertig kilo en was een indrukwekkende verschijning. Zijn opdrachtgevers vonden zijn aanwezigheid geruststellend, alsof ze een rottweiler bij zich hadden die zich op de achtergrond hield, maar bij wie je maar beter niet in de buurt kon komen.

Dante zag dat Tomasso hem via de binnenspiegel aankeek. 'Is er iets?' vroeg hij.

Tomasso zei: 'Ik had je bruiner verwacht.'

'Ben bijna het hotel niet uit geweest. De volgende keer dat ik over vakantie begin, moet je me meteen vertellen dat ik er een hekel aan heb.'

'Was het hotel wel goed?'

'Voor die tweeduizend per nacht viel het wat tegen.'

'En die mannen die we voor je hadden ingehuurd?'

'Ze waren niet zo goed als jullie tweeën, maar ik heb het overleefd.'

Tomasso hield tijdens de rit verder zijn mond. Hij reed de ondergrondse parkeergarage in die zich onder het Passages Shopping Plaza aan de kant van het warenhuis Macy bevond. Hubert stapte uit en keek even snel in de zowat verlaten ruimte om zich heen op zoek naar potentieel gevaar voordat hij het portier voor Dante opendeed.

Tomasso liet het raampje zakken. 'Baas? Je kunt misschien beter even langs meneer Abramson gaan.'

Dante bleef staan en bukte zich voor het raampje aan de bestuurderskant. 'Hoe dat zo?'

'Ik weet alleen dat hij zei dat je naar hem toe moest gaan zodra je er weer was. Hij is het zwijgzame type, maar aan zijn lichaamstaal te beoordelen had het behoorlijk veel haast.'

'Weet jij waar het over gaat?'

'Dat kun je maar beter van hem te horen krijgen... ik hou me er liever buiten. Hoe laat moet ik je ophalen?'

'Ik bel wel. Rijd jij mijn vader maar naar huis als hij het voor gezien houdt. Het kan wel eens een lange dag worden, even kijken wat er allemaal tijdens mijn afwezigheid is gebeurd.'

Tomasso stond op het punt nog wat te zeggen, maar Dante hield er niet van om lang buiten te staan, dus liep hij met Hubert op zijn hielen naar de liften en drukte op de knop naar boven. Ze gingen met de lift naar de bovenste verdieping. Zodra Dante uit was gestapt, ging Hubert terug naar de auto. Terwijl Dante langs de receptie liep viel hem een slanke brunette op die in een van de grote leren stoelen in een tijdschrift zat te bladeren.

Hij bleef even bij de receptioniste staan. 'Goedemorgen, Abbie. Is Saul er?'

'Nee, meneer. Meneer Abramson is naar de tandarts. Hij zou om tien uur weer terug zijn.'

'Zeg maar dat hij bij me langs moet komen,' zei hij en hij wierp een blik op de bezoekster. 'Wie is dat?'

'Mevrouw Vogelsang. Meneer Berman heeft haar doorverwezen.'

'Stuur haar over vijf minuten maar naar binnen.'

In de gang klopte hij aan bij het kantoor van zijn vader en stak zijn hoofd om de deur. Lorenzo, in vol ornaat in driedelig pak en een zwart overhemd, lag op de bank te ronken met een opengeslagen biografie over Winston Churchill op zijn borst. Dante trok de deur voorzichtig dicht en liet hem slapen.

Hij ging aan zijn bureau zitten en belde Maurice Berman, de eigenaar van een kleine keten topklasse juwelierszaken. Berman nam op en Dante zei: 'Hoi, Maurice, met Dante. Er zit een schitterende vrouw bij mij in de receptie. Vertel op.'

'Dat is de vrouw van Channing Vogelsang. Ken je hem?'

'Nee.'

'Een topadvocaat in Hollywood. Ze wonen in Malibu en hebben een tweede huis in Montebello. Ze wonen dan weer hier, dan weer daar. Ik heb een paar sieraden van haar gekocht, mooie stukken van hoge kwaliteit en tegen een redelijke prijs. Vervolgens laat ze me een ring zien waar ik mijn vingers niet aan wil branden. Dus denk ik: wie kan het slechte nieuws het beste aan zo'n mooie vrouw brengen? Het bedrag dat ze ervoor wou was trouwens toch te hoog voor mij. Ik zei dat jij de enige in de stad was die rijk genoeg was om hem te kopen.'

'Waar heeft ze het geld voor nodig?'

'Geen idee. Ze is zeer zelfverzekerd. Geen kletspraatjes en ook geen uitleg.'

'Drugs?'

'Dat denk ik niet. Misschien om ermee te gokken, maar daar lijkt ze me het type niet naar. Ik heb haar een cheque uitgeschreven voor zevenduizend dollar voor sieraden die op tweeënveertigduizend dollar waren getaxeerd.'

'Ze kunnen van jou tenminste niet zeggen dat je een vrek bent,' zei Dante. 'Wat waren dat voor sieraden?'

'Een stel oorbellen met geslepen saffieren en diamanten, waarschijnlijk met een waarde van zeventienduizend, en een art-decoarmband met saffieren en diamanten die minstens vijfentwintigduizend waard is. Maar de ring vond ik maar niets.'

'Ik wil hem wel even bekijken.'
'Dat dacht ik al. Ik hoor wel of het wat is geworden.'
Dante hing op en belde Abbie dat ze mevrouw Vogelsang naar zijn kantoor kon begeleiden. Hij ging bij de deur staan en zag ze aan komen lopen. Toen Abbie met haar bij zijn kantoor aankwam, stak hij zijn hand uit. 'Mevrouw Vogelsang, het is me een genoegen. Ik ben Lorenzo Dante. Mijn vader heet ook zo, daarom word ik door bijna iedereen Dante genoemd. Kom binnen en neem plaats.'
'Zeg maar Nora,' zei ze en ze gaf hem een hand. Haar vingers waren koud en slank, maar haar handdruk was stevig. Ze glimlachte afwachtend en het viel hem op dat ze slecht op haar gemak was.
'Wil je koffie?' vroeg hij.
'Graag. Met melk, als je dat hebt. Zonder suiker.'
'Voor mij ook,' zei hij tegen Abbie.
Terwijl zij naar het keukentje liep, gebaarde Dante naar een leren fauteuil die deel uitmaakte van een zithoek die voor de drie grote ronde ramen met uitzicht op de stad stond. Ze ging zitten en zette een grote, duur uitziende zwarte leren handtas naast zich op de grond. Ze was slank, klein en droeg een nauwsluitend zwart mantelpakje dat veel suggereerde maar weinig liet zien. Ze liet een vleugje parfum in haar kielzog achter. Hij nam plaats op de bank en deed zijn best haar niet aan te staren. Ze was ontzettend mooi en hij kon zijn ogen bijna niet van haar afhouden. Ze was chic en door haar hautaine blik raakte hij van zijn stuk. Hij praatte in afwachting van de koffie over koetjes en kalfjes en was blij dat hij op die manier de kans kreeg haar van dichtbij gade te slaan. Ernstige, donkere ogen; lieve mond. Haar blik dwaalde door de kamer, die hoofdzakelijk uit grijstinten bestond. De meubels waren bekleed met donkergrijs suède; het kleedje was zachtgrijs; de lambrisering was van notenhout dat was gewit.
Ze keek hem nieuwsgierig aan. 'Mag ik weten wat je doet? Ik nam aan dat je in sieraden handelde. Maar je kantoor lijkt meer op dat van een advocaat.'
'Ik ben een soort privébankier. Ik leen geld aan cliënten die niet in aanmerking komen voor een lening van de gewone instellingen. De meesten geven er de voorkeur aan hun geldzaken niet aan de grote klok te hangen. Ik ben bovendien de eigenaar van een paar bedrijfjes. En jij?'
'Mijn man is advocaat.'

'Bij de film, toch? Dat heb ik althans gehoord. Channing Vogelsang. Wonen jullie in Los Angeles?'

'In Malibu. We hebben nog een tweede huis in Montebello.'

'Leuk. Zijn jullie lid van de Montebello Country Club?'

'De Nine Palms,' verbeterde ze hem.

'Dan ken je misschien de Hellers wel, Robert en zijn vrouw?'

'Gretchen. Ja, die kennen we, we zijn goed bevriend. We hebben aanstaande zaterdag in de club afgesproken voor de lunch. Hoe ken jij hen?'

'Robert en ik hebben vroeger wel eens zakengedaan,' zei Dante. 'Misschien zie ik je daar wel.'

'In de club?'

'Vind je dat zo vreemd? Ik heb toevallig ook wel vrienden, hoor,' zei hij. 'Maar goed, ik heb Maurice Berman gesproken en die vertelde dat jij een ring te koop hebt. Mag ik hem zien?'

'Maar natuurlijk.' Ze viste een sieradendoosje uit haar tas en gaf dat aan hem.

Hij maakte het doosje open en zag een geslepen roze diamant geflankeerd door twee witte diamanten. 'Vijf karaats?'

'Vijf komma zesenveertig. De ring is van platina en achttienkaraats goud. De kleine steentjes bij elkaar zijn één komma zeven karaat. Mijn man heeft hem een paar maanden geleden in New York bij een juwelier gekocht.'

'Weet je hoeveel hij ervoor heeft betaald?'

'Honderdvijfentwintigduizend dollar.'

'Heb je de aankoopbon nog?'

'Daar kan ik niet aan komen. Mijn man bewaart de boekhouding op kantoor.'

Dante ging er niet op in en vroeg zich af of Channing Vogelsang wist waar ze mee bezig was. 'Kan ik hem aan iemand laten zien? Een meisje hier op kantoor heeft verstand van juwelen.'

'Ga je gang.'

Abbie kwam naar binnen met een dienblad waar een koffiekan, twee kop-en-schotels, lepeltjes, koffieroom en een kommetje suiker op stonden. Ze zette het blad op de glazen salontafel en gaf Nora een kop-en-schotel aan. Abbie schonk koffie in en zorgde ervoor dat de kokendhete vloeistof niet tot aan de rand kwam. Nora deed er zelf wat room bij, terwijl Abbie Dante inschonk. Voordat ze de deur uit liep, stak Dante het ringendoosje naar haar uit. 'Geef dit eens aan Lou Elle en vraag wat ze ervan vindt.'

'Ja, meneer.' Abbie ging met het doosje weg en deed de deur achter zich dicht.

'Het is zo gepiept,' zei hij. In alle stilte dronk ze koffie. Hij liet zijn kop staan. 'Mag ik je een paar vragen stellen?'

Ze hield haar hoofd schuin en hij nam aan dat ze daarmee aangaf dat hij zijn gang kon gaan.

'Had je de ring van je man gekregen?'

'Ja.'

'Ik neem aan voor jullie trouwdag. De tiende?'

'Veertiende. Hoezo?'

'Ik wil graag weten wat er speelt.'

'Niets bijzonders,' zei ze. 'Ik heb gewoon liever contant geld.'

'En daarom doe je dit achter zijn rug om?'

'Ik doe dit niet achter zijn rug om.'

Hij trok zijn wenkbrauw op. 'Hij weet dus waar je mee bezig bent?'

'Wat gaat jou dat eigenlijk aan?'

'Ik wil je niet beledigen, maar ik snap het niet. Ik dacht dat het huwelijk inhield dat je elkaar kon vertrouwen. Dat je alles tegen elkaar kon zeggen. Geen geheimen maar openheid. Daar draait het toch om?'

'Dit heeft niets met hem te maken. Die ring is van mij.'

'Het zal hem niet opvallen dat je hem niet om hebt?'

'Hij weet dat ik hem niet mooi vind. Het is niet mijn smaak.'

'Hoeveel wil je ervoor hebben?'

'Vijfenzeventigduizend.'

Dante keek haar aan. Haar gezicht verraadde meer dan ze besefte. Er was iets gebeurd waardoor ze geld nodig had. Hij wachtte nog even, maar ze wijdde er niet over uit. 'Het verbaast me dat je hem wilt verkopen. Hij heeft geen gevoelswaarde?'

'Ik wil het er liever niet over hebben.'

Hij glimlachte. 'Je wilt er vijfenzeventigduizend dollar voor, maar je wilt er niet verder over praten?'

'Zo bedoelde ik dat niet. Het is erg persoonlijk.'

Hij keek haar geboeid aan, het amuseerde hem dat ze hem niet in de ogen wilde kijken. 'Het moet wel erg persoonlijk zijn, zoals jij met je geld smijt.'

Ze keek hem geschrokken aan. 'Hoe kom je daar nu bij?'

'Omdat je al twee sieraden hebt verkocht. Maar wel stukken goedkoper dan deze ring, hoorde ik van Maurice.'

'Ik wist niet dat hij dat met jou zou bespreken. Dat is wel erg indiscreet.'

'O, denk je soms dat wij bij dit soort zaken geheimhoudingsplicht hebben? Zaken zijn zaken. Ik zie dat je contant geld aan het vergaren bent en dat maakt me nieuwsgierig.'

Ze aarzelde en vermeed zijn blik. 'Je kunt het zien als een soort verzekering.'

'Om iets achter de hand te hebben.'

'Zoiets, ja.'

'Oké, prima,' zei hij.

Dantes telefoon ging over. Hij reikte over de tafel heen en pakte de telefoon op met: 'Zeg het maar, dame.'

Lou Elle zei: 'Kun je even naar me toe komen?'

'Ja, hoor,' zei hij en hij hing op. Hij zei tegen Nora: 'Ik moet even weg. Ben zo weer terug.'

'Dat is goed.'

Hij deed de deur achter zich dicht en ging naar Lou Elles kamer die aan dezelfde gang lag. Zij werkte al vijftien jaar als boekhouder voor zijn bedrijf. Ze zat aan haar bureau met het ringendoosje geopend in haar hand. Ze hield het omhoog. 'Wat is ermee?'

'Er zit een vrouw in mijn kantoor die de ring wil verkopen.'

'Voor hoeveel?'

'Vijfenzeventigduizend dollar. Zij zegt dat haar man hem voor honderdvijfentwintigduizend dollar van een juwelier in New York heeft gekocht. Ze heeft geen bonnetje, maar ze lijkt me bona fide.'

'Dat heb je dan mooi mis. Want dat is gelul. De diamant is niet goed. Ze hebben hem met hars bewerkt om hem mooier te doen lijken en de onvolkomenheden te maskeren. Als hij daar honderdvijfentwintigduizend dollar voor heeft neergelegd, is hij knap belazerd.'

'Misschien wist hij het niet.'

'Of misschien heeft hij er veel minder voor betaald en heeft hij haar voorgelogen. De kleur klopt ook niet. De diamant toonde waarschijnlijk niet goed, dus hebben ze die een roze tintje gegeven.'

'Maar het is wel vijf komma zesenveertig karaat.'

'Ik zeg ook niet dat het troep is. Maar wel dat het geen vijfenzeventigduizend dollar waard is.'

Hij glimlachte. 'Hoeveel heb ik aan de opleiding bijgedragen?'

Ze overhandigde hem het sieradendoosje. 'De cursus edelstenen kostte negentienduizend dollar en de cursus gekleurde edelstenen nog eens dertienduizend.'

'Dat was het geld zeker waard.'

'Toen vond je van niet.'

'Dat was dan dom van me.'
'Dat zei ik nou ook.'
Hij stopte het doosje in zijn jaszak en klopte erop. 'Je krijgt een eindejaarsbonus van me.'
'Ik heb die liever nu.'
'Kan ook,' zei Dante. 'Bel Maurice Berman maar en vertel hem wat je net tegen mij hebt gezegd.'
Eenmaal terug in zijn kantoor, trof hij Nora aan bij een van de ronde ramen terwijl ze naar de voetgangers aan de overkant van de straat keek.
'Heel handig om de boel in de gaten te houden,' zei hij. 'Vanaf de buitenkant is het raam ondoorzichtig, rookzwart.'
'Ik had de ramen vanaf de straat gezien. Heel raar om nu hier te staan.' Ze glimlachte even en ging toen weer zitten. 'Alles in orde?'
'Ja, hoor. Ik moest even iets regelen. Maar dat had niets met jou te maken.'
Hij liep naar zijn bureau, pakte een grote bubbeltjesenvelop uit de onderste la en ging toen naar de muur en drukte op een paneel waar de safe achter zat. Hij ging ervoor staan zodat ze niet kon zien wat er in de kluis zat terwijl hij er zeven dikke stapeltjes met honderddollarbiljetten uit haalde. Hij deed er nog een dunner stapeltje bij en stopte ze in de envelop. Hij ging naar zijn stoel en gaf de envelop aan haar.
Ze maakte hem open en keek naar de inhoud. Ze scheen ervan te schrikken en haar wangen werden rood.
'Vijfenzeventigduizend dollar,' zei hij. 'Het klopt precies.'
'Ik had verwacht dat je het over zou maken of een cheque uit zou schrijven.'
'Je hebt toch liever niet dat er opeens vijfenzeventigduizend dollar op je rekening bij staat geschreven, neem ik aan? Dat zou onmiddellijk aan de belastingdienst worden gemeld.'
'Mag dat dan niet?'
'Ik wil niet dat ze dat geld naar mij terug kunnen voeren. Ik word momenteel onderzocht. Als de belastingdienst erachter komt dat je zaken met mij hebt gedaan, staan ze binnen de kortste keren bij je op de stoep. Ze kunnen beter niet weten dat je bij mij bent geweest.'
'Het is toch zeker niet illegaal om een ring te verkopen?'
'Zolang je hem maar niet verkoopt aan iemand over wie de FBI graag meer wil weten.'
'Waarom niet? Je zei net dat je een privébankier was.'

'Een soort privébankier.'
Ze keek hem aan. 'Je bent een woekeraar.'
'Onder andere.'
Ze hield de dikke envelop omhoog. 'Hoe kom je hieraan?'
'Dat zei ik toch al? Ik bezit diverse bedrijfjes waar ik inkomsten uit heb. Daar krijg jij nu wat van.'
'Daarom heb je dus niet onderhandeld. Toen ik vijfenzeventigduizend dollar zei verblikte of verbloosde je niet. Je bent het geld aan het witwassen.'
'Het is alleen maar "witwassen" als het zwarte geld als wit wordt uitgegeven. Zolang jij er niets mee doet, is er niets aan de hand.'
'Belachelijk. Wat heb ik nu aan geld dat ik niet kan uitgeven?'
'Dat heb ik toch niet gezegd? Stop het in een kluisje en maak het vervolgens met elke keer minder dan tienduizend dollar naar je spaarrekening over. Stelt niets voor.'
'Dat kan niet.'
'Hoezo niet? Ik heb de ring. Jij hebt het geld. Zolang jij er je mond over houdt, hebben wij er allebei wat aan. Het punt is dat jij het geld hebt.'
'Zo wanhopig ben ik nu ook weer niet.'
'Volgens mij wel. Ik weet niet wat er aan de hand is, maar als jouw man je slecht behandelt is hij niet goed bij zijn hoofd.'
'Dat gaat je niets aan.'
Nora pakte haar handtas en stond op. Dante kwam tegelijkertijd overeind. Ze schoof de envelop naar hem toe. Hij stak zijn handen in de lucht en wilde het niet aanpakken. 'Denk er maar een nachtje over na.'
'Ik hoef er helemaal niet over na te denken,' zei ze en ze gooide de envelop op de stoel.
Er werd op de deur geklopt en Abbie kwam binnen. 'Meneer Abramson is er.'
Nora zei: 'Ik laat je weer aan het werk.'
Dante haalde het sieradendoosje uit zijn zak en legde het in haar hand. 'Als je van gedachten verandert, hoor ik het graag.'
Nora verbrak het oogcontact en liep zonder iets te zeggen de kamer uit. Dante keek haar na in de hoop dat ze nog even om zou kijken, maar dat deed ze niet.
Abbie stond nog steeds in de kamer.
Dante keek haar aan. 'Wat is er?'
'Ik wil je er alleen maar aan herinneren dat ik deze week don-

derdag en vrijdag de stad uit ben. Aanstaande maandag ben ik er weer.'

'Mooi. Veel plezier.'

Toen ze weg was, ging hij aan zijn bureau zitten. Abramson kwam binnen en deed de deur achter zich dicht. Dante en hij waren al vijftien jaar partners en hij was een van de weinige mensen die Dante vertrouwde. Hij was in de vijftig, kalend, had een lang, ernstig gezicht en op zijn neus stond een bril met een donker montuur. Hij was lang en slank en droeg een op maat gemaakt pak. Zo te zien was hij aan de rechterkant van zijn mond geholpen en de verdoving was nog niet helemaal uitgewerkt. Zijn lip was dik aan die kant en hing een beetje, zodat het net leek of hij een beroerte had gehad. Hij zei: 'Audrey is dood.' Zonder enige inleiding.

Dante had even nodig om van Nora naar Abramson over te schakelen. 'Godver. Wanneer dan?'

'Op zondag.'

'Gisteren. Hoe is ze overleden?'

'Ze werd opgepakt wegens winkeldiefstal. In Nordstrom, op vrijdagmiddag. Ik neem aan dat ze zich er niet uit kon lullen en dus werd ze in de bak gegooid. Haar vriend betaalde de borgtocht, maar tegen die tijd was ze al helemaal over de rooie. Cappi hoorde dat ze van plan was een deal te sluiten, dus de jongens en hij namen haar mee naar de Cold Spring-brug en hebben haar er vanaf gegooid.'

'Jezus.'

'Ik heb maanden geleden al gezegd dat die jongen onhandelbaar is. Hij is roekeloos en dom en dat is een gevaarlijke combinatie. Volgens mij geeft hij informatie door aan de politie.'

'Ik ben hier echt te oud voor,' zei Dante. 'Ik kan hem moeilijk af laten maken. Dat zou moeten, dat weet ik, maar dat kan ik echt niet. Misschien ooit wel, maar nu nog niet. Sorry.'

'Je moet het zelf weten, maar dan ben jij wel verantwoordelijk voor wat er verder gebeurt. Mij zul je er niet over horen.'

7

Op maandagochtend kwam ik met veel moeite om zes uur mijn bed uit, ik werd weer een beetje mens en ging joggen. Ik liep niet mank, maar ik voelde de gekneusde scheen goed, die trouwens inmiddels net zo donker was als een donderwolk. De handpalm was geheeld, maar ik had er dagenlang steengruis uit lopen pulken. Gelukkig scheen de zon en was de lucht deze ochtend in april helderblauw. Er werd voorspeld dat er storm op komst was, die bekendstond als de Pineapple Express, een wind die vanuit de Stille Zuidzee aan komt waaien en langs de kust tropische vochtigheid meebrengt. De regen zou warm zijn en de lucht zwoel, en zo hoorde mijns inziens lente in het zuiden ook te zijn. De Express had ons nog niet bereikt, al waren in de verte al wat donkere stapelwolken te zien.

Het joggen viel niet mee, maar ik ploeterde voort, met lood in de benen, waarschijnlijk te wijten aan de hogere luchtdruk. Op dit soort dagen komt discipline om de hoek kijken, het hardlopen is dan louter plicht en pas achteraf voel je je er goed over, en mag je blij zijn dat je het hebt gered. Het laatste stukje naar huis legde ik lopend af. Ik zweette nauwelijks, maar mijn lichaamstemperatuur daalde snel en ik had het koud. Ik kwam bij het hek aan en toen ik me bukte om de ochtendkrant te pakken werd ik opeens even verdrietig. Henry's *Dispatch* lag meestal op de stoep naast mijn krant. Hij had hem opgezegd zolang hij buiten de stad was, waardoor mijn krant er eenzaam en verlaten bij lag. Eigenaardig toch, de dingen die je mist als iemand weg is.

Ik liep mijn appartement in en zette een pot koffie. Vervolgens liep ik de wenteltrap op naar de zolderetage. Nadat ik had gedoucht en me had aangekleed, ging ik in een al wat beter humeur naar beneden. Ik bladerde door de krant tot ik bij de overlijdensberichten kwam, schudde de bladzijde los en vouwde hem dubbel. Ik strooide wat muesli in een kom, schonk er melk over en at het al lezend op. Ik heb geen idee wanneer ik interesse ging vertonen in de dagelijkse sterfgevallen. Over het algemeen zeiden de namen me niets. In een stad met vijfentachtigduizend inwoners is de kans niet erg groot dat je een overledene kent. Ik keek naar de leeftijd en het geboortejaar om te zien of die overeenkwamen met die van mij. Als de overledene mijn leeftijd had of jonger was, las ik de advertentie aandachtig door op zoek naar de reden van overlijden. Over die sterfgevallen dacht ik na, hierdoor besefte ik elke ochtend weer hoe gauw het afgelopen kan zijn en dat we er maar weinig over te vertellen hebben. Ik heb zelf niets met dat hele sterfelijkheidsgedoe. Prima, als andere mensen daarin geloven, maar ik vind het voor mezelf en voor de mensen die me na staan onaanvaardbaar. Het lijkt me niet eerlijk dat we er zelf niets over te zeggen hebben en dat er nu nooit eens een uitzondering wordt gemaakt. Wie heeft dat verzonnen?

Ik had dat gedeelte nog niet omgevouwen of mijn oog viel op een foto midden op de pagina. Het was de winkeldievegge die ik vrijdagmiddag had betrapt. Ik ging achteroverzitten, keek nog eens goed, en las toen het artikel snel door om erachter te komen waar het over ging. Audrey Vance (63) was op de dag ervoor, op zondag 24 april, onverwacht overleden. Ik had haar inderdaad ongeveer zo oud geschat en ze was echt de vrouw op de foto. Dat was toch wel erg vreemd. Ik ging meteen door naar de laatste regel, waarin stond dat namens Audrey in plaats van bloemen geld aan de Amerikaanse Hartstichting zou worden geschonken.

Het was een kort en nogal beknopt bericht. Ik begon weer van voren af aan en las nu aandachtiger. Audrey werd omschreven als 'levenslustig en met veel humor en bewonderd door iedereen'. Geen woord over haar ouders, haar opleiding, haar hobby's of haar goede daden. Onder haar nabestaanden waren een zoon, Don Vance, in San Francisco, en een dochter, Elizabeth, die ook woonachtig was in San Francisco. Er waren een heleboel naamloze neven en nichten 'die haar heengaan betreurden'. Bovendien zou haar verloofde en liefhebbende partner Marvin Striker haar erg missen. Ze lag opgebaard in het Wynington-Blake rouwcentrum en op dinsdag kon er van tien tot twaalf afscheid van haar worden genomen, met in aansluiting daarop om twee uur een rouwdienst. Er stond niets in over een begrafenis.

Ik kon het nauwelijks geloven. Ik vroeg me af of stress door de arrestatie haar dood had teweeggebracht. Dat zou best kunnen. Audrey had er moederlijk uitgezien en afkomstig uit de middenklasse, dus prima op haar plek in een wat duurder warenhuis. Tot ik haar zag stelen, had ik haar ingeschat als het soort vrouw dat de bibliotheekboeken op tijd inleverde en er niet over piekerde om te sjoemelen met de belastingopgave. Ze moest toch behoorlijk geschrokken zijn toen de beveiliger haar aansprak. Ze stond al in het winkelcentrum en had waarschijnlijk gedacht dat ze ermee was weggekomen, ook al ging het alarm in de winkel af. Claudia had gezegd dat ze had gehuild en gejammerd, wat betekende dat ze erg goed toneel kon spelen of echt wanhopig was geweest. Ze moest hoe dan ook opgelaten zijn geweest toen ze in de handboeien geslagen werd afgevoerd. Ik ben zelf een keer in de cel beland en geloof me, dat was geen pretje. Veelplegers trekken zich waarschijnlijk weinig aan van arrestaties, net als criminelen die al volledig gewend zijn aan fouilleren. Ze willen alleen maar zo snel mogelijk iemand zien te regelen om de tien procent van hun borgtocht te betalen zodat zij weer vrij kunnen rondlopen. Arme Audrey Vance. Wat een onverwachte wending. Ik vroeg me af of haar verloofde iets van de arrestatie afwist.

Meteen stak schuldgevoel zijn kop op. Ik was blij geweest dat ze was opgepakt, dat ze voor haar daden moest boeten. We zijn verantwoordelijk voor wat we doen, en als zij de wet wilde overtreden, kon ze ook represailles verwachten. Maar hoe fijn ik het ook had gevonden dat ze er niet zonder kleerscheuren vanaf was gekomen, ik had niet verwacht dat ze dood zou gaan. In dit land is winkeldiefstal (voor zover ik weet tenminste) nog geen halsmisdaad. Ik kon me niet voorstellen dat ze door mijn gevoelens erover het door het universum met de dood had moeten bekopen. Ik vond wel dat ik een beetje te hoog van de toren had geblazen.

Was ze aangeklaagd wegens een overtreding of een misdrijf? De twee pyjama's hadden oorspronkelijk ruim vierhonderd dollar gekost, waardoor het niet meer onder kleine diefstallen viel. Maar ze waren in de uitverkoop geweest. Was het dan minder erg? Er zat een korting op van vijfenzeventig procent, dus was het dan weer wel een kleine diefstal?

Hoe dan ook, het arme mens was er niet meer en dat vond ik

nogal bizar. Misschien leed ze wel aan een chronische ziekte die verergerd werd door stress. Of misschien had ze pijn op de borst gehad en had ze (zoals zo veel vrouwen) er niets over gezegd omdat ze niet wilde zeuren. Ook al was ze onder behandeling van een specialist, haar dood had toch onverwacht kunnen zijn. Ze zag er wel gezond uit, er was niets aan haar te zien, maar dat wil nog niet zeggen dat ze niet bij het minste geringste dood had kunnen neervallen. Ik had haar vlak voor haar overlijden gezien zonder te beseffen hoe weinig tijd ze nog had. Dat was een rare gedachte en ik kon het maar niet van me afzetten.

Ik pakte mijn jas en de autosleutels en nam de krant met me mee. Ik reed naar kantoor in de hoop mezelf met de zakelijke kant van mijn bedrijf af te leiden. Eenmaal aan mijn bureau stortte ik me op het papierwerk. Het ging lekker totdat de telefoon overging. 'Met Millhone Investigations.'

'Kinsey?' vroeg een vrouw.

'Inderdaad, mevrouw.'

'Met Claudia Rines. Heb je het artikel in de krant gezien?'

Automatisch legde ik een hand op mijn hart. 'Ja, ik vind het vreselijk rot. Niet te geloven dat ze een hartaanval heeft gekregen, toch? Jezus. Ik vraag me af of ze besefte wat er gebeurde.'

Het was even stil. 'Je hebt het artikel dus niet gelezen.'

'Jawel. Audrey Vance, drieënzestig. Twee volwassen kinderen en ze had een verloofde. De krant ligt hier voor mijn neus.'

'Mooi, maar ze stierf niet aan een hartaanval. Ze is van de Cold Spring-brug af gesprongen.'

'Dat meen je niet.'

'Het staat in de *Dispatch*. Op de voorpagina in de tweede kolom, net onder de vouw. Als je de krant daar hebt, wacht ik wel even.'

'Oké.' Ik klemde de hoorn tussen mijn oor en mijn schouder, trok mijn tas onder het bureau vandaan en haalde de krant eruit. De overlijdensberichten lagen bovenop. De foto van Audrey viel meteen op. Ik legde de hoorn op het bureau en vouwde de krant open. Ik boog me voorover naar het mondstuk en zei: 'Sorry hoor, ik ben zo terug.'

Op de voorste bladzijde, linksonder. Er stond geen foto bij en Audrey werd niet met naam vermeld. Volgens het artikel reed een man op zondagmiddag over de brug toen hij een auto in de berm zag staan. Hij ging kijken of er iets aan de hand was, of de auto panne had en de automobilist hulp nodig had. De auto had geen platte band en er lag geen briefje op het dashboard dat de bestuurder benzine was gaan halen bij het dichtstbijzijnde pompstation. De auto was niet afgesloten en de sleutels zaten in het contact. Zijn oog viel op een handtas die samen met een paar pumps op de stoel lag. Dat voorspelde niet veel goeds.

Hij liep naar de dichtstbijzijnde telefooncel en gaf het door aan het bureau van de plaatselijke sheriff. Zeven minuten later kwam er een agent aanrijden, die de situatie op dezelfde manier inschatte als de automobilist. Hij belde voor assistentie en er werd een zoektocht op touw gezet. Het struikgewas onder de brug was zo dicht dat er speurhonden uit Santa Teresa en een reddingsteam bij werden gehaald. Nadat de hond het lijk had ontdekt, waren ze vijfenveertig minuten aan het worstelen geweest om het weg te halen. De brug stond er sinds 1964 en er waren al zeventien mensen vanaf gesprongen. Geen van hen had de val van honderdtwintig meter overleefd. Het rijbewijs van de vrouw zat in haar handtas. Men wilde haar identiteit pas vrijgeven nadat de nabestaanden op de hoogte waren gebracht.

'Weet je zeker dat zij het is?'

'Nu wel. Toen ik het artikel las, zag ik het verband met de overlijdensadvertentie niet. Maar de politie zag het wel toen ze haar naam in de computer invoerden. Ze hebben meneer Koslo gebeld die de aanklacht tegen haar heeft ingediend. Meneer Koslo had het er met de man over die de monitors in de gaten houdt. Ricardo belde me meteen op nadat meneer Koslo bij hem weg was.'

'Wat erg,' zei ik. Ik kon me voorstellen dat iemand wiens leven een lijdensweg was zelfmoord als een uitkomst zag. Het punt was alleen dat er geen weg terug was. De oplossing was definitief en sloot andere mogelijkheden uit. Misschien had het leven er over twee dagen wel rooskleuriger uitgezien. 'Waarom heeft ze het nou gedaan? Ik vind het echt raar.'

'Ze stelde zich dus niet aan toen ze hysterisch werd.'

'Dat kun je wel zo zeggen. En ik verkneukelde me er nog wel om.'

'Anders ik wel,' zei Claudia. 'Stel nou dat ik het niet aan de beveiliging had doorgegeven. Zou ze dan nog in leven zijn?'

'Joh, meid, ik zou daar niet te lang bij stilstaan als ik jou was. Ik vraag me af hoe die andere vrouw zich voelt.'

'Slecht,' zei ze. 'Maar goed, ik moet ophangen. Ik heb nu pauze. Ik geef je mijn telefoonnummer wel, dan kun je me bellen als je erover wilt praten.'

Ik noteerde het nummer, hoewel ik me niet kon voorstellen waar we het verder nog over moesten hebben. Voorlopig had ik er vrede mee dat die vrouw zelf dood had gewild. Maar bij slecht nieuws is er altijd sprake van ongeloof. De geest heeft moeite de feiten te accepteren en schermt zich af tegen de gevolgen ervan. Ik vond niet dat ik verantwoordelijk was voor haar dood, maar ik vond het wel erg dat ik de vrouw graag gestraft had zien worden. Ik heb een hekel aan mensen die de wet overtreden, tenzij ik het natuurlijk zelf ben, want ik heb daar natuurlijk een heel goede reden voor. Waar haalde ik het lef vandaan om haar te veroordelen? Ik had haar beschuldigd en nu was de vrouw die ik zo graag gestraft had gezien van een brug gesprongen.

De rest van de ochtend en nog een gedeelte van de middag was ik bezig met mijn dossiers, een zelfopgelegde straf waardoor ik me op eenvoudige dingen kon richten. Waar moet dit bonnetje naartoe? Welke dossiers kunnen de doos in die naar de opslag gaat? Van wie is het telefoonnummer dat ik op een stukje papier heb geschreven? Zal ik het bewaren of weggooien? Ik weet niet wat ik erger vind, de grote stapels op mijn bureau of het wegwerken ervan. Tegen vier uur had ik de papierrotzooi afgehandeld en waren mijn handen zwart, wat mij terecht leek. Ik ging ze wassen en toen de post werd bezorgd, haalde ik de rekeningen eruit. Er zat een brief bij dat maandag het water in mijn kantoor afgesloten zou zijn omdat ze een lek moesten repareren. Ik zou dan wel thuis gaan werken, want om nou in een kantoor te gaan zitten zonder wc, dat zag ik niet zitten.

Ik zocht Henry's telefoonnummer in Detroit op en belde hem. Tegen die tijd was het bij hem al bijna zeven uur. Zijn broers en hij waren net tien minuten thuis nadat ze de hele dag bij Nell waren geweest, die was overgebracht naar een revalidatiecentrum.

'Hoe gaat het met haar?'

'Niet slecht. Eigenlijk best goed. Ze heeft wel veel pijn, maar ze heeft een uur lang overeind gezeten en ze hebben haar laten zien hoe ze met een looprek vooruit kan komen. Ze kan nog geen gewicht op dat been verdragen, maar ze kan een meter of twee hobbelen voordat ze weer moet zitten. Hoe gaat het bij jou?'

Ik bracht hem op de hoogte van de zelfmoord van de winkeldievegge en vertelde het hele verhaal erbij zodat hij kon snappen hoe stomverbaasd ik was geweest, maar ook dat ik me schuldig voelde door mijn gebrek aan medeleven. Henry klakte meelevend met zijn tong en verlichtte op die manier mijn schuld een beetje. We spraken af over een paar dagen weer te bellen en ik hing op. Ik voelde me een beetje beter. Hoewel ik het van me af wilde zetten, bleef ik maar over Audrey Vance piekeren. Toegegeven, ik kende haar amper. Ik was haar waarschijnlijk niet eens opgevallen, hoewel we op de lingerieafdeling pal bij elkaar in de buurt waren geweest. De jongere vrouw had me wel degelijk gezien, maar daar kon ik verder niets aan doen. Zonder kenteken kon ik niet achter haar gegevens komen.

Om half zes sloot ik het kantoor achter me en onderweg naar huis ging ik naar McDonald's. Wat troosteten betreft kan niets tegen een Quarter Pounder met kaas en een grote frites op. Om nog een beetje goed bezig te zijn nam ik er een cola light bij. Ik at het in de auto op, zodat die een week lang naar rauwe ui en gebakken vlees rook.

Eenmaal thuis liet ik de Mustang op Henry's oprit staan en liep ik door naar Rosie. Ik had niet per se trek in een glas slechte rode wijn, maar wel in bekenden en herrie om me heen en wellicht zelfs wat gekoeioneer als Rosie daar tijd voor had. Ik had ook wel willen babbelen met Claudia, maar zij kwam niet opdagen, en misschien was dat maar goed ook. Ik zat te spelen met de gedachte om William als klankbord te gebruiken, maar liet dat toch varen. Ik wilde het graag over Audrey Vance' vroegtijdige overlijden hebben, maar ik had geen zin in een ellenlange monoloog over de dood. Na Nells val en zijn eigen verhoogde glucose was hij toch al erg gevoelig. Volgens hem was het verschil tussen praten over de dood en de dood zelf te verwaarlozen.

William was graag aanwezig bij begrafenissen, hij ging een of twee keer per week naar rouwcentra om afscheid te nemen en de kerkdiensten en teraardebestellingen bij te wonen. Die interesse was een rechtstreeks gevolg van zijn obsessie met zijn eigen gezondheid. Het maakte hem niet uit of hij de overledene nu wel of niet had gekend. Hij trok zijn driedelig pak aan, stak een schone zakdoek in zijn zak en ging op pad. Normaal gesproken ging hij te voet. De meeste rouwcentra in Santa Teresa lagen midden in de stad een paar straten van elkaar verwijderd, zodat hij niet alleen aan iemands graf kon staan maar ook nog zijn conditie op peil kon houden.

Ik had hem zaterdagavond al over de winkeldievegge verteld. Onder de gegeven omstandigheden leek het me niet verstandig om uit te wijden over hoe ze van de brug was gestort. Ik had me geen zorgen hoeven te maken. Het was erg rustig in het restaurant, er zaten maar een paar vaste gasten. Boven de bar stond de kleurentelevisie aan, hoewel het geluid uit was gezet. Er was een spelshow te zien, waar niemand naar zat te kijken. Er stond geen muziekje op en het kwam allemaal erg lusteloos over.

Henry's tafel was onbezet. Een van de mensen die hier overdag kwamen drinken, zat in zijn eentje in een nis van een glas whisky te nippen. Rosie zat op een barkruk helemaal achter aan de bar witte katoenen servetten te vouwen. Een jong stel kwam aanlopen, bekeek het menu buiten naast de deur, en liep snel weer door. William stond achter de bar, met een elleboog op het blad en een pen in de hand. Ik dacht eerst dat hij een kruiswoordpuzzel aan het maken was, tot ik Audreys foto midden op de bladzijde zag prijken. Hij had drie namen omcirkeld, waaronder die van haar, en hij had de onderste regels van de betreffende rouwberichten onderstreept.

Ik ging op een kruk zitten en keek hem aan. 'Wat ben je aan het doen?'

'Ik maak een lijst.'

Ik wilde er mijn mond over houden, maar flapte het er toch uit. 'Weet je nog dat ik je over een winkeldievegge vertelde?' Ik wees naar Audreys foto. 'Dat is ze.'

'Zij?'

'Ja. Ze heeft zichzelf van de Cold Spring-brug geworpen.'

'O, hemel. Dat heb ik gelezen, maar ik wist niet dat zij het was. Stond haar naam in de krant?'

'De nabestaanden moesten nog worden ingelicht,' zei ik. 'Ik had het artikel helemaal niet gezien totdat iemand me erop wees.'

Hij tikte met de pen op de krant. 'Dat is dan geregeld. Twee diensten overlapten elkaar, dus ik kan toch niet naar alle drie. Ik houd het op Audrey Vance. Jij gaat uiteraard mee.'

'Nee, echt niet. Ik kende dat mens niet eens.'

'Ik ook niet, maar daar gaat het ook niet om.'

'Waar gaat het dan wel om?'

'Dat er netjes afscheid van haar wordt genomen. Dat is toch wel het minste wat we voor haar kunnen doen.'

'Ze is een volslagen vreemde voor je. Dat kun je toch niet maken?'

'Dat weten zij toch niet. Ik leg wel uit dat we niet echt goed bevriend waren en dat ik daarom afstandelijker kan zijn over haar jammerlijke einde. Bij een zelfmoord zijn familieleden vaak in de war. Het is goed als ze er met iemand als ik over kunnen praten. Er zijn vast dingen die ze niet aan vrienden kwijt willen. Je weet hoe het gaat. Er wordt altijd geheimzinnig over gedaan. Ik ben afstandelijk maar wel meelevend. Ze zullen de kans dat ze hun gevoelens een plek kunnen geven zeer waarderen, en al helemaal als ze weten hoeveel ervaring ik daar al in heb.'

Zoals William het beschreef was ik het bijna met hem eens.

'En als ze je nu vragen of je haar gekend hebt?'

Hij zei ongelovig: 'Bij een begrafenis? Dat zou wel erg onbeleefd zijn. Niet alleen familieleden hebben het recht om afscheid te nemen. Als iemand inderdaad het lef heeft om daarnaar te vragen, zeg ik wel dat we verre vrienden waren.'

'Zo ver zelfs dat jullie elkaar nooit hebben ontmoet.'

'Het is een kleine stad. Wie weet hoe vaak we elkaar wel niet gezien hebben?'

Ik zei: 'Voor mij hoef je niet te gaan. Ik wist niet eens hoe ze heette.'

'Dat maakt toch niet uit?' vroeg hij. 'Je gaat gewoon mee. We maken er een gezellige middag van.'

'Nee, dank je. Ik vind dat niet echt gezellig.'

'Misschien is die mededievegge er ook wel. Je wou die toch graag opsporen?'

'Maar nu niet,' zei ik. 'Ik ben ervan overtuigd dat ze er ook bij betrokken was, maar ik heb toch geen bewijs, dus wat heb ik eraan?'

'Doe niet zo ongevoelig. Audreys partner is gedeeltelijk verantwoordelijk voor haar heengaan. Ik kan me voorstellen dat juist jij zou willen dat het recht zegeviert.'

'Welk recht? Ik heb Audrey zien stelen, maar ik heb die andere meid niets zien jatten. En zelfs al was dat wel het geval, dan was het nog steeds haar woord tegen dat van mij. De verkoopster in Nordstrom had zelfs niet door dat ze met z'n tweeën waren.'

'Misschien is de handlangster wel door een bewakingscamera gefilmd. Laat ze daar een afdruk van maken, dan kun je die aan de politie laten zien.'

'Geloof me, de beveiligingsmedewerker gaat me echt niet uitnodigen om die banden te bekijken. Ik werk niet eens voor de politie. Bovendien is het wat hem betreft iets wat het warenhuis aangaat en niet mijn pakkie-an.'

'Wat ben je toch eigenwijs. Als die andere vrouw bij het rouwcentrum op komt dagen, kun je haar volgen. Als ze al eens heeft gestolen, zal ze dat vast weer doen. Je kunt haar op heterdaad betrappen.'

Hij pakte de kan slechte wijn en schonk een glas voor me in.
Ik dacht na over zijn voorstel en het feit dat de jongere vrouw me omver had willen rijden kwam weer bovendrijven. Het zou erg bevredigend zijn om de blik op haar gezicht te zien als wij daar aan zouden komen. 'Waarom denk je dat ze daar zou zijn?'
'Dat is alleen maar logisch. Ze voelt zich vast schuldig. Audrey, haar vriendin, is overleden. Ik denk dat ze alleen al om haar geweten te sussen op zal komen dagen. Dat geldt ook voor jou.'
'Ik heb geen last van mijn geweten. Hoe kom je daarbij?'
William trok zijn wenkbrauw op terwijl hij de deksel op de kan deed. 'Tja, dat zou ik echt niet weten.'

8

Op dinsdagochtend ging ik niet hardlopen. De pijn in mijn bont en blauwe scheenbeen leek nog erger, maar dat was niet de reden. Men kon van Audrey Vance om tien uur afscheid nemen. Als ik vroeg naar kantoor ging, zou ik nog tijd hebben om wat telefoontjes te plegen en mijn post na te kijken voordat ik ervandoor moest. Ik poetste mijn tanden, nam een douche, waste mijn haar en vervolgens haalde ik mijn zwarte jurk voor alle gelegenheden uit de kast en schudde hem even uit. Er viel niets op de grond wat snel wegschuifelde, dus wat insecten aanging leek het me verder wel veilig. Ik draaide de jurk aan het knaapje heen en weer en bekeek hem goed. Er zat stof op de schouders en dat veegde ik weg. De knopen zaten er nog allemaal aan, er waren geen opengebarsten naden en ook geen losse draadjes. Het jurkje is van een volledig synthetische stof gemaakt, waarschijnlijk een derivaat van petroleum dat op een goede dag niet meer gebruikt mag worden omdat ze erachter zijn gekomen dat het kankerverwekkende eigenschappen bezit. Maar voorlopig hoef ik het niet te strijken, zie je er nauwelijks vlekken op en blijft het modieus, vind ik als leek zijnde.

Op kantoor deed ik alles wat ik wilde in de korte tijd die ik had. Om half tien deed ik het kantoor achter me op slot en reed ik terug naar mijn buurtje. William, keurig gekleed in een van zijn meer donkere driedelige pakken, stond al voor Rosie's Tavern op me te wachten. Omdat hij nu 'prediabetisch' was, nam hij voortaan een wandelstok mee, een mooi gesneden ebbenhouten geval met een dikke rubberen dop. We deden over het ritje dwars door de stad nog geen tien minuten.

Er stonden maar twee auto's toen we de parkeerplek naast het bord *Wynington-Blake rouwcentrum: begrafenissen, crematies en overzees vervoer, alle geloven welkom* op reden. Ik ging zomaar ergens staan. William zat te popelen. Zodra ik de motor af had gezet, sprong hij uit de auto en hij liep met verende tred naar de ingang. Even later, met het oog op zijn gezondheid, paste hij dat snel aan. Ik deed rustig aan terwijl ik de auto afsloot en had er al spijt van dat ik was gekomen. Aan de pui van het gebouw was niets te zien. De ramen op de begane grond waren dichtgemetseld en ik voelde de claustrofobie al toeslaan voordat ik zelfs maar een stap over de drempel had gezet.

Wynington-Blake is gehuisvest in wat vroeger een groot woonhuis was geweest. De ruime entree doet nu dienst als een hal waar zes rouwkamers op uitkomen, elk met genoeg zitplaats voor zo'n honderd mensen. Elke kamer had zijn eigen passende begrafenisnaam: Sereenheid, Stilte, Meditatie, Eeuwige rust, Tijdelijk verblijf, de Zonsopgangkapel en Toevluchtsoord. Deze kamers waren vroeger vast een salon, een zitkamer, een eetkamer, een bibliotheek, een biljartkamer en een gelambriseerde werkkamer geweest. Er stond een bord voor zowel Stilte als Meditatie en ik nam aan dat de andere kamers leeg waren.

Toen we naar binnen liepen kwam meneer Sharonson, de begrafenisondernemer, William hartelijk begroeten. William zei dat hij voor Audrey kwam en werd doorverwezen naar Meditatie, waar men afscheid van haar kon nemen. Meneer Sharonson zei op gedempte toon: 'Meneer Striker is net aangekomen.'

William zei: 'De arme man. Ik ga straks wel even met hem praten om te horen hoe het met hem gaat.'

'Niet zo goed, zou ik zo zeggen.'

Ik zette een stap naar voren en meneer Sharonson en ik drukten elkaar de hand. Ik had hem in de afgelopen zes jaar drie of vier keer gezien, hoewel ik me niet kon herinneren dat ik hem ooit buiten zijn beroep om had ontmoet. Hij hield mijn hand even vast, waarschijnlijk in de veronderstelling dat het om een dierbare ging.

In de gang voor Meditatie stond een houten verhoging met daarop een overmaats condoleanceregister waar je je naam in moest zetten. De bladzijden waren over het algemeen onbeschreven. Omdat we zo vroeg waren was er pas één persoon aanwezig.

Ik keek toe toen William zijn handtekening zette en netjes zijn naam en adres erbij schreef. Ik nam aan dat dat voor de familie was, zodat ze achteraf een bedankje konden sturen. Dit soort lijsten wordt toch niet aan telefoonbedrijven verkocht die je bellen tijdens het eten waardoor je gelijk geen trek meer hebt?

Degene die voor William het register had getekend, was Sabrina Striker, waarschijnlijk de dochter of zus van Audreys verloofde. Het adres dat ze had opgegeven, was in de stad. Haar handschrift was zo priegelig dat het me verbaasde dat het überhaupt leesbaar was. Ik stond daar met de pen in mijn hand en had er niet veel zin in om mijn aanwezigheid kenbaar te maken aangezien ik daar helemaal niet hoorde te zijn. Maar aan de andere kant, als ik het niet deed kwam dat ook weer raar over. Ik zette mijn naam onder die van William en liet de ruimte die bestemd was voor het adres open. Op een tafel bij de deur lag een stapel programma's met Audreys naam erop. William pakte er een en liep de rouwkamer in alsof hij nooit anders deed. Geen idee hoe vaak hij hier wel was geweest om iemand die hij totaal niet kende de laatste eer te bewijzen. Ik pakte ook een programma en liep achter hem aan.

Zes jaar geleden was ik in deze zelfde kamer geweest toen een man genaamd John Daggett in zee was verdronken. Er was niet veel veranderd... voor hem al helemaal niet. Aan de rechterkant stonden een bank en een aantal fauteuils in een halve cirkel bij elkaar, zoals in een zitkamer. Er waren pastelkleuren gebruikt: zachtpaars, grijs en mosgroen. De bekleding was neutraal gehouden, misschien om goed bij de rest van het meubilair te passen. Er hingen een paar smaakvolle gordijnen voor de ramen waar dus geen glas in zat. In plaats van het zonnetje zorgden schemerlampen voor licht.

De inrichting kon voor elk geloof gebruikt worden, dat wil zeggen dat er geen enkel religieus symbool of heilig ornament te bekennen was. Zelfs een atheïst had zich hier op zijn gemak gevoeld. Een dichtgetrokken houten harmonicadeur deelde de kamer doormidden, zodat er een kleinere ruimte overbleef. Met maar zo weinig mensen zou het niet prettig zijn overgekomen als die deur was opengehouden.

Aan de linkerkant stonden drie rijen klapstoeltjes die dusdanig waren neergezet dat iedereen zicht had, waarschijnlijk bestemd voor de dienst die 's middags plaats zou vinden. Er stonden twee gigantische vazen met gladiolen die, zoals ik even later ontdekte, nep waren. Ik kon rozen ruiken, maar dat kan ook uit een spray zijn gekomen om de kamer een lekker luchtje te geven. Aan weerskanten van de dichte mahoniehouten kist lag een bloemenkrans. De val zal Audrey Vance's uiterlijk niet veel goed hebben gedaan.

William had de boel in ogenschouw genomen en al snel zijn aandacht gericht op een man die voorin zat. Hij zat met gebogen hoofd zachtjes in een zakdoek te snikken. Dat moest Marvin Striker wel zijn. Naast hem zat een jonge vrouw met een wit T-shirt en een donkerblauwe blazer aan. Toen William op de klapstoel links van hem ging zitten, vermande Striker zich en droogde hij zijn tranen. William legde troostend een hand op zijn arm en voegde hem een paar opmerkingen toe die zo te zien werden gewaardeerd. Striker stelde William aan de vrouw naast hem voor en ze gaven elkaar een hand. Striker knikte even. Hij was keurig gekleed in een donker pak, hij was halverwege de zestig, zonder baard en snor, was kalend en droeg zijn grijze haar kortgeknipt. Zijn wenkbrauwen waren donker, wat aangaf dat zijn haar ooit ook donker was geweest. Hij had een montuurloze bril op met dunne metalen pootjes. Het was te hopen dat William me niet aan hen voor wilde stellen. Ik was nog steeds bang dat ik gevraagd zou worden waar ik de overledene van kende.

Ik ging op de achterste rij zitten, op die rij stoelen zat verder niemand. Het was een beetje kil en de orgelmuziek stond zo zacht dat ik niet herkende wat er werd gespeeld. Ik was slecht op mijn gemak en viel des te meer op omdat ik in mijn eentje zat en niets te doen had. Ik sloeg het programmaboekje open en las wat erin stond, maar tot mijn teleurstelling was het dezelfde tekst als in de rouwadvertentie die ik de dag ervoor had gelezen.

Ook de foto van Audrey was hetzelfde, alleen was deze in kleur en die in de krant zwart-wit. Ze zag er goed uit voor iemand van drieënzestig. Dankzij goede cosmetische chirurgie was haar huid glad getrokken, waardoor ze tien jaar jonger leek. De frons tussen haar wenkbrauwen was weg, zodat ze geen 'boze' of 'verdrietige' uitdrukking meer had, iets waar de meeste vrouwen last van hebben. Het uitdrukkingsloze gladde gezicht dat rust en de eeuwige jeugd uitstraalde was stukken beter. Haar haar was een tikje donkerder dan de kleur die ze in Nordstrom had gehad, maar de coupe was hetzelfde, kort en uit haar gezicht geborsteld. Ze was mooi opgemaakt. Haar glimlach toonde goede tanden, die onregelmatig genoeg waren om geen kronen te zijn. Ze was niet echt dik, maar wel klein, maar zo'n een meter achtenvijftig en dus toonde elk pondje.

In de krant was alleen haar gezicht afgedrukt. Hier was ze te zien in een wijd roodfluwelen jasje. De ketting was duidelijk nep, grote stenen die zelfs geen moeite deden om echt te lijken. Het glimmende rode enveloptasje dat ze bij zich had was in de vorm van een slapende kat en leek verdacht veel op de zeer dure handtas die ik bij Nordstrom in een afgesloten vitrinekast had gezien. Als ze die had gejat, was dat knap gedaan.

De kerkdienst, uitgebreid beschreven op de tegenoverliggende pagina, was uiterst kort gehouden: een openingsgebed, twee gezangen en een toespraak van de eerwaarde Anderson, waarbij niet stond vermeld van welke kerk hij was. Ik begreep niet goed hoe dat in zijn werk ging. Was er een uitzendbureau voor eerwaarden speciaal voor mensen die niet bij een kerk aangesloten waren? Ik was bang dat William voor de dienst wilde blijven, terwijl ik zocht naar een uitvlucht om er niet bij te hoeven zijn.

De jonge vrouw naast Striker zei iets tegen hem en stond toen op. Ze liep zowat op haar tenen de kamer uit en liet een walm van sneeuwklokjesparfum achter toen ze langs me kwam. William was nog steeds ernstig in gesprek met Striker. Wat had hij in vredesnaam allemaal te vertellen?

Ik wierp snel een blik op de deur, bang dat de vele neven en nichten van Aubrey op kwamen dagen en met iedereen even een praatje gingen maken, en met name met mij. Behalve William, Audreys verloofde en ik was er verder niemand in de kamer. Het viel me opeens in dat als haar handlangster op kwam dagen ze mij meteen zou zien. Ik deed het programmaboekje weer in mijn schoudertas, stond op van de klapstoel en ging op zoek naar het damestoilet.

Terwijl ik langs Stilte kwam, bleef ik even staan om de naam op het bord te lezen. Het afscheid van Benedict 'Dick' Pagent was tussen zeven en negen uur die avond en ook op woensdagmorgen tussen tien tot twaalf uur, met op donderdagochtend een dienst in de Second Presbyterian-kerk. Het was een ruime en donkere kamer. De lampen brandden niet en het enige licht viel vanuit de hal naar binnen en wierp mijn schaduw terwijl ik door de open deur naar binnen gluurde. Hier dezelfde indeling met fauteuils en bijpassende bank aan mijn rechterkant. Links van me zag ik een open kist staan waar een man in lag van wie zijn bovenlichaam te zien was. Hij lag zo stil dat hij wel van marmer leek. Ik zag al voor me wat er gebeurde voordat de familie arriveerde: de lampen werden aangedaan, de muziek werd aangezet, om de indruk te wekken dat hij niet de hele tijd hier in zijn eentje had gelegen. Ik trok me terug en liep verder de hal in.

Om de hoek zag ik een kleine zitkamer met een aangrenzend keukentje, dat wellicht bedoeld was voor de naaste familie als ze even alleen wilde zijn. Links waren de toiletten met de bordjes M en V erop. De toiletruimte voor de dames was brandschoon, er waren twee wc's, een wastafel met twee wasbakken van namaakmarmer en een opvallend bordje met *Roken verboden* erop. Iemand had een sigaret opgestoken en ook als ik geen detective was geweest, had ik het pluimpje rook dat uit een van de wc's opsteeg wel kunnen ontdekken.

Er werd een wc doorgetrokken en de jonge vrouw van wie ik vermoedde dat ze Strikers dochter was, stapte naar buiten. Ze had geen sigaret bij zich, dus had ze die in de pot gegooid. Ze keek me even aan en glimlachte beleefd terwijl ze naar de wasbak liep. Ze draaide de kraan open en waste haar handen. Ze had een blazer, een wit T-shirt en een spijkerbroek, tennissokken en sportschoenen aan. Niet bepaald geschikt voor een begrafenis, maar wel iets wat ik zelf had kunnen dragen.

Ik liep de andere wc in en maakte er gebruik van in de hoop lang genoeg bezig te zijn om bij terugkeer meer mensen in de rouwkamer aan te treffen. Ik verwachtte dat de deur naar de hal open en dicht zou gaan, maar toen ik van het toilet af kwam, stond de vrouw tegen de wasbak aan een sigaret aan te steken. Ik hield me in en wees haar niet op het feit dat ze in overtreding was. Ik zat net zo te twijfelen als bij het vogelasiel waar ik toeristen de eenden stukjes brood zag voeren terwijl er een groot bord hing waar VERBODEN DE VOGELS TE VOEREN op stond. Hoewel ik de bezoekers het voordeel van de twijfel wilde gunnen, had ik toch altijd sterk de neiging om duidelijk en langzaam te vragen: 'Spreekt u Engels?' of 'Kunt u wel lezen?' Ik heb me tot nu toe ingehouden, maar ik erger me kapot aan mensen die dat soort bordjes eenvoudigweg negeren, mezelf uitgezonderd natuurlijk.

Sabrina Striker had een lang gezicht. Haar neus was smal en was een beetje breder bij de punt, zodat hij groter leek dan hij was. Haar donkere haar was achter haar oren gestreken waardoor die enigszins uitstaken. Ze had geen make-up op en een ander kapsel zou haar beter staan. Misschien juist door die onvolkomenheden vond ik haar een leuk mens, aardig en gewoon.

Ik nam de tijd mijn handen te wassen. Ik heb gemerkt dat je van alles te weten komt op het toilet, als je maar de tijd neemt. Dit was een goed moment om de proef op de som te nemen. Ik ving haar blik in de spiegel. 'Ben jij Sabrina?'

Ze glimlachte waardoor het tandvlees boven haar boventanden zichtbaar werd. 'Dat klopt.'

Ik draaide de kraan dicht en trok een papieren handdoekje uit het apparaat. Ik droogde mijn handen, gooide het handdoekje in de prullenmand en stak mijn hand uit. 'Ik ben Kinsey.'

We drukten elkaar de hand en zij zei: 'Dat dacht ik al. Ik zag je naam in het register staan. Jij bent samen met die oudere meneer die met mijn vader zit te praten.'

'William en ik zijn buren van elkaar,' zei ik en daar liet ik het bij. Ik boog me naar de spiegel toe en streek over mijn wenkbrauw alsof ik die in het gareel wilde brengen. Hij moest weer een beetje bijgeknipt worden en ik vond het jammer dat ik mijn eigen vertrouwde nagelschaartje niet had meegenomen. Ik heb hem meestal bij me voor noodgevallen.

Ze zei: 'Was jij dan met Audrey bevriend of hij?'

'Hij eigenlijk meer. Ik heb haar maar één keer ontmoet. Hij was degene die voorstelde om afscheid te nemen,' zei ik, handig de waarheid ontwijkend. 'Volgens de krant was ze met je vader verloofd.'

Sabrina trok een gezicht. 'Jammer genoeg wel. We wisten niet dat hij het serieus nam.'

'Waarom vonden jullie dat erg?'

Ze aarzelde. 'Je was toch niet echt bevriend met Audrey?'

'Totaal niet. Dat zweer ik.' Ik knikte haar bemoedigend toe.

'Want ik wil je niet beledigen.'

'Geloof mij nou maar, ik sta aan jouw kant.'

'Nou, mijn moeder is in mei overleden. Mijn ouders kenden elkaar al sinds college en waren vijfendertig jaar getrouwd geweest. Vier maanden na de sterfdag van mijn moeder leerde papa Audrey in een bar kennen. Binnen de kortste keren was ze bij hem ingetrokken.'

'Dat was niet zo netjes.'

'Precies.'

'Ik neem aan dat jullie er wat van hebben gezegd?'

'Ik heb er zo min mogelijk over gezegd, maar hij wist wel wat ik ervan vond. Ik vond het een belediging. Mijn zus Delaney dacht dat ze op zijn geld uit was, maar daar was ik het niet mee eens. Audrey had altijd geld genoeg, dus ik kon niet geloven dat ze op zijn geld zat te azen. Ze was lief voor hem. Dat moet ik haar nageven.' Ze draaide de kraan open en doofde haar sigaret voordat ze de peuk in de prullenmand gooide. 'Ze was natuurlijk een slet.'

'Gezien haar leeftijd had ik een andere benaming verwacht, al zou ik niet weten wat.'

'Een sluwe oude slet.'

'Denk je dat ze ergens anders op uit was?'

'Er was iets met haar aan de hand. Zeker, papa is een schatje, maar ze is niet echt zijn type.'

'Hoe dat zo?'

'Hij is altijd een beetje een conservatieveling geweest. Zelfs mijn moeder had daar soms moeite mee. Hij blijft graag thuis. Wil 's avonds niet de deur uit. Audrey was altijd bezig, altijd weg. Wat hadden ze dan gemeen?'

Ik haalde mijn schouders op. 'Misschien waren ze wel verliefd. Hij was vast eenzaam zo zonder je moeder. De meeste mannen trekken het niet in hun eentje en al helemaal niet als ze gelukkig getrouwd zijn geweest.'

'Dat is zo. En nu is hij natuurlijk als een blad aan een boom omgedraaid, meneer de stapper. Natuurlijk vond ik niet dat ik me met zijn zogenaamde liefdesleven mocht bemoeien. Delaney en ik hadden zo min mogelijk contact met Audrey. Dat leek ons het beste. En als we haar zagen waren we beleefd. Ik weet niet of dat overkwam, maar we deden wel degelijk ons best. Ik hield de twijfels voor me, ook al waardeerden ze dat niet. Zij gingen ervan uit dat ik jaloers was, dat ik geen enkele vrouw moest die in mijn vaders leven kwam. Maar dat is niet waar.'

'Wie bedoel je met "ze"?'

'Zijn drinkmaatjes. Na de dienst zullen ze wel langskomen en erop staan dat hij meegaat om wat te drinken. Voor zover ik weet was dat het enige wat Audrey en hij samen deden, drinken. Daar wil ik niet mee zeggen dat hij te veel dronk. Maar zij wel. Het ene feestje na het andere. Gelukkig was ze vaak weg voor haar werk. Vind je dat een gezonde relatie? Ik niet, hoor.'

'En hoe zat het met haar kinderen? Konden zij er wel mee leven?'

'Geen idee. Die hebben we nooit ontmoet.'

'Komen ze wel? Ze stonden niet in het condolanceregister.'

'Ze weten niet eens dat ze er niet meer is. Ze zouden in San Francisco wonen, maar papa kon van geen van hen een telefoonnummer ontdekken. Audrey had een adresboekje. Dat heeft hij vaak genoeg gezien, maar hij weet niet waar ze het gelaten heeft.'

'Ze wist de nummers waarschijnlijk uit het hoofd.'

'Dat zal wel. Audrey beweerde dat Betty, haar dochter, voor Merrill Lynch werkte, maar daar klopte geen bal van. Delaney woont daar, dus belde ze naar het kantoor en niemand wist wie ze bedoelde. Niemand had ooit van haar gehoord.'

'Ze kan intussen getrouwd zijn en haar mans naam hebben aangenomen.'

'Dat kan,' zei ze. Haar mondhoeken zakten naar beneden en ze ging met haar tong over haar boventanden, wat aangaf dat ze er niets van geloofde.

'En hoe zit het met de neven en nichten? Die kunnen toch contact met haar kinderen opnemen?'

'Er zijn geen neven en nichten. Papa heeft ze voor de rouwadvertentie verzonnen omdat het beter overkwam. Ze had voor zover we weten helemaal geen vrienden of familie. Afgezien van die dronkenlappen met wie ze omgingen, zijn wij de enigen.'

'Eigenaardig.'

'Dat is het ook. Als zij kinderen had, zou je toch denken dat ze af en toe eens langs zouden komen of haar zouden bellen.'

'Denk je dat het een leugen was?'

'Dat zou me niets verbazen. Ik had het vermoeden dat ze papa voor de mal hield met haar lieve maniertjes. Volgens haar was zij het hoofd van een gelukkig gezinnetje en hadden de kinderen allemaal een goede baan. Ha!'

'Misschien waren ze van elkaar vervreemd.'

'Dat zou natuurlijk kunnen, hoewel we daar waarschijnlijk nooit achter zullen komen.' Ze dempte haar stem. 'Weet je hoe ze gestorven is?'

'Ja, en dat vond ik eigenlijk wel vreemd. Vond jij haar het type om van een brug te springen?'

'Normaal gesproken zou ik nee hebben gezegd, maar papa vertelde dat ze vrijdagmiddag was opgepakt en bijna de hele nacht in de gevangenis heeft doorgebracht.'

Mijn verbaasde blik was duidelijk geveinsd, maar ze kende me niet goed genoeg om dat door te hebben. Ik zei: 'Opgepakt? Dat meen je niet. Waarvoor dan?'

'Dat weet ik niet. Hij wilde het me niet vertellen. Ik weet dat hij de borgtocht heeft opgehoest en als ik hem moet geloven, stond ze op het punt een zenuwinzinking te krijgen. Hij was laaiend. Hij zei dat er geen bal van klopte en dat hij van plan was er een rechtszaak van te maken omdat ze valselijk was beschuldigd. Hij is ervan overtuigd dat waar ze ook voor was gearresteerd, ze daardoor het leven niet meer zag zitten.'

'Dat zou best eens kunnen,' zei ik.

Ze keek op haar horloge. 'Ik moet gaan. Blijf jij voor de dienst?'

'Dat weet ik nog niet. Ik ga even vragen wat William doet.'

'Als je er straks nog bent, kunnen we verder praten. Fijn dat ik het even kwijt kon.'

'Graag gedaan.'

Toen ik Meditatie weer binnenliep was het inmiddels wat drukker geworden. Zo te zien waren het de drankmaatjes van Marvin en Audrey. Ze waren met z'n zessen, twee vrouwen en vier mannen, van ongeveer dezelfde leeftijd. Ik weet zeker dat de vaste drinkers in Rosie's Tavern precies dezelfde indruk zouden maken: alsof ze er moeite mee hadden niet in de kroeg te zitten en op dat uur van de dag nuchter te zijn. Een van de vrouwen had Marvins hand beetgepakt en de tranen biggelden over haar wangen. Terwijl zij huilde, trok hij een zakdoek tevoorschijn die hij haar overhandigde. Ze schudde het hoofd en ik zag dat hij snel wat tranen in zijn eigen ogen droogde. Verdriet is net zo aanstekelijk als gapen.

William stond inmiddels achter in de kamer en was in gesprek met meneer Sharonson. Ik ving zijn blik en stak voorzichtig mijn hand op. Hij verontschuldigde zich en kwam naar me toe. 'Hoe gaat het?'

'Prima. Ik vroeg me af wat je verder gaat doen. Blijf je voor de dienst?'

'Maar natuurlijk. Jij wou toch niet weggaan? Marvin zou er kapot van zijn.'

'Kapot?'

'Hij had altijd al graag vrienden van Audrey willen leren kennen en hij is dolblij dat wij er zijn. Nou ja, "dolblij" is misschien niet het juiste woord, maar je snapt wat ik bedoel.'

'En die vrouw met wie hij nu aan het praten is, was dat geen vriendin dan?'

'Meer een kennis, zou ik zeggen. Ze zagen elkaar regelmatig in de kroeg. Hij vindt het heel erg dat er verder niemand is. Hij had gehoopt dat er een redelijke opkomst zou zijn.'

'Hoe zit het met zijn oudste dochter?'

'Die is San Francisco in het vliegtuig gestapt en zou hier rond een uur of één moeten zijn.' Hij vroeg zachtjes: 'Is zij er al?'

'Audreys handlangster? Ik heb haar nog niet gezien en dat baart me zorgen. Als ze nu binnen komt lopen, ziet ze me meteen staan.

Ik kan me niet voorstellen dat ze me niet zou herkennen.'

'Het maakt niet uit. Ook al herkent ze je meteen, ze heeft dan toch al haar naam en adres in het register geschreven. Zo heb je alle benodigde gegevens zonder dat je er moeite voor hebt hoeven doen.'

'Ze hoeft niet per se haar adres opgeschreven te hebben. Dat heb ik ook niet gedaan.'

'Ook geen punt. Je weet dan tenminste hoe ze heet. Dan kom je ook achter de rest.'

'Maar ze weet dan ook hoe ik heet. Als ze in de telefoongids kijkt, ziet ze meteen Millhone Investigations vermeld staan, zodat ze mijn zakelijke adres en telefoonnummer heeft. Ze heeft heus wel door dat ik achter haar aanzit. Waarom zou een privédetective anders bij Audreys afscheid komen opdagen?'

'Er zijn vier vrouwen aanwezig. Vijf, als Marvins oudste dochter er straks ook is. Ze weet toch niet wie wie is. En waar maak je je trouwens druk om?'

'Ze wou me anders wel dood hebben.'

'Dat was vast niet een vooropgesteld plan. Ze zag haar kans schoon en reageerde impulsief.'

'Maar stel nu dat ze Marvin vertelt dat ik privédetective ben?'

'Dat weet hij al.'

'O ja? Hoe kwam dat nou ter sprake?'

'Gewoon, ik heb het hem meteen verteld.'

Ik stond met mijn ogen te knipperen. 'William, dat had je niet moeten doen. Wat heb je hem in hemelsnaam gezegd?'

'Ik heb hem niet het hele verhaal verteld, Kinsey. Dat zou niet erg discreet zijn geweest. Ik heb alleen gezegd dat je zag dat Audrey spullen ter waarde van honderden dollars jatte en dat je vervolgens door haar vluchtende handlangster in de garage bijna werd doodgereden.'

9

De volgende ochtend was ik om negen uur weer op kantoor, ik maakte de deur open en pakte de stapel post op die de postbode de dag ervoor in de brievenbus had gedaan. Ik gooide de stapel op mijn bureau en liep door naar het keukentje om een pot koffie te zetten. Nadat het apparaat gorgelend te kennen had gegeven dat de koffie doorgelopen was, schonk ik mijn beker vol. Ik rook aan de melk en die bleek zowaar nog goed te zijn. Ik schonk een wolkje in de koffie. Het leven is mooi, dacht ik. Toen ik mijn kantoor weer in liep stond Marvin Striker door het raam naar buiten te kijken.

Ik morste maar een klein beetje koffie over mijn hand terwijl ik achtereenvolgens paniek, ongemak en schuld voelde en me afvroeg of hij me op het matje wilde roepen omdat ik onuitgenodigd bij Audreys afscheid was komen opdagen. Ik zei: ‘Meneer Striker. Ik heb u niet binnen horen komen.’

Hij draaide zich om en keek me met zijn bruine ogen die vroeger vast een ondeugende glans hadden bevat droevig aan. Hij glimlachte niet erg enthousiast, maar in elk geval was hij ook niet kwaad. ‘De deur was open. Ik heb een paar keer aangeklopt en toen ben ik maar naar binnen gegaan. Dat vind je toch niet erg?’

‘Nee, hoor. Wilt u koffie? Ik heb net gezet.’

‘Ik hou niet echt van koffie, bedankt. Ik had na de dienst nog graag met je willen praten, maar je was al weg.’

‘Ik had nooit moeten komen. Ik kende Audrey helemaal niet...’

'Daar hoef je je niet voor te verontschuldigen. William zei al dat hij je had overgehaald. Hij kende haar ook niet, maar ik vond het toch fijn dat hij er was. Hij is erg aardig.'

'Dat is zo,' zei ik. 'Hoe gaat het met u? Het is toch een moeilijke tijd.'

Hij schudde het hoofd. 'Vreselijk! Ik kan het gewoon niet geloven. Als je me een week geleden had gezegd dat mijn verloofde zich van een brug af zou werpen, had ik je vierkant uitgelachen.'

'Ik zou niet al te snel conclusies trekken,' zei ik. 'De politie heeft de oorzaak nog niet vastgesteld, voor zover ik weet.'

'Ik begrijp er helemaal niets van. Jij wel?'

'Nee, niet echt, maar ik ken dan ook het hele verhaal niet.'

'Ik ook niet, dus we zitten in hetzelfde schuitje.'

Ik nam plaats aan mijn bureau in de verwachting dat hij in de stoel ervoor zou gaan zitten. Maar hij bleef staan, met zijn handen in zijn zakken. Hij was klein en gedrongen, had een blauw gestreept pak aan met een lichtblauw overhemd. Zijn das was losjes gestrikt en het bovenste knoopje van zijn overhemd stond open, alsof hij zich die ochtend aan het aankleden was en toen te veel haast had om de puntjes op de i te zetten. 'Heb je zo nog een afspraak of zo? Ik houd je toch niet op? Ik weet dat je het druk hebt.'

'Nee hoor, neem gerust de tijd.'

'William zei dat je in Nordstrom aanwezig was toen Audrey... nou ja, iets ontvreemdde, of hoe dat ook mag heten.'

'Ik was er inderdaad bij,' zei ik voorzichtig, ik was niet van plan het hele verhaal te vertellen zonder op de hoogte te zijn wat hij erover wist en wat hij ervan vond.

'Weet je wat ik nou niet snap? Audrey was een goed mens. Ze was een echte lieverd. We hadden een hoop pret en ik heb geen idee wat er nu misging.' Hij knipperde met zijn ogen en haalde zijn hand over zijn gezicht om een traan weg te vegen. Hij trok een keurig gevouwen zakdoek uit zijn achterzak en snoot zijn neus. 'Sorry, hoor. Het grijpt me nog steeds aan.'

'Meneer Striker, wilt u niet liever even zitten?'

'Zeg maar Marvin.'

'Graag,' zei ik.

Hij was gladgeschoren en ik ving een vleugje aftershave op. Hij ademde diep in en uit om rustig te worden. 'Ik weet niet wat ik moet doen. Ik geloof er niets van dat Audrey een dievegge was. Ik geloof er niets van dat ze zelfmoord heeft gepleegd. Het kan gewoon niet.'

'Jij hebt toch de borgtocht betaald?'

'Klopt. Ze belde me en ik ging meteen naar het politiebureau waar ze haar opgesloten hadden. Ik was daar nog nooit geweest. Ik wist zelfs niet goed waar het was. Ik had het wel eens gezien, maar er verder niet op gelet. Ik ben nog nooit gearresteerd en volgens mij ken ik niemand die dat wel is geweest. Tot nu toe dan.'

'Wat zei ze toen je haar ophaalde?'

'Dat weet ik niet meer. Het lijkt wel weken geleden en ik kan me er niets meer van herinneren. Wat ik wel weet is dat er meer achter zit, en daarom ben ik hier.'

'Wil je weten wat ik heb gezien?'

Hij lachte gegeneerd. 'Nee, niet echt. Maar ik kan het toch maar beter horen.'

'Onderbreek me gerust als je iets wilt weten. En anders vertel ik het gewoon zoals ik het me herinner.' Ik ging van start en leidde het in met waar het was, hoe laat het was en wat ik daar deed. 'Ik zag Audrey pas toen ik op zoek was naar een verkoopster. Ze was met een jongere vrouw aan het praten van wie ik dacht dat het een verkoopster was, totdat ik zag dat ze net als ieder ander een handtas en een boodschappentas bij zich had. Ik vond wat ik zocht en wou gaan afrekenen toen ik Audrey weer zag. Dit keer stond ze bij een stapel zijden pyjama's waar ik ook naar had gekeken. Ze pakte twee paar pyjama's op en stopte ze in de boodschappentas...'

'Kwam ze nerveus over?' wilde hij weten.

'Nee, totaal niet. Ze deed of er niets aan de hand was. Alsof het de gewoonste zaak van de wereld was. Ik dacht zelfs dat ik me het verbeeld had. Ik deed een stap naar rechts en bekeek een rek met ochtendjassen zodat ik haar in de gaten kon houden. Zij liep naar een andere tafel en terwijl ze daar door de artikelen rommelde, zag ik dat ze een body...'

'Wat is dat?'

'Een bh en broekje aan één stuk. Ze pakte het op en stopte het in haar tas. Ik liep naar de dichtstbijzijnde kassa en meldde het bij de caissière, die meteen de beveiliger op de hoogte stelde. Een paar minuten later kwam de beveiliger aan lopen en hij maakte even een praatje met Claudia Rines, de verkoopster. Ik ken haar trouwens.'

'Waarvan?'

'Heel oppervlakkig. Ik zie haar af en toe in Rosie's Tavern, een eethuisje vlak bij mijn huis. Claudia bracht me op de hoogte over wat er verder gebeurde, en daar kom ik zo op terug.'

Marvin liet zijn hoofd zakken en schudde het.

'Gaat het?'

'Let maar niet op mij. Ga maar door. Ik heb het er zwaar mee, maar dat lijkt me logisch. Dus de beveiliger kwam aan lopen en toen?'

'Audrey scheen door te hebben dat ze het over haar hadden, en ze liep de lingerieafdeling af naar de grotematenafdeling. De beveiliger stuurde Claudia naar de eerste verdieping voor het geval ze de roltrap naar beneden nam.'

Er schoot hem opeens iets te binnen en hij knipte met zijn vingers en wees naar me. 'Ja, ja. Ik weet weer wat ze me vertelde. Kijk, zo zat het. Ze wist niet waarom hij haar staande hield. Ze wilde graag meewerken, dus deed ze precies wat hij vroeg. Ze schrok zich dood toen ze erachter kwam dat ze de spullen in haar tas had gedaan. Want ja oké, ze had ze inderdaad opgepakt, maar ze had ze weer terug willen leggen. Je kent dat wel. Bij nader inzien wilde ze het toch niet hebben. Ze zei dat ze het gewoon vergeten was en dat er opeens een hele heisa over werd gemaakt. Ze gaf toe dat het stom van haar was geweest.'

Ik schudde het hoofd. 'Dat lijkt me niet. Nee, daar geloof ik niks van.'

'Dat zei ze tegen mij, dus vertel ik het maar.'

'Dat weet ik, Marvin, maar ik heb het vermoeden dat er meer achter steekt. Ik ben twee jaar lang politieagent geweest en ik heb heel wat van dit soort gevallen bij de hand gehad. Mensen komen met de raarste smoesjes aanzetten om zichzelf vrij te praten. Dit was geen kwestie van vergeten. Ze werkte met iemand samen, een jongere vrouw, die op die afdeling ook spullen wegnam.'

Hij leek pijnlijk getroffen en ik kon zien dat het ongeloof toesloeg. 'Wil je soms beweren dat ze met deze vrouw samenwerkte?'

'Volgens mij wel. Audrey liep naar de roltrap en toen ze daar aankwam, kwam de vrouw met wie ze had staan praten het damestoilet uit. Ze keken elkaar aan en ze begrepen elkaar zonder woorden, zoals wel vaker bij mensen die elkaar goed kennen. De jongere vrouw draaide zich om en ging het damestoilet weer in.'

'Dat bewijst niets,' zei hij geringschattend.

'Zal ik doorgaan of niet?'

'Hoe zag die vrouw eruit?'

'Ze was in de veertig, blond haar tot op de schouders, niet opgemaakt. Ze had een klein litteken tussen haar kin en onderlip.'

'Nee, ken ik niet. Zou je het misschien verkeerd begrepen kunnen hebben?'

'Nee.'

'Daar twijfel je niet aan?'

'Nee.'

'En waarom niet? Je had die twee vrouwen nog niet eerder gezien. En opeens beweer jij dat ze samen lopen te stelen. Ik ga er niet tegenin, hoor. Maar ik wil wel graag weten waar je dat op baseert.'

'Opleiding en ervaring? Ik verdien al tien jaar lang mijn brood aan criminaliteit.'

'Maar aan de andere kant ben je er zo aan gewend om met slechteriken om te gaan, dat je altijd van het slechtste uitgaat.'

'Zal ik jou eens wat vertellen? Het lijkt me momenteel helemaal geen goed onderwerp voor jou. Je moet een hoop verwerken en je bent nog steeds in shock. We hebben het er wel een keer over als je er een beetje overheen bent.'

'Laat maar, het gaat prima met me. Ik zal er nooit overheen komen, dus ga maar gewoon door. Toe dan, ik wil graag weten waar ik aan toe ben.'

'Goed,' zei ik, zo sceptisch mogelijk.

'Goed. Oké, Audrey ging met de roltrap naar beneden en toen?'

'Ze liep de winkel uit en het alarm ging af. De beveiliger hield haar pal voor de winkel aan. Claudia Rines was erbij toen hij met Audrey naar de beveiliging op de begane grond liep. Toen Audrey haar tas open moest maken en de gestolen goederen eruit kwamen, kwam ze meteen met een hoop smoesjes op de proppen. Toen dat niet werkte, werd ze hysterisch.'

'Nou, ze zal zich wel hebben geschaamd en vernederd zijn geweest. Toen ik haar ophaalde, was ze vreselijk overstuur, ze stond te trillen op haar benen en haar handen waren ijskoud. Eenmaal thuis kwam ze na een paar borrels een beetje bij, maar ze was nog steeds erg ontdaan.'

'Maar dat zou toch prima passen bij het feit dat ze gesprongen is? Als ze zich inderdaad geen raad meer wist...'

'Nee. Nee, zo niet. Zo is het niet gegaan.'

'Dus zijn we weer terug bij af. Dan is het nu mijn beurt om jou te vragen hoe jij dat zo zeker weet.'

'Jij hebt Audrey niet gekend. Ik wel. En je hoeft niet zo'n toon aan te slaan, hoor, jongedame.'

'Sorry, dat was niet de bedoeling,' zei ik. Ik dacht na over wat hij had verteld en zocht naar een andere aanpak. 'Wat weet je van de arrestatie? Weet je waarvoor ze werd aangeklaagd?'

'Ze wilde er niet over praten en ik heb niet aangedrongen. Ze was al over de rooie, dus leek het me beter om haar gerust te stellen en dat soort zaken te laten rusten. Ik zei dat alles goed zou komen. We zouden een advocaat in de arm nemen en die zou het allemaal regelen. Ik heb haar zelfs verteld hoe hij heette en dat ik hem die avond zou bellen, maar dat wilde ze niet.'

'En toen de politie je kwam vertellen dat ze dood was, wat zeiden ze er nog meer bij?'

Hij schudde het hoofd. 'Niet veel. Ze deden hun best aardig te zijn, maar de informatie hield niet over, alsof ze verder niets mochten vertellen. Oké, we waren niet getrouwd, maar wel verloofd en ze deden net of ik een buitenstaander was die toevallig binnen kwam lopen. Ze waren zelfs niet langsgekomen als ik het op zaterdag niet aan had gegeven.'

'Had je haar de dag ervoor als vermist opgegeven?'

'Ze namen het niet echt serieus. Ik vertelde dat ik me zorgen maakte en zij schreven alles wel op, maar het werd niet doorgegeven aan de patrouillewagens. Ze zeiden dat het onder de gegeven omstandigheden geen nut had.'

'Dus op die manier wisten ze hoe ze je konden bereiken nadat ze dood was aangetroffen?'

'Ja. Anders had ik nog steeds van niets geweten en was ik gillend gek geweest van bezorgdheid. Gelukkig was iemand daar zo slim om de naam op het rapport in verband te brengen met de gegevens die ze in haar tas hadden aangetroffen. Op haar rijbewijs stond nog haar vorige adres, een huurwoning in San Luis Obispo. De agent nam contact op met het bureau van de sheriff aldaar en vroeg of ze iemand naar haar huis wilden sturen. Het huis was uiteraard afgesloten omdat ze bij mij ingetrokken was. Ze had bijna al haar spullen achtergelaten op de dingen die ze nodig had na. Ze wilde pas van adres veranderen als we getrouwd waren, dan kon ze alles tegelijk regelen, de naamsverandering, het nieuwe adres, dat soort dingen.'

San Luis Obispo, dat anderhalf uur rijden is, wordt over het algemeen San Luis, S.L.O. of SLO-Stad genoemd. 'Je dochter wist niet dat jullie gingen trouwen.'

'Dat hielden we stil. Zij was bang dat de meiden er niet blij mee zouden zijn, dus hebben we ze het niet verteld.'

'Waarom heb je haar eigenlijk als vermist opgegeven?'

'Ik moest gewoon iets doen en ik kon niets anders verzinnen. Audrey was altijd stipt op tijd. Zo was ze nu eenmaal. Op zaterdagochtend ging ze zoals gewoonlijk naar de kapper. Ik had liever dat ze het afzegde, maar daar raakte ze weer door van streek, dus hield ik erover op.

We hadden om één uur een afspraak en ze zei dat ze tegen die tijd thuis zou zijn. Ze kwam niet opdagen, en dat paste totaal niet bij haar. Al was ze maar vijf minuten te laat, dan nog belde ze om te zeggen waar ze was. Ze zou me nooit in het ongewisse laten. Echt nooit.'

'Waar moesten jullie naartoe?'

'We gingen met een vriendin van haar die makelaar is een paar huizen bekijken. En ook daarom geloof ik niet dat ze, nou ja, zichzelf van kant zou hebben gemaakt. Ze keek ernaar uit. Ze had een paar huizen in de krant gezien en haar vriendin Felicia had geregeld dat we een stuk of vijf woningen konden gaan bekijken. Het werd kwart over één, half twee, en nog steeds was Audrey nergens te bekennen en ze had ook niet gebeld, dus ik zei tegen Felicia dat ze niet meer hoefde te wachten, ze had het vast druk genoeg. Tegen drie uur stond ik in het politiebureau met de man aan de balie te praten.'

'Dacht je misschien dat ze onwel was geworden of een ongeluk had gehad of zoiets?'

'Ik wist gewoon dat er iets ergs aan de hand was.'

Ik veranderde van onderwerp. 'Hoe lang kenden jullie elkaar al?'

Hij wapperde met zijn hand alsof hij vliegjes uit zijn gezicht zwaaide. 'Je hebt met Sabrina gesproken. Ze zei dat ze met je in het rouwcentrum had gepraat, dus ik weet waar je naartoe wilt. Het antwoord is ongeveer zeven maanden, en dat zullen bepaalde mensen wel kort dag hebben gevonden. Ik woon nog steeds in het huis dat ik in 1953 samen met mijn vrouw heb gekocht. Audrey vond dat geen punt, maar toen het serieus werd, vond ik toch dat we beter zelf iets konden kopen. Mijn meisjes dachten dat ik gek geworden was.'

'Wat deed ze voor werk?'

Hij haalde zijn schouders op. 'Ze zat in de verkoop, net als ik, dus moest ze veel op pad. Ik denk zo'n tweeënhalf, drie weken per maand. Er stond al vierhonderdvijfentachtigduizend kilometer op de klok van haar Honda uit 1987. Ze was altijd onderweg, en dat vond ik niet echt leuk. Ik hoopte dat ze ermee zou ophouden. Ik dacht dat haar eigen huis dat aan zou moedigen.'

'Wat verkocht ze precies?'

'Dat weet ik eigenlijk niet. Ze had het er nooit over. Ik kreeg de indruk dat het iets met kleding of zo was.'

Ik dacht dat je daaronder ook body's en zijden pyjama's kon verstaan, maar zei niets. 'Voor welk bedrijf?'

'Geen idee. Ze kreeg commissie, dus ze was eerder een freelancer dan een vaste kracht.'

'En jij?'

'Wat ik deed? Ik werkte als vertegenwoordiger voor de John Deere-fabriek. Ik ben vervroegd met pensioen gegaan. Ik heb me mijn hele leven een slag in de rondte gewerkt en ik wou nog een paar dingen doen zolang ik nog in goede gezondheid was.'

'Hoe hebben jullie elkaar leren kennen?'

'In een bar bij mij in de buurt, een soort kroeg zoals Cheers, uit die tv-serie. Ze was daar een keer en ik ook.'

'Zijn jullie door iemand anders aan elkaar voorgesteld?'

'Nee, we raakten gewoon aan de praat. Ik ben weduwnaar. Mijn vrouw is een jaar geleden overleden en ik was eenzaam. Mijn meisjes vonden het heel erg dat ik iets met Audrey kreeg, wat behoorlijk absurd was, als je nagaat wat ik in hun jeugd allemaal met hen mee heb gemaakt. Ze kwamen ladderzat pas in de vroege uurtjes thuis. De jongens met wie ze verkering hadden waren nietsnutten, ze zagen er niet uit en waren werkloos. Niet dat ze lang dezelfde jongen hadden. Ze hadden elke keer weer een andere eikel. Ik zei dat ze zich er niet mee moesten bemoeien.

Audrey is de eerste vrouw met wie ik na het overlijden van hun moeder uitging. En de enige, mag ik wel zeggen. Margaret was mijn grote liefde, maar ze is er niet meer, en ik wel. Ik ga geen kluizenaar worden omdat de meisjes dat graag willen. Ze kunnen mijn rug op. Sabrina heeft je er vast alles over verteld.'

'Ze zei dat ze geen telefoonnummer had van Audreys twee kinderen. Heb je ze gesproken?'

'Nee, en dat vind ik heel erg. Ik heb alles doorzocht, het bureau, de ladekast, haar weekendtas. Maar er lagen nergens een adresboekje of brieven of wat dan ook.'

'En hoe zit het met het huis in San Luis Obispo? Misschien dat haar adresboekje daar ligt.'

'Zou kunnen. Ik zou er eigenlijk naartoe moeten gaan, maar dat durf ik niet. Ik ben er nog nooit geweest en ik wil daar niet onvoorbereid binnenlopen.'

'Oké. Voor hetzelfde geld heeft ze daar een man en kinderen.'

'Jasses. Zoiets moet je niet zeggen.'

'Je hebt gelijk, ik ook met mijn grote mond. Let maar niet op mij,' zei ik. 'Hoe zit het met haar achtergrond? Heeft ze verteld waar ze vandaan kwam?'

'Oorspronkelijk uit Chicago, maar ze heeft overal gewoond.'

'Heb je al in de telefoongids van Chicago en omstreken gekeken?'

'Ja, maar dat is zonde van de tijd. Er staan honderden mensen in met de naam Vance. Ik weet ook niet of ze Chicago zelf bedoelde of een voorstad. Haar ouders leefden niet meer. Al jaren niet meer, geloof ik. Ze zei dat haar kinderen in San Francisco werkten en daar twijfelde ik niet aan. Ze zei dat haar dochter getrouwd was. Ik weet niet of ze haar eigen naam heeft gehouden of zijn achternaam heeft aangenomen. Er staat ook geen Don Vance in de telefoongids, maar hij kan een geheim nummer hebben. Hij zou er dus best kunnen wonen.'

'En hoe zit het met haar verleden? De meeste mensen vertellen er wel over. Misschien heeft ze wel eens iets laten vallen waardoor je hen op kunt sporen.'

'Ze had het nooit over zichzelf. Ze vond het niet prettig om in het middelpunt van de belangstelling te staan. Toen leek het me ook niet belangrijk. Ik ging er eigenlijk van uit dat ze verlegen was.'

'Verlegen? In de rouwadvertentie werd ze omschreven als "levenslustig en met veel humor".'

'Dat klopt. Iedereen was dol op haar. Ze was geïnteresseerd in mensen. Zodra je weer over haar begon, kapte ze dat af, alsof haar leven niet belangrijk genoeg was om over te praten.'

'Dus je weet eigenlijk helemaal niets over haar?'

'Nee, erg, hè? Je denkt dat je een hechte band hebt en dan krijg je dit. Ik blijk haar dus totaal niet te kennen.'

'Als je haar totaal niet kent, hoe weet je dan dat ze geen zelfmoord heeft gepleegd? Misschien had ze wel een psychische aandoening. Voor hetzelfde geld heeft ze de afgelopen twee jaar in een gesticht gezeten. Daarom wilde ze misschien wel niet over zichzelf praten.'

'Nee, echt niet. Ze was niet gek en ze was ook niet depressief. Totaal niet. Ze was vrolijk. Ze had geen last van wisselende stemmingen, geen PMS, geen woede-uitbarstingen. Niets van dat alles. En ze slikte ook geen medicijnen. Elke dag een kinderaspirientje, maar daar bleef het ook bij,' zei hij. 'Je zou toch denken dat de politie er alles aan zou doen.'

'Dat is ook zo, echt waar. Alleen vertellen ze dat niet aan jou.'

'Dat kun je wel zo stellen. Verdorie. Wat zou jij doen als je mij was?'

'Weer naar de politie gaan.'

'Dat is zonde van de tijd. Ik ben al een keer gegaan en kreeg het deksel op mijn neus. Ik hoopte eigenlijk dat jij met hen zou gaan praten. Ze behandelen jou als een gelijke. Ik ben alleen maar een goede vriend die moeilijk doet.'

'Je kunt gelijk hebben,' zei ik.

'Stel dat ik je inhuur, wat gebeurt er dan?'

'Is dat niet een beetje raar? Ze is per slot van rekening door mij in de gevangenis beland. Ik kan me voorstellen dat je mij dus absoluut niet zou willen inhuren.'

'Nou, je was er wel bij en je kent een gedeelte van het verhaal. Ik zie het niet zitten om het allemaal aan iemand uit te gaan leggen. Bovendien zul je waarschijnlijk meer te weten komen dan ik.'

'Dat is zo.' Ik dacht erover na, en zocht naar een plek om te beginnen. 'Het zou handig zijn als we wisten waarvoor ze was aangeklaagd en of ze een strafblad had.'

Hij keek me ongelovig aan. 'Meen je dat nou? Denk je dat ze al vaker opgepakt is geweest?'

'Dat is heel goed mogelijk.'

Hij liet in wanhoop zijn hoofd hangen. 'Het wordt er alleen maar erger op, hè?'

'Daar ben ik ook bang voor.'

10

Nora

Op woensdagochtend ging Nora naar het plaatselijke filiaal van de Wells Fargo Bank waar ze een kluisje had. Ze schreef haar naam in het register, liet haar identiteitsbewijs zien en wachtte terwijl de bankmedewerkster haar handtekening vergeleek met degene die in het dossier zat. Ze liep achter de vrouw aan de ruimte voor de kluisjes in. Zowel de vrouw als zij moest met een sleutel het kluisje openmaken. De medewerkster haalde de doos eruit en zette hem op de tafel. Zodra de vrouw de ruimte had verlaten, maakte Nora de doos open. Erin zaten haar paspoort, belangrijke papieren, gouden munten, de sieraden die ze van haar moeder geërfd had en vijfduizend dollar in contanten.

Ze spreidde het allemaal uit op de tafel. In haar handtas zat de cheque voor zevenduizend dollar die Maurice Berman haar voor de oorbellen en de ketting had gegeven. Ze had al eerder wat sieraden verkocht om met dat geld aandelen te kopen. Ze had een Schwab-rekening geopend en in de afgelopen drie jaar had ze bijna zestigduizend dollar winst gemaakt. Tienduizend ervan was bedoeld voor noodgevallen, vijfduizend bewaarde ze thuis en dan nog eens vijfduizend in de bank. De rest van het geld investeerde ze weer. De meeste handelaren zouden niet prat gaan op dat bedrag, maar zij genoot stiekem van het feit dat ze het geld aan haar slimheid te danken had. Ze deed het paspoort in haar tas en stopte de rest van de spullen weer in de doos.

Haar aandelenportefeuille was degelijk en divers, met de nadruk op gezamenlijke fondsen. Ze had een paar vaste aandelen die geld opleverden en een handvol opties waarmee ze deed waar ze zin in had. Ze nam niet te veel risico, maar misschien was het tijd om eens gek te doen. Ze was bepaald geen financieel wondertje, maar ze pluisde de *Wall Street Journal* helemaal uit en hield de beurs van New York nauwgezet in de gaten. Channing en zij waren allebei eerder getrouwd geweest en daarom hadden ze hun financiën gescheiden gehouden. Ze waren niet in gemeenschap van goederen getrouwd en het was duidelijk wat van wie was. Ze hadden dezelfde boekhouder, dezelfde accountant en dezelfde financieel adviseur die zij had meegenomen toen haar eerste huwelijk stukliep.

Channing wist dat zij aandelen had, maar wat haar betrof gingen de bijzonderheden hem niets aan. Ze was stom geweest om hem om die achtduizend dollar te vragen, maar ze had een kans gezien net op het moment dat ze niet genoeg contant geld bij elkaar kon krijgen. Hoewel ze woedend was dat Thelma zich ermee had bemoeid, was ze achteraf blij, want het mens had haar behoed voor een afschuwelijke vergissing. Nora beschouwde haar kapitaal als helemaal van haar. Al mocht een rechter het daar niet mee eens zijn. Maar daar kon ze zich nu niet druk over maken, dat merkte ze wel als het zover was, als het ooit zover kwam. Nog buiten de legale toestanden zou het een ramp zijn als hun geld op één hoop werd geveegd.

Ze liep de bank uit en ging naar het Schwab-kantoor waar ze zevenduizend dollar op haar rekening stortte.

Geldzaken vond ze seksueel stimulerend, ze werd er blij van en het gaf haar meer zelfvertrouwen. Ze dacht aan het gewicht en hoe de vijfenzeventigduizend dollar aanvoelden die ze op maandag even in haar handen had gehad. Ze had Dante de indruk gegeven dat ze morele bezwaren had, maar eigenlijk was ze gewoon bang geweest. Ze vond het geen punt om voor Channing bepaalde dingen te verzwijgen. Dat ze in aandelen handelde gaf haar een veilig gevoel, en al helemaal als het winst opleverde. Ze kon eventueel alles verkopen en dat bij het geld doen dat ze al had. Vijfenzeventigduizend dollar was een verleidelijk bedrag en op zijn eigen manier even gevaarlijk als de affaire van haar echtgenoot. Wat geheimen betrof, wat was dan het verschil tussen het hebben van een maîtresse en het achterhouden van geld? Om eerlijk te zijn spaarde ze het geld voor het geval dat ze bij hem weg wilde. Met vijfenzeventigduizend dollar was dat wel een mogelijkheid. Maar wat haar daarna te wachten stond, beangstigde haar en ze had het gauw weer uit haar hoofd gezet.

Eenmaal thuis trok ze een joggingpak aan en ging ze een wandeling van zes kilometer maken. Ze liep al vijftien jaar lang, vijf dagen per week zes kilometer per dag. In de loop der tijd had deze rustige vorm van bewegen haar lichaam strakker gemaakt en was ze er elk jaar bijna een pond door afgevallen terwijl andere vrouwen van haar leeftijd drie pond per jaar aankwamen. Normaal gesproken ging ze al om zes uur 's ochtends op pad, maar die ochtend had het gemiezerd en zag het er grauw uit buiten. Ze had het uitgesteld en nu scheen de zon.

Ze was die week al twee keer naar de stad geweest. Terwijl ze State Street overstak, wierp ze onwillekeurig een blik op de drie ronde ramen op de eerste verdieping van Dantes kantoor en ze vroeg zich af of hij naar haar zat te kijken. Ze moest blozen toen ze dacht aan de man die Maurice haar had aanbevolen. Dante zag er keurig uit, maar hij was er duidelijk aan gewend om de wet wat aan te passen, als hij al rekening hield met de wet. En wat had hij ook alweer tegen haar gezegd? 'Maar als jouw man je slecht behandelt is hij niet goed bij zijn hoofd.' Dat was eigenlijk heel lief. Hij had zich beschermend tegenover haar opgesteld en de tranen sprongen haar in de ogen toen ze dat besefte. Ooit had Channing haar ook tegen verdriet beschermd. Maar nu deed hij haar zelf verdriet.

Door de wandeling raakte ze wat van de spanning kwijt die ze de afgelopen paar dagen had gehad. Het was goed geweest dat ze naar Maurice Berman was gegaan. Ze had in elk geval het gevoel dat ze iets voor zichzelf deed. Het gesprek met Dante had haar verontrust, al kon ze niet precies zeggen waar dat aan lag. Ze hoopte maar dat door bezig te blijven die onrust af zou nemen. Ze nam een douche, waste haar haar en trok een badjas aan terwijl ze zat te dubben over wat ze aan zou trekken. Ze had voor de lunch in de club afgesproken met een vrouw die ze via via had leren kennen. Ze hadden het over tennis gehad, maar het was nog de vraag of dat doorging. Aan het eind van de middag had ze een afspraak in de plaatselijke schoonheidssalon, waar ze een gratis behandeling zou krijgen, al wist ze niet wat die inhield. Waarschijnlijk stelde het niets voor. De masseuse in Beverly Hills was duurder geworden en Nora zag het niet meer zitten om een heel eind dwars door het drukke verkeer te rijden voor iets wat rustgevend en ontspannend moest zijn. Die avond zou ze natuurlijk met Belinda en Belinda's jongere zusje naar het symfonieorkest gaan. Ze bekeek haar kleding in de kast en haalde er een strakke wollen broek en een kort wollen jasje uit. Het was geen pak, maar het paste prima bij elkaar.

Mevrouw Stumbo had het *Los Angeles Magazine* op het nachtkastje gelegd. Nora dacht dat ze het in de prullenmand had gegooid, maar blijkbaar niet. Ze pakte het op en liep ermee naar het stoeltje voor haar kaptafel. Ze draaide het blad om en bladerde van achteren naar voren tot ze het fotootje zag dat alles had veranderd. Daar stond Thelma met haar rode haar en toegewijde glimlach, ze ging helemaal op in haar rol als Channings compagnon voor die avond. Het woord 'volslank' schoot haar opeens te binnen, de omschrijving die gebruikt wordt voor het soort sexy vrouwen op wie mannen dol zijn: met grote borsten, een slanke taille en brede heupen. Thelma's borsten puilden bijna uit de strapless witte avondjurk. Het lijfje zat zo strak dat nadat ze de rits dicht had gedaan er twee dikke witte vetbobbels over de jurk blubberden.

Nora kneep haar ogen samen en bekeek de foto nog iets beter. Die jurk moest wel een Gucci zijn. Ze wist hoe zorgvuldig hij elke steek, de plooitjes, de naadjes, de kralen naaide.

Verdorie.

Ze stond op, liep met het tijdschrift naar het raam en keek nog eens goed. In het zonlicht was het duidelijker te zien. Was dat nu háár jurk of verbeeldde ze zich dat maar? De diamanten oorbellen van Thelma leken ook verdacht veel op een paar van haar oorbellen. Dat was haar al opgevallen toen ze de foto voor het eerst zag, maar ze was toen zo in beslag genomen door Thelma's transformatie dat ze er niet bij stil had gestaan. Ze bleef stokstijf staan omdat ze even niet wist wat ze moest doen.

Ze gooide het tijdschrift op de grond en liep de hal in naar de werkkamer. Haar agenda lag op de juiste dag open. In de ruimte voor afspraken had ze het telefoonnummer geschreven van de persoon met wie ze had afgesproken. De lunchafspraak en die bij de spa kon ze zo afzeggen. Ze pakte de telefoon en had met twee belletjes de rest van de middag vrij. Het was net alsof de echte Nora een stapje opzij had gedaan en iemand anders haar plaats had ingenomen. Die wist precies wat ze wilde en ging daar ook voor. De kaartjes voor het symfonieorkest waren wat lastiger. Ze stond op het punt Belinda's nummer te draaien toen ze ervan afzag. Het zou om acht uur beginnen. Als ze nu wegging zou ze ruim op tijd terug kunnen zijn. Ze keek hoe laat het was: kwart over twaalf. De kans was groot dat Channing op kantoor zou zitten.

Hij kwam altijd om zeven uur 's ochtends op kantoor aan en werkte door tot de lunch om één uur. Zijn chauffeur bracht hem dan via Beverly Hills of Benedict Canyon naar de Valley waar hij met een cliënt in een van de vele restaurants had afgesproken. La Serre was momenteel zijn lievelingsrestaurant, het had zachtroze muren, roze servetten en tafelkleden met een wit randje. Channings werk bestond grotendeels uit wat hij beschreef als 'gebaseerd op handelsovereenkomsten': problemen over intellectueel eigendom, copyright en overtredingen van een merknaam, onderhandelingen over contracten en het inhuren van tijdelijke krachten. Door lunches buiten de deur had hij de kans om mensen te zien en gezien te worden, om relaties die de grondslag voor zijn succes waren aan te halen. Om drie uur zou hij weer aan zijn bureau zitten en hij zou nog vier uur doorwerken voordat zijn werkdag erop zat.

Ze belde hem en toen Thelma opnam, zei Nora zo vrolijk mogelijk: 'Hoi, Thelma, met Nora. Mag ik mijn man even?'

De kilte was bijna tastbaar toen Thelma doorhad wie ze aan de lijn had.

'Momentje, graag. Ik zal even kijken of hij beschikbaar is,' zei Thelma en ze zette haar in de wacht.

'Ja, doe jij dat verdomme maar even,' zei Nora in de hoorn.

Channing nam zeer vriendelijk op. Thelma had hem uiteraard gewaarschuwd dat zij het was. 'Wat een onverwacht genoegen,' zei hij. 'Ik kan me niet herinneren wanneer je me voor het laatst midden op de dag hebt gebeld.'

'Doe alsjeblieft niet zo aardig tegen me, Channing, anders lukt het me niet om het te zeggen. Ik moet je mijn verontschuldigingen aanbieden. Ik kan me echt niet herinneren dat je het over het diner dansant hebt gehad. Ik wil niet beweren dat je me het niet hebt verteld, want dat zal vast wel, maar het is dan het ene oor in en het andere uit gegaan. Ik had me niet zo koppig op moeten stellen.'

De korte stilte was haar misschien niet opgevallen als ze er niet op had gerekend. 'Dank je wel. Je had het waarschijnlijk te druk met iets anders en de datum is langs je heen gegaan. Het ligt ook aan mij. Ik had erop moeten letten dat de boodschap over was gekomen. We hebben het er niet meer over, oké?'

'Nee, ik zit er al de hele week over te piekeren en ik weet dat ik veel te ver ben gegaan. Ik had je niet in een hoek moeten drijven toen jij de deur uit wou gaan. Je hebt al genoeg aan je hoofd.'

'Ik had haast,' zei hij, 'en nam dus niet de tijd om goed naar je te luisteren. Ik weet dat liefdadigheidsevenementen erg saai kunnen zijn.'

'Dat is waar, maar ik was de boel ook een beetje aan het overdrijven. Maar dat mag je niet tegen me gebruiken.'

Hij lachte. 'Oké, afgesproken. Ik beloof je dat ik je er volgende keer niet mee om de oren zal slaan.'

'Je bent een schat,' zei ze. 'Heb je al iemand die mijn plaats in kan nemen?'

'Ik heb al een paar mensen gevraagd, maar het is me tot nu toe nog niet gelukt.'

'Mooi. Daar ben ik blij om. Want ik belde je eerlijk gezegd met een voorstel. Ik kan er om drie uur gewoon zijn. En echt, dat vind ik niet vervelend. Ik ben zo'n kreng geweest, zo kan ik het tenminste een beetje goedmaken.'

Zonder zelfs een moment te aarzelen, zei hij: 'Dat hoeft niet. Doe jij nu maar gewoon wat je wou gaan doen. Volgens mij heb je het al druk genoeg. Als ik geen tafeldame kan regelen, ga ik gewoon in mijn eentje, zoals je al voorstelde. Dat maakt niet uit.'

Nora glimlachte. Wat een leugenaar was hij toch. Thelma was waarschijnlijk al zijn tafeldame sinds de uitnodiging op haar bureau was beland. Wie weet hoeveel van dat soort gelegenheden ze voor zichzelf had aangemerkt. Nora wist heel goed dat Channing het haar niet van tevoren had verteld, omdat hij haar ermee wilde overvallen. Hij zette haar altijd voor het blok en dan leek het net of het haar schuld was dat ze niet mee kon gaan in plaats van die van hem.

'Ik wil niet dat je alleen gaat,' zei ze. 'Arme schat. Ik zat eraan te denken om Meredith te bellen om te kijken of ze samen met Abner van tevoren wat met ons gaan drinken. Op die manier kunnen we met één auto gaan.'

Channing reageerde gladjes, maar ze kende hem goed genoeg om te weten dat hij in het nauw was gedreven. Door toe te geven had zij de touwtjes in handen en kon hij geen kant meer op. Hij zat in het schip. Thelma verwachtte met hem mee te gaan en hij kon moeilijk tegen haar zeggen dat hij in plaats daarvan zijn vrouw meenam. 'Ik stel het zeer op prijs. Echt, het is een mooi gebaar, maar ik houd het wel van je te goed. De volgende keer dat onze agenda's elkaar overlappen, ga je met mij mee.'

'Beloofd?'

'Beloofd.'
'Mooi. Dat is dan afgesproken. En dan ga ik ook zonder commentaar met je mee.'
'Fijn. Daar ben ik blij om.'
'Nou, veel plezier dan.'
'Dat gaat wel lukken. Ik vertel je wel hoe het is geweest.'
'Ik hou van je.'
'Ik van jou,' zei hij. 'Ik krijg een ander telefoontje binnen.'
Zodra ze had opgehangen, pakte Nora haar handtas en de autosleutels. Ze stak haar hoofd om de keukendeur waar mevrouw Stumbo op haar knieën de vloer aan het dweilen was.
'Ik heb een paar afspraken vanmiddag, maar tegen vijf uur ben ik weer terug. Als je daarmee klaar bent, mag je de rest van de dag vrij nemen. Je hebt de laatste tijd erg hard gewerkt.'
'Dank u wel. Ik kan wel wat vrije tijd gebruiken.'
'Sluit wel de boel af. Tot morgen, dan.'
Binnen een paar minuten reed ze in zuidelijke richting over de 101. Ze vond het prettig om te rijden, omdat ze op die manier de kans kreeg haar emoties van alle kanten te bekijken. Ze moest de situatie zo rustig mogelijk beoordelen. Ze wist dat ze gelijk had wat Thelma betrof, maar ze had geen enkel bewijs. Het hoefde geen bewijs te zijn dat in een rechtszaak overeind bleef. Zover zou het waarschijnlijk niet komen, maar ze wilde wel zeker weten dat ze gelijk had. Niet dat ze er veel mee opschoot. Channing bewaarde zijn afschriften op kantoor, dus ze kon niet nagaan hoe lang hij al met Thelma het bed deelde. Achteraf gezien, dacht ze dat het tijdens een van de zakenreisjes was begonnen.
Op kantoor was waarschijnlijk niets gebeurd, want daar had je maar weinig privacy. De meeste partners werkten tot laat door en kwamen op de vreemdste tijdstippen opdagen om iets af te maken wat niet in hun werkdag van tien uur lukte. Channing en zijn geliefde Thelma de slet zouden vast in het huis in Malibu hebben gerollebold en op die manier de kosten voor een hotelkamer hebben bespaard. Nora zou de lakens in kokend water moeten wassen voordat ze weer in haar eigen bed wilde slapen.
Bij een kruising viel haar oog op een flitser die voor het verkeer dat in noordelijke richting reed niet opviel. Ze wierp een blik op de snelheidsmeter en zag dat de naald tussen de honderdveertig en de honderdvijfenveertig kilometer per uur schommelde. Ze nam gas terug en ook in haar hoofd werd het minder hectisch. Misschien maakte ze zich drukker om Thelma dan ze had beseft. Toen

ze eenmaal over de vernedering heen was, was ze vreemd afstandelijk geworden. Het feit dat haar echtgenoot iets had met zo'n ordinair mens vond ze eerder een belediging dan een ramp. Thelma was natuurlijk, omdat ze altijd in de buurt was, praktisch gezien de logische keuze geweest. Channing had zo zijn normen en waarden. Hij zou nooit iets met een advocate in de maatschap beginnen en al helemaal niet met de vrouw van een van zijn collega's. Hij was veel te voorzichtig om zo'n groot risico te lopen. Als het uit zou komen, kon dat beroepsmatig gevolgen voor hem hebben. Er waren vast ook onder zijn cliënten ontelbare Hollywood-actrices die hem graag verleid zouden hebben of door hem verleid wilden worden, maar ook daar begon hij niet aan. Thelma was een ingehuurde kracht en dus een mindere. Als de verhouding misliep en hij haar moest ontslaan, zou ze hem kunnen aanklagen wegens seksuele intimidatie, maar meer ook niet. Channing kennende had hij daar allang maatregelen tegen genomen.

Wat zij raar vond, was dat ze in haar trots gekrenkt was en op Thelma neerkeek, maar dat ze zich niet verraden voelde. Channing had haar belazerd, dat was duidelijk. Nadat de schok daarover was weggeëbd, had ze verwacht zich woest of verdrietig of verlaten te voelen, in elk geval een of andere felle emotionele reactie. Ze had verwacht dat ze hem er woedend mee zou confronteren, beschuldigingen uitend en bittere tranen plengend. In plaats daarvan had ze, nadat ze erachter was gekomen, haar leven opnieuw onder de loep genomen. De verhouding zou ongetwijfeld effect hebben, maar voorlopig wist ze nog niet hoe. Ze functioneerde op de automatische piloot en deed net alsof er niets aan de hand was.

Anderhalf uur later sloeg ze van de Pacific Coast Highway links af de steile kronkelende weg op naar hun huis. Channing had het laatste stuk bouwgrond bemachtigd. Het pand dat voornamelijk uit glas en staal opgebouwd was, sprong meteen in het oog. Elke keer dat ze daar was kreeg ze een eigenaardige vorm van pleinvrees. Er waren geen bomen en er was dus ook geen schaduw. Het uitzicht was fenomenaal, maar de lucht was droog en de zon scheen onafgebroken. Tijdens het regenseizoen kwam de weg onder water te staan en door aardverschuivingen was hij soms helemaal onbegaanbaar. Een klein brandje kon zo de heuvel opslokken, zich uitbreiden en alles verzwelgen wat op zijn pad kwam.

Achter het huis rezen de onverbiddelijke bergen op, begroeid met dik struikgewas en lage bosjes. Vijgencactussen stonden overal op de helling die doorsneden werd door oude wildpaadjes en brandstroken. De struiken op de heuvels waren bijna het hele jaar droog en bruin en er heerste voortdurend brandgevaar. Channings oplossing tegen de lange maanden zonder regen was een tuin in dezelfde tinten, bestaande uit gravel en grind, ontworpen door een Japanse tuinarchitect. Rotsblokken, in de juiste vorm en maat, stonden asymmetrisch gerangschikt in zandbedjes, wat bestudeerd en kunstmatig overkwam. Er waren nauwkeurig voren geharkt van de ene steen naar de andere, soms in rechte lijnen, soms in cirkels, wat water moest voorstellen. Platte tegels van kalksteen lagen in het zand en dienden als stapstenen, maar ze lagen voor Nora te ver uit elkaar zodat ze er alleen maar met een raar huppelpasje gebruik van kon maken.

De tuinarchitect was maar doorgegaan over eenvoud en functionaliteit, concepten die Channing aanspraken. Hij sloeg zichzelf ongetwijfeld op de borst vanwege de lagere waterrekening. Nora had altijd de bijna onbedwingbare neiging om die zorgvuldig geharkte patronen weg te vegen en er een zootje van te maken. Nora was een Vis, een waterkind, en ze liet Channing weten dat ze zich niet op haar gemak voelde in een droge omgeving. Hij was de hele dag weg, en zat lekker in zijn kantoor met de airconditioner aan. Er was ook airconditioning in het huis, maar door de zon die voortdurend op de grote glazen ruiten scheen was het binnen erg benauwd. Zij was degene die in haar eentje in dat glazen huis boven op de heuvel zat. Om haar tegemoet te komen had hij voor het huis een ondiepe vijver laten aanleggen. Nora genoot gek genoeg heel erg van het stille wateroppervlak, dat net een spiegel leek en waarin de wolkeloze blauwe lucht door het kleinste briesje trilde.

Ze draaide de oprit op en zette haar auto achter de gehavende pick-up van de tuinman. Ze wierp even een blik op de grote gravel cirkel waar meneer Ishiguro, de fulltime Japanse tuinman, op zijn hurken dennennaalden aan het verwijderen was. Hij was voor de Vogelsangs gaan werken toen de tuin werd aangelegd. De tuinarchitect had hem aanbevolen, maar Nora kon zo gauw niet zeggen wat hij de hele dag zoal deed, behalve in de weer zijn met de kruiwagen en de bamboehark. Hij was zeker al achter in de zeventig, energiek en pezig. Hij had een grijze tuniek aan en een wijde donkerblauwe broek. Een grote canvas hoed schermde zijn gezicht af tegen de zon.

De buurman had een aantal pijnbomen met de vrachtwagen laten bezorgen en die aan zijn kant van de muur gezet die de twee huizen scheidde. De bomen waren bedoeld om de wind tegen te houden. Channing vond het niets, omdat de pijnbomen hele ladingen bruine naalden aan hun kant lieten vallen. Meneer Ishiguro ergerde zich er voortdurend aan dat hij de rotzooi moest opruimen, wat hij met de hand deed. Telkens als hij haar blik ving, schudde hij het hoofd en mompelde dreigend alsof het haar schuld was.

Ze haalde de achterdeur van het slot en liep de keuken in. De alarminstallatie stond niet aan. Ze waren daar allebei slordig in geworden. Nora vond het heerlijk om de koelte in te lopen, maar ze wist dat ze al na een paar minuten een verstikkend gevoel zou krijgen. Ze zette haar handtas op de eetbar en liep even snel door de kamers beneden om er zeker van te zijn dat ze alleen was. Het huis was twintig jaar geleden gebouwd en het was van Channing toen ze met hem trouwde. Ze had het nooit iets gevonden. De kamers waren te groot voor de bewoners. Er waren geen gordijnen, waardoor je voortdurend de indruk had dat je te koop zat. Hij wees al haar voorstellen om het huis wat leefbaarder te maken van de hand. Eigenaardig genoeg kwam het huis erg gedateerd over, al wist ze niet waar dat aan lag. Daarom was het huis in Montebello ook zo heerlijk. Het plafond was daar drieënhalve meter hoog in plaats van zes en door de ramen waren bomen en struiken te zien met dikke weelderige groene bladeren.

Opeens werd er zo hard en woest op de achterdeur gebonkt, dat ze er hevig van schrok. Ze liep naar de keuken en zag dat meneer Ishiguro met zijn neus tegen de ruit gedrukt stond. Ze maakte de deur open en verwachtte een verklaring. Hij was woedend en zijn Engels was daarom niet voor haar te verstaan. Hoe meer ze haar schouders ophaalde en het hoofd schudde, hoe kwader hij werd. Na een tijdje draaide hij zich plotseling om en gebaarde dat ze met hem mee moest gaan. Hij liep zo snel dat ze bijna moest rennen om hem bij te houden. Toen ze een hoek omsloeg gleed ze uit. Ze kon nog net haar evenwicht bewaren, maar haar voet was op de parallelle voren terechtgekomen die bedoeld waren om er rustig van te worden. Nora moest lachen, ze kon er niets aan doen. Het was gewoon erg komisch dat ze voor gek stond en met haar armen had staan zwaaien om niet te vallen. Zelfs dieren generen zich als ze uitglijden en vallen. Ze had katten en honden zien struikelen en snel een blik om zich heen werpen om te zien of iemand het was opgevallen.

Toen hij haar hoorde lachen, draaide meneer Ishiguro zich om en viel fel met zijn vuist schuddend tegen haar uit. Ze wist een verontschuldiging uit te brengen, en deed haar best zich te vermannen, maar ze had gedeeltelijk weer afstand genomen. Waarom moest ze zich in hemelsnaam het onverstaanbare gescheld van een tuinman laten welgevallen, die alleen maar een tuin vol stenen moest onderhouden bedoeld om een eventuele brand te weren? Ze moest weer lachen en deed net of ze hoestte om het te maskeren. Als hij haar weer betrapte ging hij misschien helemaal door het lint.

Drie meter verderop bleef meneer Ishiguro staan en hij wees nadrukkelijk ergens naar, terwijl hij luidkeels uitdrukking gaf aan zijn ongenoegen. Op de grond lag poep. Het lag precies midden in een compositie van witte kiezelsteentjes waar hij de vorige week mee bezig was geweest. Het waren de uitwerpselen van een coyote. Ze had het stelletje al een paar keer in de afgelopen maand gezien, een groot grijs-geel mannetje en een kleiner roestkleurig vrouwtje, die over de paden liepen met hun borstelige staart laag. Ze hadden waarschijnlijk een hol in de buurt en zagen de omgeving als een grote afhaalchinees. De coyotes waren mager en schimmig, hun houding straalde heimelijkheid en schaamte uit, hoewel Nora vermoedde dat ze zeer tevreden waren met hun leven. Coyotes waren geen kieskeurige eters. Ze werkten eekhoorns, konijnen, kadavers, insecten en zelfs fruit naar binnen. Een paar katten waren verdwenen, met name op de avonden dat het stel jankte en kefte om aan te geven dat de jacht weer geopend was. Het mannetje sprong rustig over de muur om te drinken uit haar spiegelvijver, en Nora vond dat prima. Channing was daarentegen al twee keer schreeuwend en zwaaiend met zijn pistool naar buiten gegaan en had dreigend geroepen dat hij hem neer zou schieten. De coyote, totaal niet onder de indruk, was soepel over de patio gelopen, over de muur gesprongen en de bosjes in gedoken. Het vrouwtje was er al een paar weken niet bij geweest en Nora had het vermoeden dat ze een nest had. Nadat ze had gezien hoe meneer Ishiguro zich druk maakte over waar iedere kiezel moest komen, kon ze zich voorstellen dat voor hem het feit dat een coyote zomaar even op zijn pad had gepoept een oorlogsverklaring betekende.

'Pak de slang en spuit het weg,' zei ze toen hij even adempauze nam.

Hij verstond er waarschijnlijk niets van, maar door de onmiskenbare schertsende toon in haar stem kreeg hij weer een driftaanval en kreeg ze de volgende tirade over zich heen. Ze stak haar hand op. 'Nou ophouden, ja?'

Meneer Ishiguro was nog lang niet klaar, maar voordat hij verder kon, onderbrak ze hem. 'Hé, klootzak! Ik ben niet degene die op die kleresteentjes van je heeft gepoept, dus kappen nou.'

Tot haar verbijstering lachte hij en zei hij een paar achter elkaar 'kloza, kloza...' alsof hij het uit zijn hoofd wilde leren.

'Ach, laat ook maar,' zei ze. Ze draaide zich om, liep het huis weer in en sloeg de deur achter zich dicht. Binnen een minuut had ze een knallende koppijn. Had ze dat hele eind gereden en werd ze nog uitgescholden ook. Ze liep de trap op en ging de badkamer in. Ze maakte het medicijnkastje open op zoek naar Advil, dat op de onderste plank lag. Ze schudde twee tabletjes in haar hand en slikte ze met water door. Ze bekeek zichzelf in de spiegel en was verbaasd dat ze er niet anders uitzag nu ze wist van zijn ontrouw. Ze zag eruit als altijd. Haar blik werd door iets achter haar getrokken en ze draaide zich vol ongeloof om. Thelma had een gigantische bh over de handdoekradiator voor Nora's douchedeur laten hangen. Goede hemel, had Thelma hier geslapen? Ze had het kledingstuk overduidelijk met de hand gewassen. De bh was voorzien van stijve grote kanten cups die met behulp van baleinen sterk genoeg waren om de twee meloenen te kunnen bergen. Nora was ontzet dat haar ruimte zo makkelijk in beslag werd genomen, hoewel het de moeite waard was om na te gaan waarom ze überhaupt reageerde.

Ze keek speurend om zich heen. Overal was bewijs te zien dat Thelma hier was geweest. Als Nora had gehoopt bewijs te ontdekken, dan was het haar gelukt. Ze perste haar lippen op elkaar toen ze haar haarborstel op het zilveren blad op haar kaptafel zag liggen met dikke geverfde rode haren van Thelma erin. Ze trok de ene na de andere la open. Thelma had alles gebruikt. Coldcreams, wattenstaafjes, watten, dure parfums. Nora hield bij wat ze in dit huis gebruikte en wat ze moest vervangen. Ze wist precies hoeveel er nog van alles was.

Ze keek in het kastje onder de wastafel. Thelma had vast niet verwacht dat iemand zou kijken wat er in de prullenmand zat, want ze had het papieren omhulsel en de inbrenghuls van een tampon erin gegooid. Dat was wel goed nieuws. Ze was in elk geval niet zwanger. De schoonmaaksters kwamen op maandag. Thelma was natuurlijk van plan geweest om daarvoor haar spullen weg te halen.

Nora liep rechtstreeks naar de inloopkast en trok de dubbele deuren open. Links was een speciale kast waar de temperatuur geregeld werd voor haar cocktailjurken en avondjaponnen. Die kast was eigenlijk bedoeld voor bontmantels, maar omdat Nora die niet had, hing ze haar designercreaties daar; elegante klassiekers van Jean Dessès, John Cavanagh, Givenchy en Balenciaga. Ze had de collectie met veel geduld samengesteld door speciale verkopen en vintagewinkels af te lopen. Toen zij ze kocht waren de japonnen koopjes geweest omdat ze niet in waren. Nu was er een markt voor, met name voor de vroege ontwerpen van Christian Dior en Coco Chanel, en waren ze onbetaalbaar geworden. Een paar japonnen in de maten 36, 38 en 40 waren haar, omdat ze was afgevallen, inmiddels te groot geworden. Ze had erover gedacht om ze in te laten nemen, maar dat zou toch ten koste van het ontwerp zijn gegaan.

Ze schoof de ene japon na de andere opzij, totdat ze bij de witte strapless Gucci kwam. Ze haalde hem op het hangertje uit de kast en bekeek hem met argusogen. Een paar kraaltjes zaten los, er ontbraken steentjes en pailletten en een van de naden was opengebarsten door Thelma's dikke reet die de naden dusdanig onder druk had gezet tot een het had begeven. Ze rook aan de stof en pikte de muskusgeur van Thelma's zweet op. Maar natuurlijk was ze zenuwachtig geweest. Ze had Nora's vent ingepikt. Ze droeg Nora's kleren, sieraden en wat ze verder ook maar mooi vond. Thelma deed of ze een vrouw met klasse was en ze had peentjes gezweet omdat ze wist dat ze maar deed alsof. Nora werd opeens kwaad en ze richtte die woede op Channing. Hoe kon hij toestaan dat deze sloerie, deze dikke indringster haar plaats innam?

Ze hing de Gucci terug. Het viel nu op dat Thelma ook een paar cocktailjurken had gepast, waarschijnlijk om te zien welke ze die avond aan zou trekken. Ze had er twee afgekeurd en over de rug van een fluwelen stoeltje gegooid. Ze had waarschijnlijk beseft dat ze op geen enkele manier in maat 34 paste. In plaats daarvan had ze de drie Harari's gepakt, waarvan Nora er een zelfs nog niet had aangehad. Nora zag het al voor zich. Terwijl Thelma zat na te denken welke ze aan zou doen, had ze hem op het rek gehangen dat Nora gebruikte voor de kleding die net terug was van de stomerij. De Harari's rekten wat meer mee dan de strakkere japonnen die Nora had, de rok bestond uit vele lagen doorschijnende zijde, in zachte blauwe en bruine tinten en daaroverheen grijs. Elk ontwerp bestond uit twee kledingstukken, een onder- en een bovenjurk van soepele stof met een schuine zoom. De kledingstukken konden onderling verwisseld worden, waardoor je elke keer weer een andere combinatie aanhad. De manier waarop de stof zich naar het lichaam vormde was bijna sensueel en soms was de stof ook doorzichtig zodat het lichaam zowel verhuld als onthuld werd. Thelma dacht waarschijnlijk dat haar lillende onderarmen er erg mooi in uit zouden komen.

Nora haalde de zes hangertjes van de kledingroe en legde de japonnen over haar linkerarm. Ze haalde nog een paar kledingstukken eruit en legde die boven op de andere. Ze liep ermee naar beneden en naar de auto en stopte de kofferbak en de achterbank ermee vol. De japonnen zaten mooi in elkaar en waren verrassend zwaar doordat vele bewerkt waren met kralen en steentjes. Ze moest tien keer heen en weer voordat ze alle avondjaponnen, cocktailjurken, de hele collectie haute couture in alle vormen en maten uit haar kast had verwijderd. Het deed er niet toe van welke ontwerper ze waren. Nora haalde alles weg wat eventueel voor het diner dansant die avond geschikt kon zijn.

Ze zag al voor zich zag wat er zou gebeuren en dat monterde haar enorm op. Thelma en Channing zouden vroeg van kantoor weggaan, waarschijnlijk al om vijf uur in plaats van om zeven uur. Het zou hen een uur of nog meer kosten om in de spits, die vooral op de Pacific Coast Highway te merken zou zijn, naar huis te rijden. Tegen de tijd dat ze daar aankwamen zou het zes uur of half zeven zijn en zouden de dichtstbijzijnde kledingzaken al dicht zijn. Misschien gingen ze eerst nog wat drinken. Misschien zouden ze vrijen en dan samen onder de douche gaan. Uiteindelijk zou Thelma haar bolle hoofd moeten buigen over wat ze die avond aan zou doen. Opgetogen zou ze de dubbele deuren van de kast opentrekken. Ze zou meteen zien dat er iets niet klopte. Stomverbaasd zou ze de speciale kast openmaken, maar daar hing bijna niets meer in. Thelma, de rondborstige, lompe dikke trut, zou niets hebben om aan te trekken. Helemaal niets. Ze zou een gilletje slaken en Channing zou aan komen rennen, maar wat konden ze eraan doen? Hij zou net zo ontzet zijn als zij. Er was iemand het huis in gelopen en er met duizenden dollars aan avondkleding vandoor zijn gegaan. Wat moest hij Nora vertellen? En hoe kon hij de jammerende Thelma tot bedaren brengen, wier avond geheel en al verwoest was? Haar waardeloze flatje stond in Inglewood, vijftig kilometer verderop, vlak bij het Los Angeles International Airport, dus ook al zou ze iets geschikts hebben thuis (wat Nora erg stug leek), zou ze het toch nooit op tijd redden. Het diner dansant werd in het Millenium Biltmore in het centrum van Los Angeles gehouden, tachtig kilometer rijden, dus dat zou niet lukken in een uur.

Nora zou er wat voor over hebben gehad om Thelma's gezicht te zien. Channing noch zij kon er bij Nora over beginnen, ook al wisten ze hoe de vork in de steel stak. Ze konden haar moeilijk op het matje roepen vanwege het feit dat ze haar eigen kleding had verwijderd zodat Thelma zich er niet in kon wurmen zoals ze zich in Nora's leven had gewurmd.

Nora sloot het huis af en liep naar de auto. Ze keek op het klokje op het dashboard hoe laat het was en zag dat het pas vier voor vier was. De rit naar Santa Teresa zou niet vlot verlopen, maar om zeven uur zou ze toch zeker wel thuis zijn. Ruim op tijd voor haar afspraak met Belinda en haar zusje bij het concertgebouw. Perfect, toch?

11

Zodra Marvin de deur uit was, maakte ik een dossier aan voor Audrey Vance. Normaal gesproken had ik Marvin een contract laten onderteken met daarin precies beschreven waar hij me voor had ingehuurd en wat mijn tarief was. Maar dit keer hadden we alleen elkaar de hand gedrukt en was de opdracht nog open. Hij had een cheque ter waarde van vijftienhonderd dollar voor me uitgeschreven, als voorschot op mijn rekening. Als ik daar overheen zou komen, kon hij me eventueel nog meer betalen. Dat hing af van hoeveel ik ontdekte. Ik maakte een kopietje van de cheque, stopte die in het dossier en legde de cheque zelf apart om naar mijn rekening over te maken.

In wezen ging ik een achtergrondonderzoek verrichten naar een overleden vrouw. We hadden elk een heel ander beeld van haar. Mijn indruk was dat hij in de ontkenningsfase zat en de waarheid over Audrey niet wilde horen als die afweek van zijn beeld van haar. Ik had zo mijn vermoeden, maar ik begreep wel waarom hij graag wilde geloven dat ze onschuldig was. Hij had liever niet dat ze hem voor de gek had gehouden. Ik was ervan overtuigd dat ze een doorgewinterde oplichtster was en dat hij het slachtoffer was geweest. Ik kon het alleen nog niet bewijzen. Tegelijkertijd vond ik het ontzettend irritant dat hij te koppig was om toe te geven dat hij verliefd was geworden op een bedriegster. Het was mezelf ook overkomen, dus als je de achterliggende motivatie wilt weten, zou je kunnen zeggen dat ik voor hem werkte om mezelf te helpen.

Psychologische kletspraat. Vroeger, toen ik me nog midden tussen de criminelen bevond, was ik net zo blind als hij was en net zo eigenzinnig. Nu had ik de kans om actie te ondernemen in plaats van ellendig voor me uit te staren. Woede betekent macht. Tranen betekenen zwakte. Driemaal raden waar ik de voorkeur aan gaf.

Ik belde Cheney Phillips, die voor de politie van Santa Teresa werkte. Cheney was een waardevolle inlichtingenbron en over het algemeen scheutig met zijn informatie. Ik wilde met hem beginnen en van daaruit verder gaan. Inspecteur Becker nam op en zei dat Cheney net weg was voor de lunch. De lunch? Ik keek op mijn horloge, verbijsterd hoe snel de ochtend voorbij was gegaan. Ik moest duidelijk naar hem op jacht. Ik kende zijn lievelingsplekken, drie restaurants op loopafstand van het politiebureau. Mijn kantoor was vlakbij, dus ik kon er zo naartoe. Ik ging eerst naar de bistro, die was het dichtst bij. Maar daar was hij niet en ook niet in het Sundial Café. Gelukkig had ik meer succes in de Palm Garden, dat in een winkelgalerij was gevestigd, samen met kunstgaleries en juwelierszaken, lederwarenzaken voor chique koffers en reisbenodigdheden, en een boetiek waar hippe kleding gemaakt van hennep werd verkocht. De palmbomen, waar het restaurant naar was vernoemd, stonden in grote vierkante grijze kratten, en reageerden op de krappe behuizing door luchtwortels te laten groeien die als een paar wormen over de randen heen lagen. Erg eetlustopwekkend als je er pal naast zat.

Cheney zat op het terras aan een tafeltje samen met brigadier Leonard Priddy, die ik al jaren niet meer had gezien. Len Priddy was bevriend geweest met Mickey Magruder, mijn eerste ex-man, die twee jaar geleden was vermoord. Ik had Mickey op mijn eenentwintigste leren kennen en was toen ook met hem getrouwd. Hij was vijftien jaar ouder dan ik en werkte voor de politie van Santa Teresa. Hij ging daar weg in diskrediet, zoals dat heet, beschuldigd van het doodslaan van een ex-gedetineerde. Op aanraden van zijn advocaat had hij ruim voordat hij voor de rechter moest verschijnen ontslag genomen. Uiteindelijk werd hij vrijgesproken, maar zijn reputatie had een flinke knauw gekregen. Ons huwelijk, dat nooit erg goed was geweest, ging echter kapot vanwege andere zaken. Niettemin vond Priddy dat ik Mickey had verlaten terwijl hij me juist toen erg nodig had. Hij had het nooit hardop gezegd, maar de weinige keren dat we elkaar daarna zagen liet hij dat duidelijk merken. Of hij inmiddels wat milder was geworden in zijn oordeel, was nog de vraag.

Ik had veel over hem gehoord, want zijn carrière was ook de verkeerde kant op gegaan nadat hij een politieman had gedood tijdens een drugsoverval die helemaal misliep. Len Priddy was altijd al een buitenbeentje geweest en had meer dan eens de regels overtreden. Twee keer werd er door een burger een aanklacht tegen hem ingediend. Tijdens de lange maanden dat Interne Zaken de schietpartij onderzocht, was hij geschorst, al kreeg hij wel doorbetaald. Interne Zaken kwam uiteindelijk tot de conclusie dat het schot per ongeluk was gevallen. Daardoor was de relatie met zijn collega's gered, maar zijn carrière zat niettemin in het slop. Het was niet goed te zeggen waar het nu aan lag. Naar verluidt waren zijn cijfers net niet goed genoeg als hij examen deed voor een promotie en zijn functiebeoordelingen waren, hoewel acceptabel, nooit goed genoeg om de smet op zijn goede naam te doen vergeten.

Mickey was ervan overtuigd dat hij een goede vent was, iemand op wie je kon rekenen als je in het nauw zat. Dat geloofde ik best. In die tijd bestond er een groep agenten die zichzelf de Priddy Commissie noemde, vrienden van Len, wild, agressief en gewelddadig als ze dachten dat ze daarmee weg konden komen. Mickey zat daar ook bij. In die tijd draaiden de Dirty Harry-films en politiemensen, hoewel ze luidkeels het tegendeel beweerden, genoten heimelijk van de manier waarop de man gespeeld door Clint Eastwood de wet aan zijn laars lapte. In de loop der tijd was er nogal wat veranderd bij de politie, maar Priddy had al die tijd geen promotie gemaakt. De meeste agenten in zijn positie hadden allang ander werk gezocht, maar Len kwam uit een familie van politiemensen en had zich te zeer met de baan vereenzelvigd om nog iets anders te kunnen.

In het gezelschap van Priddy bezag ik Cheney opeens in een ander licht. Maar misschien kwam dat doordat ik wist hoe het met Priddy zat. Hoe dan ook kwam ik in de verleiding om niet naar hen toe te stappen en Cheney maar een andere keer te bellen. Maar ik was natuurlijk wel naar hem op zoek gegaan in de hoop om meer over Audrey Vance te weten te komen en het zou nogal laf zijn om weg te lopen nu ik hem in mijn vizier had.

Cheney zag me aan komen en hij kwam bij wijze van begroeting overeind. Priddy wierp een blik in mijn richting en keek toen weg. Hij knikte nauwelijks merkbaar om aan te geven dat hij me had gezien en richtte toen al zijn aandacht op het zakje suiker dat hij in de ijsthee strooide.

Cheney en ik hadden 'iets' met elkaar gehad, een korte flirt zonder nadelige gevolgen. We waren nu bestudeerd beleefd tegen elkaar, alsof we nooit samen hadden gerotzooid, terwijl we nog heel goed wisten hoe hartstochtelijk het was geweest. Hij zei: 'Hoi, Kinsey. Hoe gaat het? Ken je Len al?'

'Van vroeger. Leuk je weer eens te zien.' Ik stak mijn hand niet uit ter begroeting en Len kwam niet overeind uit zijn stoel.

Priddy zei: 'Ik wist niet dat je hier nog rondhing.' Alsof de tien jaar dat ik al als privédetective werkte hem totaal niet opgevallen waren.

'Ja hoor, niet weg te branden,' zei ik.

Cheney schoof een stoel naar achteren. 'Ga zitten. Wil je meeeten? Lens vriendin komt zo, dus we hebben nog niet besteld.'

'Bedankt, maar ik wil je alleen maar een paar vragen stellen. Jullie hebben vast wel andere dingen om over te praten.'

Cheney nam weer plaats en ik ging op het puntje van de stoel zitten zodat ik op dezelfde hoogte als de twee mannen was.

'Wat wil je weten?' vroeg hij.

'Ik ben erg benieuwd hoe het zit met Audrey Vance, de vrouw die...'

'We weten wie ze is,' viel Priddy me in de rede. 'Waarom wil jij dat weten?'

'Nou, toevallig was ik getuige van de winkeldiefstal waar ze uiteindelijk voor opgepakt werd.'

Priddy zei: 'Dat was mooi. Ik zit momenteel bij de kleine vergrijpen. De Cold Spring-brug valt onder ons district, dus het bureau van de sheriff onderzoekt haar dood. Als je daar meer over wilt weten, moet je naar hen toe gaan. Je hebt daar vast een paar goede vriendjes zitten.'

'Hele ladingen,' zei ik. Misschien was ik te achterdochtig, maar ik meende uit zijn opmerking op te maken dat aangezien ik met Cheney naar bed was geweest om informatie te krijgen, ik dat ongetwijfeld met iedereen deed. 'Ik wil eigenlijk liever weten of ze al eerder opgepakt is geweest.' Ik keek Cheney aan, maar Priddy vond duidelijk dat het zijn pakkie-an was.

Hij zei: 'Wegens winkeldiefstal? Nou en of, heel vaak zelfs. Die liep al een tijdje mee. Onder verschillende namen natuurlijk. Alice Vincent, Ardeth Vick. Ze gebruikte ook wel de achternaam Vest. Maar de voornaam die ze daarbij had ben ik vergeten. Ann, Adele? Iets met een A in elk geval.'

'Oké. En ging het om grote of kleine bedragen?'

'Grote en volgens mij minstens vijf keer. Ze had een of andere advocaat die de zaakjes voor haar regelde. Ze moest van hem bekennen zodat ze een lagere gevangenisstraf zou krijgen plus nog wat taakstraf. De eerste twee keer kreeg ze zelfs helemaal geen straf. De diefstallen stelden weinig voor en de aanklachten werden afgewezen. Ze ging toen naar een ontwenningskliniek voor alcohol of zo. Echt gelul. Maar de laatste keer werd de rechter eindelijk eens wijzer en gooide hij haar in het gevang. Hadden wij eindelijk eens een keer gewonnen.' Hij klakte met zijn tong om een goal na te doen en stak zijn armen in de lucht. 'Als dat soort lui van begin af aan forse straffen krijgen, zouden ze niet elke keer weer in herhaling vallen. Anders leren ze het toch nooit?'

'Er was nog iets,' zei Cheney. 'Toen ze zich vrijdag in de gevangenis uit moest kleden om te worden gefouilleerd, ontdekte de gevangenisbewaarster dat ze speciale zakken in haar ondergoed had die vol zaten met nog veel meer spullen. Een goede vangst, toch wel zeker ter waarde van twee-, drieduizend dollar, dus dat is niet langer een klein vergrijp.'

'Verbaasde het je dat ze van de brug af was gesprongen?'

Priddy richtte zijn antwoord tot Cheney alsof ze het er vlak voordat ik aankwam over hadden gehad en hadden besproken of een plotselinge dood te verkiezen was boven gevangenisstraf. 'Volgens mij mogen we blij zijn dat ze dat heeft gedaan. Het scheelt de belastingbetaler een hoop geld en ons een hoop ellende. En als je springt hoeft iemand anders tenminste niet de troep op te ruimen.'

'Kan het ook moord zijn geweest?'

Priddy keek me aan. 'De inspecteurs van moordzaken zullen het ook van die kant bekijken. Ze hebben de plek waar ze is aangetroffen beveiligd voor het geval aan het licht komt dat het geen zelfmoord was. Een half jaar geleden was ze vervroegd in vrijheid gesteld en nu hikte ze weer tegen een gevangenisstraf aan. Ze is verloofd met een of andere vent en dat kan ze dan verder ook wel vergeten. Dat moet toch deprimerend zijn geweest. Ik zou zelf ook gesprongen zijn.'

Hij schudde de ijsblokjes in zijn glas en liet er een in zijn mond glijden. Hij vermorzelde het ijs met een lawaai als een paard dat op zijn bit staat te bijten.

Cheney zei: 'Het laboratorium is met tests bezig, maar de uitslag komt pas over drie of vier weken. Voorlopig is de lijkschouwer ervan overtuigd dat ze niet ruw aangepakt is. Hij zal over een paar dagen het lijk wel vrijgeven.'

Ik keek hem verbaasd aan. 'Hij had haar toch al vrijgegeven?'
'Nee, hoor.'
'Ik ben naar het rouwcentrum geweest. Daar stond een kist met twee kransen erbij. Ga je me nu vertellen dat ze daar helemaal niet in lag?'
'Ze ligt nog in het mortuarium. Ik had geen dienst – Becker wel – maar ik weet wel dat het lijk daar nog ligt voor bloed- en urine-afname.'
'Waarom hadden ze dan een lege kist?'
'Dat moet je aan haar verloofde vragen,' zei Priddy.
'Dat zal ik zeker doen.'
'Ik wil niet rot doen, maar de goedhartige meneer Striker had geen benul waar hij met haar aan begonnen was.' Priddy keek op en ik ook. Een jonge vrouw van achter in de twintig kwam over het terras aanlopen. Beleefd als hij is, stond Cheney meteen op. Eenmaal bij de tafel omhelsde ze hem even en toen boog ze zich voorover om Len een kus op zijn wang te geven. Ze was lang en slank, was lichtbruin getint en had donker haar tot aan haar middel. Ze droeg een strakke spijkerbroek en laarzen met hoge hakken. Ik kon me niet voorstellen wat ze in Len zag. Hij scheen niet de behoefte te voelen ons aan elkaar voor te stellen, dus nam Cheney de honneurs waar.
'Dit is Abbie Upshaw, Lens vriendin,' zei hij. 'Kinsey Millhone.'
We gaven elkaar een hand. 'Leuk kennis met je te maken,' zei ik.
Cheney trok een stoel voor haar naar achteren en ze ging zitten. Len wist de aandacht van de serveerster te trekken en stak het menu omhoog. Ik zag het als een niet erg subtiele hint dat ik maar eens weg moest gaan en daar was ik het van harte mee eens.
Ik ging naar een delicatessenwinkel daar in de buurt en kocht een broodje tonijn en een zakje chips, ging terug naar kantoor en nam plaats aan mijn bureau. Alles wat ik had gehoord zat nog vers in mijn geheugen en dus pakte ik een stapeltje indexkaartjes en schreef de brokjes informatie op die ik had gehoord, inclusief de naam van Lens vriendin. De bedoeling van de aantekeningen is zo veel mogelijk op te schrijven omdat je van tevoren niet weet welke feiten belangrijk zijn en welke niet. Ik stopte de kaartjes in mijn schoudertas. Ik onderdrukte de neiging om meteen naar Marvin te draven en alles aan hem door te geven, maar de man had het al moeilijk genoeg. Hij had zich er nog niet bij neergelegd dat Audrey die ene keer had gestolen, laat staan dat ze er al vijf keer voor veroordeeld was.

De bescheidenheid gebood me toe te geven dat ik maar gedeeltelijk de eer verdiende over mijn gok naar haar criminele verleden. Een misdaad als winkeldiefstal wordt over het algemeen vaker gepleegd en niet af en toe een keertje. Als de neiging voortkomt uit noodzaak of impuls, kan een succesje resulteren in de natuurlijke verleiding om het weer te doen. Door het feit dat ze er al een paar maal voor was opgepakt, had ze zich moeten realiseren dat ze nog flink moest oefenen. Of misschien was ze maar vijf keer van de vijfhonderd keer opgepakt en was ze er juist erg bedreven in. Tot afgelopen vrijdag dan, toen ze het wel heel erg verknalde.

Ik at het broodje op, verfrommelde de verpakking en gooide die in de prullenbak. Ik maakte het aangebroken zakje chips dicht met een paperclip en legde het in de onderste la van mijn bureau voor het geval ik die middag trek zou krijgen. De deur op de gang ging open en dicht. Heel even dacht ik dat het Marvin zou zijn en ik keek verwachtingsvol op. Mooi niet. De vrouw die in de deuropening stond was Diana Alvarez, een verslaggeefster van de plaatselijke krant. Ik sta niet echt bekend om mijn vriendelijkheid en charme, maar er zijn nu ook weer niet al te veel mensen aan wie ik een bloedhekel heb. Zij vormde daar echter een uitzondering op. Ik had haar tijdens een opdracht die ik de vorige week had afgerond leren kennen. Diana's broer Michael had me ingehuurd om twee kerels op te sporen die hij zich plotseling weer kon herinneren van iets wat op zijn zesde was voorgevallen. De details doen er verder niet toe, dus ik vertel alleen waar het om draaide. Michael was sterk beïnvloedbaar en nogal creatief met de waarheid. Als tiener had hij zijn familieleden beschuldigd van de vreselijkste vormen van seksuele daden nadat hij een waarheidsserum toegediend had gekregen van een zielenknijper die hem terug liet keren naar zijn jeugdjaren. Het bleek allemaal grote onzin te zijn en uiteindelijk gaf Michael dat ook toe, maar tegen die tijd was het gezin al uit elkaar gevallen. Diana, zijn zus, ook bekend als Dee, was er nog steeds verbitterd over en deed er alles aan om zijn geloofwaardigheid te ondermijnen, zelfs nu hij dood was.

Ik keek haar vol walging aan. Het is bijna net zo leuk iemand te zien aan wie je een hekel hebt als een ontzettend slecht geschreven boek te lezen. Hoewel je natuurlijk een pervers gevoel van voldoening uit elke beroerde bladzijde kunt halen.

Diana gedroeg zich uit de hoogte, was opdringerig en agressief. Bovendien vond ik haar kledingstijl drie keer niks, hoewel ik moet toegeven dat ik haar gewoonte om zwarte panty's te dragen had overgenomen als ik eens een keer een rok aanhad. Dit keer had ze een vrolijke rood-zwarte trui aan met een rood T-shirt eronder. Ik drukte een klein sprankje waardering snel de kop in.

Ik zei: 'Dag, Diana. Ik had niet verwacht je zo snel weer te zien.'

'Ik ook niet.'

'Wat erg dat Michael er niet meer is.'

'Ach, je kent het spreekwoord: wie zaait zal oogsten. Dat komt vast kil over, maar dat lijkt me niet zo gek na wat hij ons heeft aangedaan.'

Ik ging er niet op in. 'Ik had verwacht dat er wel iets over zijn begrafenis in de krant zou staan.'

'Nee, dus niet. Het leek ons beter van niet. Als we nog van gedachten veranderen zal ik het je wel laten weten.'

Ze ging onuitgenodigd zitten en streek haar rok glad zodat er geen kreukels zouden ontstaan. Ze legde haar tas op mijn bureau en sloeg haar benen over elkaar. Toen ze voor het eerst op kantoor langskwam had ze een enveloptasje bij zich ter grootte van een pakje sigaretten. Deze tas was beduidend groter.

Nadat ze geheel geïnstalleerd was, zei ze: 'Ik kom hier niet vanwege Michael maar voor iets anders.'

Ik zei: 'Zeg het maar.'

'Ik ben naar de rouwdienst van Audrey Vance geweest. Jouw naam stond in het register, maar ik zag je nergens.'

'Ik was vroeg weggegaan.'

'Ik begin erover omdat ik mijn redacteur een verhaal heb verkocht over de mensen die vanaf 1963 van de Cold Spring-brug zijn gesprongen toen hij voltooid was.'

Door haar toon kreeg ik de indruk dat ze het artikel al gedeeltelijk in haar hoofd had en dat ze het op mij uitprobeerde. Mijn blik dwaalde af naar de tas die op mijn bureau lag. Zat er soms een piepklein microfoontje in en een taperecorder die alles wat we zeiden opnam? Ze had haar spiraalblok niet tevoorschijn gehaald, maar ze was wel een en al verslaggeefster. 'Waar ken je Audrey van?' vroeg ze.

'Nergens van. Ik was met een vriend in het rouwcentrum omdat hij afscheid van haar wou nemen.'

'Dus die vriend was met haar bevriend?'

'Ik wil het er verder niet over hebben.'

Ze keek me strak aan en haar wenkbrauwen gingen een tikje omhoog. 'O, nee? En waarom niet? Is er soms iets aan de hand?'

'De vrouw is dood. Ik kende haar niet. Sorry, maar ik kan van haar ellendige dood geen verhaal maken.'

'Ach, hou toch op. Je hoeft niet zo schijnheilig te doen, hoor. Ik doe het niet omdat het allemaal zo zielig is, ik doe gewoon mijn werk. Ik heb gehoord dat er nog twijfel bestaat aan het feit of ze wel of niet is gesprongen. Mocht jij denken dat ik haar dood wil uitbuiten, dan snap je niet waar het echt om gaat.'

'Weet je, ik ben hier gewoon niet de juiste persoon voor. Je kunt er beter iemand anders over spreken.'

'Heb ik al gedaan, haar verloofde. Hij zegt dat hij jou heeft ingehuurd om onderzoek te verrichten.'

'Dan weet ik zeker dat je begrijpt dat ik verder geen commentaar kan leveren.'

'Ik zou niet weten waarom niet, hij stelde nota bene voor dat ik met jou moest gaan praten.'

'Ik dacht dat het kwam doordat je mijn naam in het register zag en dolgraag even met me wou kletsen?'

Haar glimlach hield niet over. 'Je wilt vast net zo graag als ik weten hoe die arme vrouw aan haar einde is gekomen. Ik dacht dat we daar samen aan konden werken.'

'Samenwerken? Hoe dan wel?'

'Informatie uitwisselen. De ene hand wast de andere.'

'Eh, nee. Toch maar niet.'

'Stel dat het moord was?'

'Dan brengt de politie je ervan op de hoogte. Maar voorlopig zijn er toch genoeg zelfmoorden die je kunt onderzoeken?'

'Je hoeft niet zo vijandig te doen.'

Ik hield mijn mond. Ik draaide rond op mijn draaistoel, die lekker piepte. Wat stil blijven betrof was ik haar meerdere, en dat zag ze dan ook in.

Ze hing haar tas aan haar schouder. 'Ik had al gehoord dat je moeilijk was, maar zo moeilijk had ik niet verwacht.'

'Zo zie je maar weer.'

Ze was nog niet weg of ik pakte de telefoon en belde Marvin op. Hij had zin in een kletspraatje, ik niet.

'Sorry dat ik je onderbreek,' zei ik, 'maar heb jij Diana Alvarez naar me toe gestuurd?'

'Jazeker. Aardige meid. Het leek me wel handig om haar in ons team te hebben. Zij zei dat een artikel in de krant heel veel verschil kan uitmaken. "Gigantisch", zei ze zelfs. Je weet wel, dat het onder de aandacht van het publiek komt dat het niet helemaal jofel zit. Zij zei dat zoiets de mensen zou aanmoedigen om met informatie aan te komen zetten. Misschien heeft iemand wel iets gezien zonder te beseffen wat het inhield. Ze stelde voor dat ik een beloning uit zou loven.'

Ik onderdrukte de neiging om met mijn hoofd op het bureau te bonken. 'Marvin, ik heb al eerder met haar te maken gehad...'

'Weet ik. Dat heeft ze verteld. Haar broer is vermoord, dus voelt ze met me mee.'

'Ze is net zo meelevend als een piranha.'

Hij lachte. 'Leuke vergelijking. Mooi, hoor. En, hoe ging het met jullie tweeën? Het leek me een goed idee als jullie de koppen bij elkaar staken en een plan van aanpak verzonnen en misschien wat aanknopingspunten zouden ontdekken.'

'Het is een kreng. Ik praat niet met haar.'

'O. Nou ja, moet jij weten, maar volgens mij heb je het mis. Ze kan wel wat voor ons betekenen.'

'Waarom praat jij dan niet met haar? Of nog beter, waarom praat ze niet met de politie? Ik heb haar drie voorstellen gedaan, waaronder die twee. De derde zal ik je maar niet vertellen.'

'Je komt een beetje kribbig over, mag ik wel zeggen.'

'Ik ben ook kribbig,' zei ik. 'Verder nog iets?'

'Ja, eigenlijk wel. Ik heb zitten denken over die winkeldiefstal en volgens mij valt dat allemaal wel mee. Toegegeven, Audrey heeft een paar spullen gejat, nou en? Ik sta er natuurlijk niet achter, maar als je het goed bekijkt, wat stelt het nu helemaal voor? Ik ga het niet goedpraten, maar laten we wel zijn, een winkeldiefstal is niet te vergelijken met een bankoverval.'

'O, is dat zo? Nou, dan zal ik het eens haarfijn voor je uitleggen,' zei ik. 'Audrey werkte niet alleen. Ik heb je verteld dat ik haar met een vrouw zag. Geloof mij nu maar, er waren nog meer mensen bij betrokken. Dit soort mensen weet wat ze doen. Ze trekken van stad naar stad en stelen alles wat los en vast zit.'

'Ik zit niet op een preek te wachten.'

'Nee, dat zal wel niet. Heeft iemand je wel eens uitgelegd hoeveel geld er jaarlijks door winkeldiefstal verloren gaat? Ik heb het jaren geleden op de politieopleiding geleerd, dus ik kan er enigszins naast zitten, maar het komt erop neer dat de winst op die pyjama's die ze heeft gestolen ongeveer vijf procent is. Dat is met aftrek van de aankoopprijs, de salarissen, de bedrijfskosten, huur, gas, licht en water en de belastingen. Dat betekent dat van de verkoopprijs van 199,95 dollar de winkel een winst maakt van 9,99 dollar, wat we voor het gemak maar afronden op tien dollar, oké?'

'Ja, goed.'
'Als je die cijfers bekijkt, dan betekent dat dat voor elke zijden pyjama die er wordt gestolen Nordstrom twintig andere moet verkopen om het verlies van die ene goed te maken. Audrey heeft er twee gejat. Kun je me nog volgen?'
'Nog wel, ja.'
'Mooi, want het is net zo'n som die je op de lagere school kreeg, alleen moet je dit met duizenden vermenigvuldigen want dat is het aantal winkeldieven dat jaar in jaar uit hun slag slaat. En wie denk je dat daar uiteindelijk voor opdraait? Wij natuurlijk, want de kosten worden doorberekend. Het enige verschil tussen Audreys misdaad en die van een vent die banken berooft is dat zij geen wapen gebruikt!'
Ik gooide de hoorn op de haak.

12

Henry had gezegd dat zolang hij er niet was ik zijn oprit mocht gebruiken. Zonder het verlichte keukenraam waar ik altijd door werd begroet, was het net of de energie uit de hele wijk was gezogen. Ik ging zijn huis in. Ik warmde meteen de oven voor, om de geur van warme kruiden te ruiken. Ik deed mijn ronde in de lucht van gebrande suiker en kaneel en deed waar nodig een lamp aan. Ik keek in de keuken, de bijkeuken en allebei de badkamers om te controleren of er geen buizen waren gebarsten en er geen gaslek was waarmee het huis de lucht in kon gaan. De slaapkamers waren in orde, er waren geen gebroken ramen en de deuren waren niet geforceerd. Ik luisterde de berichten op het antwoordapparaat af voor het geval er iets belangrijks op zou staan. Toen gaf ik zijn planten water, nadat ik eerst mijn vinger in de aarde had gestoken om na te gaan of ze wel water nodig hadden. Soms denk ik wel eens dat het hele leven uit routineklusjes bestaat. Het duurt eeuwen voordat het weekend is, en is het eenmaal zover, dan komt er maar geen eind aan. Het enige waar ik naar kon uitkijken, waren veelvuldige bezoekjes aan Rosie's Tavern. Ik verwachtte dat Marvin me zou ontslaan vanwege mijn grote bek, maar daar kon ik niet mee zitten. Dan had ik tenminste ook niets meer met Diana Alvarez te maken.

Ik zette de oven uit, deed de lampen uit en sloot af. Ik ging naar mijn huis om de tafellampen aan te knippen en van de badkamer gebruik te maken. Daarna liep ik naar Rosie's Tavern, waar ik een glas chardonnay en wat te eten bestelde. Ik had wel eens viezer gegeten bij Rosie, maar het gerecht dat ik dit keer voorgeschoteld kreeg, kwam erbij in de buurt. Tussen de grote hoeveelheid schotels in haar krankzinnige keuken zat ongeveer eens per maand iets verrukkelijks.

Ik maakte een praatje met William, bedankte de kok voor het eten, zei een paar mensen die ik kende gedag en ging snel weer weg. Tegen de tijd dat ik weer thuis was, was het zeven uur. Ik was precies een uur weggeweest. Jipperdepip. Het was april. Het zou nog tot negen uur licht zijn, dus het was wel erg optimistisch van me geweest om de lampen aan te doen in de verwachting de hele avond gezellig bezig te zijn met een glas wijn en een bord varkensvlees met zuurkool. Gelukkig knipperde het lampje op het antwoordapparaat en ik stortte me enthousiast op de play-knop alsof het een bericht uit de ruimte was.

Marvin zei: 'Hoi, Kinsey, met Marvin.' Op de achtergrond hoorde ik gekletter van borden, het gerinkel van glazen en iets te veel gelach voor het gesprek dat ik verwachtte. Hij belde vast vanuit de Cheers-achtige bar waar hij Audrey had leren kennen. Er werd opeens bulderend gelachen en ik moest mijn ene oor dichtdoen om hem te kunnen verstaan.

'Ik heb nagedacht over wat je zei en ik begrijp het wel. Jij wilt niet dat Alvarez zich gaat bemoeien met jouw onderzoek, dat is logisch. Dat heeft te maken met je beroepsintegriteit, en daar sta ik achter. Wat je zei over winkeldiefstal in vergelijking met een bankoverval snap ik ook. Ik heb nog niet eerder met misdaad te maken gehad, dus ik heb geen idee hoe ik het moet zien. Bel me eens op, dan kunnen we praten. Ik wil nog steeds graag dat je naar Audreys huis in San Luis Obispo gaat. Ik hoor het wel.'

Nou, dat was knap balen. Hoe kon ik nu boos blijven terwijl hij zich totaal gewonnen gaf? Het zou wel zo beleefd zijn om naar die bar te gaan en even een onderhoud met die man te hebben... en ook met Audreys vrienden. Het punt was alleen dat niemand me had verteld hoe die bar heette. Het enige wat ik wist was dat het bij Marvin in de buurt moest zijn. Ik pakte de telefoongids erbij en keek of hij erin stond. Dat was zowaar het geval. Meestal is de telefoongids totaal nutteloos, maar dit keer dus niet. Ik schreef zijn adres op. Hij woonde helemaal aan de andere kant van de stad, net voor de grote bocht in State Street waar die overgaat in Holloway Street. Ik vroeg me af of ik me om zou kleden, maar deed het toch maar niet. Het was prima zo: spijkerbroek, laarzen en een coltrui. Ik ging naar een buurtcafé, niet naar een tent om iemand op te pikken. Ik trok een spijkerjasje aan, hing mijn tas aan mijn schouder en liep naar de auto.

Marvin woonde in een woonwijk met kleine huisjes en een kleine tuin, gebouwd in de jaren veertig en vijftig. Ik ging langzamer rijden om de sfeer van de wijk op te snuiven. De puien waren bepleisterd of van hout, de daken waren voorzien van rode dakpannen of een soort asfalt dat op dakspanen moest lijken. De bewoners onderhielden hun eigendom zeer goed. De meeste tuintjes waren gemaaid, de heggen bijgehouden en de houten luiken geschilderd. Hoewel de huizen niet groot of chic waren, kon ik zien dat iemand als Audrey ze mooi vond, gewend als ze was aan ten minste één staatsgevangenis en een paar plaatselijke politiecellen. Toen ze bij hem introk had ze vast het gevoel gehad dat ze in het paradijs was beland.

Ik reed terug naar State Street en sloeg rechts af, langs een aantal bedrijfspanden waarvan de meeste gesloten waren. De straatverlichting scheen zwak op een kapperszaak, een ijzerwarenwinkel, een Thais restaurant en een dameskapper. Ik wist dat er ook een barretje moest zijn, want dat was me opgevallen toen ik er langsreed.

Ik reed weer een blokje rond en toen ik terugkwam viel mijn oog erop. Ik had het daarstraks niet gezien omdat het bord niet erg opvallend was. De bar heette Down the Hatch, wat op de pui van het smalle gele pandje geschilderd stond en zwak werd verlicht. Ze wilden duidelijk geen nieuwe klanten aantrekken, maar de trouwe klanten die daar al jaren kwamen koesteren. De deur stond open en ik kon een gezellige donkere ruimte zien met een blauwe neonreclame voor bier op de achterwand. Ik zette mijn auto in de dichtstbijzijnde zijstraat en liep naar de kroeg toe. Al van verre was de sigarettenrook te ruiken. Een wolk van teer en nicotine hing als een gordijn in de deuropening. Ik zou dus weer naar de stomerij moeten waar ik net de dag ervoor het spijkerjasje had opgehaald. Ik zou echt veel meer moeten verdienen.

Eenmaal binnen drong de lucht van bier, whisky en zure theedoeken mijn neusgaten binnen. Twee grote doorzichtige glazen cilinders met een glazen deksel stonden naast elkaar op de bar met in de ene een drabberige vloeistof, wellicht brandewijn, en stukjes perzik of abrikoos. De andere was tot de helft gevuld met ananasschijven en kersen. De sterke lucht van het fermentatieproces deed erg aan kerst denken. Zoals in bijna elke kroeg hingen er diverse televisietoestellen, alle afgestemd op een andere zender. Op de ene was een oude zwart-witgangsterfilm te zien waarin een hoop mannen met een hoed op rondsjokten met een pistoolmitrailleur onder hun arm. Op de andere was een bokswedstrijd aan de gang en op weer een andere was een honkbalwedstrijd bezig. Als klap op de vuurpijl was er ook nog een woonprogramma te zien voor het geval je geen idee had wat je met een verstekbak aan moest.

Marvin stond aan de bar, samen met drie rijen mannen die tegen de knieën van de drinkers aan drukten die een barkruk met een zwartleren zitting hadden weten te bemachtigen. Marvin droeg een zwarte broek, een sportjasje en een poloshirt met open hals. In zijn ene hand had hij een martiniglas en in de andere een brandende sigaret. Hij keek rond, zag me, keek verder, en registreerde toen wat hij had gezien. Hij glimlachte en stak zijn glas in de lucht.

'Hé, jongens, kijk eens wie we daar hebben. Dat is die privédetective over wie ik het had.'

De hele kliek trouwe drinkers draaide zich tegelijk om en zes paar ogen richtten zich op mij, de ene iets minder wazig dan de andere. We werden aan elkaar voorgesteld en ik bekeek de vrouwen even aandachtig, wat gemakkelijk kon, want er waren er maar twee. Geneva Beauchamp was achter in de vijftig, gezet, met grijs haar tot op haar schouders en een korte pony. De andere vrouw, Earldeen Rothenberger, was lang, mager met afhangende schouders, een lange nek, weinig kin en een neus waar een plastisch chirurg blij van zou worden. Ik sprak mezelf eens ernstig toe. Het was zo normaal geworden dat vrouwen zich lieten opereren om mooier te worden, dat je bewondering moest hebben voor degene die gewoon tevreden was met wat ze had.

De mannen waren een beetje moeilijker in te delen, alleen al omdat er vier waren en de namen zo snel waren gezegd dat ik al bijna niet meer wist wie wie was. Clyde Leffler stond links van me, was gladgeschoren, had een grijs pompadoerkapsel, magere schouders en een ingevallen borstkas, wat nog eens benadrukt werd door een groene acryltrui met v-hals. Verder droeg hij een spijkerbroek en joggingschoenen. Buster huppeldepup was precies het tegenovergestelde, hij had een brede borst, gespierde armen en een grote zwarte snor. De derde man, Doyle North, was toen hij in de twintig was waarschijnlijk knap geweest, maar hij was slecht opgedroogd. De vierde kerel van het zestal was even 'zijn zwager een hand gaan geven'. Hij zou zo weer terug zijn en Marvin zou hem dan aan me voorstellen.

Ik zei: 'Dat hoeft niet, ik ga dat toch niet onthouden.' Ik boog me naar Marvin toe zodat hij me kon verstaan. 'Ik wist niet dat je rookte.'

'Ik rook ook alleen als ik drink. Kan ik jou trouwens iets aanbieden?'

'Nee, dank je, ik ben aan het werk. Ik moet bij de tijd blijven.'

'Joh, een kleintje dan. Een glaasje witte wijn?'

Ik sloeg het af, maar was niet te verstaan door kreten van opwinding en afkeuring. Ik zag nog net op tijd de laatste paar minuten van een gevecht in de herhaling waarin de ene vent de andere zo hard sloeg dat je diens kaak ontwricht zag worden. Marvin liep al naar de serveerster toe die net een blad met drankjes van de bar af pakte. Ik zag dat hij zich naar haar toe boog en iets tegen haar zei, waarop zij knikte en vervolgens naar een tafeltje liep. Marvin baande zich weer een weg terug met zijn drankje in de lucht voor het geval iemand er tegenaan zou stoten. Ook de sigaret werd in de lucht gehouden om geen gaatjes in iemands kleding te branden.

Toen hij weer terug was, gaf hij de barkeeper een seintje en ik zag dat de man achter de bar naar ons toe kwam lopen. Met luide stem zei Marvin: 'Dit is Ollie Hatch. Hij is de eigenaar van deze bar. Ollie, dit is Kinsey. Geef haar wat ze wil.'

'Graag,' zei Ollie. Hij boog zich over de bar en we drukten elkaar de hand.

Marvin keek me aan. 'Heb je visitekaartjes bij je?'

'Ja.' Ik dook in mijn schoudertas en toverde het kleine zilverkleurige doosje tevoorschijn waarin mijn kaartjes zitten. Ik gaf er zes aan hem en hij hield ze omhoog en zei: 'Mensen, als jullie iets horen wat van belang kan zijn, dan heeft Ollie de visitekaartjes van Kinsey. Ze kan wel wat hulp gebruiken.'

Het had niet meteen een stroom aan interessante informatie tot gevolg, maar dat lag wellicht aan de timing. Marvin gaf de kaartjes aan de barkeeper en greep me toen bij de arm en trok me naar de zijkant. Door het lawaai was een gesprek niet echt mogelijk. Als hij hard praatte en ik mijn hoofd schuin hield kon ik nog maar af en toe iets opvangen van wat hij zei. 'Opnieuw mijn excuses voor dat mens van de krant. Ik werd een tikje te enthousiast...'

'Dat kwam door haar. Ze heeft het mij ook geflikt.'

'Wat zeg je?' Marvin legde zijn vinger achter zijn oor en drukte de rand naar voren om me beter te horen.

Ik wilde het net op harde toon weer zeggen, maar besefte dat het de moeite niet waard was. Ik wees naar de deur en hij wees met een vragende blik naar zichzelf. Ik knikte en liep naar de deur toe met Marvin in mijn kielzog. Ik viel zowat door de open deur naar buiten. De buitenlucht was koel en fris, het was net of ik in een koelkast terecht was gekomen. De herrie nam af tot een zacht gemurmel.

Ik zei: 'Ik snap niet hoe je het volhoudt. Je kunt elkaar nauwelijks verstaan.'

'Het went. Het zijn leuke mensen. We noemen het gewoon de Hatch en wij zijn de Hatchers. De meesten komen hier al jaren. De kroeg is zeven dagen in de week open. Om de een of andere reden is het vandaag nogal druk. Soms is er geen bal te beleven. Het maakt ons niet uit.'

Hij keek me aan. 'Wacht eens, de serveerster heeft je je drankje nog niet gebracht. Ik ga even kijken of ik haar te pakken kan krijgen...'

'Ik hoef niets. Ik kwam voor de sleutel van Audreys huis in San Luis. Morgenochtend heb ik de tijd om er naartoe te gaan.'

'Ja, dat is het nu net. Ik heb geen sleutel. Ik weet alleen het adres, al kan ik me dat nu zo gauw niet herinneren. Kun je anders even met me meegaan? Ik woon hier vlakbij.'

'Je hoeft voor mij niet je stapavond op te geven.'

'Dat is niet erg. Ik zit hier toch zo'n drie à vier avonden in de week, dus ik loop geen leuke dingen mis, hoor.'

'Wat voor leuke dingen?' wilde ik weten.

'Nou, dat Earldean ruggelings van haar kruk tuimelt, maar ze doet zich daarbij bijna nooit pijn. Ben je met de auto?'

'Die staat hier om de hoek. Moet je niet eerst afrekenen?'

'Nee. Hij schrijft het op en een keer in de maand voldoe ik de rekening.'

We liepen het eindje naar mijn auto en ik reed hem naar huis, wat maar een straat verder was. Ik parkeerde voor de deur en liep met hem mee naar zijn woning, waar ik wachtte tot hij de juiste sleutel te pakken had en de voordeur open kon maken. Hij stak zijn hand naar binnen en knipte de buitenlamp aan. Hij liep zijn huis in en draaide het licht in de zitkamer aan. Het was een L-vormige woon-eetkamer, keurig opgeruimd en ik kreeg de indruk dat het hele huis zo zou zijn.

Ik zei: 'Wat netjes.'

'Voordat Audrey bij me introk was het een grote bende. Zij haalde me over een schoonmaakster te nemen. Ik had daar nooit het nut van ingezien, want ik was toch in mijn eentje, dus wat maakte het uit? Maar zij heeft me dat wel even bijgebracht.'

'Zo zijn vrouwen.'

'Mijn vrouw anders niet. Margaret was niet echt een huisvrouw. Ze was meer een creatief persoontje. Ze was een dagdroomster. Ze was vaak afwezig. Ze zag de troep niet eens. Ze wist wel hoe ze het aan moest pakken, maar had de kans nog niet schoon gezien om ermee te beginnen. De keuken was net een slagveld, maar wat haar betrof was alles dik in orde. Als we visite kregen, zette ze de vieze borden en alles in de oven zodat niemand het zag. Dan vergat ze dat en stak de oven aan om hem voor te verwarmen, en binnen de kortste keren stond het hele huis vol rook en ging het alarm af. Maar wist ik veel. Mijn moeder was precies zo geweest, dus ik vond het normaal.'

Al pratend liep hij naar een klein bureautje en hij trok een laatje tussen een rij vakjes open. Hij haalde er een opschrijfblokje uit en bladerde erdoorheen tot hij had gevonden wat hij zocht. 'Het adres is Wood Lane 805. Er kwam post voor haar hier en toen heb ik het adres opgeschreven. Voor het geval ik haar daar bloemen wou sturen of zo. Ja, stom natuurlijk.' Hij scheurde het blaadje eruit en gaf het aan mij. 'Audrey zei dat de verhuurster ernaast woonde, dus die zal wel de sleutel hebben.'

'Het is een poging waard,' zei ik. 'Ik wou je nog iets vragen. Een vriend van mij is politieagent en die zei dat Audrey nog steeds in het mortuarium ligt. Dus waarom was er dan een doodskist?'

'Meneer Sharonson was zo vriendelijk er een beschikbaar te stellen op voorwaarde dat ze erin begraven zou worden zodra haar stoffelijk overschot vrij was gegeven. Ik vond het wel passend, weet je. Als iemand overlijdt, moet je afscheid kunnen nemen. Had ik het niet zo moeten doen, vind je?'

'Nee, hoor. Het verbaasde me alleen.'

'Sorry als het raar overkwam. Maar ik wou het juist goed doen.'

'Dat snap ik,' zei ik. 'Nu ik hier toch ben, zou ik anders even haar spullen mogen zien?'

'Ja, dat mag. Natuurlijk. Er is alleen niet veel. Dat bureautje was van haar. Ik gebruik de logeerkamer als kantoortje. In de hoofdslaapkamer heb ik twee laden in de kast voor haar leeggemaakt. In de badkamer staan natuurlijk haar shampoo, deodorant en dat soort dingen.'

'We beginnen hier.'

'Zal ik erbij blijven of heb je liever dat ik wegga?'

'Ga maar mee. Mocht er iets zijn, dan kan ik je er meteen naar vragen terwijl ik doorzoek.'

Hij liet me de badkamer zien, die grensde aan de hoofdslaapkamer. 'Margaret en ik hebben die vijftien jaar geleden laten plaatsen. Hier is een muur gesloopt zodat de slaapkamer ernaast erbij werd getrokken en als badkamer kon fungeren. Het stelt niet veel voor als je ziet hoe ze dat tegenwoordig doen, maar wij waren er blij mee. We hebben ook een muur in de keuken gedeeltelijk gesloopt om een eettafel kwijt te kunnen en vervolgens hebben we een halletje met voordeur laten maken.'

Ik reageerde hopelijk naar verwachting terwijl ik het medicijnkastje en de laatjes in het badmeubel doorzocht die van haar waren. Hij had gelijk over de medicijnen, ze had er geen een. Op haar leeftijd, drieënzestig, zou je toch minstens hormoonpillen of pillen tegen hoge bloeddruk of cholesterol verwachten. Haar toiletspullen waren de gebruikelijke dingen. Niets bijzonders. Ik zou al blij zijn geweest met een lipstick van Mary Kay, alleen al zodat ik het terug kon voeren naar de plaatselijke verkoopster.

'De politie heeft nog wel haar tas,' zei hij plotseling.

'Dat verbaast me niets. Jammer dat ze geen medicijnen slikte. Dan hadden we naar haar dokter kunnen gaan en op die manier misschien wat te weten gekomen.'

Toen hij zag dat ik de laatjes had doorzocht, zei hij: 'De slaapkamer is deze kant op.'

Ik liep met hem mee de slaapkamer in waar hij de laden aanwees die van haar waren. Toen ik de bovenste opentrok sloeg de lucht van seringen, gardenia's en nog iets anders me tegemoet.

Marvin zette een stap naar achteren. 'Jeetje...'

'Wat is er?'

'Dat is de White Shoulders-parfum die ik haar heb gegeven toen we een half jaar bij elkaar waren. Het was haar lievelingsluchtje.' Hij schudde het hoofd en schoot vol.

'Gaat het een beetje?'

Hij droogde snel zijn ogen. 'Het was onverwacht, daar komt het door.'

'Je kunt ook in de zitkamer wachten tot ik klaar ben.'

'Dat hoeft niet.'

Ik ging door met de zoektocht. Audreys laden met ondergoed waren eveneens netjes. In beide laden stonden stoffen dozen voor haar keurig opgevouwen slipjes, bh's en panty's. Ik zocht rond, maar vond niets. Ik trok de laden er helemaal uit om te controleren of eronder of erachter wellicht iets met plakband was bevestigd. Maar nee.

Ik liep naar de kast en maakte de deur open. Er zaten twee roeden in, er gingen vakjes, schotjes, mandjes en planken schuil achter de doorzichtige kunststof deuren. Ik vond haar garderobe wat magertjes voor een werkende vrouw. Twee mantelpakjes, twee rokken en een jasje. Hoewel we natuurlijk wel in Californië wonen en werkkleding wat losser is dan elders.

Marvins kant van de kast was al net zo netjes als die van haar. Ik zei: 'Echt ongelooflijk. Heeft ze dat soms speciaal laten maken?'

'Ja, dat klopt inderdaad.'

Ik haalde stapels opgevouwen truien eruit en voelde in de zomen of er iets in zat. Ik keek de zakken in haar broeken en jasjes na, maakte de schoenendozen open en dook in de wasmand. Er viel niets te ontdekken.

Ik ging weer terug naar het bureautje in de zitkamer, nam plaats en spitte door de laden die van haar waren. Geen adresboekje, geen kalender, geen agenda. Het was natuurlijk mogelijk dat haar leven eenvoudig in elkaar stak en dat ze dat soort dingen niet hoefde op te schrijven. Maar hoe zat het dan met de normale dagelijkse dingen? Iedereen had toch lijstjes, stukjes papier met dingen erop gekrabbeld, opschrijfblokjes met aantekeningen? Daar was hier niets van te bekennen. En wat betekende dat? Als Audrey van plan was geweest zelfmoord te plegen, had ze alle persoonlijke bezittingen kunnen verwijderen. Het was mij een raadsel waarom ze zo geheimzinnig zou moeten zijn, tenzij ze natuurlijk paranoïde was over alles wat met de winkeldiefstallen te maken had. Ze had met een jongere vrouw samengewerkt. Als die twee bij een grote bende hoorden, zou de kleinste aanwijzing dat kunnen onthullen. Misschien hield de andere vrouw wel hun werkzaamheden bij.

Maar stel dat ze geen zelfmoord had gepleegd? Dan was het nog zorgwekkender. Als zij was vermoord, had ze dat niet zien aankomen en dus had ze geen tijd gehad om de persoonlijke bezittingen weg te halen. Ruimde ze altijd alles op? Dan moest ik haar nageven dat ze het goed had gedaan. Tot nu toe was ze onzichtbaar.

Ik zat in de bureaustoel te piekeren. Marvin had zich beperkt tot alleen de hoogstnodige opmerkingen. Ik wendde me tot hem. 'Zat er een regelmaat in haar reisjes voor het werk?'

'Ze was gewoonlijk zo'n drie dagen per week weg.'

'Altijd dezelfde dagen of wisselde dat wel eens?'

'Min of meer altijd dezelfde dagen. Ze was op woensdag, donderdag, vrijdag en af en toe ook op zaterdag weg. Doordat ze buitendienst had, had ze een vaste route voor de klanten en de winkels. Bovendien moest ze ook naar een hoop nieuwe mensen en winkels toe voor nieuwe klandizie.'

'Was ze afgelopen vrijdag hier of was ze op reis?'

'Geen idee. Ze zei dat ze zoals altijd drie dagen weg zou zijn. Op maandag en dinsdag heeft ze thuis gewerkt en daarna ging ze op pad en ze zei dat ze zaterdagochtend vroeg weer terug zou zijn.'

'Op tijd in elk geval voor de kapper waar ze wekelijks naartoe ging.'

'Ja. En daarna de makelaar.'

Ik ging door op iets anders. 'Had ze hobby's? Het lijkt misschien niet ter zake doend, maar ik moet alles nagaan.'

'Nee. En ze deed niet aan fitness, of aan sport en ze hield niet van koken. Ze maakte er wel eens grapjes over hoe slecht ze daarin was. Als ik niet kookte, gingen we uit eten, haalden we wat of lieten we iets bezorgen. Ze vond alles lekker wat thuisbezorgd kon worden. We gingen ook vaak naar de Hatch toe, daar hebben ze een kleine kaart met hamburgers, patat, nacho's, chili con carne en van die kant-en-klare burrito's die je even in de magnetron moet opwarmen.'

Ik was toch al van plan geweest om nog even naar de Hatch te gaan om wat te eten voordat de keuken dichtging, dus dat was mooi. Ik richtte me weer op mijn werk. 'Bij welke bank zat ze?'

'Weet ik niet. Ik heb haar nooit een cheque zien uitschrijven.'

'Droeg ze bij aan de kosten?'

'Ja, maar altijd contant.'

'Dus ze had geen chequeboekje?'

'Voor zover ik weet niet. Misschien dat er een in haar tas zat, maar de politie heeft die nog en ik denk niet dat ze ons willen vertellen wat erin zit.'

'Betaalde ze ook mee aan de boodschappen?'

'Als ze hier was wel. Ik nam de hypotheek en gas, licht en water voor mijn rekening. Maar dat was omdat mijn naam overal op stond en ik toch moest betalen, of ze er nu was of niet.'

'En als jullie uit eten gingen?'

'Ik ben nog ouderwets, ik vind niet dat een vrouw mag betalen. Als ik haar uitnodigde voor een etentje, betaalde ik dat ook.'

'Heeft ze wel eens verteld waarom ze altijd contant betaalde? Want dat is toch wel een beetje eigenaardig.'

'Ze zei dat ze ooit schulden had gehad, rood had gestaan bij de bank, en dat ze door alles contant te betalen niet meer te veel uitgaf en dat het dus niet meer kon gebeuren.'

'En creditcardafschriften?'
'Ze had geen creditcards.'
'Zelfs niet een om de benzine te betalen als ze op pad was?'
'Niet dat ik weet.'
'Hoe zat het met de telefoonrekening? Ze moet toch zakelijke telefoontjes hebben gepleegd als ze thuis werkte.'
Hij dacht erover na. 'Dat is zo. Daar had ik zelf aan moeten denken. Ik keek de nummers op de rekening na en streepte de telefoonnummers die ik niet herkende aan.'
'Nou ja, ik ga eerst even in San Luis kijken, dan komen we vast een eind verder.'
'Kan ik nog iets doen?'
'Je zou een advertentie in de kranten kunnen zetten, de *Dispatch*, de *San Francisco Chronicle*, de *San Luis Obispo Tribune* en in de plaatselijke kranten van Chicago. "Wie heeft informatie over Audrey Vance..." Je kunt mijn telefoonnummer erbij zetten voor het geval er fakers opbellen, want dat is bij dit soort dingen maar al te vaak het geval.'
'En als niemand zich meldt?'
'Nou, als ik in het huis in San Luis ook niets te weten kom, kunnen we verder geen kant meer uit.'
'Maar op zich is dat toch prima? Tot nu toe heb je nog niet ontdekt dat ze een grote crimineel is.'
'Hm, dat is ook zo. Ik heb met de politieman gesproken van de afdeling kleine vergrijpen. Audrey is al vijf keer veroordeeld wegens diefstal, dus dat betekent dat ze op grote schaal bezig was.'
'God zal me bewaren,' zei hij en dat was een uitdrukking die ik al heel lang niet gehoord had.

13

De rit van Santa Teresa naar San Luis Obispo nam een uur en drie kwartier in beslag. Ik ging om acht uur van huis en kwam exact om kwart voor tien aan in S.L.O. Het aprilzonnetje scheen en een koel briesje waaide flirterig door de bomen aan de weg. Het was niet druk. In de winter had het veel geregend, waardoor de normaal gesproken honing- en goudgele glooiende heuvels nu stralend groen waren. San Luis Obispo is de districtshoofdstad. Ze kunnen bogen op een van de vijfentwintig missiehuizen, die verspreid zitten aan de Californische kust, van San Diego de Alcala in de zuidpunt tot San Francisco Solana de Sonoma in het noorden. Het stadje was schattig, maar dat was niet aan mij besteed. Als ik aan het werk ben richt ik me geheel en al daarop en dit keer was ik benieuwd wat ik in Audreys huis aan zou treffen. Het punt dat ik geen sleutel had, droeg alleen maar bij aan de feestvreugde. Misschien kon ik weer eens het inbrekerssetje gebruiken dat ik van Pinky had gekregen.

Ik verliet snelweg 101 en sloeg Marsh Street in, nam voorzichtig de verkeersdrempel en zette de auto aan de kant. Ik legde een plattegrond van de stad op de stoel naast me en was een paar minuten aan het zoeken waar ik was. Ik moest naar Wood Lane, wat volgens de stratenindex op het stukje J-8 te vinden moest zijn. Vervolgens reed ik Marsh Street uit en Broad Street, een van de grote wegen in de stad, in. In de buurt van het vliegveld in het zuidoosten van de stad ging Broad Street over in Edna Road. Een van de zijstraten daarvan was Wood Lane, een dusdanig onopvallend straatje dat je er al voorbij was als je even met je ogen knipperde.

Het was een industriewijk, maar er was ook landbouw. Ik kon me voorstellen dat een stadsplanner of een landontwikkelaar met visie jaren geleden al had beseft dat het land kaal veel waardevoller was dan onderverdeeld in kavels. In het vlakke landschap stond hier en daar een woonhuis. Hoewel een paar akkers begroeid waren, bestond het land verder uit harde grond, enkele struiken en af en toe eens een hek. Er lagen wat rotsblokken zo groot als een auto. Doordat er geen bomen stonden had de wind vrij spel en dwarrelde er stof op.

Wood Lane was een doodlopende straat met achteraan twee kleine houten huizen. Het huis aan de rechterkant was in de stijl van een ranch gebouwd en had een mooi bijgehouden stuk gras. De oprit was geasfalteerd en er lagen witte keitjes aan de rand. Het huisnummer was 803, dus ik nam aan dat de verhuurster daar woonde. De oprit van Audreys huis bestond uit een zandweggetje met een strook dood gras in het midden. Achter aan het weggetje stond een garage met een schuurtje ernaast. Ik zette de auto neer en liep voorzichtig het pad op terwijl me opviel dat de struiken rondom het huis al een tijd niet gesnoeid waren. De garagedeur zag er antiek uit, maar ging gemakkelijk genoeg open. Er stond niets in en het rook er naar warm stof. Er lag een betonnen vloer met een zwarte vlek waar een auto olie had staan lekken. Ik bukte me en raakte de vlek aan, hij plakte nog. In de aangrenzende schuur stonden twee zakken mulch waar de ratten van hadden gevreten.

Ik ging naar de voorkant en liep het trapje op. De witte verf waarmee het huisje was beschilderd, was in de loop der tijd kalkachtig geworden. Voor de ramen hingen kapotte jaloezieën scheef naar beneden. Naast de deur hing een brievenbus. Ik keek er even in en haalde er twee brieven uit, beide geadresseerd aan Audrey Vance. Aangezien ze overleden was en er niemand keek, maakte ik beide enveloppen open. De eerste was van een creditcardbedrijf dat haar graag financieel wilde bijstaan. De andere was ten antwoord op een verzoek voor een huurhuis in Perdido, dertig kilometer ten zuiden van Santa Teresa. Het was een standaardbrief die ze kreeg omdat ze een formulier had ingediend en een en ander niet had ingevuld, waardoor haar aanvraag niet in behandeling kon worden genomen. Er waren diverse dingen aangevinkt om aan te geven dat ze het adres en telefoonnummer van haar werkgever nog moest invullen, wat ze voor werk deed en het aantal jaren dat ze in dienst was. Bovendien moest ze ook nog de naam en het telefoonnummer van haar huidige verhuurder invullen en de reden waarom ze wegging. 'Helaas is er momenteel niets beschikbaar. Uw brief bewaren we echter in ons archief en als er een huurder weggaat, zullen we contact met u opnemen. '

Ik stopte de twee brieven in het buitenvakje van mijn schoudertas. Die van de creditcardmaatschappij zou ik zo snel mogelijk weggooien. De standaardbrief van het verhuurbedrijf wilde ik nog eens nader bekijken. Het was mogelijk dat ik er bij nader inzien gebruik van kon maken, al wist ik nog niet hoe. Nu verder met het huis. Op de gok dat de deur niet op slot was, pakte ik de deurknop. Dat kon ik wel vergeten.

Omdat ik er toch was, liep ik achterom in de hoop dat de achterdeur wel open zou zijn, dus ook niet. Ik liep terug naar de voorkant en bekeek de nauwelijks bereden weg. Audrey was een feestbeest. En toch woonde ze hier, kilometers verwijderd van de dichtstbijzijnde kroeg en supermarkt. Waarom was dat? Als ze maar twee avonden per maand in San Luis Obispo moest overnachten, kon ze toch beter naar een motel gaan? Ik kon me niet voorstellen dat ze liever huur betaalde voor zo'n afgelegen huis, tenzij ze er wat achter stak.

Ik keek naar het huis ernaast, van Audreys huis gescheiden door een vervallen gazen hek. Het was een dorre boel in Audreys tuin, maar bij de buren stonden er plantjes bij het hek. Achter het huis stond een vrouw was op te hangen aan een waslijn. De lakens wapperden en klapperden in de wind alsof er een paar vogels hun vleugels uitsloegen.

Ik liep naar het hek toe en wachtte tot ze me zag. Ze was in de veertig en had een katoenen jurk aan en een schort. Haar benen waren bloot en stevig en haar armen waren gespierd door het harde werk. Toen ze me in het oog kreeg, zwaaide ik en gebaarde dat ze naar me toe moest komen. Ze stopte een handvol knijpers in de zak van haar schort en liep op me af. 'Ben je op zoek naar Audrey?'

'Nee, niet echt. Misschien heb je het nog niet gehoord, maar ze is afgelopen zondag overleden.'

'Dat wilde ik je nu juist vertellen. Ik las het in de plaatselijke krant.'

'Ben jij de verhuurster?'

'Ze huurde het huis van mijn man en mij,' zei ze afhoudend.

'Ik ben Kinsey Millhone. Ik ben privédetective.' Ik haalde een visitekaartje uit mijn schoudertas en gaf dat aan haar. Ze nam wat erop stond in een enkele blik in zich op.

Ze zei: 'Ik ben Vivian Hewitt. Ik dacht dat je van de politie was.'

'Nee, hoor. Audrey was verloofd met een vriend van me. Na haar dood zijn er wat vragen gerezen en hij heeft me ingehuurd om het een ander na te gaan.'

'Wat voor vragen?'

'Nou, ze heeft hem verteld dat ze twee volwassen kinderen heeft die in San Francisco wonen. Hij heeft geen idee waar. Hij zou hen graag willen laten weten wat er gebeurd is. Hij hoopt nu maar dat ze hier een adresboekje heeft liggen.'

'Dat snap ik. Verder nog iets?'

'Hij wil ook graag weten of hij ontzettend stom bezig is geweest. Een paar dingen die ze hem heeft verteld, bleken niet te kloppen. Bovendien heeft ze wel wat belangrijke zaken achtergehouden.'

'Zoals?'

'Dat ze veroordeeld is wegens diefstal en daarvoor in de gevangenis heeft gezeten. Het ging over spullen ter waarde van ruim vierhonderd dollar, dus dat was een zwaar misdrijf. Een half jaar geleden was ook eindelijk haar voorwaardelijke invrijheidsstelling afgelopen. Maar afgelopen vrijdag was ze weer in hechtenis genomen. We hoopten er eigenlijk op dat jij haar huis voor ons zou openmaken zodat ik even rond kon kijken. Je mag uiteraard meekomen, als je bang bent dat het niet helemaal zuiver op de graat is.'

Ze keek me even aan. 'Blijf hier, dan haal ik de sleutel.'

Ik liep terug naar de voordeur en tuurde in afwachting van Vivian Hewitt door de ramen naar binnen. Er zat maar weinig ruimte tussen de jaloezieën, dus ik zag alleen maar kleine stukjes van de grond, en daar had ik weinig aan. Een paar minuten later kwam ze met een grote bos sleutels aanzetten. Ze ging op zoek totdat ze een sleutel te pakken had waar met rode nagellak een stip op was gezet. Ze stak de sleutel in het slot. De sleutel draaide niet. Ze fronste haar wenkbrauwen, trok de sleutel eruit en waagde opnieuw een poging.

'Nou, daar snap ik niets van. Dit is toch echt de reservesleutel.'

'Mag ik even kijken?'

Ze gaf me de sleutel. Ik keek naar het fabrieksstempel en boog me toen naar voren om het slot te bekijken. 'Hier staat Schlage op. De sleutel is een National.'

'Heeft ze het slot verwisseld?'
'Daar lijkt het wel op.'
'Daar heeft ze me anders niets van verteld.'
'Zo was Audrey wel. Als je het niet erg vindt, kan ik er wel op een andere manier in komen.'
'Zolang je maar geen ruit stuk maakt of de deur intrapt.'
'Daar hoef je niet bang voor te zijn.'
We liepen om het huis naar de achterkant en keken of de sleutel daar wel paste. Maar dat bleek uiteraard niet het geval te zijn.
'Zou je het erg vinden als ik inbreek?'
'Ga je gang. Dat wil ik wel een keertje zien.'
Ik haalde mijn eigen trouwe leren etui tevoorschijn met de speciaal voor mij door Pinky Ford gemaakte inbraakwerktuigen. Pinky had toegegeven dat hij soms ingewikkeld gevormde werktuigen maakte terwijl je eigenlijk alleen maar een moersleutel en een stuk ijzerdraad met gebogen punt nodig had. Een haarspeld of een paperclip was ook goed. Ik stak het ijzerdraad in het slot, pakte de moersleutel en terwijl ik langzaam druk uitoefende stak ik het draadje helemaal erdoorheen. Je moest het draadje een beetje heen en weer bewegen terwijl je het weer eruit trok, zodat hij langs de pennetjes kwam. Met een beetje geluk raakte de draad elke pen totdat je ze allemaal had gehad. Stonden alle pennen overeind, dan klikte het slot als vanzelf open. Ik heb een elektrisch apparaatje waarmee het in nog minder tijd lukt, maar dat heb ik niet altijd bij me. Het is strafbaar om inbrekerswerktuigen bij je te hebben.
Tijdens de eerste les had Pinky een paar verschillende sloten ontmanteld om te laten zien hoe het werkte. Daarna was het een kwestie van de juiste aanpak, en die was bij ieder slot weer anders. Maar zoals met alles gold ook hier: oefening baart kunst. Ik ben er heel goed in geweest, maar het was alweer een tijdje geleden dat ik een slot had opengemaakt, dus ik moest geduld betrachten. Vivian keek geboeid toe en het zou me niets verbazen als ze het zelf eens zou gaan proberen als ik eenmaal weg was. Na twee minuten prutsen wilde ik het al bijna opgeven toen de pennen opeens meegaven. De deur ging naar binnen open en we konden het huis gaan verkennen.
'Dat is handig,' merkte ze op.
'Dat is het zeker.'
In dit soort gevallen werk ik graag systematisch, dus ik begon bij de voordeur en ging zo verder naar de achterkant. Vivian liep

pal achter me toen ik me omdraaide om alles in me op te nemen. 'Ben je hier onlangs nog geweest?'

'Niet nadat zij erin is getrokken.'

Het huis was langwerpig en verdeeld in vier vierkante ruimtes: de zitkamer, de keuken, de slaapkamer en een bijkeuken/badkamer/garderobe. In de woonkamer stonden allerlei meubels die niet bij elkaar pasten: stoelen, twee bijzettafels, een bank, een naaimachine en een dressoir met een namaak marmeren blad. Alles stond tegen de muren aan geschoven. In de laden en kastjes zat niets. Op een van de tafeltjes stond een ouderwetse telefoon. Ik pakte de hoorn en luisterde naar de kiestoon, maar die was er niet.

'Hoe lang woonde ze hier al?'

'Iets langer dan twee jaar.'

'Had je een advertentie in de krant gezet?'

'Dat hadden we wel gedaan maar daar hadden we geen reacties op gekregen, dus hadden we een bordje "Te huur" in de tuin gezet en zij kwam vragen of ze het huis mocht bekijken. Mijn man en ik hebben deze twee panden tegelijkertijd gekocht, met het idee dat een van de kinderen erin zou gaan wonen. Toen dat niet doorging, wilden we het verhuren zodat we er geld voor konden vangen. Deze buurt is niet erg gewild, dus ik liet haar graag het huis zien. Ik zei dat wij geen schoonmaakkosten zouden berekenen als zij geen huisdieren had.'

'Heeft ze een huurovereenkomst getekend?'

'Dat hoefde niet. Ze betaalde contant een half jaar vooruit. Ze pakte haar portemonnee, telde de bankbiljetten uit en legde ze in mijn hand.'

'Wat zul je blij zijn geweest.'

'Nou en of. En ik vond het ook erg prettig dat er iemand in de buurt zou zijn. We hebben maar één auto en ik hoopte stiekem dat ik af en toe met haar mee kon rijden naar de stad. Ik wist niet dat ze maar zelden thuis zou zijn, hoewel "thuis" waarschijnlijk niet het juiste woord is. Ze was vaak weg en wou alleen maar iets voor als ze hier was.'

'Hoe vaak was ze hier?'

'Om de zaterdag.'

Omdat er geen aparte eetkamer was, deed de zitkamer ook dienst als zodanig, in het midden stond een grote boerentafel met ruimte voor tien mensen. Het rook in de kamer naar een schoonmaakmiddel met dennengeur. Ik bekeek het tafelblad onder een dusdanige hoek dat het licht er precies opviel. Er waren geen vegen en vingerafdrukken te bekennen. Interessant. Ik knipte de lamp boven de tafel aan. Ik ging op mijn knieën zitten om de vloer goed te bekijken. Bij de tafelpoot lag een stukje plastic in de vorm van een T en niet veel dikker dan een draad. Ik hield het omhoog zodat Vivian het kon zien. 'Weet je wat dit is?'

'Het lijkt mij zo'n stukje plastic waarmee ze prijskaartjes op kleding vastzetten.'

'Precies,' zei ik. Ik stak het in mijn zak. Onder de tafelpoot lag er nog een, en ook die ging in mijn zak.

Ik bleef rondkijken, en als ik iets wilde weten, vroeg ik dat aan haar. De keuken was keurig netjes. De werkbladen en ramen waren brandschoon. Marvin had gezegd dat Audrey fanatiek was in schoonmaken, maar wanneer had ze de tijd gehad om hier te poetsen? In de koelkast stonden de gebruikelijke dingen: tabascosaus, mosterd, ketchup, olijven en mayonaise, allemaal bij elkaar in een vak in de deur. Het gasfornuis was aan een spoortje blauw schuim en een paar draadjes staalwol te zien bewerkt met een schuursponsje. In de afvalemmer zat een papieren zak. Daarin lag een vies schoonmaakdoekje, grijs van het stof en met dezelfde dennengeur waar het hele huis naar rook. Onder het doekje lagen twee tot op de draad versleten schuursponsjes. Ik ben een echte speurneus wat dat betreft.

'Kreeg ze wel eens visite?' vroeg ik.

'Zeker. Twee keer per maand kwam er een busje langs. Dan liep ze om, maakte de garage open en liet de chauffeur het busje daar neerzetten. Als ze visite kreeg die achterom ging, zou ik dat vanuit mijn huis niet kunnen zien. Er kwam dan ook een witte bestelwagen langs.'

'Wat een drukte,' zei ik.

'Als 's avonds de lampen aangingen, deed ze altijd de jaloezieën dicht.'

'Ze wilde duidelijk niet dat je naar binnen kon kijken.'

'Daar hoefde ze niet bang voor te zijn. Raf en ik liggen meestal om tien uur al in bed. Zij was een nachtmens. Het licht bleef vaak tot diep in de nacht aan. Ik slaap slecht, dus ik ga er soms wel twee of drie keer uit.'

'Weet je nog wanneer ze hier voor het laatst is geweest?'

'Ik dácht op zondag- of maandagavond, maar dat kan niet kloppen. Volgens de krant is ze op zondagmiddag dood aangetroffen, dus moet ik het wel mis hebben.'

Een blik in de gootsteenkastjes onthulde een stel gietijzeren pannen en een paar goedkope koekenpannen. In de bovenkastjes stonden glazen en een hittebestendig eetservies. Een la zat vol met kookbenodigdheden en een andere met bestek. Er was geen vaatwasser en ook geen vuilvermaler, maar ik ontdekte wel een fles afwasmiddel in het gootsteenkastje. Op de planken in de voorraadkast stond niets, maar de vele plakkerige cirkels op de verder schone oppervlakken gaven aan dat er tot voor kort nog ingeblikt voedsel had gestaan. Audrey mocht dan niet koken of veel visite krijgen, ze had genoeg voorraad gehad om een half dorp van voedsel te voorzien.

'En toen er een half jaar voorbij was, wat deed ze toen?'

'Ze kwam langs en betaalde weer zes maanden vooruit.'

'Ook contant?'

Ze knikte. 'Ik had haar er waarschijnlijk naar moeten vragen, maar ik vond niet dat het me iets aan ging. In elk geval hoefde ik niet bang te zijn dat een cheque geweigerd werd.'

'Vroeg je je niet af waarom ze zo veel contant geld had?'

'Ik snap al waar je naartoe wilt. Je denkt vast dat ze drugs verkocht. Ik lees ook de krant en ik weet van speedlabs en marihuanakassen af. Als ik het vermoeden had gehad dat ze illegaal bezig was, had ik de politie erbij gehaald.'

'Dat is mooi. Mensen hebben het soms zo druk met zich nergens mee bemoeien dat ze vergeten dat ze een bepaalde verantwoordelijkheid hebben.'

Ik liep naar de slaapkamer, waar een tweepersoonsbed in stond met twee kussens en een stapeltje netjes gevouwen dekens op het voeteneind. De kast was leeg, er hing zelfs geen hangertje meer aan de roe. Ik deed mijn ogen dicht en haalde diep adem. De geur van White Shoulders-parfum was onmiskenbaar.

Ik liep nog twee keer de kamer door en zei tegen Vivian: 'Zeg het maar als ik iets over het hoofd zie.'

Inmiddels was de idee om haar adresboekje te vinden een lachertje geworden omdat er geen persoonlijke spullen te bekennen waren. Ik had het zo wel gezien, al had ik nog niet de bloembedden doorgespit of op elke muur geklopt op zoek naar geheime nisjes.

Ik schreef Marvins adres achter op een ander visitekaartje. 'Dit is het adres van haar verloofde. Als er post voor haar komt, kun je dat dan aan hem doorsturen?'

'Waarom niet?'

'Zal ik voor je afsluiten?'

'Dat hoeft niet. Ik laat zo er snel mogelijk andere sloten in zetten. Je weet maar nooit wie er allemaal een sleutel heeft.'

Ze liep met me mee naar de auto.

Ik zei: 'Fijn dat je me zo goed geholpen hebt.'

'Ik ga geen vrouw beschermen die de wet overtrad. Ik moet toegeven dat ik mijn twijfels had, daarom hield ik haar ook in de gaten. Ik wist niet precies wat er aan de hand was, en ik had ook nergens bewijs van.'

'Dat snap ik. Je kunt moeilijk de politie bellen omdat iemand de jaloezieën dichtdoet,' zei ik. 'Als je man thuiskomt, kun je hem dan vragen of hij nog iets weet?'

'Dat zal ik doen, maar ik denk niet dat hij je van dienst kan zijn. Ik was degene die met Audrey te maken had. Ze was trouwens een aardige vrouw. Oké, haar werktijden waren wat eigenaardig, maar verder had ik geen problemen met haar.'

'Dat geldt ook voor mijn cliënt,' zei ik. 'Als je nog iets te binnen schiet, kun je me dan bellen? Mijn telefoonnummer van kantoor staat op het kaartje en mijn nummer thuis staat achterop.'

'Zal ik doen. Ik hoor het graag als je meer te weten komt.'

'Ik houd je op de hoogte en bedankt voor de medewerking.'

Ik nam plaats in mijn auto en zette de motor aan. Ik reed de doodlopende straat uit en sloeg rechts af Edna Road in. Ik hield mijn blik op de achteruitkijkspiegel gericht en zodra ik vanuit het huis niet meer te zien was, zette ik de auto in de berm en haalde ik de stapel indexkaartjes uit mijn tas. Ik schreef alles op wat ik te weten was gekomen, al was dat niet veel. Audrey Vance was een grote onbekende en dat irriteerde me mateloos. Toen ik klaar was met de aantekeningen, reed ik weg de 101 op. Om vijf over een was ik weer in Santa Teresa. Hoewel de hele reis zonde van de tijd leek, bleef ik optimistisch. Soms is het feit dat er niets gevonden wordt al een belangrijke aanwijzing op zich.

Ik ging bij Marvin langs in de hoop dat hij thuis was. Ik klopte op zijn deur en hij kwam opendoen met een papieren servet in de kraag van zijn overhemd gestopt. Hij verwijderde het servet en verfrommelde het. 'Wat leuk dat je er bent. Ik had je zo snel niet verwacht.'

'Ik stoor je tijdens het eten.'

'Dat hindert niet. Kom erin.'

'Ik vroeg me af of je al tijd had gehad om naar de oude telefoonrekeningen te kijken.'

'Ik heb ze inderdaad tevoorschijn gehaald. Heb je al gegeten?'

'Ik eet straks wel wat, onderweg naar kantoor.'

'Eet nou maar mee. Ik heb een grote pan soep gemaakt. Kippensoep met heel veel verse groenten. Ik maak elke week een andere soep, afhankelijk van wat me lekker lijkt op de markt. We praten verder in de keuken.'

'Een man die kan koken,' merkte ik op.

'Dat moet je nog maar afwachten.'

Hij deed de voordeur dicht en ik liep achter hem aan naar de keuken en ging bij de felgele eethoek staan. Hij zette het vuur hoger onder een grote soeppan en pakte een kom uit een keukenkastje. 'Ga zitten. Wil je ook wat drinken?'

'Leidingwater, graag.'

'Komt eraan. Ga nu maar lekker zitten.'

Hij deed een paar ijsblokjes in een glas en deed er water uit de kraan bij. Hij pakte een papieren servet en een soeplepel, schepte soep in een kom en droeg dat met een verlegen glimlachje voorzichtig naar me toe. Zo te zien was hij blij met een beetje gezelschap. Midden op de tafel stond een bosje wilde bloemen in een vaas en ik besefte opeens wat voor een zorgzame man hij was. Vreselijk dat hij zo door Audrey voorgelogen was. Hij verdiende beter.

De soep was gevuld en dik. 'Heerlijk,' zei ik.

'Dank je. Ik kook graag, het is zo'n beetje het enige wat ik kan.'

'Nou, maar wel handig om te kunnen,' zei ik. 'Bak je ook?'

'Koekjes, maar meer ook niet.'

'Ik zal je een keer aan mijn huisbaas Henry voorstellen, Williams jongere broer. Volgens mij hebben jullie een hoop gemeen.'

Toen ik de soep op had, stond Marvin erop dat ik bleef zitten terwijl hij de afwas deed en het in een droogrek zette.

Ik vertelde hem over mijn bezoek aan Audreys huis in San Luis. 'Je had zelf ook kunnen gaan,' zei ik. 'Ik weet dat je je er zorgen over maakte, maar er waren geen verrassingen. Er was niets te vinden.'

'Was het een leuk huis?'

'Leuk? Nee, bepaald niet. Geen wonder dat ze graag bij jou was.'

'En hoe zit het met het adresboekje? Heb je dat gevonden?'

'Er waren helemaal geen persoonlijke bezittingen.'

'Wat vreemd,' zei hij. 'Wacht even, dan haal ik de telefoonrekeningen.'

Hij liep de keuken uit en kwam even later terug met een map die hij voor me op tafel legde. 'Hopelijk vind je het niet erg, maar ik heb er zelf al naar gekeken. In de afgelopen maand heeft ze twee keer naar Los Angeles gebeld; drie keer naar Corpus Christie in Texas; en een keer naar Miami in Florida. Dat was ook het geval in januari en februari. Als ze nog meer heeft gebeld, moet het binnen de regio zijn geweest.'

'Jammer.' Ik wierp een blik op de telefoonnummers. Marvin had een kruisje gezet bij de telefoontjes die hij aan haar had toegeschreven. 'Heb je die nummers al gebeld?' vroeg ik.

'Het leek me beter dat aan jou over te laten. Ik ben niet zo'n snelle denker. Ik raak in paniek en roep dan maar wat. Wil je mijn telefoon gebruiken?'

'Graag. Ik ben hier nu toch.'

'Ga je gang,' zei hij, en hij gebaarde naar een telefoon aan de muur.

Ik stond op en pakte de telefoon en stopte hem tussen mijn schouder en mijn oor. Ik hield mijn duim pal bij het eerste kruisje dat hij op de rekening had gezet. Ik toetste het nummer in Los Angeles in. Na drie keer overgaan werd ik getrakteerd op een oorverdovend snerpend geluid, gevolgd door een bandje dat me mededeelde dat het telefoonnummer was afgesloten. 'Als u denkt dat dit bericht niet kan kloppen, hang dan op, kijk het telefoonnummer na en bel opnieuw.'

'Afgesloten,' zei ik.

Ik belde opnieuw en kreeg hetzelfde bandje. Het andere nummer in Los Angeles was ook al afgesloten. Ook dat belde ik voor alle zekerheid nog een keer. Daar kwamen dus niet verder mee. 'Interessant,' zei ik. Ik zocht het nummer in Miami op en toetste dat in. Toen ook dat een snerpend geluid tot resultaat had, hield ik de telefoon omhoog zodat Marvin het kon horen. Het telefoonnummer in Corpus Christie ging zo'n tweeëntwintig keer over, maar er werd niet opgenomen. Ik hing op en ging weer zitten en legde mijn kin in mijn hand.

'En nu?' vroeg hij.

'Dat zou ik ook niet weten. Ik ga daar even over nadenken.'

Hij haalde zijn schouders op. 'Voor zover ik het kan bekijken, zijn we er geen steek mee opgeschoten.'

'Ssssst!'

'Sorry.'

Marvin ging weer zitten. Hij stond op het punt iets te zeggen, maar ik stak als een verkeersagent mijn hand op. Ik zat in mijn hoofd vliegensvlug de verschillende indexkaarten te bekijken. We hadden nog steeds geen adresboekje en ook geen agenda. Aan de telefoonnummers die zij de afgelopen maanden had gebeld, hadden we niets. Als ik de telefoongids voor Corpus Christie of Miami had gehad, had ik misschien een adres bij het telefoonnummer kunnen vinden. Zelfs met die adressen in mijn bezit, zou ik zelf op reis moeten gaan of in Texas en Florida een privédetective in de arm moeten nemen om mijn werk te doen. Beide opties kostten veel geld en hadden wellicht niets opgeleverd. Als de telefoons afgesloten waren, woonden de mensen daar wellicht ook niet meer.

Dit hadden we tot nu toe: Audrey bracht ongeveer twee keer per maand een avond in San Luis Obispo door. Tijdens haar verblijf daar had ze in een huis in een afgelegen gebied gewoond, waar ze op de naaste buren na volop privacy had. Voor haar bezigheden in dat huis had ze een tafel nodig die groot genoeg was om tien mensen aan te plaatsen, een voorraadkast met grote blikken eten en genoeg koeken- en gietijzeren pannen om voor een groot aantal bezoekers te kunnen koken. Vivian Hewitt zei dat ze een paar keer een busje en een witte bestelwagen bij Audreys huis had gezien, maar ze had niemand Audreys huis in zien gaan. Dat zou kunnen betekenen dat de visite de achterdeur gebruikte, die vanuit het huis van de buren niet te zien was. Vivian had me ook verteld dat als de lampen 's avonds laat nog aan waren Audrey altijd de jaloezieën dichtdeed.

Ik had eerst gedacht dat Audrey alle aanwijzingen had weggewerkt. Het punt was alleen dat ze op zondag was overleden, dus had ze het onmogelijk in de korte periode dat ze was vrijgelaten en vervolgens van de brug af was gesprongen zo grondig aan kunnen pakken. Het was nu donderdag en in het huis in San Louis was geen enkel persoonlijk eigendom te vinden en alles was grondig schoongemaakt. Wanneer had ze dat moeten doen? Vivian Hewitt beweerde dat er iemand op zondag- of maandagavond was geweest. Dat had duidelijk Audrey niet kunnen zijn.

Ik keek naar de telefoonrekening. Van de vier nummers die ze had gebeld, waren er drie afgesloten. Iemand was na haar overlijden sporen aan het uitwissen. Het enige wat ik met mijn speurneus had ontdekt, waren twee kleine stukjes plastic. Ik keek Marvin aan.

Hij zei: 'Wat is er?'

'Ik heb wel dit gevonden.' Ik stak mijn vinger in de lucht ten teken dat hij even geduld moest betrachten terwijl ik de twee stukjes plastic uit mijn zak haalde. 'Wat denk je dat dit zijn?'

'Die dingetjes in een warenhuis waar een prijskaartje aan zit.'

'Klopt. Weet je wat ik vermoed? Dat Audrey twee keer per maand met haar bende afsprak en dat ze dan om de tafel zaten om de prijskaartjes uit de kleding te knippen die ze hadden gejat. Ik weet niet wat er daarna met de kleren of met de bende gebeurde, maar nadat ze was overleden, heeft iemand de bende opgeheven.'

'En nu?'

'Volgens mij ben ik op de verkeerde plek begonnen. Het heeft geen nut Audrey te onderzoeken, zij is er niet meer. Ik moet achter die jongere vrouw aangaan. Ik kan mezelf nog steeds voor mijn kop slaan dat ik haar kentekennummer niet heb.'

'Ja, jammer dat je geen tijdmachine hebt. Dan kon je weer even naar de garage teruggaan en kijken.'

Er ging een schok door me heen. Mijn mond viel niet open, maar het scheelde niet veel. 'Jeetje, zeg. Wat een goede opmerking. Er schiet me opeens iets te binnen.'

14

Dante

Op donderdagmiddag kreeg Dante eindelijk zijn broer te spreken. Toen hij het kantoor uit liep, stonden Tomasso en Hubert in de parkeergarage te wachten bij de limousine. Zodra hij de lift uit stapte kwam Cappi de hoek om zetten, zo te zien op weg naar boven. Dante zag hem het eerst en hij kwam al in actie voordat Cappi besefte wat er aan de hand was. Hij struikelde met zwaaiende armen naar achteren om buiten het bereik van Dante te blijven. Hij draaide zich op zijn hakken om en had vier stappen gezet voordat Dante hem tegen de grond wierp. Dante krabbelde overeind en pakte Cappi bij zijn overhemd. Hij sleurde hem in een keer omhoog en sloeg hem tegen de muur aan. Ze ademden allebei moeizaam. Cappi wilde zich uit Dantes greep bevrijden, maar Dante was twintig kilo zwaarder dan zijn jongere broer en had een veel betere conditie.

Dante haalde hijgend adem en trok de kraag van Cappi's overhemd zo strak dat hij hem bijna wurgde. Hij hoorde een gepiep in Cappi's keel en toen was er geen lucht meer om geluid te kunnen maken. Dante was zijn zelfbeheersing kwijt en kende zijn eigen kracht niet meer. Dat gevoel was bekend, snel en allesomvattend. Zijn kracht was in zijn handen gestroomd tot Cappi's ogen uitpuilden, en zijn hoofd donkerrood werd. Hij zweette peentjes en dat deed Dante deugd.

Hubert, zijn lijfwacht, stond achter hem. Hij had de situatie in ogenschouw genomen en snel om zich heen gekeken om zich ervan te verzekeren dat er niemand in de buurt was die doorhad wat er gebeurde. Als het al iemand op was gevallen, zou de aanblik van de stevige lijfwacht hem ontmoedigd hebben om er iets aan te doen. Dat hoorde ook bij Huberts taak, mensen ontmoedigen in te grijpen als zijn baas iets deed.

Dante wist dat als hij door zou gaan, Cappi's benen het zouden begeven en hij als een zoutzak in elkaar zou zakken, Hubert zijn schouders op zou halen en samen met Tomasso het lijk in de kofferbak van de limousine zou leggen. Dante wist dat hij dat zonder ook maar iets te zeggen zou doen. Alleen al door diens aanwezigheid kreeg hij zijn zelfbeheersing weer terug. Dante kneep minder hard zodat Cappi weer adem kon krijgen. Hij keek Cappi van dichtbij strak aan, ook al liep diens neus en rook zijn adem naar angst. 'Stomme lul! Weet je wel hoeveel ellende je hebt veroorzaakt?'

Cappi greep zijn broer bij de pols en trok diens hand van zijn keel af. Dante liet hem opeens los en duwde hem hard tegen de muur. Cappi sloeg dubbel en ademde hoofdschuddend diep in. 'Ze wou het op een akkoordje gooien. Ze had ons erbij gelapt.'

Dante boog zich naar hem toe. 'Bullshit, klootzak. Audrey zou me nooit en te nimmer verraden hebben.'

'Dat heb je helemaal mis.' Cappi had zijn hand voor zijn keel geslagen en stond op het punt in tranen uit te barsten. 'Ze oefenden druk op haar uit. Ze maakten haar bang en toen gaf ze toe.'

'Wie oefende druk op haar uit?'

'Een of andere politieman. Ik weet niet hoe hij heet. Ik weet alleen dat ze er niet meer tegen kon en alles op wou biechten. Dat had ze toen al meteen willen doen, alleen kwam haar vriend de borg betalen en moesten ze haar wel vrijlaten. Ze had op maandagochtend een afspraak met de officier van justitie.'

'Jij bent een ongelooflijke zak. Jij hebt je er niet mee te bemoeien en je regelt de zaken zeker niet zelf. Echt nooit. Begrepen?'

'Pa was het ermee eens. Ik had het hem verteld en hij zei dat ik het moest regelen.'

Dante aarzelde. 'Waar heb je het over? Heb je het aan pa verteld?'

'Ja. Vraag maar. Zodra ik het hoorde ben ik naar hem toe gegaan. Hij zei dat ik het moest regelen. Jij was er niet en iemand moest dat kreng een halt toeroepen.'

'Heeft pa dat gezegd?'

'Ik zweer het je. Ik had het anders nooit gedaan. Wat hadden we anders moeten doen? Ze had ons allemaal erbij gelapt.'

'Als je me zoiets weer flikt, schop ik je hartstikke dood. En rot nou op.' Dante duwde Cappi naar de lift toe, en gaf hem ten afscheid een harde trap onder zijn kont.

In de limousine zakte hij onderuit in de stoel en deed hij zijn ogen dicht. De afstraffing had geen nut. Dante wist dat zijn broer linea recta naar hun vader zou rennen om te klagen dat hij mishandeld was. Het had hem op dat moment goed gedaan, maar hij zou ervoor moeten boeten. Het enige wat hij kon doen, was zijn vader voor Cappi te spreken zien te krijgen. Belachelijk natuurlijk, op zijn leeftijd. Hij zette het voorval van zich af, hij had wel belangrijkere zaken aan zijn hoofd.

Hij had die dag met zijn zus Talia afgesproken voor de lunch en hij bracht Lola ter sprake. 'Ik zit eraan te denken om haar ten huwelijk te vragen.'

'Nou, dat is een leuk vooruitzicht.'

'Een beetje minder sarcastisch mag ook wel. Ik vertel het jou omdat jij een van de weinige mensen bent die ik kan vertrouwen.'

'Sorry, hoor. Ik dacht dat het een grapje was.'

'Niet dus. We hebben het erover gehad en het is helemaal niet zo'n gek idee.'

'Ik snap er niets van. Jullie zijn al acht jaar samen. Waarom zouden jullie nu nog gaan trouwen?'

'Ze wil een kind.'

'Een kind?'

'Wat is daar mis mee?'

Talia lachte.

Dante deed zijn ogen dicht en schudde het hoofd. 'Doe nou niet. Ik wil er geen ruzie over maken. Zeg nou maar gewoon wat je ervan vindt. Daarom begon ik erover. Maar houd het netjes.'

'Oké. Je hebt helemaal gelijk. Ik haal even diep adem en we beginnen opnieuw. Zonder verwijten. Ik stel de vragen, goed?'

'Prima.'

'Hoe zal ze met de zwangerschap omgaan, denk je?'

'Net als iedere vrouw, denk ik.'

'Maar ze is niet als iedere vrouw. Ze is gestoord. Dat is geen rotopmerking, het is gewoon een feit. Ze is geobsedeerd door haar lijf en fanatiek over haar gewicht. Daarom rookt ze ook. Om niet aan te komen.'

'Ze zei dat ze stopt met roken. Dat ze minder gaat drinken. Eén glas wijn per dag en meer niet.'

'Omdat ze niet te veel calorieën naar binnen wil krijgen, daarom gebruikt ze ook drugs.'

'Ze gebruikt helemaal geen drugs. Lul niet, ja? Ze is faliekant tegen drugs.'

'Uitgezonderd die de eetlust onderdrukken. Heb je haar de afgelopen tijd wel eens goed bekeken? Ze is graatmager. Ze heeft een eetstoornis.'

'Vroeger wel, maar nu niet meer. Ze heeft een jaar lang bij dokter Friedken gelopen en nu gaat het prima.'

'Hij is helemaal geen dokter. En ook geen psycholoog. Hij is voedseldeskundige. Meer niet.'

'Hij heeft haar wel geholpen. Het gaat nu goed met haar. Ze eet weer normaal.'

'En daarna gaat ze naar het toilet en steekt ze een vinger in haar keel. Vrouwen die in verwachting zijn worden dik. Dat is nu eenmaal zo. Dat kan ze echt niet aan.'

'Niet iedere zwangere vrouw wordt dik. Jij toch ook niet?'

'Ik was achttien kilo aangekomen.' Talia pakte zijn hand beet. 'Dante, je weet dat ik zielsveel van je hou, dus laat me alsjeblieft uitspreken. Lola is narcistisch. Ze is chagrijnig en onzeker. Ze denkt alleen maar aan zichzelf. Hoe kan zij nou ruimte in haar leven maken voor een kind?'

Ze veranderden van onderwerp omdat ze geen van beiden erop door durfden te gaan. De vraag die zij had gesteld, zette hem aan het denken.

Hij ging na het eten bij zijn vader langs, die buiten op de veranda een sigaar zat te roken. Dante had de geur van sigarenrook altijd geassocieerd met zijn vader. Ooit had Lorenzo senior binnenshuis gerookt. Dat vond hij zijn recht. De gordijnen en de meubels in de zitkamer roken allemaal naar sigaar, het plafond was geel van de nicotine en op de ramen zat een dun laagje vuil. Toen Dantes vader bij hem in was komen wonen, had hij erop gestaan dat zijn vader alleen nog buiten rookte.

De oude man was drieëntachtig en een stuk minder imposant dan in de tijd dat hij Dante regelmatig in elkaar tremde. De slagen en schoppen waren bedoeld om hem zijn plaats te laten weten, zei zijn vader altijd. Nu kon hij er niet bij hoe klein zijn vader was geworden, net een minivolwassene, met gerimpelde, ingevallen wangen en zijn neus en oren te groot voor zijn hoofd. Het haar had zich in een hartvorm teruggetrokken; midden op zijn voorhoofd bevond zich een grijze v en aan weerskanten was hij kaal.

Dante ging tegenover hem zitten. 'Hebt u het al gehoord van Audrey?'
'Je gaat daar toch niet over zeuren, hè?'
'Dat ga ik dus wel doen. Cappi mag dat soort dingen niet uithalen.'
'Hé, knul, jij was er niet. Hij had een probleem en besprak dat met mij. De oplossing die hij ervoor had leek mij logisch. Ik wist dat jij dat anders zou zien. Jij hebt het te druk met de baas te spelen en hem rond te commanderen. Bovendien zat je op een of andere berg en kon niemand je bereiken.'
'Ze hebben in Canada ook telefoon, hoor. U had me altijd kunnen bellen.'
'Dat zeg jij. Maar er moest gewoon iets gedaan worden.'
'Pa, ik heb Audrey heel lang gekend. Ze zou ons nooit hebben verraden. Dat kan ik u verzekeren.'
'Volgens Cappi wel. Hij had gehoord dat ze ons erbij ging lappen. Dus ik zei dat hij er iets aan moest doen.'
Zijn vader en Cappi hadden dezelfde uitdrukking gebruikt 'erbij lappen'. Dante wist niet wie dat het eerst had verzonnen. 'Weet je, ik snap dat niet. U zegt dat hij het moet regelen en hij maakt een zeer waardevolle werknemer af. Dat lijkt mij niet de juiste methode. Vindt u van wel?'
'Misschien had hij het anders aan kunnen pakken. Daar ben ik het mee eens. Als jij iets aan een ander overlaat kun je later niet zeggen dat hij het anders had moeten doen.'
'Ik heb niets aan een ander overgelaten. Dat hebt u gedaan. Ik wil niet dat u mijn gezag ondermijnt.'
'Welk gezag? Alles wat je hebt, heb je aan mij te danken.'
'Dat klopt. Ik ben de baas van de onderneming. Daar heeft hij de ballen verstand van.'
'Dan moet je hem dat leren.'
'Heb ik gedaan! Maar hij kan nergens zijn aandacht bij houden.'
'Hij zegt dat je neerbuigend doet, dat je hem als een kind behandelt.'
'Gelul.'
'Ik ga daar verder niet op in, dat heeft hij gezegd.'
'En ik zeg u dat hij er niet geschikt voor is. Ik geef mensen promotie vanwege verdiensten en leeftijd. Hij is nota bene veroordeeld. Dan houdt het toch op?'
'Jij bent ook een paar keer aangeklaagd.'

'Des te meer reden om voorzichtig te zijn.'

'Jij bent altijd sterk geweest. Jou ging het altijd voor de wind. Jouw broer heeft veel minder geluk gehad.'

Dante deed zijn best niet te reageren. Elke keer dat zijn vader in een hoek gedreven werd, kwam hij weer met het oude verhaaltje op de proppen. Dante kon zich deze keer niet inhouden. Hij zei: 'Waar heeft hij minder geluk mee gehad?'

'Dat je moeder ervandoor ging en hem in de steek liet.'

'Jezus. Zal ik u eens wat vertellen? Ze ging ervandoor en liet mij ook in de steek. Daar hebt u toch ook nooit rekening mee gehouden? Integendeel, zelfs. Ik moet alles voor Cappi doen, of ik nu wil of niet.'

'En dat bedoel ik nu met egoïstisch gedrag. Hij kon er ook niets aan doen. Hij was nog maar klein. Zij heeft zijn geest geknakt. Daar is hij nooit overheen gekomen. Hij is nu eenmaal erg gevoelig omdat zij zijn hart heeft gebroken. Hij heeft het zeer moeilijk gehad, en dat is jou bespaard gebleven.'

'Pardon? Het was mij nog niet opgevallen dat het mij bespaard was gebleven!'

'Je had het anders nooit over haar. Heb je me ooit iets gevraagd toen zij ervandoor was gegaan? Cappi vroeg elke dag naar haar en hij jankte als een gek. Jij hebt geen traan gelaten.'

'Omdat u zei dat ik me als een vent moest gedragen.'

'Dat is zo. Als je twaalf bent moet je daartegen kunnen. Jij wist dat ze niet vanwege jou weg was gegaan. Cappi was nog maar vier en hoe zag hij het? Het ene moment was ze er nog en het volgende moment was ze weg. Hij is er nooit overheen gekomen.'

'Mijn vier zusjes zijn allemaal goed terechtgekomen. Hoe kan het dat het met hen wel goed gaat en met hem niet? En hoe zit dat met mij?'

'Je weet wel beter. Vrouwen zijn nu eenmaal zo. Tegen de tijd dat je denkt ze te kunnen vertrouwen, nemen ze zonder een woord te zeggen de benen. Ze heeft zelfs geen briefje achtergelaten.'

'Dus Cappi is een zielenpoot en hij kan er niets aan doen? Daardoor kan hij overal mee wegkomen? Dat zou ik ook wel willen.'

'Pas op je woorden. Je weet niet wat je zegt.'

'Ach, laat ook maar.' Dante stond op. Als hij niet wegging zou hij ontploffen.

Zijn vader schoof onrustig heen en weer en vroeg humeurig: 'Waar zit Amo toch?'

Dante staarde hem stomverbaasd aan. 'Amo?'

'Ik heb hem na het ontbijt niet meer gezien. Hij wil dat ik met hem ga schieten. Ik had hem gezegd dat we naar de schietbaan zouden gaan om wat te oefenen.'

'Amo is veertig jaar geleden overleden.'

'Hij is boven. Ik zei dat hij Donatello moest halen.'

Dante aarzelde even. 'Donatello houdt toch niet van geweren?'

'Daar went hij wel aan. Wordt hij een man van. Je weet hoe hij is. Hij is altijd in de buurt van zijn broer.'

Dante zei: 'Goed, pa. Als ik ze zie zeg ik wel dat u zit te wachten.'

'En zeg maar dat ik niet de hele dag de tijd heb. Erg onattent van hen, als je het mij vraagt...'

Dante liep naar de bibliotheek en schonk een glas whisky voor zichzelf in. Misschien was het maar een tijdelijke terugval. Zijn vader was af en toe in de war, en al helemaal aan het einde van de dag. Hij kon zich dan een gesprek van een kwartier eerder niet meer herinneren. Dante had er niet bij stilgestaan en schreef het toe aan vermoeidheid of dat hij niet erg lekker was. Het zou kunnen dat hij een lichte beroerte had gehad. Dante zou een smoesje moeten verzinnen om de dokter erbij te halen. Zijn vader had geen geduld met ziekte of gebreken. Hij zou nooit toegeven dat hijzelf iets had.

Dante liep met het glas naar de keuken waar Sophie de borden in de vaatwasser aan het zetten was.

'Heb je Lola gezien?'

'Een uur geleden. Ze had haar fitnesskleding aan om te sporten.'

'Mooi.'

Dante liep naar de kelder. Een van de dingen waardoor het huis zo aantrekkelijk was geweest, was de grote ruimte ondergronds. Er waren maar weinig huizen in Californië met een kelder. Het viel niet mee om zeven meter door kleine en grote rotsblokken heen te graven, en het kostte een vermogen keien van zandsteen uit de kleigrond te laten verwijderen. Het huis was in 1927 door een vent gebouwd die zijn geld met aandelen verdiende en goed door de Depressie was gekomen. Het huis stond stevig op zijn grondvesten en gaf Dante een veilig en duurzaam gevoel.

Hij liep de trap op en ging het zwembad in. Hij wist dat Lola op de loopband stond, want de tv stond hard om over de herrie van de band en het gebonk van loopschoenen heen te komen. Hij bleef even in de gang door de halfgeopende deur naar haar staan kijken.

Hij had zijn hart niet bij Talia moeten uitstorten. Hij had zich nooit eerder vrijwillig blootgesteld aan haar eerlijke mening en scherpe tong. Maar hij had het dit keer wel gedaan omdat hij wist dat ze er geen doekjes om zou winden. Hij dacht dat hij wel tegen Talia's commentaar zou kunnen, maar ze had zijn mening al na zo'n vijfentwintig woorden veranderd. Hij kon het verschil al merken tussen de Lola die hij die ochtend op bed in slaap had gezien en hoe ze er nu uitzag. Ze had make-up op bij het sporten, ook al wist ze dat er niemand bij zou zijn. Ze had nog steeds dezelfde zwartomrande donkere ogen die gigantisch leken in haar smalle gezicht. Ze had nog steeds een donkere bos haar. Het zat momenteel een beetje in de war omdat ze erg zweette, maar daar zat hij niet mee. Wat hij wel zag, door Talia's opmerkingen, was hoe tenger ze was geworden. Haar schouders waren smal, haar hoofd gevaarlijk balancerend op een dun nekje. Ze leek wel zo'n langwerpig wezen dat uit een ruimteschip stapt en zich langzaam door mist en rook voortbeweegt; eigenaardig menselijk voorkomend, maar tegelijkertijd buitenaards.

Toen ze hem zag, zette ze het geluid zachter, maar ze bleef doorrennen. Ze had een joggingbroek aan en een wijd T-shirt met lange mouwen die omgeslagen waren zodat haar dunne polsen eruit staken. De pezen in haar vingers stonden als pianosnaren strak onder haar huid gespannen.

Hij zei: 'Hé, kom op. Je hebt nu wel genoeg gedaan. Je ziet er moe uit.'

Ze keek op het schermpje van de loopband. 'Nog vijf minuten en dan houd ik het voor gezien.'

Ze zette het geluid weer harder en rende door op de luide muziek. Hij drentelde wat rond. De kamer was zes bij zes meter, met spiegels aan de muren en er stonden een halterbank, twee loopbanden, een hometrainer en een roeimachine in. Hoeveel uur per dag bracht ze hier wel niet door?

Toen de vijf minuten om waren, liet het apparaat haar nog vijf minuten langzaam lopen totdat ze hem eindelijk afzette. Hij gaf haar een handdoek die ze tegen haar gezicht aan drukte. Het zweet in haar nek veegde ze weg en er bleven perzikkleurige vlekken van de foundation achter op de handdoek. Hij legde zijn arm om haar schouders en liep met haar mee naar de deur waar hij de lichten uitdeed.

Lola legde haar arm om zijn middel. 'En, wat zei Talia ervan?'

'Waarvan?'

'Houd op, Dante, je weet best waarvan.'
'Ze was er niet blij mee.'
'Nee, natuurlijk niet. Zij vindt dat ik neurotisch, onberekenbaar en egoïstisch ben. Ze denkt vast dat ik een waardeloze vrouw ben en een zelfs nog waardelozere moeder zal zijn.'
'Dat heeft ze helemaal niet gezegd.'
'Zeg nou maar gewoon de waarheid. Ik ben een grote meid, ik kan het wel hebben. Ik wil weten wat ze erover te zeggen had.'
Dante overwoog de tegenwerpingen die Talia had gemaakt en zocht er een uit. 'Ze maakte zich bezorgd over het feit dat je aan zou komen. Het leek haar voor jou niet mee te vallen als je zwanger werd.'
'Ja en?'
'Ze zou wel eens gelijk kunnen hebben. Ik maak me ook zorgen over jou.'
'Dat weet ik en dat is heel lief. Zeg maar tegen haar dat een baby er niet in zit. Ik ben al een jaar niet ongesteld geweest. Ze zal wel blij zijn.'
'Daar gaan we het nu niet over hebben. Als je weer gezond bent komt dat wel.'
'Ha.'
'Je weet dat je hulp kunt krijgen als je dat wilt.'
Ze legde haar hoofd op zijn schouder en paste haar stappen aan de zijne aan. 'Daarom hou ik van jou. Je blijft hopen. Jij denkt dat als je er maar over door blijft gaan het ooit goed zal komen.'
'Zie jij dat anders, dan?'
'Ik zie het zo: volgens mij loopt onze relatie ten einde. Ik onthef je van elke verplichting, want dat is de enige reden waarom je nog bij me bent. Verder is er niets meer overgebleven.'
Dante gaf haar een kneepje in haar schouder, maar kon er niets tegen inbrengen. Ooit zou zo'n opmerking hem tot in zijn ziel hebben geraakt. Nu kon hij alleen maar met een sprankje hoop aan Nora denken.

Hij bracht Cappi naar de verzendafdeling van het pakhuis van Allied Distributors in Colgate. Hun vader had het gebouw aangeschaft toen hij nog illegaal drank verkocht. Dante had het pand aan zijn wensen aangepast en had het uitgebreid met een stalen uitbouw aan de voorkant. De machines zaten onder de grond, een grotendeels onontgonnen gebied dat zijn vader steevast de catacomben noemde. Dante had het vermoeden dat er wel meer dan een paar lijken begraven waren. Hij ging met een zaklamp wel eens op onderzoek uit en ontdekte dan af en toe een stoffig krat met whisky of gin ergens verstopt in een hoek.

Terwijl ze van het parkeerterrein naar het laadperron liepen bracht Dante hem op de hoogte. 'Audrey was een tussenpersoon, ze bemiddelde tussen de vervoerders en de inpakkers. Ze had de kust inclusief San Francisco onder haar hoede en wat plaatsen in het noorden. Normaal gesproken had ze zelf niet bezig mogen zijn, maar een van onze winkeldieven was opgepakt vanwege gedoe met een cheque en zij viel in. Jij gooide haar van de brug en de hele handel was ontregeld. We zijn nog steeds bezig alles weer op de rails te krijgen.'

'Hoe kon ik dat nou weten?'

'Kap nou toch. Ik heb je al vaak genoeg gematst. Jij hebt het gigantisch verknald. Je had het moeten vragen, maar ik ga daar verder niet op door. Ik wil alleen dat je snapt hoe het allemaal werkt. Dat wil jij toch ook graag weten, neem ik aan?'

'Ja, natuurlijk. Als jij wilt dat ik mijn steentje bijdraag.'

'Oké. De vervoerders betalen de winkeldieven elke dag uit, en dat is ongeveer drieduizend dollar contant. De spullen noemen we de "oogst" of de "baal" en soms de "zak". De mensen die de prijskaartjes en zo eraf halen heten "oogstmachines". Die komen om de twee weken bij elkaar.'

'Waar?'

'Daar hebben we huurhuizen voor. We gebruiken steeds dezelfde route en dat noemen we de "tournee". Degenen die de auto's besturen noemen we "taxichauffeurs". Maak je maar niet druk om die benamingen, ik weet dat het allemaal wat veel tegelijk is. Alles past in elkaar. Als je een van de radertjes verwijdert heb je een probleem.'

'Hoeveel mensen zijn het bij elkaar?'

'Meer dan genoeg. We willen dat de werknemers zo min mogelijk van elkaar af weten, dus als er iets misgaat kan niemand de rest verraden. Uiteindelijk komt de oogst hierheen om gedistribueerd te worden.'

'Waar naartoe?'

'Hangt ervan af. Naar San Pedro, Corpus Christie of Miami. De oogst gaat langs veel mensen die ik stuk voor stuk kan vertrouwen. Dat gaat hier niet altijd op. Hier hebben we momenteel veel problemen. We zijn al twee keer beroofd. Vorige week is er iemand met een pallet medicijnen verdwenen. Nu komen we weer babyvoeding tekort. Ik weet zelfs niet hoeveel er nog is. Ik dacht eerst dat het een telfout was, dat iemand de komma verkeerd had gezet zodat er niets meer van klopte. Maar dat is dus niet zo.'

'Worden wij bestolen? Dat meen je toch zeker niet?'

'De mensen die voor ons werken zijn nu eenmaal geen heiligen. Het punt is dat we de toegang tot de laadperrons moeten beperken. Dat is de plek waar het snelst iets kan gebeuren. De mannen komen hier roken en blijven dan rondhangen. Zo te zien doen ze niets, maar ze horen er helemaal niet te zijn. We gaan nieuwe toezichtregels toepassen, en daar kunnen we jou bij gebruiken.'

Cappi vroeg fel: 'En wat moet ik dan doen, een beetje rondhangen met een klembord, dingetjes tellen en kijken of iedereen wel een pasje heeft?'

'Als je het zo wilt zien, ja. Als een lading eenmaal in het pand is, moet iemand kijken of het manifest wel klopt...'

'Wat is dat nu weer voor taal? Wat is verdomme een "manifest"?'

'Een laadbrief. Hetzelfde als een bon, er staat precies op wat er naar ons verzonden is en waar het naartoe moet. Totdat het verscheept wordt, blijft het hier.'

'Waarom zei je dat niet meteen? Hoe kan ik nu iets leren als jij maar door blijft gaan? Jij lult maar een eind weg en het gaat bij mij het ene oor in en het andere uit. Ik kan het niet onthouden als het niet geschreven staat. Ik leer al lezend. Ik heb feiten en cijfers nodig om te begrijpen hoe het in elkaar zit. Snap je? De route. Wat er betaald moet worden, dat soort dingen.'

'Daar heb ik boekhouders voor. Ik heb je híér nodig.'

'Ja, maar je hebt nog steeds niet gezegd waar de ladingen vandaan komen en waar ze naartoe gaan. Het mag dan Allied Distributors heten, maar ik heb geen idee wat we distribueren. Babyvoedsel? Dat slaat nergens op.'

'Dat hoeft ook niet. Als ik het maar weet.'

'Maar waar houd je dat dan bij? Het moet toch ergens bijgehouden worden? Dat kun je niet allemaal onthouden. Stel dat jou iets zou overkomen, dan is alles weg.'

'Waarom ben je opeens zo nieuwsgierig? We doen dit al jaren en het kon je nooit een bal schelen.'

'Rot op. Pa zei dat het tijd was dat ik er meer over te weten zou komen. Nu doe ik mijn best en ga jij zitten zeuren dat ik nooit eerder belangstelling heb getoond?'

'Daar heb je gelijk in. Sorry dat ik sceptisch overkom, maar wat had je anders verwacht?'

'Hou toch op met dat gelul. Je vertrouwt me of niet.'
'Niet dus.'
'Zit je me nu ergens van te beschuldigen of zo?'
'Voel je je aangesproken?'
'Dat niet. Ik wil alleen maar weten hoe je zo'n grote onderneming kunt runnen zonder iets op te schrijven.'

Dante sloeg zijn ogen neer en deed zijn best zijn woede te bedwingen. Als Cappi dat wilde weten, zou hij hem dat vertellen. Dante zei: 'Nou goed dan. Ik zal het je vertellen. Zie je die computer daar?'

Rechts van hen, net achter de deur naar de opslagruimte, stond een onbemand bureau met een monitor en een toetsenbord erop en onder het bureau stond de computer. Dante zag dat Cappi's blik naar de monitor gleed die uit stond.

'Dat ding, bedoel je?'

'Dat "ding" zoals jij dat noemt, is een computer met een verbinding naar het huis en het kantoor in de stad. In de muur achter je zitten de kabels daarvoor. Zo te zien stelt het misschien weinig voor, maar dat is wel het brein van het bedrijf. Zo houden we de boel bij. We hebben overal back-ups van. Elke week veranderen we de wachtwoorden en elke donderdag wordt de harddrive bijgewerkt en beginnen we weer met een schone lei. De enige bedragen die er dan nog op staan lijken legitiem.'

'Verwijder je dan alles? Hoe kan dat dan?'

'Zo op het eerste oog wel. Als de bestanden op last van de rechter moeten worden nagekeken, staat er niets bijzonders in.'

'Ik dacht dat bestanden altijd in de computer bleven, ook al lijkt het net of je ze verwijderd hebt.'

'En sinds wanneer ben jij een expert wat computers betreft?'

'Hé, ik vang ook wel eens iets op, hoor. Ik dacht dat de FBI daar specialisten voor in dienst had.'

'Die hebben wij ook.'

'En als er nou iets misgaat?'

'Wat dan?'

'Weet ik veel. Een stroomstoring, zoiets. De computer blijft hangen voordat alles verwijderd is.'

'Dan zijn we de lul. Verder nog vragen?'

Cappi zei: 'Niet echt.'

'Mooi. Dan kunnen we nu misschien verder met het echte werk. We moeten dat probleem oplossen. Ik wil weten wie ons besteelt, maar bovenal wil ik dat het niet meer gebeurt.'

'Waarom moet ik dat doen? Ik heb geen zin om in een of andere stomme overall voor het pakhuis te staan.'

Dante glimlachte en had het liefst zijn broer knock-out geslagen. 'Je moet iets aan je houding doen, weet je dat?'

'Het is gewoon drie keer niks. Pa zei dat je me erbij moest betrekken. Maar je laat mij voor spek en bonen meedoen.'

'Je doet toch mee? Daar moet je mee beginnen. Als je hogerop wilt, zul je daar je best voor moeten doen. Heb ik ook gedaan.'

Hij liet Cappi op het laadperron achter en liep de metalen trap op naar de tussenverdieping waar de administratie in vijf kantoren achter een muur met lage ramen was ondergebracht. Hij had daarvandaan uitzicht op de opslagruimte, waar mannen op vorkheftrucks door de smalle paadjes tussen de hoge rekken door raceten, en mannen in gesprek waren zonder er zich van bewust te zijn dat hij hen gadesloeg. Hij had hier een eenvoudig kantoor, zonder tierelantijnen. Dante kon er het laadperron niet zien, maar op strategische punten waren bewakingscamera's geplaatst.

Cappi was slecht nieuws. Hij was net een half jaar uit de gevangenis en was alleen voorwaardelijk vrijgelaten omdat hij werk zou hebben. Hij had hiervoor als kraandrijver in de bouw gewerkt en had goed verdiend, totdat hij werd ontslagen omdat hij tijdens het werk had zitten drinken. Als reactie daarop was hij met de bulldozer de bouwkeet in gereden, waarbij alles wat in de keet stond helemaal aan flarden ging en de bulldozer op de schroothoop kon. Hij miste op een haar na een uitvoerder die door de rondvliegende brokstukken gewond raakte. Mede door de lange lijst overtredingen die hij op zijn naam had staan, werd hij vervolgens aangeklaagd wegens vernieling, bedreiging met een dodelijk wapen en poging tot moord, en zo was hij in Soledad terechtgekomen.

Zijn vader wilde dat hij hem opnam in het bedrijf, dus had Dante hem op de loonlijst gezet. Cappi had dat aan de reclasseringsambtenaar verteld zonder erbij te vermelden dat hij niet kwam opdagen voor het werk. Hij zei tegen zijn vader dat hij tijd nodig had om weer iets met zijn vrouw en kinderen op te bouwen. Maar het enige wat hij deed was biljarten in zijn huis in Colgate. In het openbaar bleef hij uit de buurt van bars, wapens en criminelen. Thuis dronk hij twaalf biertjes per dag en gaf zijn vrouw een knal voor haar kop als ze er iets van zei. Na een maand had Dante erop gestaan dat Cappi kwam werken, iets waar hij inmiddels spijt van had.

Omdat er geen intercom was, riep Dante zijn secretaresse die in

het kantoor naast hem zat. ‘Bernice? Kun je even hier komen?’
‘Ik kom zo. Ik moet even iets afmaken.’
Dante schudde het hoofd. Het meisje was negentien. Hij had haar vier maanden geleden aangenomen en ze wond hem al om haar vinger. Hij ruimde de papieren op zijn bureau op totdat Bernice opdook. Ze was lang en slank en had een grote bos blonde krullen die ze in een paardenstaart droeg. Ze kwam op het werk in een spijkerbroek en gympen, en dat maakte hem eigenlijk niets uit. Het laag uitgesneden topje was echter een ander verhaal. Wisten de vrouwen van tegenwoordig niet meer hoe ze er fatsoenlijk bij moesten lopen?
‘Wat is er?’ vroeg ze.
‘Ken je mijn broer?’
‘Ik ben toch zeker niet gek? Iedereen kent Cappi. Hij is een regelrechte randdebiel.’
‘Ik wil dat je een oogje op hem houdt. Hij is het niet gewend om te werken voor zijn geld. Volgens mij heeft hij nog niet door hoe dat gaat.’
‘Als ik moet babysitten, wil ik er wel voor betaald worden,’ zei ze.
‘En voor spioneren?’
Dat vond ze een stuk aantrekkelijker. ‘Wil je dat ik regelmatig verslag uitbreng?’
‘Dat zou mooi zijn,’ zei hij. ‘Zou je Dade O’Hagan voor me willen bellen? Het nummer staat daarin.’ Hij schoof de Rolodex naar haar toe en keek toe terwijl ze er doorheen bladerde.
‘O’Hagan, dezelfde naam als onze burgemeester?’
‘Vroegere burgemeester, je loopt achter. Ik ken hem nog van vroeger. Hij staat bij me in het krijt, als je het per se weten wilt.’
Ze glimlachte. ‘Spannend.’
‘Zeker weten.’

15

Om kwart over twee ging ik bij Marvin weg met de belofte dat ik hem op de hoogte zou houden. Ik was gematigd optimistisch. Door Marvins opmerking over reizen door de tijd was me iets ingevallen. Ook ik had het spijtig gevonden dat ik niet terug kon gaan naar de parkeergarage om het kentekennummer van de zwarte auto te zien. De aardige man die me te hulp was geschoten, had me aangeraden de beveiliging ervan op de hoogte te stellen en een aanklacht in te dienen. Op dat moment was ik zo verontwaardigd geweest en deden mijn handpalm en scheenbeen zo'n pijn dat het een beetje langs me heen ging. Maar door Marvins terloopse opmerking besefte ik opeens dat er wel degelijk een manier was om terug te gaan in de tijd en het voorval weer te bekijken. Ik kende de vrouw die het hoofd was van de beveiliging in het winkelcentrum.

Maria Gutierrez was zes jaar geleden straatagent in mijn wijk geweest. Tijdens mijn laatste opdracht had ik haar voormalige partner Gerald Pettigrew leren kennen, die nu het hoofd was van de politiehondeneenheid van Santa Teresa. Maria's naam was toen niet gevallen, maar ze was me wel weer te binnen geschoten. Een paar maanden daarvoor had ik in de supermarkt achter haar in de rij voor de kassa gestaan. Ze was me bekend voorgekomen, maar ze had geen uniform aan en het kwartje viel niet. Zij had mij wel herkend. Ze begroette me bij naam en stelde zich voor. Terwijl we langzaam opschoten naar de kassa, brachten we elkaar snel van alles op de hoogte. Ik vertelde haar over mijn leven, over waar Henry mee bezig was en mijn laatste ontmoeting met inspecteur Dolan, die zij van het bureau kende. Zij vertelde me dat ze ontslag had genomen en in de particuliere sector werkte. Ze had me toen haar visitekaartje gegeven.

Ik ging naar mijn kantoor en trok de onderste la van mijn bureau open. Elke keer dat ik een visitekaartje krijg, gooi ik die daarin. Na wat zoekwerk had ik hem te pakken, en ik wilde haar net bellen toen ik zag dat het lampje op mijn antwoordapparaat knipperde. Ik drukte op play.

'Hoi, Kinsey, met Diana Alvarez. Hang alsjeblieft niet meteen op. Ik moet je iets vragen over een artikel waar ik mee bezig ben. Je krijgt de kans feiten op te helderen en commentaar te leveren. En anders plaats ik het gewoon zoals het nu is. Mijn nummer is...'

Ik nam de moeite niet om het te noteren.

In plaats daarvan belde ik het nummer dat op Maria's visitekaartje stond. Ik vertelde haar wat er was voorgevallen en vroeg of zij voor mij de veiligheidsbanden van 22 april wilde bekijken. Ik had al verwacht dat ze niet happig zou zijn. Veiligheidsmaatregelen worden als eigendom beschouwd en het is dus niet de bedoeling dat jan en alleman daar in mag duiken. Een informatielek is gunstiger voor een crimineel dan voor een brave burger, dus we kunnen maar beter de slechteriken onkundig laten over de maatregelen die we tegen hen nemen. Het feit echter dat ik een privédetective was en dat ze mij kende, werkte gelukkig in mijn voordeel. Ik gaf haar mijn woord dat ik de informatie geheim zou houden. Ze zei dat ze om drie uur een vergadering had, maar als ik voor die tijd bij haar langs kon komen, zou ze me graag van dienst zijn. Twee minuten later zat ik in de auto en reed ik naar haar toe. Diana Alvarez kon de boom in.

Ik kon de auto aan de kant van Nordstrom in het Passages Shopping Plaza kwijt. In plaats van de roltrap nam ik de trap naar boven waar de winkelpuien de indruk moesten geven van een oud Spaans stadje. De smalle, pal op elkaar staande pandjes waren niet allemaal even hoog. De meeste waren bepleisterd en voor het effect was hier en daar een stukje weggelaten opdat de bakstenen zichtbaar waren. In sommige panden waren er kantoren op de eerste en tweede verdieping gevestigd, met luiken voor de ramen en plantenbakken op de kozijnen.

Aan het grote winkelplein lagen kleine restaurantjes met tafeltjes op het terras, banken voor het vermoeide winkelende publiek en stalletjes met een aanbod van zonnebrillen, goedkope sieraden en haarstukjes voor dames. In het midden stond een podium waar muzikanten optraden voor toeristen. Ik liep een brede roodbetegelde trap op naar de eerste verdieping. Rechts van me was een zaal waar plaatselijke toneelgezelschappen stukken konden opvoeren. De kleine kantoortjes bevonden zich aan de linkerkant.

Maria zat aan haar bureau op me te wachten toen ik binnenkwam.

'Ik ben je eeuwig dankbaar,' zei ik.

'Graag gedaan. De politie had het aan alle bedrijfsleiders doorgegeven en er ons een kopietje van gestuurd, zodat we ervan op de hoogte waren. Er zat ook een foto van Audrey Vance bij.'

'Had je haar herkend?'

'Nee, maar ik heb gehoord dat een verkoopster van Victoria's Secret haar die dag heeft gezien. Ze was blijkbaar een vaste klant en niemand had door dat ze hen bestal. Ze gaan nu de inventaris na om te zien hoeveel er ontbreekt.'

'Ik dacht dat dat soort bendes vanuit Zuid-Amerika werden gerund.'

'Dat zijn wel de ergste. Die kunnen binnen de kortste keren een hele tafel leegmaken. Ze strijken neer in een stadje en voor je het weet zijn ze weer weg.'

'Hoe doen ze dat? Ze moeten het goed georganiseerd hebben, maar ik snap niet hoe het werkt.'

'Allereerst worden de werkbijen eropuit gestuurd om te stelen. Ze krijgen soms een boodschappenlijst mee met spullen die de heler zo kwijt kan. Momenteel zijn scheermesjes van Gilette, zwangerschapstests en suikerziektestrips erg gewild. En ik heb gehoord dat ook producten van Oil of Olaz populair zijn. Het is een lange lijst en hij wordt voortdurend aangepast.'

'Je had het over Victoria's Secret.'

'Klopt. Moet je voorstellen hoeveel bh's er in een boodschappentas passen. En slipjes. Het is een stuk moeilijker om grote spullen zoals een cadeauverpakking aftershave of een videorecorder te stelen. Je kunt moeilijk een tv in je broek schuiven.'

'Maar hoe raakt de heler die spullen dan weer kwijt?'

'Door een soort ruilhandel of in tweedehandswinkels, dat soort plekken. Er wordt ook veel verscheept.'

'En daar zit de maffia achter?'

'Nee, als dat zo was, had je een wijdverbreid netwerk dat maar al te makkelijk geïnfiltreerd kon worden. Als deze bendes al met elkaar zijn verbonden, is dat losjes, waardoor iemand oppakken en veroordelen een doffe ellende is. Ze pakken het in elke stad weer anders aan, afhankelijk van het aantal mensen dat erbij betrokken is en wat ze daarna met de spullen doen.'

'Ach ja, de goede oude tijd, toen ik nog maar pas bij de politie was en de winkeldieven amateurs waren.'

'Dat is inmiddels wel veranderd. Er zijn natuurlijk nog steeds beginnelingen, tieners die stiekem een lp in hun rugzak stoppen en denken dat ze ermee weg kunnen komen. Kinderen zijn nog het minst erg. Maar als je het mij vraagt zouden we ze evengoed moeten oppakken en straffen.' Ze gebaarde dat ze genoeg had van het onderwerp. 'Breek me de bek niet open. Maar kom maar mee, dan gaan we eens kijken wat we hebben.'

'Heb je het nog steeds naar je zin in je nieuwe baan?'

'Ik vind het heerlijk,' zei ze.

Ik liep achter haar aan een klein halletje door naar een kantoor waar een rij monitors in een nis stond opgesteld. Er waren in totaal tien monitors met allemaal een ander gezichtspunt. Een jonge man in zijn gewone kloffie in plaats van een uniform zat op een draaistoel met een afstandsbediening naar de steeds veranderende beelden te kijken. Maria en ik keken een tijdje toe.

Door de beelden kon ik zo ongeveer wel raden waar de camera's hingen, hoewel ze me eerlijk gezegd nooit waren opgevallen. De in- en uitgangen van de parkeergarage waren alle vier in beeld. Op de eerste etage hingen nog zes camera's die elk iets anders lieten zien. Ik kon op een camera een vrouw volgen van het moment dat ze het winkelcentrum vanaf State Street in liep totdat ze bij de winkels kwam. Een andere camera kreeg haar in beeld toen ze langs Macy's liep en de winkel in ging. Geen enkele voetganger leek door te hebben dat ze in de gaten werden gehouden.

'Dat hebben we te danken aan coaxkabels,' zei Maria. 'De camera's nemen allemaal tegelijkertijd op. We gebruiken in één maand dertig banden van acht uur per stuk. Tenzij we om de een of andere reden iets willen bewaren, nemen we er gewoon over op. Uiteindelijk worden de banden oud of de koppen van de videorecorder zijn vuil en dan worden de beelden te slecht om er nog wat aan te hebben. Na ons gesprek heb ik de band van vrijdag eruit gehaald.'

Ze pakte vier banden op van haar bureau. 'Hiernaast staat een videorecorder.'

We liepen naar het andere kantoor, dat eenvoudig gemeubileerd was en zo te zien alleen maar gebruikt werd als er iemand van het bestuur van het winkelcentrum in de stad was en tijdelijk een kantoor nodig had. Ze trok een rechte stoel voor me bij terwijl zij zelf de bureaustoel pakte en ermee naar de recorder liep. De video was verbonden met een zwart-wit-tv'tje dat door het kleine scherm en de gigantische behuizing zo uit de jaren zestig had kunnen stammen. Ze keek naar de datum op de bovenste band en stak hem in het apparaat. 'Tussen half zes en kwart over zes, zei je toch?'

'Zo ongeveer. Het was vier voor half zes toen ik op mijn horloge keek. Dat was het moment dat Audrey de pyjama in haar tas stopte. Zij was de oudste van de twee vrouwen die op de lingerieafdeling aan het stelen waren. Tegen de tijd dat de beveiligingsmedewerker erbij werd geroepen, was het volgens mij tegen kwart voor zes,' zei ik. 'Maar ik kan ernaast zitten. Als je bij dit soort dingen betrokken bent, wil de tijd nogal eens afwijken van wat je denkt. Het ging allemaal vreselijk snel en daarom heb ik ook niet op het kenteken gelet. Ik was er zo door geschokt dat ik verder niets zag.'

'Ik ken dat. Aan de ene kant ben je je overal van bewust, maar aan de andere kant ontgaan de details je volledig.'

'Zeg dat wel. Ik zou absoluut niet meer weten hoe het allemaal ging.'

'Weet ik,' zei ze. 'Je zou zweren dat je een kwartier achter iemand aan bent gerend en dan blijkt het achteraf maar zeven minuten te zijn geweest. Maar soms is het ook andersom.'

Ze pakte de afstandsbediening en speelde de band versneld af. De datum en de tijd stonden in de rechterbovenhoek vermeld. Het leek wel een ouderwetse film, waarin mensen schokkerig bewegen en auto's snel voorbijzoeven en nabeelden achterlaten. Het verbaasde me hoeveel je nog opmerkte van die voorbijflitsende beelden. Toen ze bij 22 april aankwam, liet ze de band wat minder snel afspelen.

Ik wees en zei: 'Kijk.'

Maria drukte op de pauzeknop en spoelde de band terug.

De zwarte Mercedes die halverwege de helling was, reed achteruit en verdween uit het zicht. Ze drukte op play en speelde de band iets sneller af. De auto kwam weer tevoorschijn en ik zag de jonge vrouw een kaartje aan de parkeerwacht overhandigen die het in het apparaat stak. De parkeerwacht controleerde of de tijd goed was afgestempeld, legde het kaartje weg en gebaarde dat ze door mocht rijden. De jonge vrouw keek naar links en glimlachte voldaan en zelfgenoegzaam. Dat kon ik me nog herinneren. Terwijl de auto verder de helling op reed, stopte Maria de band weer zodat het beeld bleef stilstaan met de achterbumper in het zicht. De plek waar het kentekenbord hoorde te zitten was te zien, alleen was het bord verwijderd.

'Nu weet je waarom je het niet gezien hebt,' zei ze.

'Wat een pech. Ik had gehoopt het kentekennummer te krijgen zodat iemand bij de politie het voor me kon natrekken.'

Maria zei: 'We kijken gewoon nog een keer.'

De Mercedes stond weer op de helling. Ze drukte op een knop van de afstandsbediening en de auto reed weer de helling af. We zaten ernaar te kijken alsof het een paardenrace was met een fotofinish in slow motion. 'Moet je kijken wat er op de plek van het kentekenbord staat,' zei ze. 'Op de bovenste regel staat "Toeter gerust..." en daaronder staat: "Ik ben aan het inladen".'

Ze kneep haar ogen samen en hield haar hoofd schuin. 'Wat zit daar rechts van de bumper?'

Terwijl de auto de helling op reed, zette ze het beeld stil. Er zat een bumpersticker aan de rechterkant. Ik stond op en keek er aandachtig naar, maar het beeld was te korrelig. Maria en ik liepen naar achteren tot halverwege de kantoorruimte.

Ze lachte. 'Zo zou het moeten lukken.'

'Kun jij het lezen, dan?' vroeg ik.

'Tuurlijk. Je moet je ogen eens na laten kijken. Er staat: "Mijn dochter is een van de uitblinkers op de Climping Academy".'

'Wauw, zeg. Dat is fantastisch!'

'Ja. Nu moet je alleen nog de auto zien op te sporen.'

'Dat moet te doen zijn.'

'Dat zal best. Houd me op de hoogte. Ik wil wel weten hoe het afloopt.'

Je moet zeer vindingrijk zijn als je iemand in de gaten houdt. Als je een tijdje in een geparkeerde auto zit valt dat op, en al helemaal in de buurt van een school waar ouders bang zijn dat hun kinderen door een kinderlokker meegenomen worden, ontvoerd worden voor losgeld en meer van dat soort ellende. In Horton Ravine wonen rijke mensen met een dure smaak. Er reden wel een stuk of honderd zwarte Mercedessen de hekken in en uit. Met zo'n achthonderd huizen verspreid over ruim zevenhonderd hectare kon ik niet anders dan maar ergens gaan staan in de hoop dat ik de auto zou zien.

Nadat ik even rond had gereden, leek mij aan de voet van een privéoprit naar de top van de heuvel waar de Climping Academy op stond mij de plek bij uitstek. Het was natuurlijk mogelijk dat de sticker van de vrouw niet meer klopte. Haar dochter was misschien al afgestudeerd. Of ze was met haar studie gestopt of naar een andere school gegaan. En zelfs al zou ze er nog op zitten, dan haalde haar vader haar misschien op en bracht haar naar school, met een heel andere auto.

Voorlopig moest ik wel een goede reden verzinnen waarom ik daar stond. Als ik iemand maar korte tijd in de gaten moest houden, deed ik altijd net of ik panne had. Met de motorkap omhoog, een vertwijfelde blik in mijn ogen en de handleiding in mijn hand, kan ik wel een uur zoet brengen, tenzij een barmhartige Samaritaan me te hulp schiet. Dat gebeurt ergerlijk genoeg alleen als ik absoluut geen hulp nodig heb.

Slinks als ik ben, schoot me meteen iets te binnen. Ik reed Horton Ravine uit en nam snelweg 101 naar een winkelcentrum in Colgate, waar me een grote doe-het-zelfzaak twee deuren verderop naast een kantoorboekhandel was opgevallen. In de laatste kocht ik een telapparaat, waarbij met een druk op de knop er bij het getal steeds één werd opgeteld. In de doe-het-zelfzaak kocht ik twee stevige prikborden van vijfenzeventig bij vijfenzeventig centimeter en tien pakjes zelfklevende zwarte letters met een gratis pakketje met de meest gebruikte klinkers en medeklinkers.

Ik reed met de spullen naar huis en ging er op de eetbar mee aan de slag. Van de prikborden en de letters maakte ik een reclamebord met scharnieren bovenin zodat dezelfde boodschap zowel aan de voorkant als aan de achterkant te lezen was. Toen ik ermee klaar was, zette ik het bord tegen de muur en liep de wenteltrap op. Ik ging mijn kleren na in mijn hangkast en haalde er het onopvallende uniform uit dat ik jaren geleden zelf had ontworpen en gemaakt. De broek en het bijpassende overhemd waren van een stevige donkerblauwe keperstof, voorzien van koperen knopen, epauletten en riemlussen zodat ik er een brede zwarte leren riem bij kon dragen. Op de mouwen had ik een rond stuk stof genaaid waar SANTA TERESA DIENSTVERLENING met gouddraad op geborduurd stond. Er middenin zat een embleem dat er officieel uitzag. Met een paar grote zwarte veterschoenen erbij en een klembord in de hand kon ik doorgaan voor iemand die in dienst was bij de gemeente of bij het district.

Ik hing het uniform aan een haakje, zodat ik het de volgende dag aan kon trekken. Het was inmiddels bijna vijf uur en het leek me een goed plan om Henry in Michigan te bellen. Ik had hem na maandag niet meer gesproken en ik voelde me een beetje schuldig dat ik totaal niet meer aan die arme Nell en haar gebroken bekken had gedacht. Ik ging aan mijn bureau zitten en toetste het telefoonnummer in, terwijl ik een samenvatting voorbereidde over wat er de afgelopen dagen was voorgevallen. De telefoon ging vijf keer over en net toen ik dacht dat ik het antwoordapparaat wel zou krijgen, nam Charlie, Henry's broer, op. 'Pitts. Met Charlie. U moet hard praten, want ik ben stokdoof.'

Ik zei luid: 'Charlie? Met Kinsey. Uit Californië.'

'Met wie?'

'MET KINSEY. HENRY'S BUURVROUW IN CALIFORNIË. IS HIJ ER?'

'WIE?'

'HENRY.'

'O. Momentje.'

Ik hoorde gedempte stemmen en toen kwam Henry aan de telefoon. 'Met Henry.'

Toen we eenmaal eruit waren wie wie was, vertelde Henry me hoe het er met Nell voorstond. 'Het gaat goed met haar. Ze is een taaie tante en ze klaagt nooit.' Hij zei dat ze nog tien dagen in het revalidatiecentrum moest blijven. Ze gaven haar pijnstillers zodat ze de fysiotherapiesessies die ze twee keer per dag kreeg kon doorstaan. Henry, Charlie en Lewis brachten zo veel mogelijk tijd met haar door en speelden spelletjes met haar om haar af te leiden. Zodra ze met behulp van een loophek weer wat uit de voeten kon, mocht ze naar huis. 'Hoe gaat het met je scheenbeen?' wilde hij weten.

Ik trok mijn broekspijp omhoog en keek even, alsof hij mee kon kijken. 'Het is nu meer blauw dan paars en mijn handpalm is bijna helemaal over.'

'Nou, dat is mooi. Verder ook alles goed?'

Ik bracht hem op de hoogte van de nieuwste ontwikkelingen, inclusief het feit dat Marvin Striker me had ingehuurd om Audreys dood te onderzoeken, mijn reisje naar San Luis Obispo, en mijn theorie dat ze betrokken was bij een georganiseerde bende.

Henry leefde waar nodig mee, toonde verbazing en boosheid, afhankelijk van wat ik hem vertelde, en hij stelde de juiste vragen om erachter te komen hoe alles precies zat. 'Kon ik je maar helpen, maar ik zit gewoon te ver weg,' zei hij.

'Nou, je zou wel iets voor me kunnen betekenen. Ik zou graag je stationcar een paar dagen willen gebruiken.'

'Dat mag. Je weet waar de sleutels liggen.'

We kletsten nog een tijdje door en toen we uiteindelijk afscheid hadden genomen, besefte ik dat we drie kwartier aan de telefoon hadden gezeten.

Zoals gewoonlijk klapte ik van de honger, dus pakte ik mijn schoudertas en een jack, sloot mijn huis af en wandelde naar Rosie's Tavern. Claudia Rines zat aan een tafeltje bij de deur. Ze had een drankje voor zich staan, zo te zien grapefruitsap, waarschijnlijk aangelengd met wodka.

Ik zei: 'Hoi, hoe gaat het?'

'Prima. Het lijkt net of we al in weken niet met elkaar hebben gepraat.'

'Het is nog maar vijf dagen geleden, maar ik weet wat je bedoelt. Heb je met Drew afgesproken?'

'Hij komt in zijn pauze hiernaartoe. Wil je wat drinken?'

'Heel graag, maar ik ga weg als hij aan komt zetten. Ik wil geen vijfde wiel aan de wagen zijn bij het etentje. Wat is dat, wodka met grapefruitsap?'

'Ja. William heeft speciaal voor mij versgeperst sap ingeslagen. Ik kan het je aanraden.'

'Wacht even,' zei ik. We draaiden ons allebei om om Williams aandacht te trekken. Claudia hield haar glas omhoog en gaf aan dat ze er nog een wilde. Ik wees naar mezelf en stak twee vingers omhoog. Hij knikte en boog zich voorover om het koelkastje onder de bar open te maken.

Ik wendde me weer tot Claudia. 'Nog nieuws?'

'Zonde dat je hier niet vroeger was. Je bent een vriendin van je misgelopen.'

'Jammer. Wie dan?'

'Diana Huppeldepup. Ze kwam hier even na mij binnen, een kwartier of zo geleden, en stelde zich aan me voor. Ze zei dat ze me niet wilde storen, maar dat ze een paar dingen wou weten over mijn ervaring met Audrey Vance.'

'Hoe wist ze wie je was?'

'Ik dacht dat jij haar dat had verteld.'

'Nee, hoor.'

'Wat vreemd. Ze wist dat ik bij Nordstrom werkte en dat ik erbij was toen Audrey werd opgepakt. Ze zei dat ze een paar dingen voor haar redacteur wou verifiëren. Ik ging ervan uit dat ze eerst met jou had gesproken en nog wat extra informatie wou.'

'Echt niet. Ze kwam woensdag op kantoor langs en deed net of we de beste vriendjes waren. Ik praat met haar nergens over, want ik weet precies hoe ze te werk gaat. Ze trekt informatie uit je terwijl ze bij hoog en bij laag zweert dat het onder ons zal blijven.'

'Dat zei ze daarnet ook, echt letterlijk dus. Ik zei dat ik niet over dat zaken kon praten. Meneer Koslo heeft het niet zo op verslaggevers. Hij is ook bang dat hij opeens bij een rechtszaak betrokken zal raken. Hoewel dat hier natuurlijk niet het geval is.'

'En, wat heb je haar verteld?'

'Niet veel. Ik heb haar naar hem doorverwezen. Daar was ze niet blij mee, maar ik was niet van plan om mijn baan in de waagschaal te stellen, ook al is ze dan bevriend met jou.'

'We zijn helemaal niet bevriend. Dat kan ik je verzekeren. Ik kan dat mens niet uitstaan. Die trut is drammerig en berekenend.' Ik gaf haar een korte samenvatting over haar relatie met Michael Sutton en hoe ellendig dat was afgelopen.

'Waarom is ze in Audrey geïnteresseerd?' vroeg Claudia.

'Audreys zelfmoord kwam haar ter ore en nu wil ze een artikel schrijven over mensen die van de Cold Spring-brug zijn gesprongen. Ze is naar het rouwcentrum geweest en ontdekte mijn naam in het register. Toen is ze poeslief en aardig tegen Marvin gaan doen en die was zo dom haar naar mij door te sturen. Ik kreeg zowat een hartverzakking toen ik besefte wat er aan de hand was. Gelukkig heeft hij er inmiddels spijt van.'

'Lieve hemel, wat een afschuwelijk mens. Dat wist ik echt niet.'

William kwam naar ons tafeltje toe met twee glazen wodka met grapefruitsap. Ik zei: 'Dank je. Dat ziet er prima uit.'

'Geniet er maar van,' zei hij en hij liep terug naar de bar.

Claudia en ik gingen verder met ons gesprek, hoewel er over dat onderwerp weinig meer te vertellen was. Ze was blij dat ze me niet tegen de schenen had geschopt door niet met mijn beste vriendin Diana Alvarez over Audrey Vance te praten en ik was daar om een andere reden weer blij om.

Door het werk moest ik de volgende ochtend het joggen overslaan. Ik at een kom muesli, nam een douche en trok mijn uniform voor de gemeente van Santa Teresa aan. Ik legde het reclamebord en mijn schoudertas in Henry's stationcar en reed hem achteruit de garage uit. Climpton Academy begon om acht uur 's ochtends. Om half acht stond ik in de berm van de oprit met het bord waarop stond:

De auto's worden geteld ten bate van een onderzoek naar de gevolgen van uitlaatgassen op het milieu, betaald door uw belastinggeld. Dank u voor uw medewerking en excuses voor het ongemak. Rijd voorzichtig!

Ik stond in mijn uniform aan de kant van de weg met de teller in de hand, en drukte elke keer dat er een auto langskwam op het knopje. Het goede nieuws was dat het een stuk beter met mijn scheenbeen ging. Het was nog wel bont en blauw, maar het deed een stuk minder pijn. Het slechte nieuws was dat ik bezoek kreeg. Vijf minuten nadat ik er was gaan staan, kwam er een auto van de Horton Ravine-politie aanrijden. De bestuurder stapte uit en kwam mijn kant op kuieren. Hij had een donkere broek en een wit overhemd met korte mouwen aan. Het leek me geen 'echte' politieman. Waarschijnlijk iemand die graag agent wilde zijn, maar hij reed niet in een zwart-witte politieauto, droeg geen insigne en had ook geen normaal uniform aan van het bureau van de sheriff of de politie. Bovendien had hij ook geen handwapen bij zich, geen wapenstok en geen zaklamp die indien ik tegenstand bood eventueel als wapen gebruikt kon worden. Ik was druk bezig auto's te tellen, dus kon ik hem niet mijn onverdeelde aandacht schenken.

Hij was blond, een jaar of vijfendertig, slank en met een prettig gezicht. Hij haalde een pen en een opschrijfboekje tevoorschijn om een aantekening of een bon te schrijven. Ik had nog geen idee welke het zou worden. 'Goedemorgen, hoe gaat het ermee?' vroeg hij.

'Goed hoor, en met u?'

'Ook goed. Wat bent u aan het doen?'

'Ik tel auto's.'

Het duurde even voordat hij mijn antwoord had verwerkt. 'U bent u ervan bewust dat dit een privéweg is?'

'Absoluut. Dat is ongetwijfeld waar, maar aangezien gewone burgers er gebruik van maken, moet ik het toch meenemen in mijn rapport.'

Hij was aan het nagaan welke vragen hij nog meer moest stellen. 'Hebt u daar een vergunning voor?'

'Hiervoor? Mij was gezegd dat er voor dit soort onderzoeken geeneen nodig was.'

'Mag ik uw identiteitsbewijs zien?'

'Mijn rijbewijs zit in mijn schoudertas. Als u even kunt wachten tot er geen auto's aan komen, haal ik het graag voor u.'

Hij keek toe terwijl er twee auto's aan kwamen rijden. De ene nam de oprit naar de school en de andere reed door naar Horton Ravine. *Klik. Klik.* Ik telde ze allebei mee. Toen er even niets aankwam, pakte ik door het open raam mijn schoudertas van de passagiersstoel. Hij bleef geduldig wachten terwijl ik weer even een auto telde. Ik pakte mijn portemonnee eruit, sloeg hem open en hield hem het rijbewijs voor. Hij pakte hem aan en schreef mijn naam, rijbewijsnummer en adres in zijn opschrijfblok over.

Ik zei: 'Millhone is met twee ll'en. Een hoop mensen schrijven het maar met een.' Ik zag dat hij B. Allen heette. 'De auto is van mijn huisbaas. Ik mag hem van hem gebruiken omdat de mijne bij de garage is. De papieren liggen in het dashboardkastje, als u ze wilt zien. Dan ziet u dat mijn huisnummer en dat van hem op elkaar volgen.'

'Dat hoeft niet,' zei hij. Hij gaf me mijn rijbewijs terug en draaide zich om naar de weg.

Er kwam een auto langs en ik drukte trouw op het knopje. Hij was er al aan gewend dat we steeds onderbroken werden.

Hij keek me aan. 'Waar is uw embleem?'

'Dat heb ik nog niet. Dit is de eerste keer dat ik dit doe. Het ministerie van Verkeer voert dit onderzoek jaarlijks uit en dit keer was ik aan de beurt. Bof ik even.'

'Hoe lang gaat het duren, denkt u?'

'Hooguit anderhalve dag. Ik tel 's ochtends een uur en dan 's middags ook, tenzij ik ergens anders naartoe word gestuurd. Dat weet je maar nooit met die klojo's.'

Ik stak mijn vinger op, zei: 'Wacht even', en drukte op het knopje voor een auto die de oprit naar de Climping Academy insloeg. 'Sorry, hoor. We sturen de gegevens naar Sacramanto en daarbij houdt het voor mij op. Verspilling van onze belastingcentjes, maar ik krijg er goed voor betaald.'

Hij dacht even na. Het was duidelijk dat ik niets illegaals aan het doen was. Uiteindelijk zei hij: 'Nou ja. Zolang het verkeer er maar geen hinder van heeft.'

'Ik sta hier niet zo lang.'

'Gaat u maar gewoon door. Nog een fijne dag.'

'U ook. Fijn dat u zo coulant bent.'

'Prima.'

Ik was zo druk bezig de façade op te houden dat de Mercedes me bijna niet was opgevallen. Uit mijn ooghoek zag ik een zwarte auto de heuvel naar de Climping Academy op rijden met een jong meisje aan het stuur. Ik kon de bumpersticker niet lezen, maar hij zat op de juiste plek, dus leek het me een goed plan hem eens beter te gaan bekijken.

16

Ik wachtte tot de patrouillewagen weg was gereden. Het was vijf voor acht en de stroom studenten was langzaam afgenomen. Ik bleef tot kwart over acht op mijn plek en gooide toen het bord op de achterbank van de stationcar. Daarna reed ik de heuvel op naar de Climping Academy en zwierde het parkeerterrein op. Ik kwam langs een hoop BMW's, Mercedessen en Volvo's en uiteindelijk viel mijn oog op de zwarte auto. Er was nergens meer een plekje, dus moest ik de auto neerzetten op de parkeerplaats bestemd voor de rector. Ik liet de motor draaien terwijl ik te voet terugging. Het meisje had de auto afgesloten waardoor ik het handschoenenkastje niet op papieren kon doorzoeken. Ik schreef het kentekennummer op, wat een persoonlijke bleek te zijn: HOT CHIK. Het frame eromheen was dezelfde als die Maria op de beveiligingsband had aangewezen.

Nu ik de auto had gevonden, kon ik twee dingen doen. Ik kon naar de dichtstbijzijnde telefooncel rijden, Cheney Phillips bellen en hem vragen of hij het kentekennummer op de computer in wilde voeren. Daardoor zou ik zonder al te veel moeite de naam en het adres van de eigenaar van de auto te weten komen. Het was echter tegen de regels van de politie en wellicht was het zelfs strafbaar om de computer voor jezelf te gebruiken. Ik was me ook maar al te bewust van Len Priddy's betrokkenheid erbij. Als ik Cheney belde, wilde hij weten waarom ik die informatie nodig had. Zodra ik hem vertelde dat ik op het spoor zat van Audreys collega-winkeldievegge, zou hij er alles over willen weten. Wat ik hem ook vertelde, al bleef ik nog zo vaag en ontwijkend, hij zou linea recta naar Len Priddy gaan, die de winkeldiefstal voor de Santa Teresa politie onderzocht. Hoewel ik wist dat het zeer, zéér ondeugend is om informatie aan de wet te onthouden, vond ik het toch beter om Cheney erbuiten te houden zodat Len Priddy niet op de hoogte zou komen van mijn speurtocht.

De andere mogelijkheid was wachten tot de school uitging en achter het meisje aan rijden. Ik had er niet veel zin in om daar rond te blijven hangen tot ze weer naar huis ging. Ik kon sowieso de auto daar niet laten staan. De rector zou vast op komen dagen en hoe ging ik haar uitleggen waarom ik haar plek had ingenomen? Het leek me het beste weg te gaan en aan het einde van de dag, als de lessen afgelopen waren, weer terug te komen. Als het meisje vroeger wegging, had ik pech. Ik kon natuurlijk altijd de volgende ochtend terugkomen en weer auto's gaan tellen, maar ik wist niet hoe lang ik daarmee weg kon komen. Nepagent B. Allen zou weleens het handboek van Horton Ravine erop na kunnen slaan, de voorschriften bestuderen en me wegjagen als hij me weer zag.

Ik keek om me heen. Er stonden hoge heggen om het parkeerterrein. Het schoolgebouw had klaslokalen op de eerste en tweede verdieping en kantoren op de begane grond. Er stond niemand voor de ramen. Nergens een beveiligingsmedewerker te bekennen. Geen studenten die te laat waren. Ik hurkte neer bij het achterportier van de Mercedes en liet de lucht uit de band lopen. Toen liep ik om de auto heen en deed hetzelfde bij de band aan de kant van de bestuurder. Als onze uitblinkster zag dat ze twee platte banden had, zou ze de wegenwacht of een van haar ouders bellen om haar op te halen. Door de vertraging zou ik haar hoe dan ook goed in het oog kunnen houden. De andere studenten zouden al weg zijn en ik kon bij de ingang rondhangen tot ze op kwam dagen.

Ik liep naar de auto en ging naar huis. Ik liet Henry's stationcar op de oprit staan en ging mijn huis in. Ik trok het uniform uit en hing het weer in de kast en deed een spijkerbroek aan. Onderweg naar buiten raapte ik de ochtendkrant op en ik stopte hem in het buitenvak van mijn schoudertas. Eenmaal bij mijn kantoor ging ik naar binnen en pakte de post van de dag ervoor. Ik zette een pot koffie. Ik had die ochtend alleen snel wat melk met muesli naar binnen gewerkt voordat ik naar Horton Ravine ging, maar voor koffie was geen tijd geweest en ook niet voor het nieuws. Terwijl de koffie doorliep, pakte ik de overgebleven chips uit de onderste la van mijn bureau en stopte ze in mijn tas. Als ik weer terugging naar Horton Ravine om op het meisje te wachten, had ik tenminste iets om op te knagen.

Na al die voorbereidingen ging ik aan mijn bureau zitten en sloeg ik de krant open. Mijn oog viel meteen op een artikel op de voorpagina in de linkerkolom waarbij de naam van Diana Alvarez vermeld stond.

POLITIE START ONDERZOEK NAAR BAND VAN ZELFMOORDSLACHTOFFER MET CRIMINELE BENDE

Al na die ene zin was me duidelijk dat ze de gebruikelijke journalistieke waarden – wie, wat, wanneer, waar en hoe – naast zich neer had gelegd en de kop zo aangrijpend mogelijk had gemaakt voor het meeste effect.

> De zelfmoord van Audrey Vance (63) op 24 april werd oorspronkelijk geweten aan het feit dat ze twee dagen eerder opgepakt was wegens winkeldiefstal. Marvin Striker, haar verloofde, kreeg tot zijn verbijstering van de politie te horen dat ze dood was aangetroffen op een gevaarlijk stuk grond bij snelweg 154. De hondeneenheid van het bureau van de sheriff van het district Santa Teresa en een zoekteam werden erbij gehaald toen een langsrijdende automobilist genaamd Ethan Anderson uit Lompoc de auto van het slachtoffer zag die vlak bij de brug geparkeerd stond. Toen hij op onderzoek uitging, kwam hij erachter dat de auto niet afgesloten was en dat de sleutels nog in het slot zaten. Op de voorstoel lagen een dameshandtas en een paar pumps. 'Ik wist meteen dat het niet goed zat,' zei Anderson. De politie gaf later aan dat er geen zelfmoordbriefje aangetroffen was.
>
> Striker, die fel de mogelijkheid van de hand wees dat zijn aanstaande bruid zichzelf van het leven had beroofd, gaf toe dat ze zeer ontdaan was geweest over de recente gebeurtenissen. Vance, die op zondag na een val van de Cold Spring-brug was overleden, was op 22 april bij Nordstrom aangehouden nadat Kinsey Millhone, een plaatselijke privédetective, er getuige van was geweest dat ze voor honderden

dollars aan lingerie had gestolen. Millhone had dat aan de caissière Claudia Rines doorgegeven. Volgens het politierapport meldde Rines, die niet wilde meewerken aan dit artikel, het voorval aan Charles Koslo, beveiligingsmedewerker bij Nordstom, die de vermoedelijke winkeldievegge in het winkelcentrum aanhield nadat de elektronisch beveiligde spullen die ze in haar boodschappentas had verstopt het alarm deden afgaan. Vance werd vervolgens gearresteerd en beschuldigd van diefstal.
Letitia Jackson, pr-medewerkster voor de politie van Santa Teresa, bevestigde dat een fouillering van Vance door gevangenisbewakers speciaal ondergoed aan het licht had gebracht waarin nog meer gestolen goederen waren verstopt. Koslo wilde daar geen commentaar op geven omdat hij het politierapport nog niet had gelezen en dus niet bekend was met alle feiten. 'Ik leef mee met haar nabestaanden,' liet Koslo nog weten.
Marvin Striker (65) had zich onlangs met mevrouw Vance verloofd en benadrukte meerdere malen dat zijn verloofde zichzelf nooit van het leven zou beroven. 'Audrey was er totaal het type niet naar.' Gevraagd of haar dood dan een ongeval of moord zou kunnen zijn, antwoordde Striker: 'Dat ben ik dus aan het uitzoeken.' Striker nam contact op met Millhone van Millhone Investigations, nadat een gezamenlijke kennis hem had ingelicht over haar rol bij het incident in het warenhuis. Millhone stelde voor dat Vance wellicht deel uitmaakte van een criminele bende die zich specialiseerde in winkeldiefstallen in Santa Teresa en omgeving.
Bij navraag zei brigadier Leonard Priddy van de afdeling kleine vergrijpen bij de politie van Santa Teresa dat ze de zaak nader onderzochten. 'Voor zover ik weet is het niet waar, wat ons betreft is het pure fantasie.' Priddy zei dat ze de zaak grondig zouden onderzoeken, maar dat een band met zo'n criminele bende uitgesloten was. Millhone, ondanks diverse telefoontjes om haar naar uitleg te vragen, wenste daar niet op te reageren.
Vance is de achttiende inwoner van het district Santa Teresa die van de brug is gesprongen. Wilson Carter, de vertegenwoordiger van het ministerie van Verkeer, vond het 'spijtig en een geheel te vermijden tragedie' dat zo veel mensen een

val van de honderdtwintig meter hoge brug niet hebben overleefd. Statistieken tonen aan dat hekken op dat soort bouwwerken in grote mate bijdragen aan de terugdringing van zelfmoordpogingen. Carter zei verder: 'De prijs die op de lange termijn emotioneel en financieel na een zelfmoord betaald moet worden, is een gedegen argument om zo'n hek te plaatsen. Hierover wordt al heel lang door de staat en het district gediscussieerd.'

De aangeslagen Striker uitte de hoop dat haar dood, hoe pijnlijk ook voor hem, wellicht hernieuwde interesse in dat project op zou wekken. In de tussentijd heeft het onderzoek naar de dood van Vance nog niets opgeleverd en blijven er vragen bestaan hoe ze van die brug, waar zo veel mensen hun leven in wanhoop en eenzaamheid hebben beëindigd, gevallen is.

Ik was witheet. Diana Alvarez had de waarheid vertekend, de zaken dusdanig sluw anders voorgesteld dat je er niets tegenin kon brengen. Het verbaasde me niets dat ze met iemand van de afdeling kleine vergrijpen had gesproken. Dat het nu net Len Priddy moest zijn was domme pech, tenzij ze wist dat hij niet veel met me ophad. Dat hij de woorden 'niet waar' en 'pure fantasie' had gebruikt, deed voorkomen dat ik onzin uitkraamde. Het was zonneklaar dat hij me een lachertje vond. Ze had ook geïnsinueerd dat Claudia en ik moedwillig haar onderzoek naar zo'n gevoelig onderwerp dat belangrijk was voor de hele gemeenschap hadden tegengewerkt.

De vrouw was gevaarlijk. Ik had niet ingezien hoeveel macht ze had. Ze kon de zogenaamde feiten op haar manier naar voren brengen en door middel van afstandelijk taalgebruik maakte ze haar standpunt meer dan duidelijk. Hoe vaak had ik niet een dergelijk artikel gelezen en het voor waarheid aangenomen? Diana Alvarez schotelde het publiek haar mening voor. Ze stelde me in een kwaad daglicht omdat ze wist dat ik daar niets tegen kon doen. Ze had me niet belasterd en het was evenmin smaad. Als ik toch actie zou ondernemen, zou dat alleen maar verkeerd overkomen, waardoor ze nog meer gelijk kreeg.

Ik liep terug naar het keukentje en schonk mezelf een kop koffie in. Ik moest de beker met beide handen vasthouden om te voorkomen dat de koffie eroverheen zou klotsen. Ik liep ermee naar mijn bureau en vroeg me af wanneer de telefoon zou gaan rinkelen. In plaats daarvan werd ik vereerd met een bezoek van Marvin Striker, die de krant bij zich had.

Hij zag er net zo goed verzorgd uit als altijd. Zelfs terwijl ik stond te koken van woede, had ik nog bewondering voor de conservatieve kledingvoorschriften die hij navolgde. Voor hem geen spijkerbroek en flanellen overhemden. Hij droeg een keurige broek, een licht sportjasje, een wit overhemd en een grijze wollen stropdas. Hij had zijn schoenen gepoetst en hij had aftershave op. Vroeger had men hem een dandy gevonden of een grote meneer of een fat.

Hij zag de krant op mijn bureau liggen, waardoor hij meteen ter zake kon komen. 'Je hebt dus dat artikel ook gelezen. Wat vind je ervan?'

'Jij komt er een stuk beter vanaf dan ik, dat in elk geval,' zei ik. 'Ik zei toch dat ze slecht nieuws was?'

Ik gebaarde dat hij moest gaan zitten.

Hij nam plaats, met rechte rug en zijn handen op zijn knieën. 'Slecht nieuws is misschien wat overdreven. Toegegeven, ze ziet het een tikje anders, maar dat wil nog niet zeggen dat ze het mis heeft. Zij ziet gewoon het grote geheel. Ik heb vanochtend al twee telefoontjes gehad van mensen die willen dat ik een petitie onderteken voor een hek tegen zelfmoordenaars.'

'O, houd toch op, Marvin. Dat is gewoon een rookgordijn. Ze gebruikt het hele voorval alleen om mij te pesten. Ze vindt het maar niets dat ik niet naar haar pijpen dans.'

Hij schoof slecht op zijn gemak heen en weer. 'Ik snap dat je het persoonlijk opvat, maar volgens mij heb je het mis. Jij kunt niet goed tegen kritiek. Dat vinden we geen van allen leuk, dus ik neem je dat niet kwalijk, hoor.'

Ik zei niets. Hij hield ook zijn mond. Ik zei: 'Ga door. Dát neem je me niet kwalijk, maar wat dan wel?'

'Nou ja, die inspecteur van kleine vergrijpen was het niet bepaald eens met jou. Over Audrey en dat ze bij een bende zou horen.'

'Omdat hij net zo als Diana Alvarez is, hij vindt het gewoon heerlijk om mij een hak te zetten.'

'Waarom zou hij dat nou leuk vinden?'

Ik veegde de vraag van tafel. 'Dat ga ik je niet vertellen. Dat is verleden tijd. Ik ga niet beweren dat hij me haat. Dat is overdreven. Maar hij heeft wel een grondige hekel aan me, en dat is wederzijds.'

'Dat had ik al begrepen. Ik wist natuurlijk niet hoe goed je die vent kent, maar hij kwam niet echt over als een groot fan van je.'

'Hij was bevriend met mijn ex, die ook agent was. Geloof me, we kunnen elkaar niet luchten of zien. Ik vind hem een vreselijke engerd.'

Marvins rechterknie bewoog opeens op en neer en hij legde gauw zijn hand erop. 'Ja, nou ja, dat is iets wat ik wel graag met je wil bespreken. Jij mag Diana Alvarez niet en nu blijkt dat je de inspecteur van kleine vergrijpen ook al niet mag. Ik wil je niet beledigen, maar zo te horen mogen ze jou ook niet.'

'Nee, natuurlijk niet. Dat zeg ik nu net.'

'Dan heb ik wel een probleem. Dat meisje van de krant kan me niet veel schelen, maar die agent wel, hoe die ook heet.'

'Priddy.'

'Ja. In ons eerste gesprek vertelde je me dat ik jou in moest huren omdat men jou als professioneel beschouwde. Dat blijkt dus niet waar te zijn.'

'Hij niet, nee.'

'Dus zat ik me af te vragen...'

'Ja?'

'Of je wel de aangewezen persoon bent voor het onderzoek. Dat wou ik graag even met je bespreken. Ik ben benieuwd wat jij erover te zeggen hebt.'

'Ik heb mijn zegje gedaan. Als je me wilt ontslaan, moet je dat vooral doen.'

'Ik heb helemaal niet gezegd dat ik je wou ontslaan,' zei hij gekrenkt.

'Ik wou je wat tijd besparen. Er niet omheen draaien. Als je me niet meer wilt, is dat best.'

'Doe eens rustig aan. Ik twijfel echt niet aan je kwalificaties of aan je oprechtheid. Alleen denkt de politie dat er helemaal geen bende winkeldieven is. Je moet toegeven dat het ook wel wat vergezocht is, dat heb ik meteen al gezegd.'

'Ik ga er niet op in. En weet je waarom niet? Omdat alles wat ik zeg alleen maar zou lijken of ik in mijn straatje zit te praten, alsof ik op die manier mijn baantje wil behouden. Jij bent de baas. Geloof maar wat je wilt. Audrey was een heilige, ze was onterecht opgepakt en valselijk beschuldigd. Ze is niet van de brug gesprongen, ze struikelde en viel.'

'Nu verdraai je mijn woorden. Ik geloof wel dat Audrey stal.

Dat heb ik de vorige keer al tegen je gezegd. Alleen dat er meer aan de hand was, een bende, daar zit ik tegenaan te hikken. De agent gelooft het ook niet en hij zou het toch moeten weten, vind je niet?'

'Marvin, er zat voor honderden dollars aan gestolen spullen in haar ondergoed dat speciaal was ontworpen voor dat doel. Winkeldiefstal was geen hobby voor haar, het was haar werk.'

'Maar dat wil nog niet zeggen dat ze bij een bende zat. De agent zei dat het totaal niet waar was.'

'Len Priddy haalt alles onderuit wat ik zeg. Je weet niet hoe laag hij me heeft zitten.'

'Dat bedoel ik dus. Als jij ermee doorgaat, zal hij niet meewerken, wat inhoudt dat de politie en jij elkaar tegenwerken.'

'Wat wil je dan? Zeg het maar, dan weet ik waar ik aan toe ben.'

Hij haalde zijn schouders op, hij wilde duidelijk niet zeggen waar het op stond zonder er eerst een tijd over door te mekkeren. Dat vond Marvin een eerlijke manier van doen. 'Ik dacht dat we het anders konden aanpakken, misschien dat jij je vragen kunt beperken tot hoe ze is gestorven en de rest aan de politie overlaten.'

'Als jij denkt dat ze vermoord is, kan het bureau van de sheriff dat beter onderzoeken dan ik. Zij zullen de onderste steen boven zien te krijgen om erachter te komen. Ik bekijk het van de andere kant, ik wil weten waar ze bij betrokken was en of ze daarom is vermoord.'

Hij schudde het hoofd. 'Dat lijkt me niet de juiste manier.'

'Nee, mij ook niet.'

'Er moet een andere manier zijn. We komen elkaar een stukje tegemoet, bij wijze van spreken, zodat we allebei onze zin krijgen.'

'Dit is een zakelijke overeenkomst. Compromissen horen daar niet bij. Het lijkt me beter als we ermee stoppen. Zonder kwade woorden. Onze wegen scheiden zich. We geven elkaar een hand en dat was dat.'

'Ik schat je erg hoog in, hoor.'

'Hm, dat zal wel.'

'Nee, echt. Wat dacht je hiervan? Jij gaat er gewoon mee door totdat het voorschot op is en dan bespreken we het weer. Op die manier kom ik tenminste niet over als een verrader of een krent.'

'Je bent helemaal geen krent. Hoe kom je daar nu bij? Heeft iemand dat gezegd, dan?'

'Diana zei dat ik jou misschien liever niet wou ontslaan omdat je het voorschot niet terug zou betalen en ik anders het geld kwijt zou zijn.'

'We kunnen het maar beter niet over haar hebben, oké? Want daar draait het wat mij betreft om. Je hoeft me niet te betalen als jij ervan overtuigd bent dat ik er niks van bak. Als jij denkt dat ik op het verkeerde spoor zit, is het zonde van je geld en van mijn tijd. Het is een kwestie van vertrouwen.'

'Ik vertrouw je heus wel, maar niet de manier waarop je het aanpakt. Het punt is alleen dat je misschien wel gelijk hebt, en hoe zou het dan overkomen als ik dan, nou ja, jou zou ontslaan?'

'Hoe jij op mensen overkomt, daar kan ik niets aan doen. Ik snap dat je in de knel zit en daarom wil ik je helpen.'

'Maar ik heb er gewoon een rotgevoel over. Hoe komt dat dan? Dat wil ik helemaal niet.'

'Prima. Als jij er een rotgevoel door krijgt hoef je nu niet de knoop door te hakken. Neem de tijd. Wat je ook wilt, ik vind het best. Maar zo kunnen we niet doorgaan.'

'In dat geval kom ik weer terug op mijn oorspronkelijke voorstel. Waarom werk je gewoon niet door totdat het voorschot op is? Je mag doen wat je wilt. Je hoeft zelfs niet op te geven waar je naartoe bent geweest of wat je hebt gedaan. Dat is helemaal aan jou. Als het geld op is, spreken we met elkaar af en vertel je mij wat je ontdekt hebt.'

'Je hoeft me niet naar de mond te praten, hoor.'

'Dat doe ik ook niet. Maar dat lijkt me een goede regeling,' zei hij. 'Hoeveel tijd heb je er tot nu toe in gestoken?'

'Geen idee. Dat zal ik uit moeten rekenen.'

'Doe dat dan en de rest van de tijd mag je naar eigen inzicht invullen. Deal?'

Ik keek hem even aan. Ik vond het maar niets, maar ik had er ook geen zin in dat Diana Alvarez en Len Priddy de baas over me speelden.

Ik zei: 'Goed.'

We sloten het gesprek moeizaam af en waren geen van beiden tevreden met de uitkomst. Het was een heel ander verhaal geworden. Op het eerste gezicht was er niets veranderd. Ik had de jongere vrouw in mijn vizier. De volgende dag zou ik te weten komen waar ze woonde en wie ze was. Vroeg of laat zou ze zichzelf verraden. Uiteindelijk zou ik op het punt aanbelanden waar het mezelf geld ging kosten. Nou en? Ook al bleek ik het uiteindelijk bij het verkeerde eind te hebben, wat maakte dat nou uit, er waren wel ergere dingen. Een cynisch stemmetje in mijn hoofd zei: 'Is dat zo? Wat voor dingen dan?'

Hardop zei ik: 'Dat de slechteriken ermee weg komen.'

Om kwart voor drie zette ik de auto weer bij de gemeentegrens van Horton Ravine en wel zodanig dat de oprit naar de Climping Academy in zijn geheel te zien was. Ik kon me niet voorstellen dat een sleepauto de Mercedes via de achteruitgang naar het stadje zou slepen, maar ook in dat geval zou ik achter hem aan gaan. Omdat ik niet echt in Horton Ravine zelf stond, kon de agent me niets doen. Hij was aardig genoeg geweest, maar ik wilde het niet forceren. Ik zette de motor af en haalde een kaart van Californië uit het dashboardkastje. Ik vouwde hem helemaal open en legde hem op het stuur, in de hoop dat ik zo net een toerist leek die even aan de kant van de weg was gaan staan om uit te zoeken waar ze was. Ik zette de radio aan, en stemde af op een zender die de hele dag hits draaide. Ik luisterde eerst naar twee nummers van Michael Jackson en toen naar 'Where Do Broken Hearts Go' van Whitney Houston. De dj kondigde aan dat ze net Billy Ocean van nummer één had gestoten. Ik wist niet of ik daar wel blij mee moest zijn.

Om drie uur begon de uittocht, auto's kwamen de heuvel af rijden bij de Climping Academy vandaan, het ene luxe voertuig na het andere. Toen ik op de middelbare school zat, ging ik met het openbaar vervoer. Tante Gin had een vijftien jaar oude Oldsmobile en daar reed ze mee van en naar werk. In die tijd hadden tieners nog geen rechten en ook geen besef dat ze die zouden kunnen hebben. We wisten dat we tweederangsburgers waren en geheel afhankelijk van volwassenen. Er waren wel kinderen met een eigen auto, maar dat waren uitzonderingen. De rest zeurde er ook niet om. Ik zag deze bende jongelui al, ze waren niet zozeer verwend als wel volledig onkundig van het feit dat ze het gigantisch goed hadden.

Het was al na half vier en ik maakte me al zorgen, toen er opeens een sleepwagen langs me reed en de heuvel op tufte. Het parkeerterrein zou inmiddels grotendeels verlaten zijn. De dame in nood zou meteen opvallen. De chauffeur zou zijn wagen neerzetten en uitstappen. Het meisje zou met veel armbewegingen naar de banden uitleggen wat er aan de hand was. Ik zag hem al neerhurken om naar de banden te kijken en al snel beseffen, net als zij trouwens, dat het opzet was geweest. Ik had de ventieldopjes op de straat naast de leeggelopen banden laten liggen. Ze moet ze wel gezien hebben, en als ze had doorgegeven dat iemand haar een poets had gebakken, had de chauffeur vast een draagbare compressor bij zich. Hij hoefde alleen maar even de twee banden op te pompen en de ventieldopjes te plaatsen. Dat zou niet meer dan drie, hooguit vier minuten in beslag moeten nemen, als je er een beleefd gesprekje bij optelde.

Ik keek op mijn horloge, zette de motor aan en deed de radio uit. Ik keek net op tijd op en zei: 'Ah!' omdat op dat moment de sleepauto aan kwam rijden en onder aan de heuvel rechts afsloeg. De Mercedes reed achter hem aan. Hoewel ik wist dat de studenten op zo'n chique school overal in de stad konden wonen, nam ik aan dat het meisje in Horton Ravine thuishoorde. Maar in plaats van links af te slaan naar het centrum, ging ook zij rechtsaf. Ik hield mijn hoofd afgewend en deed net of ik de map uitgebreid bestudeerde. Ze kende me totaal niet, maar voor het geval we elkaar ooit eens mochten zien, wilde ik niet dat het kwartje dan zou vallen. De sleepauto reed langs me, remde af voor de kruising en ging naar rechts. Ze zat er een meter of zes achter. Ik was de map al aan het opvouwen en legde hem op de passagiersstoel. Toen ze over de kruising heen was, keek ik of er verkeer aankwam, maakte een verboden U-bocht en ging haar achterna.

De sleepauto nam de bovenkruising van de snelweg. De Mercedes nam de rechterbaan. Het meisje verliet de 101 en voegde zich in de stroom auto's in zuidelijke richting. Ik remde af en paste mijn snelheid aan zodat er een auto tussen ons in kwam rijden. Er was niet veel verkeer en ik kon haar makkelijk bijhouden. Ze bleef op de rechterbaan en reed de afslag naar Little Pony Road voorbij. Ze ging eraf bij de afslag naar Missile Street en sorteerde links voor. De auto tussen ons in reed door. We stonden allebei voor het rode licht onder aan de helling. Ik zag dat ze de achteruitkijkspiegel scheef zette en lippenstift aanbracht. Toen het groen werd, duurde het even voordat ze dat doorhad. Ik bleef geduldig wachten omdat ik zelfs niet met een klapje op de claxon de aandacht op me wilde vestigen.

Ze nam de bocht naar links en we reden nog steeds op een verharde weg, wat inhield dat we bij bijna elke kruising moesten wachten voor een stopbord of een rood licht. Ik bleef een meter of tien achter haar. Ze scheen me niet op te merken en waarom zou ze ook? Er was geen reden waarom ze zich druk zou maken om een oude stationcar. Ik zag dat ze met haar schouders bewoog en op en neer wipte op haar stoel. Ze tilde haar rechterarm op, knipte met haar vingers met de muziek mee, die alleen voor haar te horen was. Ik zette de radio weer aan en kreeg de radiozender met popmuziek waar ik eerder naar had geluisterd. Ik herkende de zangeres niet, maar de dansbewegingen die het meisje in de auto maakte kwamen perfect overeen met het nummer.

Ze draaide naar rechts Santa Teresa Street in, reed een stukje en sloeg toen rechts af Juniper Lane in, wat maar een klein straatje was. Een paar meter voor de hoek zette ik de auto voor een groen geschilderd huis met uitzicht op Santa Teresa Street. Ik zette de motor af en stapte rustig uit omdat ik niet wilde laten merken dat ik haast had. Er lagen kranten op het stoepje voor het huis en de brievenbus zat vol post. Ik was blij dat de bewoner niet thuis was, maar vond het tegelijkertijd niet erg slim van hem dat er niemand tijdens zijn afwezigheid op zijn huis paste. Inbrekers konden nu zomaar inbreken en alles van zijn muntenverzameling tot en met het zilveren servies van zijn vrouw meenemen.

Ik liep schuin de voortuin door en was blij dat ik me niet druk hoefde te maken over getuigen. Een grote treurwilg stond in de hoek van de tuin. Om de tuin stond een heg van een meter twintig hoog tot aan een vrijstaande dubbele garage met daarvoor nog parkeerplaats voor twee auto's.

Ik gluurde over de netjes bijgehouden haag. Aan deze kant van Juniper Lane stonden maar drie huizen. In het midden stond een huis met bovenverdieping in de tudorstijl. Links daarvan bevond zich een laag huis dat aan een ranch deed denken. Rechts daarvan stond een huisje met bovenetage dat veel weghad van een cottage. Het brede gietijzeren hek zwaaide piepend open en de zwarte Mercedes reed de inrit op. Door het hek kon ik de deur van de middelste van drie garages omhoog zien gaan. Het meisje reed naar binnen en even later ging het hek weer piepend dicht.

Ik liep terug naar de auto. Ik dook een pen en een stuk papier uit mijn schoudertas op. Ik wierp een blik naar rechts en schreef het huisnummer op van de groene woning waar ik de auto voor had geparkeerd. Ik draaide de sleutel in het contactslot om, gaf gas en reed naar de hoek. Ik ging rechtsaf en reed netjes drie kilometer per uur zoals dat hoort in een korte woonstraat. Terwijl ik langsreed schreef ik de nummers van de drie huizen links van me op:

200, 210 en 216. Aan de rechterkant van de straat stonden vier huizen met de nummers 209, 213, 215 en 221. Aan het eind van de straat sloeg ik rechts af en ik reed naar de parkeergarage bij de openbare bibliotheek.

17

Ik ging aan mijn lievelingstafel in de leeszaak van de openbare bibliotheek zitten. Ik had de gids voor Santa Teresa van een plank geplukt en ging op zoek. Ik keek in het gedeelte waar de straten op alfabetische volgorde vermeld stonden. Bij elke straat stonden de huisnummers oplopend vermeld. Bij elk nummer waren de naam en het beroep van de bewoner opgenomen, met daarachter tussen haakjes de naam van de echtgenote. In een ander gedeelte stonden de namen van de bewoners op alfabetische volgorde en daar stond niet alleen het adres bij maar ook het telefoonnummer. Je kon op die manier dus heel wat informatie achterhalen.

Ik schreef de namen van de bewoners in wie ik geïnteresseerd was in een schrijfblokje op, degenen die in de woning in tudorstijl woonden, alsmede de buren en de gezinnen aan de overkant van de straat. Ik ging ook na wie in het groen geschilderde huis woonde op de hoek van Juniper Lane. Dat vind ik nu heerlijk om te doen: gegevens verzamelen. De jongere vrouw, Audreys handlangster, heette Georgia Prestwick. Ik had nu haar adres en telefoonnummer, hoewel ik daar waarschijnlijk geen gebruik van zou maken. Haar man heette Dan. Hij was met pensioen. Als ik wilde weten wat hij voor zijn werk had gedaan, kon ik dat in oude gidsen opzoeken. Inmiddels wist ik al dat ze een dochter hadden die aan de Climping Academy studeerde.

De bewoners van het groen geschilderde huis heetten Ned en Jean Dornan. Hij werkte voor de planologische afdeling van de gemeente, hoewel er niet bij stond wat hij daar deed. Ik liep de bibliotheek uit naar mijn auto en reed naar huis. Het was inmiddels half vijf en ik moest nog heel wat doen. Ik ging aan mijn bureau zitten. Het lampje op mijn antwoordapparaat knipperde vrolijk. Er waren blijkbaar een heleboel berichten en ik had het vermoeden dat ze allemaal te maken hadden met het artikel in de krant. Ik had geen zin om daarnaar te luisteren. Er zaten vast mensen tussen die ik al in geen jaren had gesproken, dus waarom zou ik hun ook maar iets vertellen? Ik trok de onderste la open en pakte de telefoongids eruit. Ik bladerde erdoorheen tot ik het telefoonnummer voor het gemeentehuis had gevonden. Ik toetste het nummer in en toen ik de telefoniste aan de lijn kreeg, vroeg ik naar de afdeling planologie. Een vrouw nam op en ik vroeg naar meneer Dornan. Ze zei dat hij niet aanwezig was en pas op maandag 2 mei terug zou zijn. Ze bood aan me met iemand anders door te verbinden. Ik bedankte haar en zei dat ik wel weer zou bellen.

Ik liep de wenteltrap op en haalde de leeslamp, de wekker en een stapel boeken van de opbergkist af die ik als nachtkastje gebruikte, en legde de spullen op de grond. Ik tilde het deksel op, pakte de 35mm-reflexcamera eruit, deed er nieuwe batterijen in, en legde die samen met twee rolletjes film apart. Daarna deed ik het deksel dicht, stofte hem af met een sok uit de wasmand en zette de spullen er weer op.

Ik geef toe dat ik op mijn intuïtie afging, maar ik had goede hoop dat ik meer over de vrouw die Audrey bij de winkeldiefstal had geholpen te weten zou komen. Ik wilde haar echter niet ontmoeten. Hoewel ze niet te kennen had gegeven dat ze me had herkend toen ik haar voor het damestoilet in Nordstrom was tegengekomen, moest ze wel hebben geweten wie ik was toen ze me omver wilde rijden. Als ik erachter wilde komen hoe ze het aanpakte, zou ik geduld moeten hebben.

Ik liep naar de Mustang, een Grabber Blue snelheidsmonster uit 1970 die ik na mijn trouwe VW had gekocht. Ik geef toe dat die auto een miskoop was. Hij was te opvallend en ik kreeg er het soort aandacht door dat ik bij mijn werk kon missen als kiespijn. Ik was maar al te bereid het bakbeest tegen een goed aanbod van de hand te doen. Ik deed het portier aan de passagierskant van het slot, maakte het handschoenenvakje open en haalde de verrekijker eruit. Ik pakte ook mijn koffertje van de achterbank af en controleerde of mijn Heckler & Koch plus een ruime hoeveelheid munitie er nog in zaten. Ik was niet van plan iemand neer te schieten, maar ik vond het wel een prettig idee om mijn wapen bij de hand te hebben. Ik legde het koffertje en het wapen in de kofferbak en deed die op slot (wat achteraf gezien maar goed was ook).

Ik liep met de verrekijker naar Henry's stationcar en legde hem bij de chauffeursstoel op de grond. Op de achterbank lag het opvouwbare windscherm dat Henry tegen zijn voorruit zette tegen de zon als hij de auto ergens had geparkeerd. Een paar weken geleden had hij een paar gaten in het karton gemaakt zodat ik een vervelende klant kon bespioneren die ik tijdens een opdracht had leren kennen. Ik legde het kartonnen scherm op de grond voor de passagiersstoel.

Thuis ging ik weer aan mijn bureau zitten en toetste het nummer in van het groene huis. De telefoon ging vijf keer over en toen kreeg ik het antwoordapparaat. Een bandje zei: 'Er is momenteel niemand aanwezig om de telefoon aan te nemen. Bel op een ander tijdstip terug, misschien dat we er dan wel zijn. Dank u.' Ned en Jean waren blijkbaar op vakantie.

Al neuriënd maakte ik een boterham met pindakaas en augurk voor mezelf klaar. Ik sneed hem schuin door, verpakte hem in bakpapier en stopte hem in een bruin papieren zakje. Ik haalde een vaatdoekje uit de linnenkast, maakte dat nat, kneep hem zo veel mogelijk droog en deed hem vervolgens in een afsluitbaar plastic zakje dat ik in mijn schoudertas stopte. Hij was bedoeld om mezelf na het eten op te frissen. Ik ben ontzettend netjes als ik aan het posten ben. Tot mijn grote vreugde waren de chips die ik in mijn tas had gestopt nog heel goed eetbaar. Ik goot warme koffie in een thermoskan en zette die naast de bruine papieren zak. Ik pakte het klembord en stak een schrijfblok onder de klem. Vervolgens voegde ik er nog twee pocketboeken, een spijkerjasje, de camera en de filmrolletjes, een honkbalpetje en een donker shirt met lange mouwen aan toe. Het leek wel alsof ik een weekje uit logeren ging.

Daarna ging ik naar het toilet, want het kon wel eens uren gaan duren voordat ik weer de kans kreeg. Onderweg naar Juniper Lane ging ik langs bij de supermarkt en kocht een rol koekjes, want die heb ik gewoon nodig als ik surveilleer. Zonder koekjes vind ik mezelf erg zielig.

Ik parkeerde aan Santa Teresa Street, zette de honkbalpet op, sloot de auto af en keek even snel om me heen. Ik liep de straat door naar Orchard Road. De bocht om en twee straten verder aan de linkerkant kruiste Orchard Road State Street. Vanwaar ik stond, maakte de straat een brede bocht naar rechts om de muur van een klooster. Ik volgde de bocht te voet en kwam uit in Juniper Lane. Ik keek om me heen op zoek naar een plek waarvandaan ik het huis in tudorstijl onopvallend in de gaten kon houden. Hier golden dezelfde regels als in Horton Ravine. Als er iemand een paar minuten in een geparkeerde auto bleef zitten, werd dat als verdacht beschouwd. Ik liep door Juniper Lane, en lette goed op de parkeerplaatsen die beschikbaar waren doordat de eigenaar van het groene huis er niet was. Links van de garage was er genoeg ruimte om een bestelauto of een caravan neer te zetten. Die stonden er niet, wel een U-vormig hek van kippengaas begroeid met haagwinde.

Ik liep terug naar de auto, startte de motor en sloeg rechts af Santa Teresa Street in en vervolgens Juniper Lane in zoals ik dat ook te voet had gedaan. Ik vroeg me af wat er zou gebeuren als ik de auto op de perfecte plek neerzette en de bewoner plotseling thuiskwam. Hoewel het me erg stug leek. Voor zover ik wist waren de Dornans de stad uit. Hij zou pas op maandag weer gaan werken, al sloot dat de mogelijkheid niet uit dat hij wat vroeger terug zou komen om het weekend thuis te vieren. Als dat zo was, wat moest ik dan zeggen?

Ik had werkelijk geen idee.

Ik reed een meter of twee door langs de plek en draaide er toen achteruit in, wat nog niet meeviel met die stationcar, want ik had er nog niet vaak achteruit mee ingeparkeerd. Ik reed daarna weer een stukje naar voren om mooi recht te komen staan en weer voorzichtig naar achteren tot aan het hek, dat heen en weer schudde toen de bumper er tegenaan stootte. Ik draaide het raampje naar beneden en zette de motor af. Ik klapte het scherm op en zette het op zijn plaats. Ik werd door het hek aan mijn rechterkant en de garage links van me aan het oog onttrokken. Het scherm hield het daglicht voor de helft tegen zodat het er erg gezellig uitzag. Ik boog me over het stuur heen en tuurde door de gaatjes in het bordkarton naar het tudorhuis aan de overkant van de straat. Het elektrische hek stond maar een meter of vijftien verderop. Ik kon het hele huis zien en een gedeelte van de driedeursgarage. Als Georgia Prestwick in haar Mercedes of in een andere auto aan kwam rijden, zou ik dat niet alleen prima kunnen zien, het zou ook nog duidelijk zijn welke kant ze op ging. Ik keek op mijn horloge. Het was kwart voor zes. Ik pakte het klembord en schreef de tijd op wat me het gevoel gaf iets nuttigs te doen in plaats van mijn tijd te verspillen.

Ik had mijn indexkaartjes meegenomen en bestudeerde ze alsof ik er een proefwerk over zou krijgen. Het was inmiddels een week geleden dat Audrey was gearresteerd, gevangen werd gezet en op borgtocht was vrijgelaten. Als zij nog had geleefd en zich aan haar normale routine had gehouden, zou morgen haar zaterdag in San Luis Obispo zijn, en zou ze doen wat ze dan ook met die mensen die met het busje werden aangevoerd uitvoerde. Ze knipten vast de prijskaartjes van de gestolen goederen, en misschien sorteerden en verpakten ze ze ook om weer te verkopen. Waarom zouden er anders zo veel mensen om de week bij elkaar komen? Het was waarschijnlijk dusdanig opgezet dat áls Audrey of een van de andere tussenpersonen wegviel, alles gewoon door kon gaan. Ze hadden vast een plan achter de hand, of in elk geval tot er iemand anders haar plaats in de hiërarchie in kon nemen.

Audrey en Georgia hadden samengewerkt en er waren ongetwijfeld nog veel meer van dat soort teams actief. Er moest ook een heler bij zijn en iemand die de goederen vervoerde. Als ik het me goed kon herinneren van toen ik nog bij de politie zat en van wat Maria had gezegd, werden bepaalde spullen, zoals babyvoeding, schoonheidsproducten, nicotinepleisters en voedselvervangers naar landen verscheept waar ze daar grof geld voor neerlegden. Andere goederen zouden onderhands en op rommelmarkten worden verkocht. Ik vroeg me af wat Georgia zou doen nu Audrey er niet meer was. Het leek me sterk dat het busje volgens schema deze week naar Audreys huis zou gaan. Het huis was leeggehaald en schoongemaakt. Er was geen vingerafdruk meer te bekennen en ik nam aan dat Vivian Hewitt er nieuwe sloten in had laten zetten, waardoor de plek hoe dan ook niet meer te gebruiken was. Er was vast alweer een nieuw plek geregeld zodat de zaken gewoon door konden gaan.

Ik at de chips op en nam een koekje om op krachten te blijven. Twintig minuten later schonk ik mezelf koffie in uit de thermoskan. Omdat het donker aan het worden was, kon ik, mocht de nood hoog worden, wel even de auto uit glippen en bij het kippengaashek neerhurken. Ik durfde de radio niet aan te zetten en verder ook niets te doen wat de aandacht op mijn schuilplek zou vestigen. Ik pakte een pocketboek en las het dankwoord in de hoop dat er iemand bij stond die ik kende. Het was een debuutroman en de schrijfster bedankte honderd mensen uitgebreid en persoonlijk. Ik werd al bang dat dat het hoogtepunt van het boek zou zijn.

Normaal gesproken zou ik blij zijn geweest met wat tijd om te kunnen lezen, maar ik was zenuwachtig en gespannen. Ik legde het boek neer en at de boterham op, me er zeer goed van bewust dat ik met een noodtreinvaart door mijn voedselvoorraad heen ging. Ik pakte het vochtige doekje en veegde mijn handen eraan af. De avond was nog niet gevallen en ik had nog een aantal uren voor de boeg. Ik was van plan Georgia te volgen zodra ze in de komende vijf uur het huis zou verlaten. Als er niets gebeurde zou ik wachten tot alle lampen in het huis uit waren en iedereen op één oor lag, en dan naar huis gaan om zelf wat te gaan slapen. Ik pakte het boek weer en sloeg het open bij de eerste bladzijde.

Ik had pas door dat ik in slaap was gevallen toen een agent met zijn zaklamp op mijn raampje klopte en me zowat een hartverzakking bezorgde. Het scherm zat nog op zijn plaats zodat ik niet naar buiten kon kijken. Ik hoorde een draaiende motor en nam aan dat die van de politiewagen was. Ik zag om het windscherm rode en blauwe flitsen, een morsecode bestaande uit punten en streepjes die de woorden 'jij bent de lul' vormden. Ik keek op mijn horloge en zag dat het na middernacht was, het was pikdonker buiten. Op de flitslichten na natuurlijk, daardoor zou iedereen in de buurt wel weten dat er iets aan de hand was. Ik draaide de sleutel een tik in het contactslot om, deed het raampje naar beneden en zei: 'Hallo. Hoe gaat het ermee?'

'U staat op privéterrein geparkeerd. Was u zich daarvan bewust?'

Ik sloeg helemaal dicht. Hoe had ik me daar nu niet bewust van kunnen zijn? Ik woonde hier niet. Ik ging de mogelijkheden na: een leugen vertellen, een smoes verzinnen, een verhaal ophangen of de waarheid zeggen. Ik ging voor het laatste. Gezien de omstandigheden zou een leugen het allemaal veel te ingewikkeld maken en daar had ik geen zin in. 'Ik ben privédetective en ik houd de vrouw in het huis aan de overkant in de gaten.'

Hij vertrok geen spier en zei rustig: 'Hebt u in de afgelopen twee uur gedronken?'

'Nee, meneer.'

'Geen wijn, bier, cocktails of zoiets?'

'Echt niet.' Ik legde mijn hand op mijn hart alsof ik trouw zwoer aan de vlag.

Hij geloofde me niet en scheen met zijn zaklamp op de achterbank en weer naar voren, duidelijk op zoek naar lege wijn-, bier- of whiskyflessen, wapens, drugs of andere illegale waar. Ik wist dat de zaklamp ontworpen was om alcohol op te sporen. Ik wenste hem er veel succes mee. Ik had geen boetes uitstaan en als hij wilde dat ik de blaasproef deed, zou dat geen resultaat opleveren, wat hij zich ongetwijfeld realiseerde toen hij met zijn speciale zaklamp zelfs geen drupje alcohol kon ontdekken. Als ik uit moest stappen om aan te tonen dat ik nuchter was, zou ik daar ook in slagen, tenzij ik het alfabet achterstevoren moest opzeggen. Dat had ik voor alle zekerheid willen oefenen, maar daar ben ik nooit toe gekomen.

'Mevrouw, kunt u even uitstappen?'

'Ja, hoor.' Ik deed het portier van het slot en maakte het open. Naast de patrouillewagen stond een agent in een portofoon te praten. Hij gaf vast het kentekennummer door. Ik mocht dan af en toe de wet een ietsepietsje hebben overtreden, maar ik zag mezelf toch als een keurige burger, die geïntimideerd raakt door de politie als ik iets verkeerds heb gedaan. Ik bevond me op privéterrein en had ook een aantal gemeenteregels overtreden, al wist ik niet welke, maar zij wel. Ik was blij dat ik me ook niet nog eens schuldig aan wildplassen had gemaakt. En ook dat ik mijn pistool in het koffertje niet binnen handbereik had gelegd.

Toen ik eenmaal op straat stond, zei de agent: 'Wilt u zich omdraaien en uw handen op de auto plaatsen?'

Hij was uiterst beleefd. Ik deed wat hij zei en werd snel maar grondig gefouilleerd. Ik wilde hem graag vertellen dat ik niet gewapend was, maar ik wist dat dat verdacht over zou komen en hij was toch al op zijn qui-vive. Dit soort zaakjes kunnen zonder waarschuwing vooraf of zonder enige reden opeens escaleren. Voor hetzelfde geld was ik in overtreding van mijn voorwaardelijke straf. Misschien was ik wel op de vlucht na een aanklacht wegens moord.

'Mag ik uw rijbewijs en papieren zien?'

'De papieren liggen in het handschoenenvakje. Mag ik ze even pakken? Mijn portefeuille zit in mijn handtas.'

Hij gebaarde dat het mocht. Het was de tweede keer in vierentwintig uur dat ik me moest identificeren. Ik ging weer zitten en maakte het dashboardkastje open. Henry was uiterst nauwgezet in dat soort dingen, dus ik kon mijn hand ervoor in het vuur steken dat alle papieren, inclusief de verzekeringspolis, erin zouden liggen. Het lag er inderdaad en ik overhandigde de papierhandel aan de agent. 'De auto is van mijn huisbaas,' zei ik. 'Hij is de stad uit en ik mocht zolang in zijn stationcar rijden zodat de accu niet leegraakte.' Ik vond het niet prettig dat ik zittend met hem moest praten, maar ik wilde niet weer de auto uit tenzij hij me dat opdroeg. Als u niet dood wilt worden geschoten door een agent, heb ik een paar tips voor u: doe precies wat u wordt opgedragen. Ga er niet tegenin. Wees niet brutaal of tegendraads. Ren niet weg. Rijd niet met uw auto de aardige agent omver die u aangehouden heeft. Mocht u zo stom zijn om toch een van bovenstaande dingen in praktijk te brengen, dan moet u niet gaan klagen als u gewond raakt en dan mag u ook geen aanklacht indienen.

Ik wilde zeker weten dat hij toekeek terwijl ik mijn portefeuille uit de tas haalde zodat hij niet zou denken dat ik er een kleine dubbelloops Derringer uit tevoorschijn zou toveren. Ik pakte mijn rijbewijs en een kopietje van mijn vergunning als privédetective uit mijn portefeuille en overhandigde die aan de agent. Hij las beide en keek me eens aan, wat ik beschouwde als een soort aanmoediging, zoiets van ordehandhavers onder elkaar. Op zijn naamplaatje stond *P. Martinez*, hoewel hij er niet echt Latijns-Amerikaans uitzag. Ik vroeg me af of het feit dat ik me afvroeg of hij Latijns-Amerikaans was racistisch was, maar dat leek me niet.

Hij liep naar de patrouillewagen en overlegde met de andere agent. Ik maakte gebruik van zijn afwezigheid om weer uit te stappen. De twee kwamen mijn kant op. Uiteraard werden we niet aan elkaar voorgeteld. P. Martinez was lang en een tikje stevig, halverwege de veertig en met alles erop en eraan: insigne, riem, pistool, wapenstok, zaklamp, sleutels, portofoon. Hij was een eenmansleger, op alles voorbereid. Zijn partner, D. Charpentier, was zo te zien in de vijftig en had zich eveneens volledig volgehangen met misdaadbestrijdende spullen. Bij een vent staat dat wel sexy. Bij een agente krijg je alleen maar de indruk dat ze te dik is. Ongelooflijk dat vrouwen zich vrijwillig zo kleden.

Agent Martinez zei: 'Kunt u hem vertellen wat u zojuist aan mij hebt verteld?'

'De lange of de korte versie?'

'Neem de tijd,' zei hij.

'Ik houd een vrouw in de gaten die aan de overkant woont. Ze heet Georgia Prestwick. Afgelopen vrijdag was ik in Nordstrom getuige van een winkeldiefstal door een vrouw genaamd Audrey Vance, die inmiddels van de Cold Spring-brug is gesprongen. Dit moet u allemaal bekend zijn.' Ik keek of ze een blijk van herkenning gaven toen ik het over Audrey had, maar daar waren ze veel te professioneel voor. In elk geval luisterden ze inmiddels wel aandachtig. 'Audrey werd in hechtenis genomen, hoewel ik helaas niet weet hoe de desbetreffende agent heet. Georgia Prestwick was Audreys kompaan en zij gebruikte de afleiding om de winkel te verlaten. Ik ging haar achterna en toen ze doorhad dat ik haar volgde, wilde ze me omverrijden.'

Het kwam nogal belachelijk over, maar ik was er nu eenmaal mee begonnen, dus ging ik maar door.

Agent Charpentier had nog steeds mijn rijbewijs en het kopietje van mijn vergunning als privédetective bij zich en hij scheen ze nauwgezet te bestuderen terwijl ik doorging met mijn verhaal en Maria Gutierrez' naam liet vallen voor het geval een van de heren haar kende.

Afsluitend, zei ik: 'Ik denk dus dat mevrouw Prestwick voor een bende werkt. Ik hoop dat jullie me nu niet gaan vertellen dat zij het alarmnummer heeft gebeld.'

De agenten keken elkaar heimelijk aan en ik wist meteen dat ze het artikel in de krant hadden gelezen waarin Diana Alvarez mij bij name had genoemd. Ik mocht dan niet gedronken hebben, maar zij hadden uit betrouwbare bron vernomen dat hun collega Len Priddy mij getikt vond.

Agent Martinez gaf me de papieren terug. 'Er heeft niemand gebeld. We komen hier twee keer per dag langs, houden het huis voor de eigenaar in de gaten als hij de stad uit is. Mijn partner zag u staan. Technisch gesproken kunnen we u op de bon slingeren omdat u op verboden terrein staat, maar dat zien we door de vingers als u nu weggaat.'

'Dank u wel. Dat waardeer ik enorm.'

Ik wierp een blik op het tudorhuis aan de overkant. Er brandde geen licht, maar dat wilde nog niet zeggen dat er niemand door een raam op de eerste verdieping stond te gluren, nieuwsgierig geworden door het zwaailicht dat de nacht fel verlichtte als een mortieraanval. Het was trouwens toch beter om maar gewoon weg te gaan zoals ze me hadden verzocht. Als de Prestwicks inderdaad stonden te kijken, konden ze maar beter denken dat ik dronken was of een zwerfster die in haar auto woont. Daar was de politie ook voor, om de buurt te beschermen tegen mensen zoals ik.

Ik stapte in. Ik haalde het scherm weg en gooide het op de achterbank. De twee agenten liepen terug naar hun auto, en sloegen hun portier de een na de ander dicht. Ze wachtten tot ik wegreed en reden vervolgens een paar kilometer achter me aan om er zeker van te zijn dat ik niet rechtsomkeert maakte en weer op dezelfde plek ging staan. Toen zij afsloegen, zwaaide ik even en reed door naar huis. Niet te geloven toch, dat agenten zo weinig vertrouwen in mij hadden.

18

Nora

Channing kwam op zaterdagmiddag aan in Montebello. Hij was zo attent geweest haar vanuit Malibu te bellen om door te geven dat hij onderweg was. Zij vermoedde dat de werkelijke reden was dat hij wilde kijken hoe de vlag erbij hing, of ze nog niets doorhad. Ze had zo vriendelijk mogelijk gedaan over de telefoon, het gesprek in de juiste banen geleid en het vlot en luchtig gehouden. Er was in elk geval niets te merken van de spanning en de woede die hij vast had verwacht. Tijdens het gesprek merkte ze dat hij zich ontspande en dat zijn toon opgelucht werd. Ze vertelde hem in het kort wat ze die woensdagmiddag had gedaan, met net genoeg details om het geloofwaardig over te laten komen. Ze wist dat hij absoluut niet wilde dat ze ervan op de hoogte zou zijn. Hij was dol op Thelma en wilde haar koste wat kost houden. Uiteindelijk zou hij genoeg van haar krijgen, maar voorlopig was de affaire net zo opwindend en enerverend als een spionageroman.

Nora hoorde de banden van zijn auto knarsen op het grind van de oprit. Ze liep diep inademend naar beneden als een actrice die zich voorbereidde op haar rol. Woensdagavond zat ze goed. Het symfonieorkest had anderhalf uur gespeeld. Naderhand had ze met Belinda en Nan wat in de bistro aan de overkant van de straat gegeten. Nora had betaald zodat Channing het zou zien als de afrekening van Visa binnenkwam. Mocht hij toch nog twijfels hebben, dan lag het concertprogramma op de eetbar waar ze het per ongeluk expres had laten liggen. Nu hoefde ze alleen nog uit te leggen waarom de kleding weg was.

Channing kwam via de garage waar hij de auto neer had gezet de keuken in. Hij had de post uit de brievenbus meegenomen en was de tijdschriften van de catalogussen aan het scheiden. Hij legde beide stapels op de eetbar en wierp een blik op het programma. 'De zesde van Mahler. Ik wist niet dat je dat mooi vond.'

Nora glimlachte terwijl ze hem haar wang voorhield voor een kus. 'Dat wilde Nan graag. Ze had een biografie gelezen waarin stond dat hij de melodie gejat had van een pianoconcert van Weber. Er was ook grote heibel over of het scherzo nu voor of na het andante zou komen. Het zal je wel niet interesseren, maar ik vind het leuk om dat soort achtergrondinformatie te hebben.'

'Als je er maar van genoten hebt.'

'Dat zeker. Heel erg zelfs. Sissy en Jess waren er ook, maar we kregen de kans niet om met elkaar te kletsen. En jij? Hoe ging het woensdagavond?'

'Ik ben toch maar niet gegaan. Ik had gewoon geen zin meer.'

'O, nee? Maar je leek er zo happig op te zijn.'

'Ik had een zware dag op kantoor achter de rug en ik had er gewoon geen zin in om me in een smoking te hijsen. Ik ben onderweg naar huis even langs Tony gegaan voor een portie spareribs.'

'Stoute jongen. Als ik had geweten dat je zou gaan spijbelen, was ik met je meegegaan. En de tafel voor tien dan?'

'Ik neem aan dat er nu twee stoelen onbezet waren in plaats van één stoel.'

Ze glimlachte. 'Nou ja. Het geld gaat in elk geval naar een goed doel, en daar gaat het om.'

'Moeten we vanavond nog ergens naartoe?'

'Een dinerafspraak met de Hellers in Nine Palms.'

'Hoe laat?'

'We hebben daar om half zeven afgesproken voor een drankje vooraf. De tafel is voor zeven uur gereserveerd, maar Mitchell zei dat we zo laat mochten komen als we wilden, dat hij wel een plaatsje voor ons vrij zou houden.'

'Mooi. Daar heb ik zin in.'

Nora haalde de theeketel van het fornuis en liep ermee naar de gootsteen waar ze hem vulde met gefilterd kraanwater. 'Heb je gezien dat al mijn avondkleding weg is?'

Ze zag dat hij meteen op zijn hoede was. 'Ik ben net binnen.'

'Niet hier, in Malibu.'

Hij haalde een brief uit een envelop en keek er even naar. ‘Nee, is me niet opgevallen,’ zei hij. ‘Hoe dat zo?’

‘Ik heb mevrouw Stumbo er woensdag naartoe gestuurd om alles op te halen. Ik had je het wel over de telefoon willen vertellen, maar ik had je al een keer gebeld, en zo belangrijk was het nu ook weer niet.’

‘Je mag altijd bellen, hoor.’

‘Dank je. Dat is lief van je, maar ik wil je niet storen met onbenullige dingen. Maar goed, ik besefte opeens dat ik er deze week niet meer naartoe zou gaan, dus heb ik haar opgedragen het te regelen. Ze heeft de hele lading naar de stomerij gebracht, dus dat is tenminste klaar.’

‘Ik snap het even niet. Heb ik iets gemist?’

‘De voorjaarsschoonmaak. Kastenopruiming. Een paar van die japonnen zijn al erg oud en de helft past me niet meer. Ik wil de mooiste houden en de rest schenk ik aan het Modemuseum.’

Ze zette de ketel op het fornuis en stak het gas aan. ‘Wil je ook een kopje thee?’

‘Nee, dank je. En als je ze nu nodig hebt?’

‘Tja, dan zal ik gewoon een nieuwe moeten kopen. Je weet wat een hekel ik daaraan heb,’ zei ze met een glimlach.

‘Je zou er dan misschien wel voor naar New York moeten,’ zei hij, even schertsend als zij.

‘Precies.’

Het eten in de club was aangenaam. Er hing daar een ouderwetse stoffige sfeer, als in het huis van een rijke ongetrouwde tante. De ooit kostbare meubels waren bekleed met perzikkleurig brokaat dat betere tijden had gekend. De banken en stoelen stonden in een kring bij elkaar. Er zaten wat dunne kussens tussen en de armleuningen waren hier en daar versleten, maar om dat alles te vernieuwen zou betekenen dat het lidmaatschapsgeld omhoog zou gaan, en dat zou een eindeloze stroom tegenwerpingen en klachten op gang brengen. De meeste gasten waren stellen van in de zeventig en tachtig, wier huis steeds meer waard was geworden terwijl hun pensioen door de grillige economie steeds minder werd. De zogenaamde jongere leden waren in de vijftig en zestig, wellicht financieel gezien wat beter af, maar met hetzelfde voorland. Oude vrienden vielen stuk voor stuk weg en uiteindelijk zouden ze blij zijn om een avond door te kunnen brengen met de weinige gammele kennissen die er nog over waren.

Robert en Gretchen waren zoals altijd tien minuten te laat. Omdat ze consequent te laat kwamen, vroeg ze zich af waarom ze dan niet op tijd konden komen. Ze hadden elkaar na de kerstvakantie niet meer gesproken, dus praatten ze elkaar bij de borrel bij. Ze hadden een gezellige doch oppervlakkige vriendschap. Ze waren alle vier fervente Republikeinen, waardoor het algauw over politiek ging aangezien ze het toch met elkaar eens waren. Nora had de Hellers in Los Angeles leren kennen, even voordat ze met Channing trouwde. Robert was plastisch chirurg en had tien jaar geleden een hartaanval gehad. Hij was toentertijd tweeënvijftig geweest en had meteen zijn werk tot twee dagen in de week beperkt. Gretchen was zijn eerste en enige vrouw, ook begin zestig, maar dat was knap verdoezeld. Ze had grote groene ogen, platinablond haar en een mooie huid. Haar borsten waren nep, maar dat viel niet meteen op.

De Hellers waren de eersten die iets in Montebello hadden gekocht: een huis in Nine Palms van vijfhonderdvijftig vierkante meter in een rustieke stijl. Het stond op een ommuurd stuk grond dat voorzien was van een golfbaan en waar nog meer percelen van een halve hectare aan werden geboden in een veilige omgeving met gelijkgestemde zielen. Robert was kaal, gezet en een halve kop kleiner dan Gretchen. De twee waren erg dol op elkaar en Nora benijdde hen wel. Dit keer was ze met name blij met hun gezelschap omdat ze daardoor een aangenaam gesprek kon voeren met luchtige en onbeduidende onderwerpen. Nora bleef charmant, maar wist toch afstand van haar man te bewaren. Af en toe zag ze dat hij haar bevreemd aankeek, alsof hij iets aan haar merkte maar niet precies wist wat het nou was. Hij zou het haar nooit durven vragen voor het geval ze hem iets zou vertellen wat hij niet wilde weten.

Na de drankjes in de salon gingen ze naar de eetzaal waar ze het tweede rondje drank bestelden en de menukaarten bestudeerden. Er was een aantal verrassend redelijk geprijsde hoofdgerechten. Waar kon je elders een grote steak of biefstuk Stroganoff met een salade en nog twee bijgerechten voor 7,95 dollar krijgen? Het waren gerechten uit de jaren vijftig, geen modieus gedoe, geen pittige of buitenlandse gerechten. Nora zat te dubben tussen een gebakken tong en een gebraden kippetje met aardappelpuree toen Gretchen zich naar voren boog en haar hand op Roberts mouw legde. ‘Lieve hemel. Je gelooft niet wie er net binnen komt zetten.’

Nora zat met haar rug naar de deur, dus ze had geen idee over wie Gretchen het had. Robert wierp een discrete zijdelings blik en mompelde: 'Shit.'

Twee mannen liepen achter de ober aan langs de tafel. De voorste kende Nora van gezicht hoewel zijn naam haar zo gauw niet te binnen schoot. De achterste was Lorenzo Dante. Ze sloeg haar ogen neer en haar wangen werden rood. Hoewel hij alle recht had daar te zijn, was hij wel de laatste persoon die ze bij Nine Palms had verwacht. Ze had het gesprek met hem uit haar hoofd gezet en wilde niet meer denken aan de rare onderhandelingen over de ring. Ze had de ring weer in het sieradenkistje gestopt en had spijt dat ze die vijfenzeventigduizend dollar had afgewezen. Ze had het moeten aannemen.

Nora boog naar voren. 'Wie is dat?'

Zachtjes zei Gretchen: 'De zoon van Lorenzo Dante. Hij wordt Dante genoemd.' Met haar mond vormde ze het woord 'maffia'.

Robert zag dat en zei geërgerd: 'Godsamme, Gretchen, hij is niet van de maffia. Hoe kom je daar bij?'

'Nou ja, net zoiets,' zei ze. 'Dat heb je me zelf verteld.'

'Helemaal niet. Ik heb gezegd dat ik ooit een keer zaken met hem heb gedaan. En dat hij een zware jongen was.'

'Je zei wel wat meer, en dat weet je ook wel,' antwoordde ze.

De ober had de twee mannen naar een hoektafel geleid en Nora merkte dat Dante met zijn gezicht naar haar toe zat en dat ze hem net over Channings schouder kon zien. De tegenstelling was frappant, Channing slank en Dante stevig. Channing was witblond en zijn haar was aan de slapen kort geknipt en bovenop iets langer gelaten. Zijn wenkbrauwen waren nauwelijks zichtbaar en hij had een smal gezicht. Dante had zilvergrijs haar en een iets bruinere huid. Donkere wenkbrauwen, grijze snor, kuiltjes in zijn wangen. Afgezet tegen Channing was het duidelijk hoe benepen haar echtgenoot eruitzag. Misschien was dat te wijten aan zijn geheime leven. Nora had Channing altijd knap gevonden, maar nu was ze daar niet meer zo zeker van. Hij zag bleek en was duidelijk wat afgevallen. De kelner kwam aan lopen en ze bestelden hun maaltijd en een fles Kistler chardonnay.

Ze merkte dat ze alles van een afstandje zat te bekijken, iets wat de laatste tijd maar al te vaak voorkwam. Het was duidelijk dat Robert het niet wilde hebben over de zaken die hij met Dante deed. Gretchen zou haar vast wel op de hoogte brengen zodra ze daar de kans voor kreeg. In hun wereldje was roddel een soort sport. Er waren geen feiten, alleen roddels en insinuaties. Men kreeg punten voor een sappig verhaal, ook al was er niets van waar. Ze wist alleen dat Dante voor haar in de bres was gesprongen. En dat hij haar een uitweg had geboden.

Ze richtte zich weer op het gesprek dat Robert en Channing voerden en hoorde hem een lunch met een rondje golf voorstellen.

'Heb je een baan geregeld?'

'Dat hoeft niet op zondag. Dan is het nooit druk. Zeg maar hoe laat.'

Channing ving Nora's blik op. 'Kan het wat jou betreft?'

'Ja, hoor.'

Het gesprek ging door over Roberts laatste golfpartijtje. Hij had in het weekend ervoor in Pebble Beach gespeeld en de twee mannen bespraken de golfbaan. Gretchen en zij speelden geen golf, dus de mannen konden rustig doorpraten zonder dat de vrouwen zich ermee hoefden te bemoeien. De salade werd geserveerd en het gesprek ging dit keer over de cruise naar het Verre Oosten die de Hellers eind juni gingen maken. Ze vergeleken cruisemaatschappen en Nora kon moeiteloos haar steentje bijdragen. Als ze eenmaal afstand had genomen, ging alles een stuk vlotter.

Channing schonk haar nog een glas wijn in. Hij glimlachte toen hun ogen elkaar ontmoetten, maar er zat geen gevoel achter. Ze miste de romantiek van toen ze elkaar nog maar net kenden. Nu kreeg Thelma alles wat ze zo leuk aan hem had gevonden. Om eerlijk te zijn had ze Channing in de afgelopen paar jaar ook weinig van zichzelf gegeven. De afstandelijkheid was niet te wijten aan de affaire, het was een gewoonte van haar.

De tong was de verkeerde keuze geweest. Hij was wit en smakeloos en lag in een plas gesmolten boter. Nora nam af en toe een hapje en na de hoofdmaaltijd ging ze even naar het damestoilet. Ze ging naar de wc en kamde daarna haar haar en werkte haar lipstick bij. Ze had het erg knap gevonden van zichzelf dat ze haar gevoelens voor Channing verborgen had weten te houden en dat hij geen idee had wat ze allemaal wist. Maar door net te doen of het haar niet kon schelen, was het haar inderdaad worst geworden. Het leek haar niet te lukken om de liefde die ze vroeger voor hem koesterde weer op te roepen.

Toen ze uit het damestoilet stapte kwam Dante door de gang aan lopen. Er ging een steek door haar hart, maar of dat nu door de zenuwen of ongerustheid kwam wist ze niet. Hij had een lichtgrijs pak aan en een donkergrijs overhemd met een zwarte stropdas. Hij leek zo net een gangster, maar daar was hij zich niet van bewust of hij trok zich er niets van aan. Ze wist dat hij van tafel weg was gegaan om haar te onderscheppen.

Ze zei: 'Wat doe je hier?' Het kwam er op de een of andere manier beschuldigend uit, wat niet de bedoeling was geweest.

'Ik had je verteld dat ik hier zou zijn. Ik ben uit eten met een vriend.'

'Ik dacht dat je maar iets zei.'

'Dat is zo. Maar toen jij mijn kantoor uit was, wou ik de vent wel eens zien die het geluk had met jou getrouwd te zijn. Volgens mij weet hij niet wat voor mazzelkont hij is.'

Ze sloeg haar ogen neer. 'Ik moet weer terug.'

'Ga anders morgen een drankje met me drinken, alleen wij tweetjes.'

'Ik drink niet.'

'Je had een glas wijn bij het eten. We moeten even praten.'

'Waarover?'

'Over waarom je met zo'n klootzak bent getrouwd.'

'Hij is geen klootzak.'

'Nou en of. Alleen besef jij het nog niet. Ik ken dat type wel. Hij ziet er zo op het eerste gezicht goed uit, maar in wezen is het een zak stront.'

Nora's wangen werden rood. 'Mijn vriendin zei dat je bij de maffia zit.'

Hij glimlachte. 'Wat een compliment, alleen klopt het niet. Ik zit in een andere richting.'

'Je bent een misdadiger.'

Hij glimlachte. 'Klopt als een bus. Ik ben een regelrechte schurk,' zei hij. 'Schenk me morgen een uurtje van je tijd. Dat is toch niet te veel gevraagd?'

'Het gaat niet.'

'Er is een tentje aan State Street genaamd Down the Hatch. Het staat in de telefoongids. Het is een obscuur tentje, dus je zult er geen bekenden tegenkomen.'

'Channing en ik moeten ergens naartoe.'

'Zeg dat maar af. Om één uur. Dan is er helemaal niemand.'

'Waarom zou ik dat doen?'

'Ik wil even ergens rustig en in het donker uitgebreid naar je kunnen kijken.'

'Dat lijkt me geen goed plan.'

'Ik zou het een lunchafspraak kunnen noemen, maar dan denk jij weer dat het een date is en dan zou je het afslaan.'

'Nee, dank je.'
'Denk erover na.'
Ze wilde iets zeggen, maar hij legde zijn vinger op haar mond. Het contact was kort maar verrassend intiem. 'Pardon,' zei ze en ze liep weg.
Toen Nora weer aan tafel kwam had Channing het over vallen. Ze vond het raar dat zoiets ter sprake was gekomen. Ze ging zitten en zei: 'Vallen? Hoe komen jullie daar nu weer bij?'
Gretchen zei: 'Jullie tuinman zegt dat hij last heeft van coyotes.'
Nora besefte dat meneer Ishiguro Channing had verteld over de coyotepoep die hij haar woensdag toen ze daar was had laten zien. Aangezien ze hem had verteld dat ze mevrouw Stumbo er naartoe had gestuurd, moest ze net doen of ze er niets van wist. Zelfs als meneer Ishiguro had gezegd dat ze er was geweest, was zijn Engels zo slecht dat Channing het toch niet had gesnapt. 'Wat is er met de coyotes?' vroeg ze.
Channing maakte een ongeduldig gebaar. 'Ze komen ons terrein op. Ze schijten overal. Meneer Ishiguro beweert dat hij het mannetje over de muur tussen ons en de Fergusons heeft zien springen. Verleden week zijn Karens twee katten verdwenen. Dat heb ik je verteld.'
'Ze had ze ook niet buiten moeten laten. Jij zei zelf ook dat dat onverantwoordelijk was.'
'Daar gaat het niet om. Het punt is dat ze steeds brutaler worden. Als ze eenmaal niet meer bang zijn voor mensen, worden ze pas echt gevaarlijk. Meneer Ishiguro stelde vallen voor en ik heb hem daar toestemming voor gegeven.'
'Voor vallen? Maar dat zijn vreselijke dingen. Ze kunnen een poot zo doormidden breken. Als het arme beestje niet doodbloedt, vergaat hij van de pijn. Waarom laat je zoiets barbaars toe? We hebben nooit last gehad van die coyotes.'
'Het zijn roofdieren. Ze eten van alles: vogels, vuilnis, rottend vlees. Je kunt het zo gek niet bedenken.'
Gretchen zei: 'Daar kan ik je nog iets gruwelijks over vertellen. De shih tzu van een vriendin van ons werd meegesleurd en zijn ingewanden werden eruit gescheurd. Ze stond er nota bene bij. De arme hond bloedde vreselijk en ging tekeer als een mager speenvarken. Ze zei dat ze nog nooit zoiets ergs had meegemaakt. Ze heeft meteen een geweer gekocht en dat staat nu bij de achterdeur. Ze gaat alleen nog maar gewapend naar buiten.'
'Belachelijk gewoon,' zei Nora.

Gretchen zei: 'Daar ben ik het niet mee eens. Zelfs in ons huis hoor je ze 's avonds janken. Net een bende indianen die op het punt staan aan te vallen. Ik krijg er de kriebels van.'

'Dan kan ik maar beter mijn pistool geladen laten,' zei Channing met een glimlach. 'Als de vallen niet werken, kan ik ze nog altijd op het terras neerschieten.'

'Heb jij een pistool?' wilde Gretchen weten.

'Maar natuurlijk.'

'Goh, dat had ik niet van je verwacht.'

'Hou op,' snauwde Nora. 'Als die man vallen zet, ontsla ik hem.'

'Dan moet je snel wezen. Hij heeft gisteren de vallen gehaald en hij gebruikt kippeningewanden als aas.'

'Dat werkt niet,' zei Robert. 'Daar zijn ze veel te slim voor. Als ze de lucht van een mens opvangen zijn ze al weg.'

Nora pakte haar tas en stond op. 'Ik ga naar de auto. Ik vind het walgelijk om over dat soort dingen te praten.'

Onderweg naar huis deed Channing zijn best om haar humeur wat op te krikken. 'Het was maar een grapje,' zei hij.

'Ik vind dierenleed anders helemaal niet grappig.'

'Wat heb je toch?'

'Godver, Channing, we hebben er nauwelijks last van. Coyotes waren daar al lang voordat wij er kwamen wonen. Wij hebben hun gebied ingenomen. Waarom laat je ze niet gewoon met rust?'

'O, ben je opeens milieubewust geworden?'

'Doe niet zo hatelijk. Dat is nergens voor nodig.'

'Nou, jij blaast anders wel heel hoog van de toren. Doe me een lol, zeg.'

'Ga nou niet mij de schuld geven.'

'Ook goed. Maar de Hellers waren behoorlijk in hun wiek geschoten omdat jij zo tekeerging.'

Ze legde haar hoofd tegen de stoel. 'Daar kan ik me echt niet druk om maken.'

'Waar maak jij je eigenlijk wel druk om?'

'Dat zou ik zo gauw niet weten.'

Ze vrijden die avond, wat gek was, gezien de spanning die er tussen hen hing. Zij had het initiatief genomen, aangewakkerd door woede en wanhoop. De affaire van Channing met Thelma was als een duister afrodisiacum. Als die vrouw concurrentie was, laat haar hier maar eens tegenop kunnen. Ze ging boven op hem zitten en bereed hem tot ze beiden wild werden. Hij gooide haar op haar rug, sleepte haar naar de rand van het bed, tilde haar billen op en nam haar staande. De agressie was nauwelijks onderdrukt er was iets ruws in de manier waarop ze bezig waren. Ze mocht dan geen liefde voelen, maar in elk geval voelde ze iets en het was intens en dringend.

Na afloop lagen ze buiten adem naast elkaar, en toen hij zijn hoofd omdraaide om naar haar te kijken, wist ze dat hij er weer was. In zijn gezicht ontdekte ze de Channing van wie ze eens had gehouden, de Channing die van haar had gehouden, ook al had ze toen een gebroken hart en was ze halfdood geweest en waren alle gevoelens uit haar gezogen zodat er alleen nog stof over was. De tranen schoten haar in de ogen en ze draaide zich op haar zij zodat hij ze niet kon zien. Ze had zich weer in de hand kunnen krijgen als hij niet zo lief was geweest. Hij zei: 'Gaat het?'

Ze schudde het hoofd. Ze ging op haar rug liggen en bedekte haar ogen terwijl de tranen in haar haar drupten. Ze kon zich niet meer inhouden. Ze barstte in snikken uit en huilde als toen ze nog jong was en verdriet en teleurstelling het hardst aankomen. Ze huilde als toen ze volwassen was en ze zo'n grote klap te verwerken had gekregen dat ze daar niet meer overheen zou komen. Ze liet hem haar troosten, wat ze al in maanden niet had toegestaan. Ze wist nog hoe lief en geduldig hij was geweest. 'O, god, het lijkt allemaal zo hopeloos,' zei ze. Ze trok het laken over haar borsten en ging rechtop zitten met haar armen om haar knieën geslagen.

'Nee, dat is niet zo. Het is niet hopeloos.'

Hij aaide over haar haar, dat samengeklit en nat was door de tranen en het zweet van de vrijpartij.

Ze pakte een tissue van het nachtkastje en snoot haar neus. 'Kijk nou maar niet naar me. Ik zie er niet uit. Mijn gezicht is opgezet en mijn ogen lijken wel twee pingpongballetjes.'

Hij glimlachte flauw in het zwakke licht dat door het raam naar binnen viel. 'Waar ben je geweest? Ik heb je gemist.'

'Ik weet dat ik afstandelijk ben geweest, maar daar kan ik niets aan doen. Het is gewoon een stuk makkelijker om er niet bij betrokken te zijn.'

'Maar je komt altijd weer bij me terug. Dan kijk ik naar je en dan ben je er opeens weer,' zei hij. 'Kom eens hier.' Hij trok haar naar zich toe en zij ging tegen hem aan liggen. Hij was een magere man met een smalle borst en zijn huid voelde twee graden koeler aan dan die van haar. Hij rook naar seks en zweet en iets zoets.

Ze lag met haar hoofd tegen zijn schouder en zei: 'En jij, Channing? Waar ben jij geweest?'

'Nergens in het bijzonder. Ga maar lekker slapen.'

19

Op zaterdagochtend was ik om zes uur weer aan het werk. Ik had vier uurtjes slaap kunnen pakken en daarna had ik gedoucht, me aangekleed en was ik in de auto gestapt. Onderweg was ik bij McDonald's langsgegaan voor een grote koffie, een jus d'orange en een Egg McMuffin. Door de koffie en het sinaasappelsap zou ik gebruik moeten maken van een openbaar toilet, maar dat risico moest ik maar nemen. Toen ik vroeger surveilleerde had ik wel eens een tennisbalblik gebruikt om in te plassen. Niet echt handig. Het is wat dat betreft nu eenmaal erg lastig voor vrouwen. Het richten is meer geluk dan wijsheid en ik heb me de laatste tijd wel eens afgevraagd of een plastic vershouddoos niet beter zou functioneren. Een grote opening, luchtdicht deksel. Ik was nog steeds bezig de voor- en nadelen daarvan tegen elkaar af te wegen.

Ik sloeg Juniper Lane in en zette de auto aan dezelfde kant neer als waar het huis van de Prestwicks stond. Ik bevond me zo'n honderdvijftig meter van hun oprit af, waardoor ze me niet konden zien. Hoopte ik althans. Het was nog donker en toen ik op mijn gemak ging zitten, zag ik lichten vanuit Santa Teresa Street deze kant op komen. Er kwam een auto aan die uiterst langzaam reed. Ik zakte onderuit en tuurde naar de straat door de kier onder het scherm. Zelfs met het scherm op zijn plaats, wist ik dat ik zichtbaar was als iemand die langskwam recht naar binnen keek.

Een krant werd uit het raam van de auto gegooid. Ik hoorde hem op de grond ploffen en de auto reed door. Bij het volgende huis zeilde er weer een krant door de lucht. Toen de chauffeur aan het eind van de straat de bocht naar rechts nam, stapte ik uit en haastte me naar het groen geschilderde huis toe. Ik pakte de in plastic verpakte krant op van het stoepje en ging gauw weer terug. In de auto haalde ik het plastic eraf en dat legde ik op de passagiersstoel naast mijn camera en het klembord. Ik noteerde de tijd in het kader van de nauwkeurigheid. Er was verder geen enkele reden om het te doen. In theorie werkte ik om het geld van Marvin op te maken, maar hij zei dat ik die tijd naar eigen inzicht mocht gebruiken zonder er bij hem rekenschap voor af te leggen. Voorlopig deed ik het omdat ik het graag wilde doen, hoewel ik het me niet kon veroorloven dat lang vol te houden. Ik moest nu eenmaal wel werken voor de kost.

Zodra het licht was geworden, las ik de krant en wierp af en toe een blik naar buiten door de gaatjes die Henry in het scherm had gemaakt. Niet dat er veel te zien was. Ik zocht naar een artikel van de hand van Diana Alvarez, maar die had blijkbaar niets meer te vertellen. Er stonden al zes open brieven in over het voorstel om een hek te plaatsen. De helft was voor, de rest tegen. Iedereen maakte zich druk over andermans mening.

Ik zat drie uur lang toe te kijken hoe de straat langzaam tot leven kwam. Er kwam een jogger Santa Teresa Street uit, die van de linkerstoep overstak naar de overkant. Drie vrouwen lieten hun hond uit en liepen de andere kant uit. Twee mannen fietsten langs in een dunne fietsbroek en zo te zien geschoren benen. Het had geen nut om erbij stil te staan hoe enorm ik me zat te vervelen, dus bekeek ik maar weer eens mijn indexkaartjes, die ik zo langzamerhand al uit mijn hoofd kende. Surveilleren valt niet mee en iemand die zichzelf niet kan vermaken, kan er beter niet aan beginnen.

Ik was even bezig met de kruiswoordpuzzel in de plaatselijke krant. Henry vond die puzzels te eenvoudig, hij hield van het ingewikkelde werk, met woorden die achterstevoren ingevuld moesten worden of puzzels waarbij wat je in moet vullen allemaal bij elkaar moeten passen, of beroemde laatste woorden. Ik bleef hangen bij 2 verticaal: ‘God aanbeden in Ur.’ Wie weet dat soort dingen nou? Was ik nou zo dom?

Ik hoorde het geluid van metaal op metaal wel, maar pas toen ik opkeek besefte ik dat het het hek van de Prestwicks was dat openging. De zwarte Mercedes kwam zachtjes aan zoeven en reed de straat op. Ik tuurde door het gaatje in het karton en zag iets blonds toen degene aan het stuur naar rechts draaide. De moeder of de dochter, ze konden het allebei zijn. Terwijl ze voor de bocht afremde en de tweede naar rechts nam Santa Teresa Street in, draaide ik de sleutel in het contactslot om. Ik wierp het scherm op de passagiersstoel en reed om niet op te vallen met een bescheiden gangetje achter haar aan.

Op de hoek reed ik voorzichtig naar voren en ik zag de twee rode achterlichten een eindje verderop staan. Ze had de T-kruising op Orchard Road bereikt en moest stoppen voor twee auto's die de hoek om kwamen scheuren. Ze sloeg links af State Street in. Ik gaf gas en nam dezelfde bocht naar links als zij. De Mercedes stond verderop bij een kruising te wachten tot er geen verkeer van rechts meer kwam. Ze nam de bocht naar rechts. Opnieuw gaf ik gas en ik kwam een paar tellen na haar bij de kruising aan. Ook ik sloeg rechts af en ik keek meteen waar ze was.

Dit gedeelte van State Street in westelijke richting was een stuk drukker. Na een aantal flatgebouwen en maisonnettes kwamen er kleine winkeltjes. Bij het volgende verkeerslicht stonden aan de linkerkant een supermarkt en nog een paar obscure winkeltjes. Een paar straten verder was de Down the Hatch, waar ik drie avonden geleden Marvin had gesproken.

Ik had verwacht dat de Mercedes rechtdoor zou rijden, maar het knipperlicht naar links ging aan. Zodra het groen werd, draaide ze de zijstraat in naar de parkeerplaats van de supermarkt. De ondernemingen in dit gedeelte van de stad hadden een 'Grootse opening' of een 'Liquidatie-uitverkoop, alles moet weg!' en verder weinig anders. Ik bleef een stuk achter haar terwijl we over de parkeerplaats reden. Ze reed door naar het achterste vak en zette de auto voor een grote witgeverfde metalen container met een groot rood hart erop. De kofferbak van de Mercedes ging open.

Ik pakte de camera, stelde scherp en maakte de ene foto na de andere. Ik drukte af toen ze uitstapte en de motor liet draaien terwijl ze naar de kofferbak liep. Het bleek gelukkig Georgia te zijn en niet haar dochter. Ze sleurde twee overvolle zwarte vuilniszakken eruit en gooide ze in de container. Ze had waarschijnlijk de voorjaarsschoonmaak gedaan, wat ook bij mij geen overbodige luxe zou zijn. Ze stapte weer in en reed over het parkeerterrein tot ze een plekje zag. Ze ging de supermarkt in zonder achterom te kijken. Ik zette de camera weer op de stoel. Het leek me niet dat ze met criminele activiteiten bezig was, maar het kon geen kwaad om dat na te gaan.

Een paar vakken verderop kon ik de auto kwijt, ik sloot af en ging net als zij de winkel in. Het was een zonnige zaterdagochtend en ik nam aan dat zij net zoveel recht had als ik om boodschappen te doen. Ze zou niet verwachten dat ik daar ook zou zijn. Nadat ze me bijna omver had gekegeld, had ze me vast uit haar hoofd gezet. Het was druk in de winkel en er waren heel wat plekjes waar ik indien nodig rond kon hangen en de inhoud op een verpakking lezen. Ik liep door de winkel, en keek elk looppad door. Tegen de tijd dat ik Georgia ontdekte, was ze op de groenteafdeling en stond ze avocado's te betasten. Ik verliet de winkel via de dichtstbijzijnde uitgang. Het was bijna tien uur, dus de andere winkels in het centrum zouden nog gesloten zijn.

Een paar minuten later kwam ze met haar wagentje aan lopen. Ik draaide me om en bekeek aandachtig de etalage van de winkel ernaast, waar prothesen en ortheses verkocht werden. Er was weinig te zien, aangezien de winkeleigenaars het wellicht geen goed idee hadden gevonden om nepvoeten in de etalage te zetten. Uit mijn ooghoek zag ik Georgia de boodschappen in haar auto laden. Terwijl ze daarmee bezig was, liep ik terug naar de stationcar. Ik hoopte maar dat ik niet de hele dag achter haar aan hoefde te rijden terwijl zij haar zaterdagse karweitjes deed. Dat vond ik op zich niet erg, maar zelfs een auto die zo onopvallend was als die van Henry zou in het oog vallen als die steeds weer opdook.

Ze reed het parkeerterrein af en draaide links State Street in, in de richting van La Cuesta Shopping Plaza. Ik zag haar al voor me terwijl ze zich in Robinson te buiten ging aan een wilde aanval van winkeldiefstal en ik leefde helemaal op. Maar in plaats daarvan reed ze naar het parkeerterrein achter het winkelcentrum en ging naar een witte container met een grote rood hart erop. Het parkeerterrein liep snel vol en ik zette mijn auto neer met haar in mijn blikveld. Ik pakte mijn camera en maakte weer foto's van haar terwijl ze de kofferbak opendeed, ernaartoe liep en nog twee propvolle zwarte vuilniszakken eruit haalde die ze in de container gooide. Hoe die liefdadigheidsinstelling ook mocht heten, de containers zagen er hetzelfde uit en ik snapte niet waarom ze naar twee verschillende ging. Ze mocht toch zeker wel zo veel gebruikte kleding van de hand doen als ze wilde? Ik wachtte tot ze weer in haar auto zat en wegreed. Ik vond de spullen die ze weg had gedaan interessanter dan haar volgende bestemming.

Zodra ze uit het zicht was, pakte ik de camera en liep ik naar de container. HELPENDE HARTEN, HELENDE HANDEN stond er in krulletters om het hart heen. Ik maakte twee foto's van het logo. Er stond geen adres of telefoonnummer bij. Zelfs geen waarschuwing dat mensen niet zomaar even de tweedehands schoenen, kleding en textiel eruit mochten halen. Ik stond op het punt het deksel op te tillen om te zien wat er in de plastic zakken zat toen er een witte bestelbus bij de stoep parkeerde. Op de zijkant stond in grote letters HELPENDE HARTEN, HELENDE HANDEN geschilderd.

Ik liep nonchalant weg naar de ingang van het winkelcentrum. Ik bedwong de neiging om me om te draaien om te zien wat er achter me gebeurde. Ik sloeg de hoek om en wierp een blik achterom op het bestelbusje. De chauffeur had met één hand het deksel opgetild en haalde er eerst de ene en vervolgens de andere vuilniszak uit en zette ze op de stoep. Hij liet het deksel met een klap dichtvallen en liep met beide zakken naar het bestelbusje toe. Hij gooide ze achter in de wagen en sloeg de achterdeuren dicht. Ik trok me een tikje terug zodat hij me niet zou zien. Even later hoorde ik het portier met een doffe klap dichtslaan.

Ik had de camera in mijn hand en toen het bestelbusje langsreed naar de uitgang, stapte ik de promenade op en maakte snel twee foto's van de achterkant. Er was geen kentekenbewijs. Ik rende naar mijn auto, maar tegen de tijd dat ik de motor had gestart en wegreed, was de vrachtwagen al de weg op gedraaid en nergens meer te bekennen.

Het leek mij niet dat de liefdadigheidsinstelling echt bestond. De naam was zo suikerzoet dat het bijna wel nep moest zijn. Maar ik had nu wel een aanwijzing. In Californië moet elke non-profitorganisatie papieren overhandigen dat ze inderdaad legaal zijn, het adres van de instelling wordt genoteerd, de naam en het adres van de vergunninghouder alsmede van de directeuren. Dit moest allemaal beschikbaar zijn voor het publiek. Ik deed mijn ogen dicht en sloeg me op de borst. Beter kon toch niet? Eindelijk resultaat na al die uren die ik erin had gestoken.

Volgens mij bestond Georgia's taak eruit om de gestolen goederen te verzamelen en ze in de containers te gooien zodat haar kompanen die eruit konden halen. De verhuurster van Audrey had het bestelbusje al vermeld dat kwam als Audrey in haar kleine huurhuis aanwezig was. Ik vermoedde dat de chauffeur de verantwoording droeg voor het verzamelen van de zakken en het afleveren ervan in San Luis Obispo. Audrey had om het weekend gewerkt. Door haar dood was de routine ongetwijfeld in de war geschopt, maar de bende was misschien alweer volop aan de gang. Ik kon het natuurlijk mis hebben, maar ik kon zo gauw niets anders verzinnen wat net zo logisch was. Ik brak de surveillance af. Ik moest eerst nagaan of wat ik dacht klopte, maar wel zo onopvallend mogelijk.

Ik reed terug naar de bibliotheek en liep door naar de leeszaal, waar ik zowel in het huidige telefoonboek als in de bedrijvengids zocht naar Helpende harten, helende handen. Die stond niet onder 'Liefdadigheidsinstellingen' vermeld. Ook niet onder 'Sociale hulporganisaties', 'Vrouwenhuizen', 'Kerken' of 'Hulpinstellingen'. Dat verbaasde me niets. Ik kon nog op andere manieren zoeken, maar het was zaterdagochtend en dan waren de gebruikelijke mogelijkheden, zoals het gemeentearchief, gesloten. Maandagochtend kon ik ermee verder, maar voorlopig had ik pech.

Onderweg naar huis ging ik langs de supermarkt en ik was thuis even bezig om de boodschappen weg te zetten. Ik begon aan de was en zou met deze spannende bezigheden door zijn gegaan – toilet boenen, stofzuigen – als de telefoon niet was overgegaan. Ik nam aan en had Vivian Hewitt aan de lijn.

Ik zei: 'Hoi, Vivian. Hoe gaat het ermee?'

'Goed, dank je. Hopelijk vind je het niet erg dat ik je thuis bel, maar er is iets gebeurd. Bel ik ongelegen?'

'Nee hoor. Wat is er aan de hand?'

'Ik heb iets stoms gedaan en nu weet ik niet hoe ik dat goed kan maken.'

'Wauw, vertel.'

'Je vindt me vast een slecht mens.'

'Vertel het nu maar gewoon.'

'Oké, maar je zult er niet blij mee zijn.'

'Vivian...'

'Op vrijdagmorgen is Rafe gaan vissen en hij komt pas zondagavond terug.'

'Ja.'

'Ik vertel het je zodat je weet dat hij me niet kan helpen. Gisteren ben ik naar Audreys huis gegaan omdat ik daar met de slotenmaker had afgesproken en toen kwam er een koeriersdienst aanrijden. Iemand had een pakje naar Audrey gestuurd en er moest voor getekend worden. Toen ik hem vertelde dat ze er niet was, vroeg hij of ik dan wou tekenen en dat heb ik gedaan.'

Ik zei: 'Aha.'

'Ik weet niet wat me bezielde. Maar ik kreeg de kans iets te doen en die heb ik aangegrepen. Achteraf gezien was dat niet slim.'

'Weet je, ik ben niet echt de aangewezen persoon om lastige

ethische kwesties mee te bespreken. Ik had precies hetzelfde gedaan als ik jou was.'

'Maar wat moet ik nu doen? Ik voel me vreselijk schuldig. Rafe zou een toeval krijgen als hij het wist.'

'Het stelt niets voor. Bel anders de koeriersdienst op en vertel ze dat je een vergissing hebt begaan. Dan komen ze het pakje bij je ophalen en kunnen ze het aan de afzender teruggeven.'

'Daar heb ik ook aan gedacht. Het punt is alleen dat ik niet op de naam van de koeriersdienst heb gelet, dus ik zou niet weten welk bedrijf ik moest bellen.'

'Staat de naam niet op het etiket?'

'Nee,' zei ze.

'En de slotenmaker? Zou hij het zich herinneren, denk je?'

'Die was bezig met het slot op de achterdeur, dus die heeft de wagen niet gezien.'

'Heb je in de gele gids gekeken?'

'Ja, maar geen van de namen kwam me bekend voor. Daarom belde ik je. Ik kan het pakje natuurlijk openmaken, maar ik wou pas iets doen nadat ik jou had gebeld, voor het geval je erbij wou zijn.'

'Maak het maar gewoon open. Het heeft geen nut om helemaal naar je toe te rijden als er niets bijzonders in zit. Is het echt een pakje of een dikke envelop?'

'Een doos, een grote, en er zit zo veel tape omheen dat het zowat waterproof is. Wacht even. Ik leg de telefoon even neer om hem open te maken. Ik ben zo blij dat je niet boos bent.'

'Ik wil je graag absolutie schenken als je daar behoefte aan hebt,' zei ik.

Vervolgens luisterde ik een poosje naar Vivians ademhaling en gemompelde opmerkingen tijdens het openmaken, begeleid door het geluid van scheurend papier. 'Oké, het papier is eraf. Nee, hè? Er zit ook nog eens tape om de hoeken van de doos. Ik ga even een keukenmes halen.'

Ze was in stilte bezig en toen zei ze: 'O.'

'Hoezo, o?'

'Ik heb nog nooit zo veel contant geld bij elkaar gezien.'

'Ik kom eraan.'

Ik overtrad de maximumsnelheid en anderhalf uur later belde ik bij haar aan. Ze deed met een bleek gezicht open. Ze tuurde de straat in en trok me snel naar binnen. Ze deed de deur dicht, ging

er met haar rug tegenaan staan en zei: 'Er is nog meer gebeurd.'
'Wat dan?'
Ze liep naar de zitkamer en deed de jaloezieën naar beneden. 'Nadat we hadden opgehangen, pakte ik mijn handwerkspullen. Om drie uur is mijn handwerkclubje en mijn nicht haalt me een paar minuten van tevoren op. Ik wilde alles klaar hebben liggen.'
Ik gebaarde dat ze door moest gaan.
'Opeens werd er op de deur geklopt.'
'O, jee. Was het de koerier?'
Ze schudde het hoofd. 'Nee, maar hij zei wel dat hij het was. Hij zei dat er hier per ongeluk een pakje was afgegeven en dat hij het weer op kwam halen.'
'Per ongeluk? Zei hij dat echt?'
'Ja en dat vond ik ook raar, moet ik zeggen. Buiten het feit dat hij geen uniform droeg, was ik ook niet van plan zo veel geld aan iemand te overhandigen die ik nog nooit had gezien. Dat leek me gewoon niet goed.'
'Groot gelijk. En toen?'
'Ik zei dat ik het pakje niet had. Ik zei dat ik de koeriersdienst had gebeld, gezegd dat het pakje bij het verkeerde adres was afgeleverd en dat ze het een half uur geleden hadden opgehaald.'
'Geloofde hij dat?'
'Ik denk van wel. Hij was er niet blij mee, maar hij kon er verder niets aan doen.'
'Aha. Hij wist dus niet dat je het had opengemaakt.'
'Misschien wel. De doos staat daar.'
Ik keek naar de eettafel die in het volle zicht stond. Ze had het deksel ondersteboven op de doos gelegd zodat het geld niet te zien was, maar het pakpapier lag ernaast. Ik liep naar de tafel en legde het deksel op de tafel. Ik staarde net zo bewonderend en ongelovig naar het geld als zij over de telefoon was overgekomen. Ik pakte het keukenmes waarmee ze de tape had doorgesneden en draaide het bruine pakpapier om. Als afzender stond er een postbus in Santa Monica op vermeld. Ik schreef het nummer over in mijn notitieblokje en keek toen weer naar het geld. 'Hoeveel zal het zijn, denk je?'
'Geen flauw idee, maar we kunnen het maar beter niet aanraken.'
'Helemaal mee eens. Ik wil mijn vingerafdrukken daar niet op hebben. Het is al erg genoeg dat je het pakje hebt vastgehouden voordat we wisten wat erin zat.'

De doos mat ongeveer dertig bij dertig centimeter en hij was tot aan de rand toe gevuld met bundeltjes bankbiljetten van over het algemeen honderd dollar.

Vivian zei: 'Wat moeten we nu doen?'

'Aan de politie geven.'

'En wat moeten we dan zeggen? Is het niet verboden om iemands post open te maken?'

'Dat is wel zo. Het is een overtreding. Ik heb het vaak genoeg gedaan, maar nog nooit zoiets ontdekt. Aan de andere kant heeft degene die beweert dat het geld van hem is wel een hoop uit te leggen.'

'En ik dan? Ik kan moeilijk zeggen dat ik het toevallig voor Audreys deur zag liggen, want de chauffeur weet dat ik ervoor getekend heb en hij heeft het mij overhandigd.'

'Je zult het gewoon eerlijk moeten vertellen.'

'Ik? Waarom doe jij dat niet?'

'Dat zou niet logisch zijn. Audrey is dood. Jij bent haar verhuurster, dus is het helemaal niet gek dat jij post voor haar aanneemt en al helemaal niet als je weet dat ze aangeklaagd is wegens diefstal. Want daarom had je het pakje toch aangepakt?'

'Misschien wel. Ik deed het eigenlijk zonder er echt bij stil te staan; dom van me, dat geef ik toe.'

'Je hebt ze een dienst bewezen. De politie kan met behulp van het retouradres nagaan waar het pakje vandaan komt.'

'Ik word hier bloednerveus van. Ik snap niet waarom jij dit niet kunt afhandelen.'

'Nee, geen sprake van,' zei ik.

Ik zag mezelf al in het kantoor van Cheney Phillips met een stapel illegaal geld. Het had ongetwijfeld te maken met Audreys winkeldiefstalpraktijken, en dat zou betekenen dat Len Priddy erbij gehaald zou worden. Dan zou ik rekenschap moeten afleggen bij een man die een bloedhekel aan me had. Maar het achterhouden van bewijsmateriaal op deze schaal zou waarschijnlijk wel eens een grotere misdaad kunnen zijn dan het openen van iemands post.

'Wat kunnen we verder doen?' vroeg ze.

'Ik zou het niet weten,' zei ik. 'In dit soort situaties kun je maar beter naar de politie stappen en de consequenties aanvaarden. Ik ga echt het geld niet meenemen en onder mijn matras verstoppen.'

'Je kunt het zeker niet regelen zonder mij erbij te betrekken? Ik heb liever niet dat Rafe het weet.'

'Nee, dat gaat niet.'
'Hè, kut,' zei ze, en omdat ik dat totaal niet van haar had verwacht, schoot ik in de lach.

We gingen met mijn auto, omdat Rafe met hun auto weg was. Het enige compromis dat ik kon bedenken was het geld bij het bureau van de sheriff van het district San Luis Obispo afgeven in plaats van bij de gemeentepolitie. Dat had zo zijn voordelen. Het bureau van de sheriff en de politie van Santa Teresa hadden niets met elkaar te maken. Met een beetje geluk zou het even duren voordat ze er contact met elkaar over hadden. Volgens mij bestond er geen rivaliteit tussen de twee, maar de hiërarchie en de gebruikelijke bureaucratie vormden het probleem. Hoe langer het duurde voordat Len Priddy over het geld te weten kwam, hoe blijer ik zou zijn.
We zeiden niet veel toen we er naartoe reden, we zaten ieder de gevolgen ervan te overdenken, zij vanwege Rafe en ik vanwege brigadier Priddy. We meldden ons aan als keurige burgers, alsof we barmhartige Samaritanen waren die een portemonnee met geld op straat hadden gevonden. De agent aan de balie pleegde een telefoontje en we werden overgedragen aan brigadier Turner, die ons op kwam halen bij de balie. We schreven ons in en kregen een zelfklevend pasje dat we op onze shirts moesten doen. Hij begeleidde ons door de kantoortuin naar zijn hokje. Nadat we plaats hadden genomen, legde ik uit hoe we aan het geld kwamen. Vivian knikte regelmatig maar wist haar mond te houden, voordat ze iets te berde bracht wat in een rechtszaak tegen ons kon worden gebruikt.
Opgaand in het verhaal was ik zelfs zo vriendelijk om hem in te lichten over Audreys arrestatie en haar sprong van de brug. Ik vertelde hem niet dat brigadier Priddy de politieman was die de winkeldiefstal onderzocht. Dat moest hij zelf maar uit zien te vinden. Ik legde wel uit dat Marvin me had ingehuurd en dat ik Vivian had gevraagd me te helpen bij het doorzoeken van Audreys huis. We werden een beetje zenuwachtig toen we bij het punt kwamen dat zij het pakje in handen kreeg, hoewel het eigenlijk de normaalste zaak van de wereld was. Als het geld bij een criminele activiteit hoorde, konden we het beter aan de politie overhandigen dan dat het in verkeerde handen zou vallen. De politieman met wie we spraken zag dat ook in. Als we onbetrouwbaar waren geweest, hadden we onze zakken gevuld en had niemand ervan geweten.
Het kwam bij me op om brigadier Turner te vragen het geld na

te tellen waar we bij waren, maar ik wilde hem niet beledigen. Aangezien we hem ervan wilden overtuigen dat we eerlijke mensen waren, was het niet slim om zijn eerlijkheid in twijfel te trekken. Het pakje werd ingeboekt als bewijsmateriaal en naar de afdeling eigendommen overgebracht waar het op een plank zou blijven liggen totdat iemand wist wat ermee moest gebeuren.

Toen we eindelijk het bureau verlieten en naar Vivians huis reden, hadden we wel een beetje last van schuldgevoelens, hoewel we het op een eerlijke en nette manier hadden afgehandeld. Het was inmiddels twee uur en ik wilde graag weer weg. Ik liep met haar naar de keuken, waar ze een elektrische ketel met water vulde en de stekker in het stopcontact stak.

'Ik ben blij dat het achter de rug is. Heb je tijd voor een kopje thee?'

'Nee, ik moet echt weg. Zou ik even van je telefoongids gebruik mogen maken?'

Ze haalde er een uit een keukenla vlak bij de telefoon aan de muur. 'Waar ben je naar op zoek?'

'Naar een liefdadigheidsinstelling genaamd Helpende harten, helende handen. Ken je het toevallig?'

'Komt me niet bekend voor.'

Ik ging eerst naar de bedrijvensectie en keek de sociale dienstverleners na. Vervolgens ging ik naar de particuliere adressen, maar ook daar stonden ze niet bij. 'Er staan een paar containers van hen in Santa Teresa, maar de organisatie zelf komt nergens voor. Ik dacht dat ze misschien hier zaten.'

'En wat heeft dat met Audrey te maken?'

'Sorry, dat had ik je moeten vertellen.' Ik bracht haar op de hoogte over hoe ik achter Georgia Prestwicks naam en adres was gekomen en vertelde het hele verhaal tot en met het feit dat ik haar die ochtend had gevolgd. Het relaas was bijna net zo lang en saai als de surveillance zelf. 'Ik weet nog dat je zei dat er een witte bestelwagen hiernaast stond geparkeerd wanneer Audrey tot 's avonds laat doorwerkte.'

'Zeker weten. Die stond er altijd als ze hier was.'

'Geef je het me door als hij er weer staat? Ik heb een paar foto's gemaakt toen hij wegreed. Ik heb er ook een van het logo op de container. Als het filmpje eenmaal ontwikkeld is, zal ik je ze laten zien. Het zou mooi zijn als je een van tweeën herkent.'

Het was al tien voor half drie toen ik de 101 in zuidelijke richting op draaide. Ik hield netjes honderd kilometer per uur aan. Het was een heerlijke middag, uitstekend geschikt om te rijden, en ik gebruikte de tijd om over de laatste ontwikkelingen na te denken. Ik was blij met de vorderingen die ik had gemaakt. Ik wist niet zeker wat Marvin ervan zou vinden en of hij blij zou zijn met het feit dat ik doorging met het onderzoek. Ik moest maar eens een goed gesprek met hem hebben voordat ik nog iets ondernam.

Zoals zo vaak in het leven, zag ik mezelf in een wachtpatroon, net als een vliegtuig dat wil landen. Ik had alleen nog toestemming van de toren nodig. Achteraf gezien weet ik dat ik veel te zelfingenomen was, door het onterechte gevoel dat ik al heel wat bereikt had. Als ik beter had opgelet en in de achteruitkijkspiegel had gekeken, was me de lichtblauwe auto opgevallen die al achter me aan reed nadat ik bij Vivian was weggegaan.

20

Ik verliet de snelweg bij Capillo en volgde de verharde wegen terwijl ik door de stad naar State Street reed. Ik kwam langs het pandjeshuis waar ik met Pinky was geweest en sloeg rechts af. Ik zette de auto in de zijstraat neer. Ik liep terug naar de lommerd. Voor zover ik kon zien was er niets veranderd, dezelfde schilderijen hingen aan de muur, net als de gitaren naast de vitrines met horloges en ringen. Ik vroeg me af of er wel wat werd verdiend. Misschien verdwijnt de sentimentele waarde van dingen als we ze op moeten geven. Wellicht gaat het net zo als er spullen bij een brand verloren gaan; we raken ze dan niet alleen echt kwijt, maar ook de gevoelswaarde is weg.

June stond bij de kassa toen ik de winkel binnenliep en ze keek op toen ik dichterbij kwam. Ze had haar haar inmiddels weer geverfd. De brede grijze uitgroei van een week geleden was verleden tijd. Ze had ook een andere bril. Deze had een limoengroen montuur en paste beter bij haar golvende rossige lokken.

Ik zei: 'Hoi, June, ik ben Kinsey Millhone. Ik ben hier met Pinky Ford geweest toen hij de verlovingsring van zijn vrouw terug kwam halen.'

Ze keek me slinks aan. 'Jij bent die privédetective.'

'Wat goed van je. Ik had niet gedacht dat je het nog zou weten.'

'Je naam stond in de krant nadat die vrouw van de brug was gesprongen. Als ik het zo las, wou die verslaggeefster je een hak zetten.'

'Fijn dat je dat zegt. Ik dacht al dat het aan mij lag.'

'Nee, hoor. Ze deed net of je niet mee wilde werken.'

'En ik was ook nog fantasierijk. Dat moeten we vooral niet vergeten.'

'Dat zei die politieagent. Dat is me ook een stuk verdriet. Ik heb wel eens met hem te maken gehad en ik vind het een nare man. Niet te geloven dat hij de idee van georganiseerde winkeldiefstal naast zich neerlegde. Hij weet wel beter, anders was hij geen praatje met me komen maken.'

'Misschien wilde hij het natrekken.'

'Dat zou tijd worden,' zei ze. 'Als hij niet zo arrogant was geweest, had ik hem wel het een en ander kunnen vertellen.'

'Vertel het maar aan mij. Ik wil er graag meer over weten.'

'Waarover precies?'

'Nou, ik weet dat er professionele dieven bij betrokken waren, Audrey Vance was er een van. Ik wil achterhalen waar de winkel is. Ze moesten de spullen toch ergens kwijt.'

'Zeker weten. Als er gestolen goederen zijn, is er ook een heler. Maar dat doen wij hier niet, voor het geval je je dat afvroeg.'

Ik glimlachte. 'Het is wel even bij me opgekomen.'

'Het is een wijdverbreid misverstand. Mensen denken algauw dat lommerds gestolen goederen aantrekken, maar dat is dus helemaal niet waar. We moeten ons aan allerlei regeltjes houden. We zijn verplicht een kopie van het identiteitsbewijs van onze klanten te bewaren, samen met een duimafdruk en een uitgebreide persoonsbeschrijving plus het serienummer van alles wat we aannemen. Die gegevens sturen we door naar de politie zodat zij kunnen nagaan of er gestolen spullen bij zitten. Maar het werkt ook andersom. Als zij een inbraak onderzoeken, geven ze dat aan ons door zodat we op de hoogte zijn van wat er aangeboden kan worden.'

'Hoe doen ze het dan? Iemand moet toch de spullen kopen, anders schieten ze er niet veel mee op.'

'Het hangt van de spullen af. De kleding wordt van de prijskaartjes ontdaan en naar elders vervoerd. Dat geldt ook voor sportschoenen bijvoorbeeld. Wie gaat er nu de volle prijs betalen als je het ergens anders voor de helft kunt kopen? In het buitenland verkopen merknamen heel goed. Hier trouwens ook.'

'Iemand stelde voor dat het een ruilhandel zou zijn.'

'Dat kan, en dan zijn er nog andere zaken die niet in de gaten worden gehouden: tweedehandswinkels, rommelmarkten, verkoop aan huis. Je zou zelfs de advertenties in de krant in de gaten kunnen houden. De reden waarom dat soort spullen worden verplaatst, is omdat het slim is om zo veel mogelijk afstand te creëren tussen waar ze gestolen zijn en waar ze worden verkocht. Het is niet zo handig als iemand een kledingstuk herkent dat ze net nog bij Robinson zag hangen.'

'Dat lijkt me logisch,' zei ik. 'Wat weet jij over de helers hier in de stad?'

Ze schudde het hoofd. 'Daar weet ik niets van.'

'Maar daar hoor je toch wel eens iets over?'

'Dat zou je denken, maar het punt is dat als je daar iets over zegt je zo een rechtszaak aan je broek hebt hangen. Tegenwoordig hebben criminelen betere advocaten dan jij en ik.'

'Daar zeg je zo wat,' zei ik. Ik haalde een visitekaartje tevoorschijn, schreef mijn nummer thuis achterop en gaf het aan haar. Ik gaf dat telefoonnummer aan zo veel mensen dat ik het net zo goed erbij kon laten zetten. 'Als je nog iets te binnenschiet, laat je me dat dan weten?'

'Tuurlijk,' zei ze. 'Leuk je weer gesproken te hebben.'

'Vond ik ook. Mocht er nog iets zijn, dan kom ik wel weer langs. Fijn dat je me wilt helpen.' Ik gaf haar een hand.

'Nog één ding,' zei ze toen ik me omdraaide om de winkel uit te gaan.

Ik keek haar aan.

'Je vroeg wat ik over helers wíst, maar je vroeg me niet naar mijn vermoedens.'

De tweedehandswinkel waar June me naartoe had gestuurd, stond aan Chapel Street tussen een stel andere winkels waar ik al vaak genoeg langs was gereden. Op de hoek stond een smerige snackbar met een afhaalloket aan de stoepkant. Een paar aftandse gietijzeren tafeltjes en stoelen stonden aan een kant voor de mensen die daar wilden eten. Na een grondige inspectie had de keuringsdienst van waren de onderneming een C toegediend, wat waarschijnlijk inhield dat je op de meest onverwachte plekken kakkerlakken en rattenkeutels zou tegenkomen. Ik had zo'n trek dat ik graag mijn lage maatstaven voor eten nog meer naar beneden had bijgesteld, maar hij was niet open.

Ik kon de auto pal voor de deur kwijt, dus ik was al blij, tot ik besefte dat de winkels dicht waren. Er hing een bordje in de etalage van de tweedehandszaak waarop stond dat ze van maandag tot en met vrijdag tussen tien en zes uur open waren en op zaterdag van tien tot vier uur. Ik keek op mijn horloge en zag dat ik net twintig minuten te laat was.

Naast de tweedehandswinkel zat een zaak die kunststof pruiken verkocht die in de verste verte niet op mensenhaar leken. Het haar van barbiepoppen dat uit die enge gaten in hun kop komt lijkt nog echter. De pruiken, tentoongesteld op koppen van piepschuim zonder gezicht, zouden perfect zijn als je op het laatste moment iets voor een verkleedpartij nodig had. Naast de pruikenzaak zat een winkel met goedkope ordinaire lingerie en daarnaast was een steegje met een bord waarop een pijl aangaf dat er ook aan de achterkant kon worden geparkeerd. Ik liep er naartoe om dat eens te bekijken.

Er stonden alleen overvolle vuilnisbakken en er waren een paar parkeerplaatsen. Bij elke plek stond aangegeven voor welke zaak die was bedoeld, de zaak met het ordinaire ondergoed had de meeste. Achter de tweedehandswinkel stond een stapel oude opgevouwen kartonnen dozen die met een stuk touw vastgebonden waren. Niets bijzonders voor zover ik het kon bekijken, maar ik had in elk geval mijn nieuwsgierigheid bevredigd.

Ik reed naar huis en zette Henry's stationcar voor de garage neer naast mijn Mustang. Ik zou hem de volgende ochtend weer in de garage zetten. Ik liep even rond in zijn huis. In de afgelopen dagen had ik om inbraak te voorkomen lampen aan en uit zien gaan. De lampen in de zitkamer gingen om vier uur aan en om negen uur weer uit, waarna de lampen in de slaapkamer aan gingen en die gingen weer om half elf uit.

Het was net of Henry gewoon thuis was. Tot nu toe had het gewerkt, want er was nog niet ingebroken. Hij was een week weg en zijn huis rook verlaten. Ik hield een spons onder de kraan en maakte de keukentafel en het aanrecht schoon, want daar lag een laagje stof op. Verder was alles in orde. Ik sloot de boel af.

Ik ging even naar mijn appartement om mijn gezicht te wassen. Ik was al uren op en door de rit heen en weer naar San Luis Obispo was ik bekaf. Het leek me een goed plan vroeg bij Rosie's Tavern te gaan eten, en daarna lekker op tijd in bed te duiken. Ik knipte de bureaulamp aan en ook de buitenlamp alvast voor als ik terugkwam. Ik deed de deur op slot en liep naar Rosie's. Het was bijna vijf uur toen ik daar aankwam en de enige andere gasten waren een paar vaste klanten die daar waarschijnlijk al sinds twaalf uur zaten te drinken. Rosie stond achter de bar en ze schonk me een glas slechte wijn in voordat ze naar de keuken ging waar ze weer een van haar bijzondere Hongaarse gerechten aan het bereiden was.

William kwam even na mij aan. Hij had nog steeds de houten stok met het gebogen handvat bij zich, waar hij af en toe mee zwiepte. Hij scheen hem niet nodig te hebben om zijn evenwicht te bewaren, maar het verleende hem wel het zwierige air van een man van de wereld. Aan zijn driedelig kostuum en de glimmende schoenen te zien was hij net terug van een begrafenis. Ik verwachtte al een hele lading roddel en informatie, het soort zaken dat alleen iemand als William aan complete vreemden kan ontfutselen terwijl ze het moeilijk hebben. Maar in plaats daarvan zwaaide hij naar me met een stapeltje brochures die hij van meneer Sharonson had gekregen.

'Wat is dat?' vroeg ik toen hij me er een in de hand drukte.

'Voorbereidingen tot een begrafenis. Lees maar,' zei hij.

Toen hij het zei vond ik het moeilijk te geloven dat hij dat zelf niet had verzonnen. Ik keek even snel naar wat erin stond terwijl hij een andere brochure pakte en openvouwde. 'Moet je horen. "Door uw eigen begrafenis voor te bereiden kunt u de dienst en het afscheid regelen zoals u dat altijd al gewild hebt. U hebt de tijd om over belangrijke details na te denken en ze met uw geliefden te bespreken. Uw voorbereiding bespaart uw nabestaanden de onzekere beslissingen op het laatste moment die misschien niet met uw wensen overeenkomen." Ik ga het meteen aan Rosie laten zien. Ze zal het prachtig vinden.'

'Nee, dat denk ik niet,' zei ik er bot bovenop. 'Weet je wel wat je zegt? Ze is bazig. Ze heeft graag de touwtjes in handen. Als jij komt te overlijden, zal ze in haar element zijn. Binnen de kortste keren zal meneer Sharonson er alles aan doen om het haar naar de zin te maken. Je bent toch niet van plan om haar dat te ontnemen?'

Hij fronste zijn wenkbrauwen. 'Dat is toch niet waar? Meen je dat nou? Want hier staat "Uw geliefden kunnen er zeker van zijn dat het leed in deze uiterst droevige periode beperkt zal worden doordat u daar rekening mee hebt gehouden."'

'Het komt er gewoon op neer dat ze er geen lol meer aan zal beleven. Bekijk het eens van haar kant. Ze is eigengereid en dominant. Ze zou het heerlijk vinden om met meneer Sharonson over elk klein detail te kissebissen.'

'En als we het nu samen regelen?'

'En de huidige rust verstoren? Ik dacht dat Rosie en jij zo goed met elkaar op konden schieten?'

'Doen we ook.'

'Waarom zou je dat verzieken? Neem het nu maar van mij aan, als je erover begint krijgt Rosie prompt een beroerte.'

'Maar het is heel logisch. Je zou toch denken dat ze er blij mee zou zijn.'

Rosie duwde met haar brede heup de klapdeur open en kwam de keuken uit met een bord gebakken aardappelen, die ze de plaatselijke dronkenlappen voorzette in de hoop dat de alcohol dan minder effect zou hebben. In een soepele beweging pakte William de brochure van me af en stak de hele stapel in de binnenzak van zijn colbert. Op de terugweg wierp Rosie een blik op hem en ze bleef meteen staan. Haar felle blik ging van zijn gezicht naar het mijne.

'Watte?'

Hij moet hebben geweten dat als hij zei 'Er is niks aan de hand' hij ten dode opgeschreven was. Ze wist dat hij in de penarie zat. Ik schoot hem te hulp. 'Ik vroeg hem wat er zo lekker rook. Hij zei dat je met een speciaal gerecht bezig was, maar dat hij niet meer wist hoe het heette.'

'*Kocsonya*. Ik gisteren gekook en is afkoelend nu.'

Ik zei: 'Aha.'

'Jij zet vijf Hongaarse vrouwens bij elkaar en dan krijg ruzie over wie kook lekkerste kocsonya. Vergis niet. Dat is ik en ik geef jou Rosies geheim familierecep ervoor. Ga zit en ik zeg je.'

Ik naam plaats aan het dichtstbijzijnde tafeltje en groef gehoorzaam in mijn tas. Ik haalde er een pen en een envelop uit, die mijn stroomrekening bevatte, zag ik. Ik legde die weg en pakte mijn opschrijfboekje.

Rosie zat al op hete kolen. 'Jij schrijf niet.'

'Je hebt nog niets gezegd. Ik pak eerst mijn spullen.'

'Ik wachten.'

'Is het een streekgerecht?'

'Zeker. Is wat jij wil. Jaren heb ik aan recep gewerk, nu perfec.'

'Wat was het ook alweer?'

'Kocsonya? Is gellie… hoe heet dat…'

'Varkenspootjes in gelei,' droeg William aan.

Huiverend haalde ik de pen van het papier. 'Eh, weet je, Rosie, ik ben niet zo'n ster in koken.'

'Ik zeg wat je doet. Precies zo ik zeg. Oké, dus je doet varkensoor, -staart en -wang in pot. Plus vers varkensknie doorstemidden, plus varkenspoot. Ik doe soms twee. Zacht aan kook brengen en uur sudder. Dan doe je...'

Ze ging maar door. Ik zag haar lippen bewegen, maar ik werd totaal afgeleid door het beeld van de varkensonderdelen – en niet de smakelijke – die pruttelden in het water. Ze onderbrak zichzelf midden in een zin en wees naar mijn schrijfblokje.

'Zet neer over schuims.'

'Wat voor schuins?'

'Schuim. Is schuim weghaal. Niet gek jij niet kook. Jij kan niet luister.'

Tegen de tijd dat ze me had verteld hoe mals het pootje moest zijn als ik hem serveerde, tolde mijn hoofd. Toen ze doorging over welke bijgerechten erbij hoorden – deeglapjes gevuld met kalfslong – moest ik bijna mijn hoofd tussen mijn knieën stoppen. William had inmiddels zijn snor gedrukt en was druk bezig achter de bar.

Rosie verontschuldigde zich en ging de keuken weer in. Dit was de enige kans voor me om te ontsnappen. Ik wilde net mijn schoudertas pakken toen ze de bar weer binnen kwam draven met een bord koud varkensvlees in gelei en een soepkom met iets wat op ravioli leek gevuld met donkere klonten. Ze zette het voor me neer en bleef wiebelend op haar benen met haar handen gevouwen onder haar schort staan kijken. De ravioli dreef in een heldere bouillon en de stoom die er vanaf sloeg rook naar brandend haar.

Ik keek ernaar. 'Ik weet zo gauw niet wat ik moet zeggen.'

'Eet. Ik zie hoe je lekker vindt.'

Wat moest ik doen? Ik schepte wat bouillon op een lepel. Ik bracht die naar mijn mond, slurpte en zei: 'Jeetje, dat gaat perfect bij de wijn.'

Ze had me vast gevraagd erover uit te wijden want ze hield van uitgebreide complimentjes met heel veel bijvoeglijke naamwoorden. Gelukkig kwamen er op dat moment een paar vaste klanten binnenlopen en moest Rosie weer aan de slag in de keuken. Zodra de klapdeur achter haar dichtviel, pakte ik mijn schoudertas en diepte mijn portemonnee eruit op. Ik legde een gul bedrag op tafel en glipte de deur uit. Ik zou wel een of ander zielig verhaal verzinnen waarom ik er zo schielijk vandoor was gegaan. Het leek me sterk dat als ik daar ging overgeven ze dat als een compliment zou beschouwen. Voorlopig was ik al blij dat ik kon ontsnappen zonder er iets van te hebben gegeten.

Buiten op straat moest ik me bedwingen er niet als een haas vandoor te gaan. De avond was nog niet helemaal gevallen, maar onder de bomen waar de bladeren afvielen was het knap donker. Ik bleef bij de stoep wachten op een voorbijrijdende auto. Het raampje stond open en de automobilist had de muziek zo hard staan dat de auto leek mee te deinen. Ik stak bij de hoek over en liep door naar mijn appartement aan de overkant van de straat. Er stond een lichtblauwe auto met draaiende motor op Henry's oprit en ik zag twee mannen de achtertuin uit komen en instappen, een op de achterbank en de ander op de passagiersstoel. De man aan het stuur reed achteruit de straat op en reed weg. De auto sloeg de hoek om Bay Street in en was uit het zicht verdwenen.

Wat hadden die twee vreemde mannen in Henry's achtertuin gedaan? De stationcar stond nog op de oprit. De lampen in het huis brandden. De lampen in mijn appartement niet. Ik stond met bonzend hart te twijfelen. Toen ik wegging om te eten was het nog licht geweest buiten, maar omdat ik in het donker thuis zou komen, had ik de bureaulamp aangeknipt. Ik liep terug naar de kruising waar Rosie's Tavern staat. Vandaar nam ik de zijstraat naar huis die in de steeg achter Henry's tuin uitkomt. Ik had dat meer dan eens gedaan, want op die manier kon ik door de struiken bij het hek achter zijn garage komen. Ik hoefde maar het kippengaas omhoog te duwen om ongezien de tuin in te komen.

Ik stond in de schaduw en keek naar mijn achterdeur. De buitenlamp brandde ook niet. Er was niemand op het onverlichte terras te bekennen. Het licht in Henry's keuken was uit, en dat hoorde ook. Door de gloed van de straatverlichting kon ik een paar dingen op het terras onderscheiden: tuinmeubelen, een tuinslang, Henry's potvarens en een paar jonge boompjes die naast het pad waren geplant.

Ik keek aandachtig naar het ronde raampje in mijn deur of er soms licht binnen te bespeuren viel, zoals de zachtgrijze lichtbundel van een zaklamp. Het leek me duidelijk dat de mannen in de blauwe auto weg waren, maar wat hadden ze hier uitgevoerd? Ik zocht in mijn schoudertas naar mijn zaklamp en deed die aan. Ik boog me naar het slot voorover. Zo te zien was er niet ingebroken, maar als er inbrekersgereedschap was gebruikt, zou dat ook niet te zien zijn. In elk geval hadden ze mijn deur niet ingetrapt en ook niet uit zijn hengsels gehaald.

Mijn pistool zat in het koffertje, in de kofferbak van de Mustang en die stond op de oprit. Ik zou me een stuk dapperder voelen met de H&K in mijn hand, maar ik wilde niet dat ik gezien werd. Dat was wellicht een beetje overdreven, aangezien ik niet eens wist of die twee mannen wel binnen waren geweest. Misschien hadden ze aangeklopt en waren ze weggegaan toen ze beseften dat er niemand thuis was. Ik pakte mijn sleutelring, stak zachtjes de sleutel in het slot en draaide hem voorzichtig om. Door het raampje kon ik niets zien, het was te donker binnen. Ik deed de deur open en knipte de ganglamp aan.

Er was niemand in mijn zitkamer en keuken. Er was niets overhoopgehaald. Ik had al half en half verwacht dat overal laden uit waren getrokken, stoelen omver waren gegooid en dat de bank was bewerkt met een keukenmes. Zo gaat dat er aan toe in de film. Maar bij mij dus niet.

'Hallo?' riep ik.

Ik richtte mijn blik op de wenteltrap en luisterde goed. Uiteraard was er niemand aanwezig. Ik deed de deur achter me op slot en liep rond met dezelfde aandacht voor details als ik bij Henry had gedaan. Er waren geen duidelijke aanwijzingen dat er iemand binnen was geweest, maar hoe langer ik keek, hoe meer ik de indruk kreeg dat er dingen niet klopten. De onderste la van het bureau stond een stukje open. Ik sluit laden en kastdeuren altijd helemaal, zelfs bij iemand anders in huis, dat is een tic van me.

Ik liep de wenteltrap op en bleef boven staan om rond te kijken. Ik liep naar het nachtkastje en bekeek de spullen die daarop stonden. De wekker, de lamp en de tijdschriften waren er allemaal, maar alles stond net iets anders dan ik ze achter had gelaten, wat betekende dat iemand ze eraf had gehaald en in de kist had gekeken. Ik trok de ene na de andere la open en hoewel mijn spullen er keurig bij lagen, kreeg ik toch de indruk dat iemand ze had doorzocht. Ik wierp een blik in mijn badkamer waar je niets kon verstoppen behalve dan in de wasmand. Ik dacht natuurlijk meteen aan de doos met geld die Vivian en ik aan de sheriff in San Luis hadden overgedragen. Ook de man die bij haar aan had gebeld en naar het pakje had gevraagd dat per ongeluk verkeerd was bezorgd, schoot me te binnen.

Toen de telefoon ging schrok ik zo dat je me bijna van het plafond kon schrapen en ik sluit niet uit dat ik zelfs een gilletje slaakte. Ik nam op.

'Kinsey?'

Het was Vivian. Ze zei angstig: 'Hoe staat het met jouw huis? Want ik ben net terug van de handwerkclub en volgens mij is er bij mij iemand binnen geweest.'

21

Ik had natuurlijk meteen de politie moeten bellen. Normaal gesproken had ik dat ook gedaan. Maar in dit geval zat ik met de volgende zaken in mijn maag. Ik wist niet wat voor merk de lichtblauwe auto was. Het was bijna donker toen ik de twee mannen in zag stappen en het was een eindje weg. Ik kon er geen eed op zweren dat die twee ook werkelijk in mijn huis waren geweest, hoewel ik me niet voor kon stellen wat ze anders in Henry's achtertuin hadden gedaan. Het slot van mijn voordeur was niet beschadigd en binnen waren geen duidelijke aanwijzingen dat er iemand was geweest. Ik wist zeker dat ze hadden ingebroken, maar er was geen bewijs voor. Als ze mijn flat hadden doorzocht, waren ze vast wel zo slim geweest om geen afdrukken achter te laten. Wat had ik dan aan te geven? Volgens mij was er geen aanklacht in Californië voor de misdaad van 'waarschijnlijk heeft een man in mijn la met ondergoed zitten wroeten'.

Als de mannen inderdaad bij mij binnen waren geweest, was dat ongetwijfeld omdat ze de poet die Vivian en ik aan de sheriff hadden overhandigd terug wilden hebben. Ik had natuurlijk de politie kunnen bellen zodat 'er iets bij hen bekend' was, alsof een politierapport de weg zou effenen voor wat ik vervolgens zou gaan doen. Ik kon ook geen beroep doen op mijn rechten als huurder, want ik ben er bijna zeker van dat er geen polis is tegen iemand die in je vriezer heeft staan gluren, omdat die denkt dat ik zo dom ben om een lading bankbiljetten bij een pak bevroren erwtjes die over de datum heen zijn te leggen.

Tijdens het telefoongesprek met Vivian zei ik dat ze naar eigen inzicht moest handelen. Het was niet aan mij om haar te vertellen wat ze moest doen. Ze zei dat het goed met haar ging, maar dat ze toch haar nicht zou vragen om haar te komen halen. Ze wilde niet in haar eentje in het huis zijn, en dat begreep ik maar al te goed. Ze zei wel dat ze een geweer had en dat haar man haar had geleerd ermee om te gaan; ze zou een inbreker dus kunnen neerknallen, mocht ze daar de moed voor hebben. Dat betwijfelde ze echter en ik was blij dat ze dat inzag.

Zodra ik had opgehangen, pakte ik een slagersmes, en aldus gewapend liep ik naar de Mustang om het koffertje te pakken waar de Heckler & Koch in zat. Nadat ik mijn deur op het nachtslot had gedaan en me ervan had verzekerd dat de ramen dicht waren, maakte ik het pistool schoon en laadde het. Ik liet de bureaulamp beneden aan en ging naar boven waar ik volledig gekleed boven op de dekens in slaap viel. Ik werd drie keer wakker en ging op onderzoek uit omdat ik meende iets te horen.

Zo slecht is het nog niet om in fasen te slapen. De hersenen gaan, als ze niet bezig zijn met dromen, andere dingen verzinnen om zich te vermaken. Mijn bovenkamer ging alle gegevens na die ik overdag had verzameld en stuurde me telegrammen die ik niet had opengemaakt als ik wakker was geweest. Het brein werkt als een camera, het maakt voortdurend foto's. De informatie die binnenkomt wordt automatisch verwerkt zodat de belangrijke zaken worden opgeborgen om op een ander tijdstip te worden gebruikt en de onbelangrijke zaken worden verwijderd. Het punt is alleen dat we pas veel later weten welke beelden er nu wel toe doen en welke niet. Mijn onderbewustzijn wilde mijn aandacht vestigen op iets waar mijn oog op was gevallen en wat wellicht belangrijker was dan ik dacht. Dat vond ik op dat moment interessant en ik maakte er mentaal een aantekening van. Vervolgens viel ik in slaap en tegen de tijd dat ik wakker werd, was ik finaal vergeten wat het was geweest.

Op zondagochtend stond ik vroeg op en ging ik een stuk hardlopen. Dat doe ik anders niet in het weekend, want dat is bedoeld om bij te komen. Maar ik had in de afgelopen week door mijn werk een paar keer over moeten slaan. Ik moest er dus weer tegenaan. Ik jogde een half uur langs het strand in de hoop er helemaal in te komen. Maar dat lukte niet, ik had overal pijn. Zelfs op plekken waar ik nog nooit iets had gevoeld. Aan de andere kant raakte ik op deze manier wel wat stress kwijt en ik kreeg bepaalde inzichten. Ik was na het rennen aan het uit lopen toen me opeens te binnen schoot wat mijn onderbewustzijn me die nacht had willen duidelijk maken. Kijk nog eens, fluisterde het, naar de stapel opgevouwen kartonnen dozen achter de tweedehandswinkel.

Zodra ik had gedoucht en een kom muesli naar binnen had gewerkt, haalde ik mijn Zwitserse legermes uit mijn bureaula en gooide dat in mijn schoudertas. Ik pakte mijn stoomstrijkijzer en vervolgens mijn koffertje met het pistool. Ik liep naar de Mustang en legde alles in de kofferbak. Ik nam even de tijd om de straat door te kijken op zoek naar de blauwe auto, maar die was nergens te bekennen. Dat vond ik niet geruststellend. Als die mannen me vanaf Vivians huis waren gevolgd, waren ze vast slim genoeg om meer dan een wagen te gebruiken.

Ik pakte de 101 naar Missile en nam de afslag naar Dave Levine Street. Ik kwam langs de rij pandjes waar de tweedehandswinkel tussen stond. De winkels waren op zondagochtend uiteraard niet verlicht. Ik sloeg de bocht om naar rechts en reed het steegje achter de winkels in. Er stonden geen auto's en de vuilnisbakken waren nog niet geleegd. Ik liet de motor draaien terwijl ik naar de stapel kartonnen dozen liep en met het legermes het touw doorsneed. Ik ging er snel doorheen en bekeek elke doos. De meeste waren meerdere keren gebruikt; de doos werd waarschijnlijk hergebruikt voor andere verzendingen. Dat was zuinig gedrag van de eigenaar en het werkte voordelig voor me uit, want in bijna alle gevallen was het nieuwe verzendbewijs over het oude geplakt. Ik zou dus net als een archeoloog door diverse lagen moeten spitten en zien waar de dozen naartoe waren gestuurd. Ik laadde de stapel in de kofferbak. Ik kon dat beter binnen nagaan dan in het openbaar op een parkeerplaats.

Het centrum van Santa Teresa was zo vroeg grotendeels verlaten en er was weinig verkeer. De warenhuizen gingen pas om twaalf uur open, dus kon ik rustig rondrijden zonder bang te zijn dat ik werd achtervolgd. Ik keek wel om de haverklap in mijn achteruitkijkspiegel, maar kon niets verdachts ontdekken. Ik reed naar het kantoor, haalde de dozen uit de kofferbak en nam ze mee naar binnen. Ik vulde het strijkijzer met water, stak de stekker in het stopcontact en zette hem op stomen. Toen ging ik in kleermakerszit op de grond zitten en werkte me door de stapel dozen heen.

Ik schreef de adressen op die ik eraf haalde en vroeg me af of er een bepaald patroon zou ontstaan. De verzending was over het algemeen afgehandeld door een koeriersdienst die ik niet kende. Ik noteerde de naam omdat ik bij Vivian na wilde vragen of zij soms het pakje voor Audrey hadden afgeleverd. Ik stoomde het ene etiket na het andere eraf en zag steeds weer een ander adres. De data waren bijna niet te lezen. De verzendnummers waren zwartgemaakt en soms was er een etiket helemaal afgehaald voordat er een ander op was geplakt. Op de vijfde doos, onder twee andere etiketten, stond Audreys naam en adres in San Luis Obispo. Zo te zien waren de dozen van het ene adres in Californië naar het andere verzonden, overwegend tussen Santa Teresa en San Luis Obispo. Mochten de gestolen goederen het land verlaten, dan gebeurde dat waarschijnlijk via een scheepvaartmaatschappij. De prijskaartjes werden van de artikelen gehaald, ze werden gesorteerd en vervolgens verstuurd. Nadat ik alle dozen had gehad, vouwde ik ze weer op en schoof ze in de ruimte achter mijn archiefkast.

Ik sloot mijn kantoor af en liep naar mijn auto. Ik haalde de kaart van het district Santa Teresa uit mijn dashboardkastje, vouwde hem open en legde hem op het stuur. Ik zocht de adressen op die ik had ontdekt. Dat van Audrey in San Luis Obispo wist ik te vinden. De twee andere bevonden zich in Colgate. Onder aan de kaart kon ik de twee straatnamen ontdekken. De ene straat lag in de buurt van het vliegveld en liep door naar de universiteit. De andere lag daar een kilometer vandaan.

Ik nam de 101 in noordelijke richting. Het werd al wat drukker op de rijstroken naar het zuiden, mensen die na een weekendje weg terugkeerden naar Los Angeles. Halverwege de middag zou het verkeer bumper aan bumper rijden en amper vooruitkomen. Ik lette nog steeds op de auto's die achter me zaten, of er een tussen zat die me leek te achtervolgen of die me steeds weer opviel. Bij de afslag van Fairdale kwam niemand me achterna. Misschien waren de jongens in de lichtblauwe auto teruggeroepen nadat ze het geld niet hadden gevonden. Ze hadden er niets aan als ze mij vermoordden. Als ik wist waar het geld was, was het slimmer om me in leven te laten.

Ik bleef op de linkerbaan rijden en volgde de weg naar rechts waarbij ik via de bovenkruising over de snelweg kwam. Aan mijn rechterkant bevonden zich een onderzoeksinstituut, een bioscoop, een golfbaan, twee motels, drie benzinestations en een garage. Bij de kruising stopte ik voor een rood licht en vervolgens stak ik de doorlopende weg over, terwijl ik op de weg naar het vliegveld bleef. Heel verrassend heette die Airport Road. Hoewel het gebied eromheen niet zo verlaten was als bij San Luis Obispo waar Audrey haar huis had, was het ook geen woonwijk. Aan mijn linkerkant stonden drie kleine huisjes die bijna wel huurpandjes moesten zijn. Want wie koopt er nu een huis op een slechte, afgelegen plek?

Bij het vliegveld keerde ik om en ik reed terug om nog een blik op de huisjes te werpen. Ze waren waarschijnlijk gebouwd voor migranten die voor de boeren in de buurt werkten. Toen ik langs de eerste reed had ik geen huisnummers kunnen ontdekken, maar verder stonden hier geen huizen op een sorteerkantoor voor de post na. Van deze kant zag ik een stel garages achter de drie oude huisjes staan, zo te zien allemaal hetzelfde. Het adres op het eerste pandje kwam overeen met het adres op een van de kartonnen dozen. Er waren geen geparkeerde auto's te bekennen en er was ook geen teken van leven. Toen ik bij de twee voorste huisjes aankwam, remde ik af en reed het paadje ertussen op. Er stonden geen vuilnisbakken en er hing geen was aan de lijn.

Ik stapte uit en deed net of ik daar iets te doen had. Ik was er niet gerust op, maar het moest nu eenmaal. Er hingen geen gordijnen voor de ramen en er stonden ook nergens aangekoekte voerbakken voor honden. Niks aan het handje dus. Ik liep het trapje bij de achterdeur op en gluurde door het ruitje in de deur naar binnen. Er stonden geen tafel of stoelen in de keuken. Toch klopte ik aan, omdat ik ervan uitging dat ik dat ook had gedaan als ik echt op visite kwam. Uiteraard deed niemand open. Ik keek even naar het huis ernaast, dat zo te zien ook onbewoond was. Er keek niemand door het raam naar buiten. Verstandig genoeg haalde ik niet mijn inbrekerssetje tevoorschijn om mezelf toegang te verschaffen.

In plaats daarvan liep ik naar de voordeur, waar me opeens een groot hangslot opviel dat in een beugel zat die met schroeven was bevestigd. Ik drukte mijn neus tegen het rechterraam en keek naar binnen. Op de ruit ernaast hing een omgekruld Te huur-bord. Ik liep naar het raam links van de deur en daar was een lege slaapkamer. Het zag er wat treurig uit binnen, maar het was netter dan ik had verwacht. Ik vroeg me af of de dievenbende hier net als bij Audrey samenkwam. Er waren dozen naar en van dit adres verstuurd, dus iemand had in de afgelopen maanden hier gewoond. Zou dit huis even grondig schoon zijn gemaakt als dat van Audrey na haar overlijden?

Nu ik toch bezig was, ging ik ook even bij de andere huisjes kijken, die eveneens onbewoond waren. Net toen ik terugliep naar mijn auto, zag ik een Te koop-bord tegen de zijkant van het huis staan, half verborgen door het groen. Zo te zien was iemand tegen het paaltje van het bord gereden en was het afgebroken. Ik schreef de naam en het telefoonnummer van de makelaar op.

Ik stapte in en reed de weg weer op, terug naar de grote kruising waar ik links af was geslagen. Het andere adres dat ik had bleek een pakhuis te zijn in een doodlopend zijstraatje. Dit gebied werd waarschijnlijk aangemerkt als 'licht industrieel', hoewel er in Colgate geen zware industrie te bekennen was. Om het pand stond een hek van tweeënhalve meter hoog en voor de ramen zat gaas. Aan de achterkant was een parkeerplaats voor vrachtwagens en voor het hoofdgebouw waren parkeerplekken voor de werknemers. De laadplatforms waren verlaten en de metalen roldeuren zaten op slot. Op het bord stond de naam ALLIED DISTRIBUTORS.

Het leek mij een prima plek om gestolen goederen te distribueren. Het doel van een zorgvuldig opgezette helerspraktijk is om afstand te creëren tussen de dieven zelf en de uiteindelijke bestemming van de handel. Een bedrijf als Allied Distributors kon heel wat legale en illegale activiteiten uitvoeren. Ik kon me zelfs niet voorstellen hoeveel bewijs er wel niet verzameld zou moeten worden voordat er iets tegen gedaan kon worden. Een illegale onderneming waarbij staatsgrenzen overschreden worden, is een juridische nachtmerrie voor de instanties, want het was maar al te vaak gebeurd dat men per ongeluk een undercoveroperatie oprolde en tipgevers oppakte. De langeafstandsvrachtwagens werden ingezet voor legale doeleinden en de kleinere voor goederen die niet via een weegstation hoefden.

Ik reed terug naar de hoofdweg en vandaar nam ik de 101 naar de stad. Ik ging naar mijn kantoor. Het lampje op het antwoordapparaat knipperde, en dat irriteerde me want ik wilde aan het werk en had geen zin in eerst weer iets anders afhandelen. Maar braaf als ik was drukte ik toch op de play-knop.

'Kinsey, met Diana. Iemand heeft me een verhaal verteld dat jij ook zou moeten horen. Hopelijk kun je even vergeten dat je een hekel aan me hebt en me terugbellen. Oké?' Ze gaf me vervolgens haar telefoonnummer op.

Ik zei tegen het apparaat: 'O, maar natuurlijk, Diana. Ik ga je meteen bellen na wat je mij hebt geflikt.' En ik wiste het bericht.

Ik haalde mijn draagbare Smith-Corona typemachine tevoorschijn en zette hem op mijn bureau. Ik ben over het algemeen goed in het schrijven van rapporten, omdat ik me ervan bewust ben dat je het moet opschrijven als het nog vers in je geheugen zit. Als je het veel later doet, ben je de helft vergeten. Zoals bij elk onderzoek dragen de kleine ontdekkingen vaak evenzeer bij aan de oplossing als de grotere. Tot nu toe zat er in Audreys dossier alleen nog een kopie van Marvins cheque. Daar moest verandering in komen. Ik pakte drie vellen papier met daartussen carbonpapier en draaide ze in de typemachine. Ik legde de indexkaartjes naast me op het bureau en tikte mijn aantekeningen uit.

Tegen de tijd dat ik klaar was, was het al bijna twaalf uur. Ik was moe. Ik ben geen ervaren typiste hoewel ik nu ook weer niet met twee vingers tik. Het verwerken van de naakte feiten tot een samenhangend geheel was gewoon erg vermoeiend. Een paar gegevens waren nog niet uitgewerkt en ik had ruimte overgelaten voor als ik er meer over te weten kwam. Buiten de ontbrekende gegevens was het zonneklaar dat ik iets groots op het spoor was. Ik legde de getikte bladzijden netjes op een stapeltje en stopte een doorslag in mijn schoudertas evenals de indexkaartjes waar ik een elastiekje omheen gedaan had. De andere doorslagen deed ik in een archiefla in een map die ik de naam GENEALOGIE EN VROUWELIJKE HYGIENE had gegeven, onderwerpen die een gemiddelde dief hopelijk niet aan zouden spreken.

Ik moest maar eens met Marvin gaan praten, die nog geen drie kilometer bij me vandaan woonde. Ik had vooruitgang geboekt, maar ik moest mijn bevindingen nog dusdanig vormgeven dat hij er ook wat van snapte. In wezen was ik geschorst met behoud van salaris. Nu hoopte ik hem zover te krijgen dat hij ook achter de volgende fase van mijn onderzoek zou staan. Als hij niet thuis was, zat het er dik in dat hij in de Hatch zou zitten. Voor een beetje drinker is een zondag niet anders dan een doordeweekse dag, behalve dan dat je begint met een Bloody Mary, verdergaat met bier, whisky of tequila afhankelijk van het gezelschap en de sport op tv. Ik klapte zoals gebruikelijk van de honger en het leek me een goed plan om in de Hatch wat te gebruiken, of Marvin er nu was of niet.

Ik sloeg rechts af State Street in en reed de zevenhonderdvijftig meter naar Marvins straat. Ik zette de auto neer en wandelde naar zijn voordeur. Ik klopte aan en wachtte. Geen reactie. Ik klopte nog een keer. Nog steeds geen reactie. Ik tuurde door het voorraam naar binnen en zag geen aanwijzingen dat hij er was. Ik liep weer naar mijn auto en reed naar de Hatch en parkeerde net als eerder de auto in een zijstraat.

Het was vreemd om zo vroeg op een zondag een bar in te lopen. Blijkbaar vond niet iedereen dat, want het was er een drukte van belang. Alle vier de tv's stonden aan. De jukebox speelde en er zaten een stuk of tien klanten aan de bar waar Ollie de eigenaar drankjes met beide handen leek in te schenken. Er hing al een stevige mist door de sigarettenrook en ik sloeg mijn ogen ten hemel bij de gedachte aan hoe mijn kleren straks zouden ruiken.

Marvin zat bij het groepje met een van de twee vrouwen te praten die tot zijn vriendenkring behoorden; Earldeen huppeldepup voor zover ik me kon herinneren. Hij had een whisky met ijs voor zich staan, net zo donker en sterk als iced tea. Hij stak een sigaret tussen zijn lippen en gaf Earldeen een vuurtje voordat hij zichzelf ervan voorzag. Ik tikte hem op de schouder. Hij draaide zich om en toen hij zag dat ik het was veranderde de uitdrukking op zijn gezicht van relaxed naar afstandelijk. 'Hé, kijk eens wie we daar hebben. Nog nieuws?'

Hij sprak toonloos en dat had me alert moeten maken, maar het ontging me volkomen. Ik zag een bepaalde blik in zijn ogen, maar dacht dat dat kwam doordat ik hem weer betrapt had op roken. Ik zat er echt finaal naast.

'Ik heb een nieuw rapport,' zei ik. 'Als je even tijd hebt, kan ik je op de hoogte brengen van wat ik tot nu toe te weten ben gekomen.'

'Ja, nou ja, ik ben nu bezig, dus we hebben het er wel een andere keer over,' zei hij. Hij keek weg.

Het was me inmiddels wel duidelijk dat hij ergens kwaad over was en dat we het eerst moesten uitpraten voordat ik verder kon.

'Wat is er?'

'Ach, dat wil je vast niet weten. Je houdt er niet van als iemand het niet met je eens is.'

'Toe, Marvin. Je bent duidelijk ergens pissig over. Ga je me het nog vertellen?'

'Heb ik al gedaan. Dat alleen jouw mening telt.'

Ik wierp een blik op Earldeen die aandachtig alles in zich opnam. Ze leek niet verbaasd door zijn houding, wat erop wees dat hij het met haar had besproken.

'Kunnen we ergens praten?'

'Dat kan hier ook.'

'Zeg nou maar wat er aan de hand is.' Ik heb de ervaring dat als mensen als Marvin kwaad worden ze niet veel nodig hebben om erover te praten.

'Prima, zolang het maar geen ruzie wordt.'
'Wie maakt er hier nu ruzie?' zei ik op ruzieachtige toon.
'Via de tamtam heb ik gehoord dat een ex-gedetineerde hier in de omgeving is gezien rond de tijd dat Audrey van de brug viel. Die vent is onlangs uit de gevangenis ontslagen en is gevaarlijk. Het is mogelijk dat ze bepaalde informatie had waardoor hij weer achter tralies gezet kon worden, en dat hij haar daarom van de brug heeft gesmeten.'
'Wat voor informatie?'
'Sorry, maar dat ga ik niet zeggen. Het is me in vertrouwen verteld, dus je moet het maar gewoon van me aannemen. Zoals je weet heeft ze een paar uur opgesloten gezeten voordat ik haar borg betaalde. Het vermoeden bestaat dat ze toen iets heeft gezien wat ze niet had mogen zien.'
'Wat dan?'
'Ik zei toch al dat ik er niet op door kan gaan? Het gaat erom dat als ze die vent had verlinkt hij weer in de bak was beland. Misschien was er nog meer aan de hand. Agenten willen ook wel eens met bewijs sjoemelen. Misschien heeft ze dat ontdekt.'
'Dus jij wilt beweren dat ze is vermoord omdat ze ergens achter was gekomen?'
'Op het politiebureau. Ja, dat klopt.'
'Dus ze had niets te maken met een bende winkeldieven.'
'Houd daar toch een keer over op! Je maakt het allemaal veel erger dan het is. Oké, ze heeft een paar keer iets gejat. Nou en?'
'En die speciale onderkleding dan?'
'We weten helemaal niet of ze dat wel had. Dat hoort allemaal bij de poging om haar in een kwaad daglicht te stellen. Heb jij het gezien soms? Ik betwijfel het.'
'Nee, natuurlijk niet. Ik kende Audrey niet eens, dus hoe had ik dan iets over haar ondergoed kunnen weten?'
'Houd je nou maar gewoon aan de feiten. Heb je wel of geen speciaal ondergoed gezien? Niet dus. Heb ik ooit dat soort ondergoed bij haar gezien? Nee. Dat een of andere agent het in zijn rapport vermeldt, wil nog niet zeggen dat het waar is.'
Ik stond op en keek hem aan, terwijl ik verwerkte wat hij had gezegd. Ik wilde hem net vertellen dat ik het rapport niet had gelezen, maar dat sloeg nergens op. Hij was weer bezig Audrey vrij te pleiten, maar waar was dat door gekomen? Ik keek even naar Earldeen die met haar kin in de hand gefascineerd zat toe te kijken. Ik had zin om haar een oplawaai te verkopen, maar hield me in.

Hij zei: 'Gut, wat een verademing. Je staat eindelijk eens met je bek vol tanden.'

'Omdat jij nu zit te beweren dat volgens jou Audrey het slachtoffer was van een samenzwering door de politie.'

'Dat komt anders veel logischer over dan jouw verhaal.'

'Waarom ben je van mening veranderd?'

'Dat ben ik niet. Ik heb altijd al gezegd dat ze onschuldig was. Goed, ze heeft een body gejat. Grote hemel, daarom is ze nog geen zware crimineel.'

Ik deed mijn mond dicht en liet hem praten.

'Weet je wat er met jou aan de hand is?' vroeg hij. Hij wees met zijn sigaret en kwam daarbij gevaarlijk dicht bij mijn gezicht. 'Jij gelooft dat mensen slecht zijn. Het maakt jou niet uit of daar nu wel of geen bewijs voor is.'

'Waar heb je het over?'

'Jij bent toch getrouwd geweest met een agent die aangeklaagd werd wegens doodslag?'

'Dat heb je ik je toch verteld?'

'Nee, dat heb je me niet verteld. Je liet alleen vallen dat je getrouwd was geweest met een agent die bevriend was met brigadier Priddy en jij zei dat Priddy een engerd was. Wat je verzuimde te vermelden was dat jouw ex vrijgesproken is. Grappig dat je dat over het hoofd zag.'

'Ik zie niet in wat dat uitmaakt.'

'O, nee? Nou, denk er dan maar eens over na. Jij was er zo van overtuigd dat je gelijk had dat je die vent in de steek liet terwijl hij je keihard nodig had.' Hij liet zijn sigaret op de grond vallen en trapte hem uit.

'Zo is het niet gegaan,' zei ik.

'Je kunt eromheen draaien zoveel je wilt, maar het komt er wel op neer, ja?'

'Marvin, je bent nu bezig een parallel te trekken tussen mijn relatie met mijn ex en mijn geloof in Audreys schuld. Jij wilt dus zeggen dat Mickey uiteindelijk vrijgesproken werd en dat het bij haar dus ook zo zou gebeuren. Klopt dat?'

'Ja. En zij is dood, net als die vent met wie jij getrouwd was.' Hij keek omhoog en tikte op zijn kin als een figuurtje uit een tekenfilm. 'Hm. Eens zien. Wat hebben deze twee verhalen met elkaar gemeen?'

Ik zei: 'Die situaties zijn zo verschillend dat ik werkelijk niet weet hoe ik je dat aan je neus kan hangen.'

'Je hoeft niet kwaad te worden. Ik geef alleen maar door wat mij was verteld.'

'Door Len Priddy.'

'Dat zei ik toch niet?'

'Hoeft ook niet.'

Hij haalde zijn schouders op. 'Jij mag die vent niet, maar dat wil nog niet zeggen dat hij jou een loer wil draaien,' zei hij. 'Maar sorry dat ik je niet gevraagd hebt wat je hier doet, dat is erg onbeleefd van me. Dat had ik wel moeten doen. Eens raden. Het geld van het voorschot is op en nu wil je kijken of ik nog meer wil ophoesten.'

'Dat klopt, maar de zaken liggen inmiddels anders, nietwaar?' vroeg ik poeslief en aardig. Ik praatte zachtjes omdat ik inmiddels stond te koken van woede en ik mezelf in moest houden.

'O, jeetje. Nu ben jij dus boos. Hopelijk ga je me nu niet vertellen dat je ermee kapt,' zei hij sarcastisch.

'Kappen? Nee, lieverd. Ik ga ermee door tot ik de zaak heb opgelost, of je me nu betaalt of niet.'

Hij krabbelde terug. 'Maar dat kan niet. Ik wil niet dat je je neus in haar zaken steekt. Audreys verleden gaat je geen moer aan.'

'Daar ben ik het niet mee eens. Sorry hoor, maar het is mijn werk en ik ga ermee door. Had je me maar moeten ontslaan toen je daar nog de kans voor had.'

22

Dante

Dante telde de baantjes tijdens het zwemmen, hij tilde zijn mond naar links uit het water om adem te halen en draaide zijn hoofd weer terug om in het water uit te ademen. Buiten de bubbels die hij uitblies was er verder weinig te horen. Hij was zich bewust van de kracht in zijn armen terwijl hij zwom, de handen sneden door het water en bewogen hem naar voren. Hij telde elke baan bij zichzelf. Achttien, achttien, achttien de hele baan door. Zeventien, zeventien, zeventien weer terug. Het viel anders niet mee om bij te houden bij welke baan hij nu was, aangezien het water de perfecte temperatuur had en hij achter elkaar doorging. De drukte in zijn hoofd maakte plaats voor eenvoudige herhalingen: armen, benen, inademen, uitademen.

De dag nadat zijn moeder ervandoor was gegaan, had zijn vader het zwembad bij hun huis leeg laten lopen, zodat er een gat in de grond overbleef om hen eraan te herinneren dat met haar ook alle lol verdwenen was. Door de regen en gevallen bladeren was er een zwarte smerige brij in komen te staan. Dante wist dat zijn vader het expres had gedaan, om hen te beroven van de troost die ze had geboden en het zelfvertrouwen dat ze hen had ingeprent. Hoeveel pijn ze haar man ook had toegebracht, zijn zoon kreeg het dubbel en dwars van hem terug. Dante was pas weer gaan zwemmen toen hij zijn huidige huis had gekocht en zijn eigen zwembad aan had laten leggen.

Het laatste baantje was het beste. Tegen die tijd was hij ontspannen en was het in zijn hoofd rustig. Als hij zich uit het water trok de betonnen rand op, waren zijn ledematen net elastiek. Hij drukte een handdoek tegen zijn gezicht, rood van de warmte die door het zwemmen was ontstaan. Van gewichtheffen kreeg hij spieren, van zwemmen bleef hij lang en slank. Hij zou Nora die middag spreken, als ze tenminste op kwam dagen.

Tegen de tijd dat hij in de slaapkamer was, was zijn lichaamstemperatuur gezakt en moest hij een warme douche nemen om de kou te verdrijven. Op zondagochtend schoor hij zich haast nooit, maar dit keer deed hij dat wel. Vanwege Nora, natuurlijk. Hij wist niet waarom hij zo door haar aangetrokken werd, maar dat was nu eenmaal wel het geval. Het was hem nog niet eerder overkomen en hij kon het niet uitleggen. Het maakte ook niet echt uit waarom hij geobsedeerd was. Want daar kwam het wel op neer.

Hij wierp een blik in de slaapkamer. Lola lag nog onder het dekbed te slapen. Ze had zo weinig vet dat ze het voortdurend koud had. 's Nachts was ze net een ijsklontje als ze tegen hem aan kwam liggen. Hij deed de deur van de kleedkamer zachtjes dicht en trok zijn kleren aan: een lichte broek, een rood zijden overhemd en instappers zonder sokken.

Sophie werkte niet op zondag, dus had hij de keuken voor zichzelf. De werkoppervlakken glommen en het roestvrij staal leek wel van zilver. Het koffiezetapparaat was voorgeprogrammeerd en de glazen pot zat vol koffie. Sophie had een koffiecake voor hem gebakken die ze in plasticfolie had verpakt. Hij sneed er een dikke plak vanaf en at die uit de hand terwijl hij met zijn andere hand een mok koffie inschonk. Hij deed er wat melk bij en liep met de beker door de tunnel naar zijn kantoor in de cottage.

Lola vond zijn voorkeur voor de tunnels belachelijk, maar hij vond het heerlijk om ongezien van de ene plek naar de andere te gaan. Ze beweerde dat het zijn manier was om terug te keren in de baarmoeder, een opmerking die hij uiterst irritant vond. Alsof zij er verstand van had. Wat hem betrof ging het over de mogelijkheid om te ontsnappen. Hij was het soort man dat graag altijd een uitweg had.

Hij liep van de cottage buiten over het gras naar het gastenverblijf. De dienstdoende verpleegster zorgde al vijf maanden voor zijn oom. Ze was een meter drieëntachtig en had het lijf van een atlete, een en al spieren en pezen. Mooi gezicht, kort blond haar. Hij was negen jaar geleden een tijdje met haar uitgegaan, maar de relatie was geen lang leven beschoren geweest. Cara was van nature promiscue en pakte wat ze pakken kon. Als er geen man in de buurt was, was een vrouw ook prima. Toen ze kwam solliciteren, had hij zijn bedenkingen gehad. Hij vroeg zich af of het wel verstandig zou zijn om haar dicht in de buurt te hebben. Lola zou er vast moeite mee hebben en dan zou hij haar er voortdurend van moeten verzekeren dat er niets aan het handje was. Maar hij had zich geen zorgen hoeven maken. Het was per slot van rekening negen jaar geleden en de lichamelijke aantrekkingskracht was verdwenen. Cara was competent en ze werkte hard en hij wist dat oom Alfredo graag naar haar keek.

Ze kwam hem bij de deur tegemoet. 'Hij zit al op je te wachten. Hij werd om twaalf uur 's nachts wakker en had behoefte aan gezelschap. We hebben bijna de hele nacht gekaart en tv-gekeken. Het is me een raadsel waar hij de puf vandaan haalt.'

Dante liep met haar mee de zitkamer in, waar zijn oom Alfredo, in een donzige gele plaid gewikkeld, bij de haard zat. In april waren de nachten nog koud en het was in de ochtend niet veel warmer. Dante liep naar de haard toe, boog zich naar voren en kuste zijn oom op het hoofd. Alfredo pakte zijn hand en hield die tegen zijn wang aan.

'Je bent een goede knul, Dante. Ik wil dat nu zeggen, nu het nog kan.'

Toen hij hem eindelijk losliet, trok Dante er een stoel bij en ging hij tegenover hem zitten. 'Hoe staat het met de strijd?'

'Zoals je mag verwachten. Het valt vanochtend wel mee.'

'Cara zegt dat je de halve nacht op bent geweest.'

'Ik ben bang dat ik in mijn slaap overlijd.'

'Wil je niet dat de man met de zeis je onverwacht meeneemt?'

'Ik wil me niet zomaar gewonnen geven,' zei Alfredo. 'Je vader is gisteren nog langsgeweest. We hebben een lang gesprek gehad.'

'Eens raden. Hij vindt dat ik Cappi te hard aanpak. Hij wil dat ik hem gewoon zijn gang laat gaan.'

'Daar kwam het inderdaad op neer. Ik ben het niet met Lorenzo eens, maar hoe gaat die jongen anders zijn verantwoording leren nemen als hij die nooit krijgt? Ik veroordeel je niet hoor, dus je hoeft niet meteen in de verdediging te gaan. Ik vraag het alleen maar.'

'Die "jongen" zoals jij hem terecht noemt, is zesenveertig jaar. Volgens mij heeft hij al meer dan genoeg aangetoond hoe volwassen hij is,' zei Dante. 'Cappi maakt misbruik van alles en iedereen. Hij vleit en zeurt net zolang tot pa denkt dat hij het zelf heeft bedacht.'

'Dat is ongetwijfeld waar. Cappi is ook op bezoek geweest. Ik weet dat hij dat alleen maar doet om mijn steun te krijgen.'

'Mijn steun kan hij wel vergeten. Ik doe wel net of ik hem het hele bedrijf uitleg, maar als jij denkt dat ik hem in deze miljoenenorganisatie laat meetellen voor de winst, heb je het goed mis.'

Alfredo hield zijn hoofd schuin en zei vriendelijk: 'Je kunt het ook op een andere manier bekijken. Hoe lang loop jij al niet te beweren dat jij ermee op wilt houden? Grijp je kans, zou ik zo zeggen.'

'Zo werkt dat niet. Ik ben vierenvijftig. Wat moet ik dan gaan doen, medicijnen studeren? Rechten? Daar ben ik te oud voor. Pa wou dat ik dit ging doen en dus doe ik dat. Nu verwacht hij dat ik het leeuwendeel aan Cappi overlaat, die verdomme alles verpest wat hij doet. Nou, dat kan hij wel vergeten.'

'Wat ga je eraan doen als hij het zo wil?'

'Hij gaat zijn gang maar. Het is mijn onderneming. Trouwens, volgens mij is hij aan het dementeren. Hij had het over Amo en Donatello alsof ze in de kamer ernaast zaten.'

'Hij is een beetje vergeetachtig geworden. Dat krijgen we allemaal.'

'Jij anders niet,' zei Dante.

'Ik ben nu eenmaal anders,' zei Alfredo wrang. 'Het probleem is dat Lorenzo niet altijd doorheeft wat Cappi van plan is. Jij moet dat tegen zien te houden voordat het uit de hand loopt.'

'Hoe dan?'

Zijn ooms gezicht betrok. 'Wat heb jij nou? Je weet wel beter. Zo'n vraag hoef jij toch niet te stellen?' Alfredo keek hem even aan. 'Weet je wat jouw probleem is?'

'Dat ga je me nu vast haarfijn uitleggen.'

'Je bent te lief geworden. Vroeger had je het gewoon geregeld. Geen gelul, geen twijfels.'

Dante glimlachte. '"Te lief." Dat heb ik nog niet eerder gehoord.'

'Je weet heel goed wat ik bedoel. Iemand in jouw positie kan zich geen geweten veroorloven. Dat gaat gewoon niet. Je vlucht niet weg voor moeilijke beslissingen. Je doet wat er gedaan moet worden.'

'Je gelooft dus niet in het gezegde dat we zijn wat we doen?'

'Jawel. Maar dat moeten we dan maar accepteren. We zijn nu eenmaal corrupt en we begaan erfzonden. God weet dat die van mij me zwaar op mijn ziel drukken.'

'En die ellende wens je mij ook toe?'
'Je weet dat het moet gebeuren.'
'Ik weet niet zeker of het wel moet. Maar het zou wel handig zijn. Kon ik daar maar eens boven staan.'
Oom Alfredo schudde het hoofd. 'Dat komt niet overeen met je aard.'
'Ik zou graag denken dat ik ouder en wijzer ben geworden.'
'Je broer heeft dat soort morele bezwaren niet, wat betekent dat hij je een stapje voor is.'
'Zo ziet hij dat wel, ja.'

Dante nam zijn eigen auto, een zilverkleurige Maserati uit 1988 met zwartleren interieur. Hij was om kwart voor een bij de Hatch en zette de auto om de hoek. Hij had zijn chauffeur en lijfwacht vrijaf gegeven en had in plaats daarvan een geladen Colt Lightweight Commander in een speciaal vakje in het portier van de bestuurder gestopt. Hij had twee jaar geleden een strenge beveiliging ingesteld toen een Columbiaanse bende vanuit Perdido, zo'n veertig kilometer ten zuiden van Santa Teresa, ging opereren. De bende bestond uit tien mensen, zes mannen en vier vrouwen, die in het bezit van een rijbewijs waren waarop stond dat ze uit Puerto Rico afkomstig waren. Ze bevonden zich in wezen op het terrein van een vriend van hem die in Puerto Rico was geboren en die was daar niet blij mee. Niet alleen omdat ze zich daar opgedrongen hadden, maar ook omdat ze een smet op zijn vaderland wierpen. Aangezien de vriend van Dante op dat moment in het gevang zat, had hij aangeboden dat zijn mannen er iets aan zouden doen. Ze sloten een paar van de Colombianen op in een motelkamer waar een kapotte geiser ontplofte, waardoor iedereen in de kamer omkwam en het dak er half af werd geblazen. Daarna hielden de overgebleven Colombianen afstand, maar ze hadden wel laten weten dat ze wraak zouden nemen. Dantes vriend werd de dag dat hij werd vrijgelaten door een sluipschutter vermoord en daarna had Dante erop gestaan dat hij omringd werd door gewapende lijfwachten en dat zijn auto's kogelwerend waren.

Dante liep de Hatch binnen, knikte naar Ollie en ging zitten aan een tafeltje met uitzicht op de deur. Hij had zin in een whisky met water, maar hij wilde geen drankje bestellen, omdat het dan leek alsof hij Nora niet zonder alcohol onder ogen kon komen. Hij had geen idee wat hij zou doen als ze niet op kwam dagen. Hij vond de gedachte dat ze wel zou komen eigenlijk net zo beangstigend. Wat moest hij dan doen? Hij hield zichzelf voor geen verwachtingen te koesteren, maar dat deed hij toch.

Er stond een indrukwekkend grote groep stamgasten aan de bar, mensen die hij hier al eens eerder had gezien. Hij was al in geen maanden in de Hatch geweest, maar het was er geen spat veranderd. Hij keek om zich heen alsof hij het door Nora's ogen bekeek. Het zag er rommelig en sjofel uit. Niet karakteristiek, niet mooi. Hij had de bar uitgekozen omdat ze er, zoals hij haar had uitgelegd, geen bekenden zou zien. De mensen in haar kennissen- en vriendenkring hadden waarschijnlijk zelfs nog nooit van deze kroeg gehoord en zouden er, mocht dat wel het geval zijn, nog niet dood in willen worden aangetroffen.

Hij keek naar de deur, die openstond, waardoor een bundel zonlicht, wazig aan de randen, naar binnen viel alsof er een filter voor de cameralens was geplaatst. De rook in de kroeg verleende het een ouderwets sfeertje, als een film uit de Tweede Wereldoorlog die over verdriet en gesneuvelden en verraad ging. Dat was een vrolijk vooruitzicht. Hij kende haar niet, had geen idee bijvoorbeeld of ze altijd stipt op tijd was of te laat. Hij keek op zijn horloge en zag dat het precies één uur was. Over tien minuten zou hij een drankje bestellen of weggaan. Ze was gelukkig getrouwd, dat zei ze althans, dus waarom zou ze dan hiernaartoe komen? Ze was elegant. Ze had klasse. Ze was gereserveerd en op zichzelf. Als hij haar in de ogen keek, schoot hij vol, waardoor hij haar weer, koste wat kost, wilde ontmoeten.

Om drie over één kwam ze aanlopen en ze hield even het zonlicht tegen. Hij kwam overeind. Ze zag hem en liep naar hem toe. Hij trok een stoel voor haar naar achteren en zij nam plaats. Ze had een wit wollen mantelpakje aan met een korte rok. Het jasje was getailleerd en er zat een rood kanten randje om de kraag. Hij had bijna zijn vinger in haar decolleté gestoken.

Hij zei: 'Ik dacht niet dat je zou komen.'

Ze glimlachte even. 'Ik ook niet.' Haar blik ging van de bierreclame aan de muur naar de bar en vandaar naar de pijl naar het damestoilet.

'Ik zou je graag een drankje aanbieden, maar je bent duidelijk niet op je gemak.'

'Nee, natuurlijk niet. Met al die rook stinken straks mijn kleren ernaar en moet ik mijn haar wassen.'

'Ik weet wat beters. Iets wat ik je wil laten zien. Je vindt het vast mooi.'

'Waar gaan we naartoe?'
'Maak je niet druk. Er gaat niets engs gebeuren.'
Ze sloeg haar ogen neer. 'Ik heb niet zoveel tijd.'
'We gaan de stad niet uit,' zei hij. 'Nee, ik lieg. Maar het is maar een klein stukje. Hooguit een kwartier.'
'En mijn auto?'
'Ik breng je weer hiernaartoe. Hoe laat moet je thuis zijn?'
'Om vier uur.'
'Dat gaat lukken.'
Toen hij opstond legde ze haar hand op zijn arm. 'Loop met me me naar mijn auto, dan rijd ik achter je aan,' zei ze.
Hij boog zich naar haar oor toe en ving de geur van haar haar en lelietjes-van-dalen op. 'Je hebt graag de touwtjes in handen.'
Ze rilde toen ze zijn adem voelde. 'Zo heb je het toch graag?'
Hij rechtte zijn rug en hield haar stoel vast. 'Waar staat je auto?'
'Om de hoek.'
'Daar staat mijn auto ook. We gaan er via de zijdeur uit, dan hoef je ook niet langs dat stelletje ongeregeld daar. Ze zitten je allemaal te bekoekeloeren.'
Hij pakt haar bij de arm en zorgde ervoor dat ze haar niet konden zien.
'Waar gaan we naartoe?'
'Dat zeg ik niet. Je moet me maar vertrouwen.'
'Waarom zou ik jou vertrouwen?'
'Dat doe je al. Ik mag dan een boef zijn, maar ik heb wel een eerlijk gezicht.'
'Je bent toch geen slechterik?'
'Niet echt. Maar ik ben ook niet helemaal eerlijk.'
Hij liep met haar mee naar haar auto, een pittige blauwe, goed onderhouden Thunderbird. Dat vond hij leuk. Zijn auto stond drie auto's achter de hare. Hij startte de motor en reed de straat op. Ze wachtte tot hij haar voorbij was en kwam achter hem aan. Ze reden door de ene straat na de andere en hij hield haar in de achteruitkijkspiegel in de gaten. Ze hield hem goed bij. Als hij groen licht had, lette hij erop dat zij dat ook kon halen.
Eenmaal bij de 101 aangekomen, nam hij de baan in zuidelijke richting en volgde die anderhalve kilometer. Hij nam de afslag naar Paloma Lane die parallel liep aan de snelweg, over een breed stuk land dat grensde aan de Stille Oceaan. Er was een paar jaar geleden een spoorbaan aangelegd, maar er kwamen maar twee keer per dag treinen langs denderen, dus verder was dit stuk grond

het neusje van de zalm. De meeste huizen waren vanaf de weg niet zichtbaar, zodat men verzekerd was van privacy. Er stonden altijdgroene bomen en eucalyptussen waar de zon zijn stralen tussendoor wierp.

Hij remde af en stelde een automatisch hek van verweerd hout in werking. De huizen aan weerskanten van het pand stonden verscholen achter de Surinaamse kers die op sommige plaatsen wel negen meter hoog was. Hij reed de inrit op en hield links aan tot het pad zich verbreedde tot een parkeerplaats voor wel zes auto's. Hij zette de wagen neer en stapte uit. Hij wachtte tot ze achter hem stond en toen maakte hij haar portier open. Hij bood haar zijn hand aan en hielp haar met uitstappen.

'Woon je hier?' vroeg ze.

'Alleen in het weekend. Niemand weet dat het van mij is.'

Terwijl ze naar de voordeur liepen haalde hij een sleutelbos tevoorschijn. Het houten huis was geel geschilderd en had witte luiken. Er zat een laag dak op met zonnepanelen waardoor het een tropisch tintje kreeg; ze waande zich bijna in Key West of Jamaica. In het tuintje, dat gedeeltelijk uit zand en gedeeltelijk uit gras bestond, stonden palmen. De voordeur zwaaide open en ze liep een halletje in waar ze even bleef staan om het allemaal in zich op te nemen.

In de zitkamer waren grote glazen ruiten. Erbuiten was een grote houten patio met eromheen een muur van een meter hoog met een opzetstuk van getint glas. Zo kon iemand die op de patio stond de oceaan zien terwijl hij zelf niet zichtbaar was. Ze liep naar de glazen wand en bewonderde het uitzicht. Ze rook de zee en Dante zag hoe ze haar ogen dichtdeed en inademde.

'Vind je het wat?'

Ze glimlachte. 'Het is prachtig. Ik ben dol op de zee. Ik ben echt een watermens. Vissen.'

'Ik ook. Alleen ben ik dan Schorpioen.'

'Hoe lang heb je dit huis al?'

'Drie dagen.'

'Heb je het deze week pas gekocht?'

'Gehuurd met de optie tot kopen. Jij bent mijn eerste gast.'

'Wat een eer.'

'Wil je het huis zien? Ik geef je wel een rondleiding.'

'Graag.'

Ze liepen van de ene naar de andere kamer. Hij vertelde er maar weinig over, omdat het een kleine woning was en het duidelijk was waar de ruimtes voor waren bestemd. Het huis bevatte een keuken, een hoofdslaapkamer, een logeerkamer, twee badkamers en een eet-zitkamer. Het huis was geheel ingericht, inclusief de lakens.

Ze zei: 'Ik hou ervan om impulsief iets te kopen. Dat is gewoon leuk. Al zie ik mezelf dat met zoiets duurs nog niet doen.'

'Het was een koopje. De eigenaar van het huis was me geld schuldig, dus op deze manier betaalt hij me af. Ik belde hem en zei dat ik het wou hebben en hij voldeed daar maar al te graag aan. Het is vijftienduizend dollar per maand met een looptijd van zesendertig maanden. Hij komt er zo goed vanaf.'

Nora scheen verbijsterd. 'Hoeveel was hij je dan wel niet schuldig?'

'Heel veel. Ik heb hem korting gegeven om het leed te verzachten.'

'Waarom zou je zo veel geld lenen?'

'Het levensonderhoud is duurder geworden. De economie draait slecht. Die man staat in de schijnwerpers en hij moet net doen of het goed gaat. Zijn vrouw heeft geen idee hoe diep hij zich in de schulden heeft gestoken.'

'Gebruiken zij dit huis dan niet?'

'Nu niet meer. Hij heeft haar verteld dat hij het heeft verkocht.'

'Net zo makkelijk.'

'Ja, net zo makkelijk.'

'Stond haar naam dan niet op de overeenkomst?'

'Haar naam staat nergens op. Hij is wat dat betreft net Channing.'

Ze aarzelde, misschien omdat ze er liever niet op door wilde gaan, maar haar nieuwsgierigheid kreeg toch de overhand. 'Wat wil je daarmee zeggen?'

'Ik heb het vermoeden dat het huis in Malibu op zijn naam staat.'

'Dat had hij al voordat hij mij leerde kennen.'

'Dus toen jullie trouwden heeft hij het laten aanmerken als zijn bezit?'

'Ja, natuurlijk. Ik heb ook mijn eigen bezit. We zijn allebei eerder getrouwd, dus zo gaan die dingen.'

'En jullie huis hier? Staat jouw naam op het koopcontract?'

'Nee, dat niet, maar dat was vanwege de belasting, zei hij. Ik weet nu niet meer zo gauw wat hij daar nu precies over heeft verteld.'

'Hoe vaak was hij gescheiden voordat jij met hem trouwde?'
Nora stak twee vingers in de lucht.
'Hij werd vast allebei de keren uitgekleed, ja?'
'Volgens hem wel.'
'Daarom staat jouw naam niet op het eigendomsbewijs. Omdat hij je nu al aan het naaien is.'
'Houd op. Dat is hier in onze staat goed geregeld. Als we gaan scheiden, krijg ik hoe dan ook overal de helft van.'
'Hij is advocaat, Nora. En zijn vrienden zijn ook advocaat en zo niet, dan kennen ze wel advocaten die erop gespind zijn om waardevolle spullen uit de handen van vrouwen zoals jij te houden. Weet je welke belasting hij bedoelde? De belasting die ze moeten betalen als ze het niet slim genoeg aanpakken.'
'Ik vind het niet prettig om erover te praten. Dat hoort niet.'
'Dat hoort niet? Ja, zo kun je het ook bekijken. Wil je weten wat ik denk? Je bent een prachtige vrouw. Je zit in de problemen en dat weet je zelf ook. Ik zie het in je blik. Volgens mij ben je behoorlijk roekeloos. Je was een wildebras als kind en je dreef je eigen willetje door.'
'Dat hoort toch zo, als je jong bent?'
'Dat bedoel ik. Zo worden we oud. Door te veel over dingen na te denken die we vroeger gewoon deden.'
'Houd er nu maar over op.'
'Hoezo?'
'Ik had niet met je mee moeten gaan. Dat was stom.'
'We staan alleen te praten. Daar is niets mis mee.'
'Je weet wel beter.'
'Ja, dat klopt. Maar ik wist niet of jij dat ook inzag. Dat heb je met beslissingen. Uiteindelijk zul je een beslissing moeten nemen. Misschien nu nog niet meteen, maar wel snel,' zei hij.
'En jij? Wat wil jij? Jij verwijt me besluiteloosheid, maar je hebt nog steeds niet verteld wat jij van plan bent.'
'Ten eerste wil ik liever niet de rest van mijn leven in de gevangenis doorbrengen.'
'Zit dat erin, dan?'
'Volgens mijn advocaten wel. Ik heb er vier en ze zijn fantastische mensen. Geloof me, als ik hun naam zou laten vallen, weet Channing precies wie het zijn.'
'Wat heb je gedaan?'
'Daar gaat het niet om, het punt is waar ik van beschuldigd word. Wil je het allemaal weten?'

'Ja, uiteraard.'

'Belastingontduiking, goochelen met de boekhouding, geen bankrekeningen overleggen van banken in het buitenland en inkomsten uit het buitenland. En ook nog van afperserij, samenzwering, het witwassen van geld, vervoer van gestolen goederen en verkoop van gestolen waar. Dat is het zo'n beetje. O, en postfraude. Dat was ik geloof ik nog vergeten. Het kunnen er nog een paar zijn, maar dat zijn dan variaties op de dingen die ik vermeld heb.'

'Geen geweldsmisdaden?'

'Dat is een aparte aanklacht.'

'Zul je worden veroordeeld?'

'Dat wil ik nu juist zien te vermijden. Mijn advocaat zei dat ik strafvermindering krijg als ik schuld beken, maar de voorwaarden zullen niet prettig zijn.'

'Hoe lang zou je de bak in gaan?'

'Veertig jaar. En dan ben ik ook nog eens al mijn huizen kwijt, en daar ben ik echt nijdig om.'

'Veertig jaar? Wat erg. Ik ga niet op je wachten, maar ik zal je wel missen.'

Hij lachte. 'Zover is het nog lang niet. Het goede nieuws is dat dit soort onderzoeken door ambtenaren wordt gedaan. Dat duurt dus eeuwen. Voorlopig heb ik zo mijn maatregelen genomen.'

'Interessant. Wat voor maatregelen?'

'Ik heb je al te veel verteld. Het punt is, dat als ik met de noorderzon vertrek, je mee kunt gaan. Er zijn meerdere soorten gevangenissen.'

'Doe niet zo theatraal!'

'Maar het is wel zo. Als je bij Channing blijft weet je hoe het af zal lopen. Hij zal de ene na de andere verhouding hebben waar jij altijd als laatste achter komt. Het enige waar jij op kunt hopen, is dat je zelf een affaire begint.'

'En daar heb ik jou voor nodig.'

'Waarom niet? Ik wil je nergens toe overhalen, behalve dan misschien om er met mij vandoor te gaan als het zover is.'

'Ik moet weer weg.'

'Het is nog geen twee uur. Je hoeft pas om vier uur thuis te zijn.'

Ze lachte. 'Wat ben jij slecht. Als ik niet uitkijk moet ik mijn therapeut over jou vertellen.'

'Ga je naar een therapeut?'

'Vroeger wel. Een jaar lang twee keer per week.'

'Hoe dat zo?'

'Mijn enige kind is overleden.'
'Wil je erover praten?'
'Nee.'
'Had je wat aan die therapie?'
'Nee, daarom ben ik ook niet meer gegaan. Ik werd moe van mijn eigen stem. Rouw is hetzelfde als ziek zijn. Je denkt dat de hele wereld om jou draait en dat is niet zo.'
Hij streelde haar wang met de rug van zijn hand. 'Arm klein musje.'
'Ja, arme ik,' zei ze, maar ze trok zich niet terug.

Op maandagochtend liep Saul Dantes kantoor in met een dikke stapel kranten. 'Problemen.'
Dante zat aan zijn bureau te spelen met een brievenopener, maar die gooide hij meteen opzij. Hij sloeg zijn handen voor zich op het bureau in elkaar. Hij was al niet blij en hij had geen behoefte aan nog meer ellende. 'Wat dan?'
'Georgia belde. Ze wil een afspraak met je.'
'Waarom zou dat een probleem zijn? Zeg maar dat ik haar op de gebruikelijke plek oppik.'
'Dat was ook niet het probleem.'
'Laat het slechte nieuws maar. Je ziet er nog barser uit dan normaal, dus ik wil het niet horen.'
Saul hield zijn mond.
Dante zei opgefokt: 'Godver. Nou, vertel op.'
'Ik kom anders straks wel weer terug.'
Dante gebaarde dat hij moest opschieten.
'De lonen zijn onderschept. Daarom wil Georgia je spreken. Een of andere eikel in Miami wist niet dat Audrey weg was gevallen en verzond gewoon het geld. Haar verhuurster kreeg het pakje in handen. Het geld is pleite.'
'Hoezo, pleite? Wanneer is dat gebeurd?'
'Op vrijdag.'
'En daar belt Georgia nu pas over op? Zeg maar dat ze het terug moet zien te krijgen.'
'Dat lukte niet en nu is er ook nog een privédetective in het spel. Volgens mij speelt die met de verhuurster onder één hoedje. Georgia heeft mannetjes gestuurd om bij hen thuis de boel om te spitten, maar die konden niets vinden. Het schijnt dat ze het geld aan het bureau van de sheriff in San Luis Obispo hebben overgedragen.'

'Boffen wij even,' zei Dante. 'En verder?'

'Georgia denkt dat die privédetective haar volgt.'

'Georgia heeft zeker weer last van PMS. Elke maand weer is ze paranoïde en denkt ze dat er iemand haar achtervolgt. Aanstelster.'

'Dit keer geloofde ik haar wel. Je zou even met haar moeten praten.'

Dante gebaarde dat hij er genoeg van had. 'Prima. Verder nog iets? Want tot nu toe heb je mijn bui nog niet helemaal verziekt. Dat kan beter.'

'Heb je nog over Cappi nagedacht? Hij stelt wel heel veel vragen, en ik ben niet blij welke kant het opgaat.'

'Ik heb hem het een of ander verteld, dus eens zien wat hij daarmee doet. Ik heb gezegd dat we op donderdag om twaalf uur alle zakelijke gegevens wissen. Dat heb ik ter plekke verzonnen, maar weet hij veel? Hij verlinkt de boel en hij zal het vast onmiddellijk aan degene doorvertellen voor wie hij werkt. Het zal me niet verbazen als de FBI met een huiszoekingsbevel op komt dagen en alles overhoophaalt. Als we zijn betrouwbaarheid in twijfel hebben laten trekken, heeft hij geen waarde meer.'

'Waarom zouden ze dat geloven?'

'Tegen de tijd dat hij het aan hen doorgeeft, heeft hij alle feiten zo door elkaar gehaald dat niemand er meer iets van snapt. Ze zullen evengoed komen voor het geval die klootzak het bij het rechte eind heeft.'

'Leuk dat je hem zo kunt manipuleren.'

Dante wees naar de kranten die Saul bij zich had. 'Wat heb je daar?'

Saul legde de stapel op Dantes bureau. 'Nog meer bewijs voor een rechtszaak. Wil je even kijken?'

'Dat heeft geen nut, ik ben toch de lul. Als ik lieg klagen ze me aan voor meineed. Als ik de waarheid vertel smijten ze me in het gevang. Ik heb weinig keus.'

'Hoezo? Je moet gewoon liegen dat je barst. Laten zij maar het tegendeel bewijzen.'

'Ik wil niet liegen onder ede. Dat vind je misschien gek na alles wat ik heb gedaan, maar ik heb net als ieder ander waarden en normen.'

'Dan kun je er maar beter vandoor gaan.'

'Lekker slim. Als ik niet meer in beeld ben, gaan ze achter jou aan.'

'Maak je daar maar geen zorgen over. Mij gebeurt niets. Als jij weg bent, kan ik de onschuld zelve spelen en jou overal de schuld van geven.'

'Ik heb ook overal de schuld van.'

'Als je wilt kan ik Lou Elle laten weten dat het doorgaat.'

'Nu nog niet. Ik moet nog een paar dingen regelen.'

'Wat dan? Alles is in orde. We zijn hier al maanden mee bezig.'

'Weet ik,' zei Dante korzelig. 'Maar het is nog niet het juiste tijdstip.'

Saul zei voorzichtig: 'En waarom dan niet?'

'Vanwege een vrouw met wie ik momenteel omga.'

Saul moest dat even verwerken. 'En Lola dan?'

'Dat is voorbij. Ze woont nog thuis, maar dat duurt niet lang meer.'

'Dat wist ik helemaal niet.'

'Ik ook niet. Zij was degene die er een streep onder heeft gezet, anders had ik er nog wel moeite voor willen doen. Ik dacht dat het op rolletjes liep. Voor mij was het voor eeuwig. Zo zie je maar,' zei hij. 'En nu heb ik dan iemand anders leren kennen.'

'Wie dan?'

'Dat gaat je niets aan. Het punt is dat ik straalverliefd ben.'

'Jij?'

'Over wie hebben we het nou?'

'Sinds wanneer?'

'Sinds gisteren.'

23

Op maandagochtend, onderweg naar kantoor, ging ik langs bij het gemeentearchief op zoek naar informatie over Helpende harten, helende handen. Als het bedrijf inderdaad een liefdadigheidsinstelling was, moest het geregistreerd staan. In de staat Californië, en volgens mij in de meeste staten, moet een groep die geen belasting hoeft te betalen daar een vergunning voor aanvragen. Die moeten bij de staat worden ingediend, vergezeld van de benodigde betalingen. Hoe de instelling ook in elkaar steekt, de aanvrager moet altijd de naam en het adres van de organisatie zelf en de naam en het adres van elke partner, gevolmachtigde en medelid invullen.

Ik ging eerst de lijst met liefdadigheidsinstellingen na, maar daar stonden ze niet bij. Vervolgens de non-profitorganisaties en ook daar trof ik niets aan. Verbijsterd vroeg ik de vrouw aan de balie of zij nog suggesties had. Ze zei dat ik bij 'Voorgestelde bedrijfsnamen' moest kijken, ook bekend als hon, 'handelend onder naam'. Ze verwees me naar een ander kantoor. Voorgestelde bedrijfsnamen blijven maar vijf jaar geldig, maar je kunt binnen dertig dagen nog verlengen. Ik bedankte haar voor haar hulp. Dit keer had ik meer succes, hoewel ik door de informatie weer terug bij af was. Helpende harten, helende handen was van Dan Prestwick, de man van dezelfde Georgia die ik al dagen volgde.

Ik begreep niet helemaal waarom hij die onderneming had opgezet, maar ik nam aan dat hij in het bezit was van de benodigde vergunningen en machtigingen, dat hem een belastingnummer was toegewezen en dat hij zich hield aan de federale en staatsreglementen om het beoogde doel te behalen, wat dat ook mocht zijn. Hij moest fondsen, eigendommen en andere bedrijfsmiddelen opgeven, maar dat kon ik nergens vinden. Ik wist zeker dat men allerlei huishoudelijke artikelen en gebruikte kleding in de verzamelcontainers dumpte, maar ik had geen idee wat ermee werd gedaan. Hij had in elk geval nergens vermeld wat de eventuele waarde ervan was. Misschien gooide hij het wel allemaal in containers van het Leger des Heils of zo.

Helpende harten, helende handen bleek een lege vennootschap te zijn om Dan Prestwick aan het oog te onttrekken. Het leek mij dat deze zogenaamde liefdadigheidsinstelling gebruikt werd om gestolen spullen te vervoeren. Georgia deed niet alleen aan winkeldiefstal, maar ze verzamelde de gestolen goederen ook, afgaande op de overvolle vuilniszakken die ze in de twee verschillende containers had gegooid. Ze was duidelijk niet betrokken bij het verdere vervoer van de spullen. Ik nam aan dat ze de gestolen waar zo snel mogelijk het huis uit werkte. Ik kon me Prestwick niet voorstellen als de baas van het hele spul. Hij werkte vast voor iemand anders. Audreys telefoontjes naar Los Angeles, Corpus Christie en Miami deden een organisatie vermoeden met filialen verspreid over het hele land. Er was geld door gegenereerd en naar de overleden Audrey Vance gestuurd. Het geld was waarschijnlijk bestemd om de mensen te betalen die om de zaterdag naar haar toe kwamen. Maar wat nu?

Ik verliet het gebouw en reed naar Juniper Lane. Ik zette de auto een paar huizen bij de Prestwicks vandaan en hield het stukje oprit in de gaten dat ik kon zien. Ik was niet echt aan het surveilleren. Ik had gewoon een plek nodig om na te denken en waarom dan niet in de buurt van twee hoofdrolspelers? Ik dook mijn indexkaartjes op uit mijn schoudertas en maakte een paar aantekeningen, al had ik nauwelijks feiten. Het was veel giswerk en weinig bewijs.

Nu ik niet meer voor Marvin Striker werkte, moest ik het in mijn eentje zien te rooien. Hoewel ik het niet prettig vond verantwoording aan hem af te leggen, zou loon voor werken niet verkeerd zijn. Op deze manier moest je geen zakendoen, en al helemaal niet als er rekeningen aan zaten te komen en je weinig geld had. Ik had wel wat spaargeld om het een en ander op te vangen, maar dat deed ik liever niet. Ik mag dan nog zo hooghartig hebben beweerd dat ik geen geld nodig had, de praktijk bleek anders. Het beste zou zijn dat ik alle gegevens die ik had verzameld aan Cheney Phillips overhandigde. Ik had geen zin om naar Len Priddy te stappen, maar als Cheney de informatie door wilde geven, ging hij zijn gang maar.

Ik zag opeens Georgia over de inrit lopen. Ze ging zo te zien niet joggen, tenzij ze dat altijd in een strakke rok, een panty en hoge hakken deed. Ze kwam bij de hoek aan en bleef staan. Een lange zwarte limousine kwam aanrijden. Het achterportier ging open en ze stapte in, waarna de limousine wegzoefde. Ik startte de Mustang en reed de straat uit. Daar keek ik voorzichtig naar rechts. De limousine stond met draaiende motor bij de stoep geparkeerd. Een erg grote man in een zwart pak was uitgestapt. Hij stond naast de auto, met zijn handen voor zijn buik gevouwen terwijl hij om zich heen keek. Zijn blik viel op mijn auto, dus ik moest de bocht naar links wel nemen. Ik had zelfs niet naar het kentekennummer gekeken, dat was wel een zwak punt bij mij. Ook dit keer vervloekte ik de Mustang omdat die veel te veel opviel. Ik kon zelfs niet omkeren en van de andere kant langs hen heen rijden.

Ik ging terug naar kantoor en terwijl ik parkeerde, zag ik Pinky Ford met een gele envelop voor de deur zitten. Ik had ernaar uitgekeken even op mezelf te zijn, maar dat zat er duidelijk niet in. Toen hij me zag, kwam hij overeind en sloeg hij het stof van zijn broek. Hij had zoals altijd een spijkerbroek aan, dit keer met een zwart westernoverhemd, voorzien van zilveren studs. Aan de uitgedrukte peuken op de straat te zien had hij er al een tijdje gezeten. Terwijl ik naar hem toe liep, stopte hij de envelop onder zijn arm en bukte hij zich om de peuken op te rapen. Hij hield ze in zijn hand en veegde met veel vertoon de as met de neus van zijn laars weg.

Ik zei: ‘Ha, die Pinky. Hoe gaat het? Je hebt toch niet weer iets bij het pandjeshuis gebracht?’

‘Nee, mevrouw. Ik ben heel braaf geweest,’ zei hij. ‘Wat dat betreft dan.’

Ik haalde deur van het slot en hij liep met me mee naar binnen. ‘Zal ik koffiezetten?’

‘Ik heb een beetje haast.’

‘Wil je wel plaatsnemen of neemt dat ook te veel tijd in beslag?’

'Nee, dat lukt wel,' zei hij.

Ik trok de prullenmand onder mijn bureau vandaan en hield hem die voor. Hij gooide de peuken erin en veegde zijn handen aan zijn spijkerbroek af. Ik snakte naar een kop koffie, maar stelde het noodgedwongen uit omdat hij haast had. Hij ging op de bezoekersstoel zitten en legde de envelop op mijn bureau. Het viel me op dat het lampje op het antwoordapparaat vrolijk knipperde. 'Wacht even.'

Ik drukte op play en zodra ik 'Met Dia...' hoorde, wist ik niet hoe snel ik de knop delete in moest drukken.

Pinkey zei: 'Gut, je bent wel erg dol op haar.'

'Dat wil je niet weten,' zei ik. 'Is dat voor mij?'

Hij schoof de envelop een stukje naar voren. 'Ik hoopte dat jij het een tijdje voor me wou bewaren.'

'Wat is het dan?'

'Het zijn foto's.'

'Waarvan?'

'Van twee verschillende personen in compromitterende omstandigheden. Je kunt er maar beter niet te veel over weten.'

'Hoezo? Dat lijkt me nu juist wel beter.'

'Het ligt nogal gevoelig. Bij de eerste paar foto's staan iemands reputatie en goede naam op het spel.'

'Sta jij er met een andere vrouw op?'

'Nee, ik niet. Bovendien heb ik geen goede naam of reputatie. En trouwens, ik zou Dodie nooit belazeren. Ze heeft me tot in de details verteld wat ze met me zou doen als ze erachter zou komen.'

'En de andere foto's?'

'Die zijn nog erger. Als het niet zo overdreven overkwam zou ik het zelfs een kwestie van leven en dood noemen.'

'Hoeveel foto's zijn het in totaal? Niet dat het uitmaakt, ik wil het gewoon graag weten,' zei ik.

Hij dacht daar even over na, alsof hij er nog niet eerder bij had stilgestaan. 'Een stuk of tien, volgens mij.'

'Schat je dat of heb je ze ook geteld?'

'Ik heb ze geteld. De negatieven zitten er ook bij. Foto's zonder negatieven zijn geen drol waard. Als je een stel foto's vernietigt kunnen ze zo weer afgedrukt worden.'

'Waarom wil je ze eigenlijk aan mij geven?'

Hij verwijderde een draadje tabak van zijn tong. 'Dat is een goede vraag,' zei hij zonder er verder over uit te wijden.

‘Pinky, ik ga dit niet voor je bewaren tenzij je me er meer over vertelt.’

‘Dat snap ik,’ zei hij. Hij wierp een blik op het plafond. ‘Eens zien of ik het kan uitleggen zonder mezelf ergens van te beschuldigen.’

‘Neem de tijd.’

Hij dacht even na. ‘Het zou kunnen dat ik me in het huis heb begeven van iemand die naar mijn mening de envelop in zijn bezit had. Ik wil niet beweren dat het zo is gegaan, maar het zou kunnen. Het is ook mogelijk dat ik ergens anders naar de foto’s heb gezocht en toen ze daar niet waren, ik daaruit de conclusie trok waar ze dan wel moesten zijn.’

‘Waarom ben jij erbij betrokken geraakt?’

‘Ik wou iemand helpen. Maar toen kreeg ik dus ook die andere foto’s te zien en nu zit ik in de penarie. En niet zo’n beetje ook.’

‘Dus dat zou betekenen dat iemand die de foto’s bewaart ook in de problemen raakt als een bepaald persoon daarachter komt?’

‘Waarom zouden ze jou verdenken?’

‘En als je nu gevolgd bent? Voor hetzelfde geld staat er even verderop een vent geparkeerd die met een verrekijker mijn deur in de smiezen houdt. Jij gaat met een envelop naar binnen. Je gaat zonder envelop weg. De slechteriken zijn niet helemaal gek. Het kan me niet schelen wie het zijn, ze komen er vast wel achter.’

Hij schoof heen en weer op de stoel, blijkbaar slecht op zijn gemak bij de gedachte alleen al. Hij keek me sluw aan. ‘Geef me dan een andere envelop waarmee ik weer weg kan gaan.’

Ik kneep mijn ogen samen. ‘Zal ik jou eens wat vertellen? Ik vind het gewoon geen goed idee. Ik wil je graag helpen, maar je hebt jezelf in de puree gewerkt en ik wil daar niets mee te maken hebben.’

Dat hoorde hij liever niet. ‘En als ik de foto’s nu maar één dag bij je achterlaat?’

‘Hoe kan ik dan zeker weten dat je ze op komt halen?’

‘Omdat ik ze goed kan gebruiken, alleen nog niet nu meteen. Dit is alleen bedoeld om zeker te weten dat ze veilig zijn. Maar één dag.’ Hij stak zijn vinger in de lucht om nog eens duidelijk aan te geven hoe weinig hij maar vroeg.

‘Ik ken je. Ik weet dat je doet wat jou uitkomt en dan zit ik ermee opgescheept.’

'Ik beloof je dat ik ervoor terugkom. Dat zweer ik je.'
'Ik snap niet wat één dag nu voor verschil uitmaakt.'
'Ik ben voor morgenmiddag een afspraak aan het regelen. Ik heb mezelf in de nesten gewerkt en met de foto's kom ik eronderuit, maar dan moet ik ze wel aan de juiste partij kunnen overhandigen. Als jij de envelop in de safe legt, kan het toch geen kwaad?'
'Hoe kom je erbij dat ik een kluis heb?'
Hij wierp me een gepijnigde blik toe, alsof het zonneklaar was. 'Ik kom ze morgenmiddag weer halen en dan is het wat jou betreft afgelopen.'
Ik had mijn vingers net zo graag tussen de kastdeur geklemd, dat had uiteindelijk minder pijn gedaan dat zijn voorstel. 'Vraag me dat nou niet.'
'Maar ik vraag het je wel. Ik ben wanhopig.' Het lukte hem tegelijk ernstig en droevig en hulpeloos en afhankelijk over te komen.
Ik keek hem aan. Bajesklanten waren ook allemaal hetzelfde, dacht ik. Of ze nu in de gevangenis zitten of niet, ze zijn altijd aan het konkelen en manipuleren. Misschien konden ze er niets aan doen. Ze wisten dat er altijd wel goedbedoelende zielen waren zoals ik die hen te hulp zouden schieten. En als ik hem zou helpen, wie zou er dan de pineut zijn?
Ik wist dat ik het niet moest doen. Hoe vaak had ik in dit soort situaties niet ja gezegd, met alle gevolgen van dien? Hoe vaak was ik er niet ingetrapt? Intuïtie is nu juist bedoeld om ons te waarschuwen als de wolf verkleed als Roodkapje voor ons op de stoep staat. Ik deed mijn mond open zonder te weten wat ik ging zeggen. 'Weet je, het komt gewoon niet goed op me over,' zei ik. 'Ik vind het eigenlijk maar niets.'
'Ik heb verder helemaal geen vrienden.'
'Hou op zeg. Er is vast nog wel iemand.'
Hij haalde zijn schouders op en keek me niet in de ogen. 'Dat is te hopen. Anders zit ik tot aan mijn nek toe in de stront.'
Ik vroeg me af wat erger was: het nemen van de verkeerde beslissing en daar de dupe van worden of mijn handen ervan aftrekken en last krijgen van schuldgevoel. Het werd me bijna te veel. Ik stond op het punt toe te geven, maar schudde uiteindelijk toch het hoofd. 'Sorry, maar ik doe het niet. Als ik toegeef krijg ik er spijt van.'
Hij stond op en ik volgde zijn voorbeeld. Toen hij me over het

bureau een hand wilde geven, deed hij net alsof het afscheid voor eeuwig zou zijn. 'Je moet je er niet rot over voelen dat je me laat zitten. Ik had het je nooit mogen vragen.'

'Hopelijk lukt het allemaal.'

'Ja, dat hoop ik ook. Maar bedankt voor de moeite. Pas goed op jezelf. Ik laat mezelf wel uit.'

'Je houdt toch wel contact?'

'Als het kan wel,' zei hij.

We namen ietwat opgelaten afscheid en hij liep mijn kantoor uit, naar de buitendeur. Ik vroeg me echt af of ik hem ooit weer zou zien. Ik liep naar het raam en keek naar buiten. Het duurde even voordat hij in mijn gezichtsveld opdook. Ik had moeten weten dat hij ergens mee bezig was, maar daar stond ik op dat moment niet bij stil. Ik legde mijn hoofd tegen de ruit en keek hem na terwijl hij de straat uit liep. Ik verwachtte al half geweerschoten te horen of een auto zonder kenteken te zien die met piepende banden optrok om hem omver te rijden.

Ik ging in mijn draaistoel zitten en had last van mijn geweten. De volgende keer dat hij me iets zou vragen – als hij dat tenminste nog mocht meemaken – zou ik ongeacht wat het was instemmen. Dit was een van die 'als ik het toen maar had geweten'-momenten, hoewel ik me daar uiteraard niet van bewust was. Ik zat daar een tijdje mezelf verwijten te maken toen er weer iemand opdook.

Er werd op de buitendeur geklopt, waarna die werd geopend en weer dicht werd gedaan. Ik stond op en liep naar de deur om te zien wie er binnen was gekomen. Earldeen, Marvins kroegmaatje, stond net haar jas uit te trekken. Ik dacht even dat hij haar had gestuurd om zijn excuses aan te bieden omdat hij te laf was om dat zelf te doen.

Ik zei: 'Hoi, Earldeen. Wat een onverwacht genoegen.'

Ze toonde me een van de visitekaartjes die ik in de Hatch had achtergelaten. 'Ollie had ze gelukkig, anders had ik niet geweten waar je zat.'

'Kom binnen,' zei ik. 'Zal ik je jas ophangen?'

'Nee, dat hoeft niet,' zei ze. Ze legde haar jas op een bezoekersstoel en nam plaats op de andere. Ze was minstens een kop groter dan ik, maar had de slechte houding van iemand die als tiener de gewoonte had aangenomen om kleiner te lijken. De walm van whisky hing om haar heen, hoewel ze voor zover ik kon bepalen nuchter was.

Ik liep terug naar mijn bureau en ging weer zitten. 'Wat kan ik voor je doen?'

'Ik ben hier eigenlijk om jou te helpen. Er is iets gebeurd waarvan ik vond dat jij dat moest weten.'

'Ik ben benieuwd.'

'Nou, nadat jij weg was gegaan uit de Hatch, kwam er een vent naar binnen. Ik had hem al een tijdje niet gezien, maar hij kende Audrey goed, want ze hadden regelmatig lange intieme gesprekken. Dat was ongeveer een jaar geleden, voordat Marvin en zij wat kregen. Ik had hem daarna niet meer gezien. Ik dacht dat hij een ex-man was of een oud vriendje, in elk geval iemand van wie Marvin niets af mocht weten.'

'En klopte dat?'

'Dat wist ik toen niet zeker, maar ik moet toegeven dat ik er wel nieuwsgierig naar was. Het is een knappe vent. Halverwege de vijftig, lang, een grijze krullenbol en grote bruine ogen. Audrey en hij zaten altijd met elkaar te kletsen en als ik haar dan vroeg wie dat was, ging ze er niet op in. Ze pasten niet bij elkaar, vond ik. Zij was ruim tien jaar ouder dan hij en ik wil niet rot doen, maar hij was ook veel te knap voor iemand zoals zij. Dat klinkt vreselijk, dat weet ik, maar het is nu eenmaal zo.'

'Was hij gisteren naar haar op zoek?'

Earldeen schudde het hoofd. 'Hij had met iemand afgesproken. Met een vrouw die absoluut niet in de Hatch paste. Ze was meer het type voor een countryclub, weet je wel?'

'Zo'n beetje,' zei ik. 'En toen?'

'Niets bijzonders. Ze praatten eventjes en toen leidde hij haar de zijdeur uit en daarna heb ik ze niet meer gezien.'

'Waarom kom je me het dan vertellen?'

'Nou, dat is het gekke. Toen ze daar zaten, vroeg ik Ollie wie dat was en die zei dat het Lorenzo Dante was. Ken je hem?'

'Volgens mij niet.'

'Ze noemen hem Dante om hem niet te verwarren met zijn vader Lorenzo Dante. Ollie zegt dat hij een gangster is.'

'De vader of de zoon?'

'Allebei. De vader zal wel met pensioen zijn inmiddels. Uiteraard verkeer ik niet in die kringen, maar ik heb gehoord dat die kerel heel veel twijfelachtige zaakjes in handen heeft.'

'Wat dan?'

'Nou, hij is bijvoorbeeld een woekeraar. Dan heeft hij ook nog een import-exportpakhuis in Colgate met de naam Allied Distributors. Als ik me niet vergis werkte Audrey voor hem.'

Mijn hart bonsde me in de keel, want ik had dat pakhuis de dag ervoor nog gezien. 'Waarom heb je me dat een week geleden niet verteld? Ik heb mezelf uit de naad gewerkt om te weten te komen waar ze mee bezig was. Hier was ik een heel eind mee opgeschoten.'

'Ik werd een beetje afgeleid. Ik was behoorlijk van streek over het feit dat ze zelfmoord had gepleegd en ik stond er niet bij stil dat haar dood te maken kon hebben met haar baas. Pas toen ik hem gisteren weer zag, viel het kwartje.'

'Weet Marvin het ook?'

'Laat ik het zo zeggen. Ik heb het hem verteld zoals het was, maar dat wil nog niet zeggen dat het tot hem doordrong. Hij wil gewoon niet weten dat Audrey voor een boef werkte. Hij denkt dat ze een heilige was en wil er verder niets over horen.'

'Daar beschuldigde hij mij nota bene van.'

'O, dat weet ik. Projectie heet dat. Ik zie niet anders in de Hatch. De pot verwijt de ketel dat hij zwart ziet,' zei ze. 'Kijk maar niet zo verbaasd. Ik heb vroeger gestudeerd. Psychologie en kunst.'

'Sorry. Ik ben het nog aan het verwerken. Je zou toch denken dat Marvin blij zou zijn. Hij is ervan overtuigd dat ze vermoord is en dit ondersteunt die bewering, ja toch?'

'Nou, dat weet ik nog zo net niet,' zei Earldeen. 'Audrey en die Dante waren dikke vriendjes. Ze werkte hard. Ze was altijd onderweg en verdiende geld als water. Dat houdt voor mij in dat ze het goed deed. Waarom zou hij haar vermoorden als ze goed in haar werk was?'

'Misschien werd ze een tikje te brutaal en dreigde ze het van hem over te nemen.'

'Dat zou natuurlijk kunnen. Je hebt gehoord wat Marvin zei. Iemand heeft hem ervan overtuigd dat zij van de brug af is gegooid omdat ze te veel wist. De vraag is alleen wat dat was.'

'Geen flauw idee,' zei ik. Ik overwoog de mogelijkheden. Met de magere feitjes die ik had verzameld, zou ik niet weten wat het zou kunnen zijn.

Earldeen was zenuwachtig. 'Wat moet ik nou doen?'

'Nou, als ik jou was zou ik er naar de politie mee gaan.'

'Dat heb ik al gedaan. Voordat ik naar jou ging, ben ik naar het politiebureau gegaan en vroeg iemand te spreken over Audreys dood. De vent aan de balie belde en zei dat brigadier Priddy er zo aankwam. Ik zei dat het niet belangrijk was en ging er als een speer vandoor. Ik vind het raar dat hij overal opduikt. Maar goed, het is te hopen dat Marvin er niet achter komt dat ik hier ben geweest, anders krijg ik de wind van voren.'

24

Toen Earldeen weg was, raadpleegde ik weer mijn aantekeningen. Ik was nog nooit zo weg geweest van mijn indexkaartjes. Het waren net stukjes van een legpuzzel die op hun plaats vielen zodra ik wist waar ik naar zocht. Ik schudde de kaartjes en legde ze op het bureau. Ik kon de feiten neerleggen zoals ik wilde, maar de stukjes en beetjes pasten pas bij elkaar als ik wist hoe ze zich tot elkaar verhielden. Op die manier kon ik het beter begrijpen, en raakte ik niet verward in een verhaallijn van hoe ik dacht dat het zou moeten zitten. Voorlopig had ik nog geen idee, maar in plaats van daar ontmoedigd door te raken, zag ik het als een kans om erover na te denken. Het was alsof ik in een kabbelend riviertje stond en de gegevens langs me stroomden. Ik kon elke kant op draaien en om me heen kijken terwijl ik me afvroeg waar ik het best mijn hengel uit kon gooien.

Ik pakte het kaartje op van Providential Properties, het makelaarskantoor dat de huisjes te koop aanbood. Het zou interessant zijn, zat ik me te bedenken, om uit te vinden wie de huurder was geweest en wanneer hij daar had gezeten. Ik pakte de telefoongids en ging in de gele bladzijden op zoek naar het makelaarskantoor. Er stond maar één adres bij, dat in Colgate, wat aangaf dat het geen multinationaal bedrijf was met filialen in Londen, Parijs en Hongkong. Een praatje met de makelaar zou leuk zijn en al helemaal in levenden lijve en niet via de telefoon.

Ik ging tanken en bezocht ook even het toilet voordat ik de 101 op reed, zodat ik tijd genoeg had om een verhaal te verzinnen. Waarom was ik geïnteresseerd in een vervallen huis? In spijkerbroek en coltrui zag ik er sjofel genoeg uit. Ik had nog nooit een huis gekocht, zelfs niet zogenaamd, dus ik wist niet hoe ik dat aan moest pakken. Stel dat hij me vroeg naar mijn adres, beroep en werkadres? Mocht dat het geval zijn, dan moest ik maar iets verzinnen. Voor hetzelfde geld was Providential Properties net zo nep als Helpende harten, helende handen.

Het kantoor stond samen met een aantal andere bedrijven aan de hoofdstraat van Colgate. Ik reed erlangs, bekeek het even snel en zette de auto iets verderop neer. In de etalage hingen foto's van onroerend goed. De meeste waren van bedrijven en pas toen vielen me de kleine lettertjes onder de bedrijfsnaam op: KANTOREN, BEDRIJVEN, FABRIEKEN, WINKELS EN INVESTERINGEN. Ik legde mijn hand op de deurknop en zag opeens een papieren klok met een briefje ernaast dat met een zuignapje aan de binnenkant van de ruit bevestigd was. Er stond op dat ze binnen tien minuten terug zouden zijn. De klok was op elf uur gezet. Mijn horloge gaf aan dat het kwart voor twaalf was. Ik draaide me om en bekeek de voetgangers op de stoep in de hoop dat de makelaar daarbij zou zitten. Hoewel er een hoop mensen op de been waren, liep niemand mijn kant op en ik stond te twijfelen of ik nu moest blijven wachten of het maar op moest geven.

Ik ging de hakkenbar ernaast in, waar het heerlijk naar leer, lijm, schoenpoetsmiddel en machines rook. De man achter de toonbank stond een riempje aan een rugzak vast te naaien. Hij was in de zeventig en keek me over de halve maantjes van zijn bifocale bril aan. Zijn lange grijze krullen kwamen tot op zijn schouders.

Ik zei: 'Weet u hoe laat de makelaar hiernaast terugkomt? Op het bordje staat dat hij tien minuten weg zou zijn, maar dat was drie kwartier geleden.'

'Ze is naar huis. Als het niet druk is, doet ze dat wel vaker.'

'O. Waarom sluit ze de winkel dan niet gewoon af?'

'Ze wil geen klanten wegsturen. Veel mensen komen hier naar haar vragen. Ik heb haar visitekaartje voor je. Als je een bericht inspreekt op haar antwoordapparaat belt ze je terug.'

Dan zou ik er nog een keer naartoe moeten, en daar was ik niet blij mee, maar het was niet anders. 'Dat moet dan maar.'

Hij stond op en liep naar de toonbank waar hij een la opentrok, rond zocht en me met zijn vieze vingers een beduimeld kaartje overhandigde.

Terwijl ik hem bedankte viel mijn oog op de naam van de makelaar: Felicia Stringfield. Ik zei: 'Felicia?'

'Kent u haar?'

'Volgens mij heb ik haar naam wel eens horen vallen,' zei ik. 'Doet ze ook woonhuizen?'

'Als ze de kans krijgt wel. Ze pakt alles met beide handen aan.'

'Nou, dat is mooi,' zei ik. 'Ik bel haar wel en misschien kom ik nog een keer langs als ze er wel is.'

'U kunt uw naam en telefoonnummer achterlaten?'

'Nee, laat maar. Ik bel haar wel. Dank u.'

Ik liep naar mijn auto en pakte de indexkaartjes. Ik haalde het elastiekje ervan af en bladerde er snel doorheen tot ik bij de aantekeningen kwam die ik na het eerste gesprek met Marvin had gemaakt. Felicia was de voornaam van de makelaar met wie Marvin en Audrey een paar huizen zouden bekijken op de dag dat ze vermist werd. Het zou toeval kunnen zijn, maar dat betwijfelde ik. Ik had het graag zeker willen weten, maar ik had geen zin om met Marvin te praten. Als het inderdaad dezelfde makelaar was, was het geen toeval dat ze huizen te koop aanbood die met het pakhuis te maken hadden.

Ik deed mijn ogen dicht en liep de feiten eens na. Het was me nog niet duidelijk hoe alles samenkwam. Ik kon de dievenbende onderscheiden en ik kende enkele mensen bij naam. Ik wist ook hoe het vervoer verliep. Het probleem was alleen dat ik niet veel kon doen. Oké, ik kon een burgeraanhouding verrichten, maar zo veel stelde dat nu ook weer niet voor. Stel dat ik een misdadiger te pakken kreeg, die kon gewoon lachend weglopen. Zodra ik hem met één vinger aanraakte, kreeg ik een aanklacht wegens gewelddadigheid aan mijn broek. Ik ben privédetective in een kleine stad. Om een dermate grote organisatie op te rollen was een politiemacht nodig.

Ik zag een telefooncel en belde Cheney Phillips op zijn rechtstreekse nummer. Toen hij opnam leek hij mijn stem te herkennen, maar toch stelde ik mezelf voor. 'Kan ik even met je praten?'

Hij zei: 'Ja hoor. Ik kan vanmiddag als dat je uitkomt. Is dat goed?'

'Maar niet op kantoor,' zei ik.

Hij was even stil. 'Oké. Waar dan wel?'

'Wat dacht je van de Shack op Ludlow Beach?'

'Prima. We kunnen er een lunchafspraak van maken. Trakteer ik. Tot over twintig minuten.'

Ik had hem niet gebeld voor een gratis lunch, maar zodra hij erover begon, merkte ik hoeveel trek ik had, dus waarom ook niet? Ik had die locatie voorgesteld omdat het meer een restaurant voor toeristen was en niet voor de plaatselijke bevolking. Er waren vast mensen die er graag gingen eten, maar dat ging niet op voor politiemensen. De Shack stond op het strand en werd door een groot parkeerterrein afgeschermd voor langsrijdende auto's. Blauw-wit gestreepte luifels zorgden voor schaduw voor de tafeltjes op het terras. Ik was ooit eens bijna vermoord in de grote vuilnisemmer die erbuiten stond. Voor mij was dat nostalgie.

Ik zag een tafeltje voor twee in de hoek aan de andere kant en ging met mijn gezicht naar de ingang zitten. Toen Cheney arriveerde tilde ik mijn hand op om zijn aandacht te trekken. Hij liep tussen de tafels door naar me toe en gaf me het verplichte kusje op de wang voordat hij een stoel naar achteren trok en ging zitten. Hij had een lichte broek, een wit overhemd en een suède sportjasje aan in de kleur van wilde bruine konijnen. Cheneys familie was rijk en hoewel hij niet in zijn vaders voetsporen was getreden en bankier was geworden, had hij wel een beheerd fonds waardoor hij zich zijn dure kledingsmaak kon veroorloven. Hij hield erg van aardetinten, kleuren die me deden denken aan de zachtere kant van Moeder Aarde, en sensuele stoffen die heerlijk aanvoelden. Hij rook ook lekkerder dan bijna iedere man die ik heb gekend, een combinatie van zeep, shampoo, aftershave en aantrekkingskracht. Af en toe moest ik weer eens denken aan de korte affaire die we hadden gehad en dan moest ik mezelf bedwingen niet weer een seksueel tintje aan ons contact te geven.

We kletsten even, gaven onze bestelling op en aten. Ik had honger als een paard gehad, maar toch lette ik niet echt op het eten. Ik maakte me zorgen en merkte dat ik het uitstelde en niet aan het relaas wilde beginnen. Ik weet niet of dat kwam doordat ik bang was dat hij me niet serieus zou nemen of dat hij het niet genoeg zou vinden om er iets aan te doen.

Cheney kwam uiteindelijk ter zake. 'Wat had je op je lever?'

Ik pakte mijn schoudertas, haalde mijn rapport eruit en legde het ondersteboven op tafel. 'Ik heb hier wat informatie die ik eigenlijk aan Len zou moeten doorgeven, maar ik kan me daar niet toe zetten. Je weet hoe hij over me denkt na dat gedoe met Mickey. Wat ik ook zeg, hij is het er niet mee eens, maar misschien wil hij wel luisteren als het van jou komt.'

'Waar gaat het om?'

'Georganiseerde winkeldiefstal. Ik kwam er pas achter door Audreys dood...'

Ik was al dagen met het onderwerp bezig en ik legde het hem op een overzichtelijke manier uit. Ik zag de uitdrukking op zijn gezicht veranderen terwijl ik het allemaal vertelde. Cheney is een slimme vent en dus wist ik dat hij al snel snapte hoe het zat. Na mijn samenvatting stak hij zijn hand uit naar het rapport. Ik overhandigde het hem en keek toe terwijl hij erdoorheen bladerde. Hij keek een paar keer verrast op, en dat vatte ik eerlijk gezegd op als een compliment.

Toen hij klaar was met lezen, zei hij: 'Hoe kwam je achter de connectie met het pakhuis?'

'Ik was met iemand aan de praat over helerspraktijken. Toen dook die naam op.' Ik vertelde hem over de dozen die ik had opgehaald en de verzendetiketten.

Hij was even stil en keek me niet aan, wat geen goed teken was. Hij scheen het geheel op een andere manier te bekijken dan ik.

'Wat is er?' vroeg ik.

'Sorry, ik had dit totaal niet verwacht. Ik wist niet wat je in je schild voerde.'

'In mijn schild voerde?'

'Ik had geen idee dat je in Audrey Vance geïnteresseerd was.'

'Dat had je wel kunnen weten. Ik heb je verteld dat Marvin Striker me in had gehuurd om haar verleden na te gaan. Daar vroeg ik je naar toen ik jou zag tijdens je lunch met Len. Wat is er aan de hand?'

'Dat is verder niet van belang.'

'O, want er is al een onderzoek aan de gang?'

'Ik kan je alleen maar vertellen dat je je op gevaarlijk terrein bevindt en dat je je maar beter terug kunt trekken.'

'Nou, je mag best weten dat ik op dood spoor ben beland,' zei ik. 'Als ik wist wat ik nu moest gaan doen, had ik niet hier gezeten. Dit is jouw pakkie-an, niet het mijne.'

'Dat is zo, en het is mooi dat je al zo veel hebt bereikt. Maar beloof me dat je het hierbij laat.'

Ik zei: 'O. Ik zit vast op het goede spoor, anders zou je niet zo stijf je mond dichthouden.'

'Het gaat jou niets aan. Ik wil niet moeilijk doen, maar ik weet hoe jij te werk gaat. Als jij ergens lucht van krijgt laat je niet meer los. Maar dat neem ik je niet kwalijk, hoor.'

'Nou, gelukkig maar,' zei ik.

Hij keek naar het rapport. 'Is dat het enige exemplaar?'
'Hoezo?'
'Nou, misschien moet ik het materiaal wel een tijdje vasthouden. Ik wil niet dat die informatie rondslingert.'
'Dat meen je niet.'
Hij wierp me een ernstige blik toe, dus het leek me beter iets minder luchthartig te doen.
Ik boog me naar hem toe en zei zacht: 'Jezus, Cheney, als ik me op gevaarlijk ijs heb begeven, waarom heb je me dat toen niet gezegd?'
'Dat is inderdaad stom van me, ik had je moeten waarschuwen.'
'Waarvoor?'
'Laat nu maar, oké? Ik weet dat je het goed bedoelt...'
'Ik snap niet wat er aan de hand is. Ik wil geen problemen veroorzaken. Dat weet jij ook wel, dus waar draait het om?'
'Door jou komt een tipgever in de knel te zitten.'
'Hoe dat zo? Ik weet helemaal niets over een tipgever. Ik zit met mijn oren te klapperen.'
Hij keek me even aan. 'Je mag het echt aan niemand vertellen.'
'Erewoord.'
'De winkeldiefstalorganisatie is maar een klein onderdeeltje. Priddy wordt ook verdacht. De tipgever werkt beide kanten op. Len denkt dat hij de man informatie ontlokt, maar de tipgever geeft het allemaal aan ons door en voert hem informatie terwijl wij aan een zaak tegen hem werken. Zijn getuigenis is uiterst belangrijk. Priddy is een gladde aal. Niemand heeft hem tot nu toe te pakken kunnen krijgen.'
'O, vertel mij wat,' zei ik. 'Ik zou hem graag zien bungelen.'
'Laat dat nu maar aan ons over. Len heeft vrienden bij de politie die alles voor hem doen. We kennen er een paar van, maar nog niet allemaal, dus kijk uit. Je mag met mij praten, maar verder met niemand.' Hij trok zijn portemonnee tevoorschijn, haalde er een briefje van twintig en tien dollar uit en legde die onder zijn bord.
'Zo duur was de lunch niet,' zei ik.
'Ik laat graag een goede fooi achter. Nog een wijze raad: laat het met rust totdat ik je groen licht geef. Ik stuur wel iemand langs om de kopieën op te halen die je hiervan hebt.' Hij vouwde het rapport dubbel en stak het in de binnenzak van zijn sportjasje.
Ik reed terug naar kantoor en ging het gesprek nog eens na, om de punten eruit te filteren die ik nader moest bekijken. Het was duidelijk dat de politie met een onderzoek bezig was dat parallel

liep met het mijne en ze overlapten elkaar op meerdere fronten. Ik wist niet hoever zij waren, maar het ging vast om dezelfde organisatie als waar ik mijn oog op had laten vallen, hoewel ze het ongetwijfeld beter deden. Er zou een eenheid op zijn gezet, diverse afdelingen die de werkzaamheden verdeelden terwijl ze informatie vergaarden. Cheneys onthulling vond ik zowel spannend als onrustbarend. Ik had niet verwacht dat hij zo veel zou vertellen. Tegenwoordig is de wet dusdanig fijntjes afgesteld dat er maar weinig nodig is voor een procedurefout. Normaal gesproken houd ik me verre van politiezaken, hoewel dat niet altijd meevalt. Ik richt me doorgaans op iets en bijt me daarin vast als een terriër. Maar nog leuker dan werken als een speurneus was de gedachte dat Len Priddy eindelijk ontmaskerd zou worden. Cheneys opmerking was te laat gekomen om me bij het onderwerp winkeldiefstel vandaan te houden, maar ik was wel van plan me te houden aan zijn waarschuwing wat Len betrof. Wat me alleen wel dwarszat was dat ik door het weinige wat ik wist kwetsbaar was.

Terwijl ik mijn straat in reed, viel me een groene Chevrolet op die op mijn plek bij de stoep stond. Ik stond er verder niet bij stil, omdat er erg weinig parkeerplek was. Wie het eerst komt, die het eerst maalt en ik moet maar al te vaak op zoek naar een ander plekje. Ik ontdekte een stuk stoep waar mijn voorkant maar een meter op een eigen oprit stond. Met een beetje geluk werd ik daar niet voor op de bon geslingerd.

Ik kwam aanlopen, maar bleef voor de voordeur staan omdat die openstond terwijl ik zeker wist dat ik hem had afgesloten toen ik wegging. Ik liep naar het raam en keek naar binnen en daar zag ik Len Priddy in mijn dossiers rondneuzen. Ik ging na wat ik zou hebben gedaan als Cheney me niet had gewaarschuwd. We waren bepaald geen vriendjes, maar hoewel we elkaar totaal niet mochten, was ik nooit bang voor hem geweest. Tot nu toe dan. Ik liep naar binnen en toen ik bij de deur van mijn kantoor kwam, leek hij zich niet eens te schamen voor het feit dat hij betrapt was.

Ik zei: 'Wat ben je daar aan het doen?'

Hij draaide zich om. 'Sorry, hoor. Je was er niet, dus ben ik maar naar binnen gegaan. Is dat erg, soms?' Hij had een paar dossiers op de grond gegooid. Niet omdat het niet anders kon, maar om te tonen hoe weinig respect hij voor me had.

'Hangt af van wat je wilt.'

Ik liep naar mijn bureau, daarbij zo veel mogelijk afstand tussen ons bewarend. Hij had de laden een stuk open laten staan zodat ik zou weten dat hij ook die had doorzocht. Ik zei er maar niets over.

Hij zei: 'Rustig maar. Het is geen officiële doorzoeking. Ik vond dat het zo langzamerhand wel eens tijd was voor een babbeltje.' Hij haalde een map uit de archiefla en schoof die weer dicht. Het dossier gooide hij op mijn bureau en toen nam hij plaats op mijn draaistoel, hij zakte onderuit en legde zijn benen op het bureau. Hij pakte de map en trok er een velletje papier uit, de kopie van Marvins cheque. Gelukkig had ik het rapport over Audrey ergens anders gestopt, dus hij had geen idee wat ik allemaal wist.

Hij schudde afkeurend het hoofd. 'Je hebt niet veel over Audrey ontdekt, dat verbaast me. Ik dacht dat je een topspeurder was, maar je hebt geen moer. Als je Marvins geld aanpakt moet je hem er toch in elk geval iets voor teruggeven.'

Ik ging snel na wat ik daarop kon zeggen, zonder mezelf bloot te geven. 'Ik ben nog niet begonnen. Ik was nog met een andere zaak bezig,' zei ik. De leugen kwam er zo vlotjes uit dat hij niet opmerkte dat ik even had geaarzeld voordat ik hem antwoord had gegeven.

'Dan moet je hem zijn geld teruggeven.'

'Wat een goed idee. Ik zal hem vragen of hij dat ook vindt.'

'Vast. Hij heeft geen behoefte meer aan jouw diensten.'

'Fijn dat je me dat even komt vertellen,' zei ik. Het spelletje was irritant, maar hij kon maar beter denken dat hij de overhand had. Ik wilde hem niet tegen de haren instrijken. Geen brutale en geen bijdehante opmerkingen. 'Als je me vertelt wat je komt doen, kan ik je misschien helpen.'

'Ik heb geen haast. En jij? Heb jij nog dringende zaken die je moet afhandelen?' Hij tuurde naar mijn lege agenda. 'Zo te zien niet.'

Hij wierp Audreys dossier op het bureau en stond op. Hij stak zijn handen in zijn broekzakken en keek door het raam naar de straat. Door zijn rug naar me toe te keren maakte hij me duidelijk hoe zeker hij was van zichzelf. Hij was groot en nu ik hem zo tegen het licht zag, schrok ik van zijn omvang. Hij was, net als de meeste mannen van middelbare leeftijd, dikker geworden, zo te zien wel een kilo of tien. In zijn geval waren dat hoofdzakelijk spieren. Mickey en hij hadden samen aan gewichtheffen gedaan en hij was dat duidelijk blijven doen. Hij leek zich niets aan te trekken van waar ik mee bezig was, maar ik wist beter.

Hij draaide zich om en keek naar me, terwijl hij tegen het raamkozijn aan stond. 'We hebben een gemeenschappelijke vriend, iemand die je hier hebt gesproken.'

'Ik was hier niet.'
'Nog voor de lunch.'
Hij moest Pinky of Earldeen bedoelen en ik had het vermoeden dat het om Pinky ging. Opeens besefte ik dat hij de foto's zocht. Ik onderdrukte meteen de gedachte, bang dat hij het aan mijn gezicht kon zien. Veel psychopaten schijnen gedachten te kunnen lezen, een gave die ongetwijfeld het gevolg was van de aangeboren paranoia die de drijfveer achter bijna al hun daden was. 'Wie bedoel je?'
'Je vriendje Pierpont.'
'Pierpont?' De naam zei me niets. Ik schudde van nee.
'Pinky.'
'Heet hij Pierpont?'
'Dat staat er tenminste op zijn dossier. Hij heeft een zeer crimineel verleden, zoals je ongetwijfeld weet.'
'Ik weet dat hij heeft gezeten. Ben je naar hem op zoek?'
'Niet naar hem, maar naar een gele envelop. Volgens mij heeft hij die hier bij jou achtergelaten.'
Len stond op een paar van de foto's of hij wilde degene beschermen die er op stond. Als het foto's van Len waren was het mij een raadsel waarom het een probleem was. Pinky beschouwde de foto's echter als een troefkaart, dus hoe zat dat?
Ik zei: 'Je hebt het mis. Hij wou de envelop aan mij geven, maar dat wou ik niet.'
Hij glimlachte. 'Leuk geprobeerd, maar daar trap ik niet in.'
'Het is wel zo. Hij wou niet zeggen wat er in de envelop zat, dus zei ik dat ik hem niet kon helpen. Hij had de envelop bij zich toen hij hier wegging.'
'Nee hoor. Hij liep hier met lege handen naar buiten. Ik stond te kijken.'
Hoe had Pinky dat gedaan? Ik kon me herinneren dat het even had geduurd voordat hij de buitendeur uit liep de straat op. Ik kon me alleen maar voorstellen dat hij de envelop onder zijn overhemd had verstopt of tussen zijn broekriem had gestoken. Ik had nota bene gezegd dat hij wel eens in de gaten kon worden gehouden, dus zonder het te weten had ik mezelf in de problemen gebracht en moest ik Len ervan zien te overtuigen dat ik de envelop niet had.
Ik stak mijn armen in de lucht alsof ik onder schot werd gehouden. 'Ik heb hem niet. Echt niet. Je hebt de archiefkast en de bureauladen al doorzocht, dus je weet dat het hier niet is. Kijk gerust ook even in mijn schoudertas.'

Ik zette de tas op mijn bureau. Hij wilde niet happig overkomen, dus hij nam de tijd en ging ongeïnteresseerd door mijn spullen. Portemonnee, make-uptasje, aspirientjes, sleutelbos, notitieblokje, waar hij even doorheen bladerde voordat hij het weglegde. Ik was bang dat hij de indexkaartjes zou zien en ze in beslag zou nemen, maar hij was te gespinst op de envelop en alles wat daar niet aan voldeed schoof hij opzij. Ik voelde de spanning in me toenemen. Ik kreeg van Len de indruk dat hij bij het minste geringste gewelddadig zou worden, net als een straatrover of een opdringerige dronkenlap. Ik geloofde niet dat hij me iets aan zou doen, want dan kon ik hem aanklagen. Ik werd niet gezocht en dus kon hij het niet verkopen dat hij geweld tegen me had gebruikt.

'Waar is je safe?' vroeg hij.

Ik wees naar de zijkant van de kamer. De kluis was verstopt onder het roze tapijt. Hij gebaarde ongeduldig dat ik op moest schieten en ik gehoorzaamde. Ik wist dat er geen gele envelop in lag, dus wat kon mij het schelen? Hij liep ernaartoe en stond over me heen terwijl ik het tapijt wegtrok en de safe zichtbaar werd. Ik vond het vreselijk dat hij nu wist waar die was, maar het was gewoon beter als ik meewerkte. Ik ging op mijn knie zitten en maakte het slot open. Zodra de kluis openging moest hij ook wel neerknielen om de inhoud eruit te halen. Ik wierp een blik op de deur, en wist dat als ik ervandoor wilde gaan, dit er het juiste tijdstip voor was. Ik hield me in, want het leek me verstandiger het maar over me heen te laten komen. Er lagen geen bijzondere dingen in het kluisje: verzekeringspapieren, bankafschriften en een klein stapeltje contant geld dat ik graag bij de hand had.

Toen viel me opeens op dat hij de telefoon uit de muur had getrokken en hem kapot had gegooid. Door deze agressieve daad schrok ik me wezenloos. Ik besefte te laat dat ik me had opgesteld als het slachtoffer van een ontvoering: zolang ik maar deed wat me gezegd werd, zou het weer in orde komen. Dat was dwaasheid natuurlijk. Je kon altijd maar beter schreeuwen, wegrennen of vechten. Niemand wist dat hij hier was. Het kantoor was het enige bewoonde pand aan deze kant van de straat. Als hij dacht dat ik dingen achterhield, of dat nu waar was of niet, kon hij me in de handboeien slaan, me in de kofferbak van zijn auto gooien en me ergens net zolang in elkaar beuken totdat ik hem vertelde wat hij wilde. Het punt dat ik de foto's niet had deed er verder niet toe en zou me alleen maar meer klappen opleveren.

Hij was nog steeds papieren uit mijn kluisje aan het halen toen ik de benen nam naar de voordeur. De ellende was alleen dat ik te lang had stilgestaan en niet snel genoeg was. Al na twee stappen merkte ik dat ik niet vooruitkwam. Hij had me al na een meter beet. Niet te geloven dat een stevige man zo snel kon zijn. Hij pakte me bij mijn shirt en trok me naar achteren waarna hij zijn arm om mijn nek sloeg zodat ik geen kant op kon. Ik kende die wurggreep nog uit de tijd dat ik bij de politie zat. Hij kon zonder al te veel moeite nog meer druk uitoefenen. Als ik me om wilde draaien, zou de greep steviger worden. Door de druk op de hartslagader en de halsslagader zou ik geen lucht meer krijgen en binnen de kortste keren bewusteloos zijn. De meeste politiebureaus staan deze greep niet toe, tenzij de politieman er zijn dood of ernstig letsel mee kan voorkomen. Len Priddy was een oudgediende, hij stamde uit de tijd dat het nog toegestaan was. Hij was ruim een kop groter en vijfenveertig kilo zwaarder dan ik.

Ik kon geen geluid uitbrengen. Ik hield zijn arm met beide handen vast alsof ik op die manier zijn greep losser kon krijgen, hoewel ik dat natuurlijk wel kon vergeten. De pijn was afschuwelijk en ik kreeg bijna geen lucht.

Lens mond bevond zich naast mijn oor en hij zei zacht: 'Ik kan je doden zonder een spoor achter te laten. Als jij een aanklacht indient, zal ik ervoor zorgen dat je nooit meer kunt werken. Ik doe dit alleen maar voor je eigen bestwil. Audrey Vance gaat je niks aan, begrepen? Wat je ook mag horen, je houdt je bek erover. Wat je ook mag zien, je kijkt meteen de andere kant op. Als ik erachter kom dat je die foto's toch hebt, maak ik je af. Daar kun je op rekenen. Als je iemand hier iets over vertelt, staat je dezelfde straf te wachten. Is dat duidelijk?'

Ik kon zelfs niet knikken. Voor ik het wist had hij me op de grond geduwd en stond hij zwaar hijgend een eindje achter me. Ik zat op handen en voeten en deed mijn best zo veel mogelijk adem naar binnen te krijgen. Ik legde mijn hand op mijn keel, waar het nog steeds benauwd aanvoelde. Ik legde snakkend naar adem mijn hoofd op het kleed en legde mijn armen over mijn hoofd. Ik wist dat hij over me heen gebogen stond. Ik verwachtte een stomp of een schop, maar hij wilde klaarblijkelijk het risico niet nemen dat hij me blauwe plekken zou bezorgen of mijn ribben zou breken. Ik was me er vaag van bewust dat hij wegging. Ik hoorde de buitendeur open- en dichtgaan. Ik kroop achter hem aan en deed de deur op slot. Pas toen ik hoorde dat hij zijn motor startte en wegreed, begon ik over mijn hele lijf te trillen.

25

Ik draaide me op mijn rug en bleef op de grond liggen totdat mijn hart tot bedaren was gekomen en het bloed niet langer in mijn oren suisde. Ik ging zitten, en ging na hoe ik er lichamelijk en emotioneel aan toe was. Slikken was pijnlijk en mijn zelfvertrouwen had een flinke knauw gekregen. Verder was ik niet gewond, maar ik was wel erg bang. Nu ik weer alleen was moest ik mezelf in de hand zien te krijgen. Ik draaide me om en keek om me heen. De grond lag bezaaid met de papieren die Len uit het kluisje had gehaald. Dossiers en rapporten waren uit de archiefkast getrokken en neer gesmeten. Het liefst wilde ik de rotzooi meteen opruimen. Het zou handig zijn als ik weer op mijn benen kon staan. Ik was danig van streek en door op te ruimen zou ik weer rustig worden. Maar voorlopig kon ik niet voor Assepoester spelen, want Pinky ging voor. Len zou me niet vermoorden (tenzij hij zeker wist dat hij nooit als dader zou worden aangewezen), maar Pinky liep wel gevaar. Hij was een miezerige crimineel met vriendjes uit de bajes die een bedreiging voor zijn gezondheid en veiligheid opleverden. Als hij stierf zou niemand daar vreemd van opkijken. Waarom hij dacht slimmer dan Len te kunnen zijn, ging me boven mijn pet. Ik werkte me met behulp van een bezoekersstoel overeind en ging naar de badkamer waar ik de col naar beneden trok om te controleren hoe het eruitzag. Len had niet gelogen toen hij zei dat hij geen spoor achter zou laten.

Ik pakte mijn kapotte telefoon op en gooide hem in de prullenmand. Gelukkig had ik nog steeds het toestel dat ik voor die tijd in gebruik had. Ik liep naar het keukentje en zocht in de kastjes tot ik hem vond. Het was een oude zwarte telefoon met draaischijf die onder het stof zat. Ik veegde hem schoon met een theedoek en liep ermee naar het kantoor waar ik hem in het contact stak. Ik hield de hoorn tegen mijn oor en hoorde de kiestoon. Ik moest Pinky zien te bereiken zodat ik hem kon waarschuwen.

Ik was me er maar al te zeer van bewust dat Len me had gezegd me niet te bemoeien met zaken die met Audrey Vance te maken hadden, maar Pinky en de foto's waren een heel ander geval, toch? Als Len Pinky te pakken kreeg, kon die het wel schudden. Ik moest hem als eerste zien te bereiken. Ik vroeg me af of Pinky besefte hoeveel gevaar hij liep. Hij had gezegd dat hij de foto's wilde gebruiken om uit de penarie te komen, maar als je Len te slim af wilde zijn, zat je pas echt in de puree.

Ik nam plaats aan mijn bureau en zocht in mijn adresboekje naar Pinky's telefoonnummer. Ik had hem maar zelden hoeven bellen, en het zou heel goed kunnen dat het nummer allang niet meer in gebruik was. Ik stak mijn wijsvinger in het bovenste gat van de draaischijf waar het nummer 9 te zien was. Ik bewoog mijn vinger naar rechts tot hij niet meer verder kon en liet toen los, terwijl ik me zat te bedenken hoe vreemd het wel niet was dat je moest wachten tot de draaischijf weer op zijn plek was voordat je het volgende nummer kon draaien. Het leek een eeuwigheid te duren. Maar kijk eens aan, daar ging dan toch de telefoon over. Ik luisterde en telde. Na vijftien keer overgaan gaf ik het op en legde de hoorn weer neer. Ik had geen idee of hij thuis was maar zo slim was om niet op te nemen, of dat hij ondergedoken was, wat gezien de omstandigheden de beste optie was. Ik wist zelfs niet of het nog wel zijn nummer was. Ik kon maar beter naar zijn huis gaan.

Ik liet de rotzooi voor wat het was en deed de deur van het kantoor op slot. Voordat ik in de Mustang stapte, liep ik naar de kofferbak en haalde de H&K uit mijn koffertje. Ik had geen vergunning om hem bij me te dragen, maar ik ging er niet ongewapend op uit. Op de oprit tussen mijn pand en dat ernaast stond een vent zijn auto in de was te zetten. Ik wist niet dat er een nieuwe bewoner was, maar dat was niet zo vreemd. Er stond een emmer met doekjes naast hem en hij smeerde was op de spatborden en de motorkap van een zwarte jeep. Op de grond lag een tuinslang die ergens tussen de gebouwen vandaan kwam. Hij lette niet op mij, maar ik schoof zo voorzichtig mogelijk het pistool in mijn schoudertas voordat ik in zijn blikveld kwam. Ik stapte in de auto en legde het wapen onder de stoel voordat ik de sleutel in het contactslot omdraaide en wegreed.

Mijn aanvaring met Len bleef in mijn hoofd rondspoken. Ik beleefde het elke keer opnieuw, maar hoe vaak ik het ook zag, het liep elke keer weer op dezelfde manier af. Door mijn gevoel van zelfbehoud had ik het niet anders kunnen aanpakken, maar toch vroeg ik me af of ik nog meer mogelijkheden had gehad. Mijn nek voelde nog steeds aan alsof die in een strop had gezeten. Ik legde mijn hand aldoor op mijn keel alsof ik me ervan wilde verzekeren dat ik gewoon kon ademen.

Ik reed naar Chapel Street en nam de bocht naar rechts Paseo Street in waar Pinky en Dodie woonden. Volgens mij werd ik niet gevolgd, want waarom zou Len de moeite nemen? Hij wist waar Pinky woonde en zo niet, dan kon hij dat zo nakijken op de computer. Ik vroeg me af of hij me in de gaten hield om te zien of ik rechtstreeks naar Pinky toe zou gaan. Maar als Len had geweten waar die was, had hij me niet hoeven te vragen naar de gele envelop. Ik keek in de achteruitkijkspiegel, maar ik zag geen auto komen aanrijden of mensen die op de stoep rondhingen.

Ik zette de auto neer, stapte uit en stak de straat over. In de twee-onder-een-kapwoning brandde geen licht. Ik wist niet welk huis van hen was, maar daar zou ik snel achter komen. Het was tien voor twee, zonnig, zo'n vierentwintig graden en het rook naar kamperfoelie. Er stond een speels briesje, waardoor het moeilijk te geloven was dat er iets aan de hand was wat niet leuk en gezellig was. Maar ik was hier wel om een klojo op te zoeken die dacht dat hij slim genoeg was om een agent te belazeren. Door dat soort scheve redeneringen was hij vast telkens weer in het gevang beland zodra hij weer op vrije voeten was. Het was jammer dat ik hem graag mocht, maar daar had Len vast op gerekend.

Op het naambordje boven de deurbel stond Ford en op het linkerhuis stond McWherter. Ik belde aan bij Ford en wachtte tot er open werd gedaan. Als ik Dodie of Pinky was zou ik niet zomaar opendoen. Ik draaide me om en keek rond in de straat. Ik zag niemand in een auto zitten, niemand die steels in de bosjes rondscharrelde.

Ik boog me naar de deur toe en klopte aan. 'Dodie? Ben je daar? Ik ben het, Kinsey, ik ben bevriend met Pinky.'

Ik wachtte.

Uiteindelijk hoorde ik iemand gedempt zeggen: 'Laat je zien.'

Ik herkende Dodies stem, dus ging ik naar het zitkamerraam waar de gordijnen voor hingen. Dodie tuurde tussen de gordijnen door en keek me aan. Even later hoorde ik haar het slot openmaken en de veiligheidsketting verwijderen. Ze zette de deur op een kier en ik glipte naar binnen. Ik stond aan de kant terwijl zij de deur weer op slot deed. Als Len Priddy haar echt wilde pakken, kon geen slot ter wereld haar daartegen beschermen. Hij zou het raam inslaan en dat was dat. Dat zei ik maar niet, want het had geen nut haar nog banger te maken dan ze al was.

In de zitkamer stond de televisie aan met het geluid uit. Ze legde haar vinger op haar lippen en gebaarde dat we door moesten lopen. We liepen op onze tenen door de gang naar de keuken. In de tussentijd kon ik goed zien hoe ze was veranderd. Ze had een metamorfose ondergaan. Pinky had me verteld dat ze dertig kilo kwijt was en dat maakte een gigantisch verschil. Haar mooie ogen waren altijd haar grote troef geweest. Maar nu had ze een haarkleur die haar goed stond, een betere coupe en door haar nieuwe beroep ook mooiere make-up. Ze had ook haar kleding aangepakt. Door de kleren die ze aanhad – een trui met v-hals en lange mouwen, een goed zittende broek en dure hoge hakken – leek ze net zo lang als een model, hoewel Pinky wel gelijk had over haar achterste.

Toen we bij de keuken kwamen, fluisterde ik: 'Wat zie je er goed uit.'

'Dank je,' fluisterde ze terug.

'Waarom zijn we aan het fluisteren?'

Ze stak haar vinger in de lucht en wiebelde ermee om aan te geven dat ik niets moest zeggen. Ze pakte een pen en de krant en schreef in de marge 'Microfoontjes'.

Heel zacht zei ze: 'Je wilt vast Pinky spreken. Wat heeft hij nu weer op zijn kerfstok?'

'Hij heeft een politieman genaamd Len Priddy tegen de haren in gestreken, en dat was niet zo slim.'

'O, die,' mompelde ze. 'Hij was hier net en toen heb ik hem gezegd dat Pinky naar jou toe was gegaan.'

Ik deed mijn ogen dicht terwijl ik met moeite een kreet onderdrukte. Geen wonder dat Len bij me op was komen dagen. Hij had Pinky natuurlijk al die ochtend bij mijn kantoor gezien en nu had zij hem ook nog eens naar me toe gestuurd.

'Wat is er?' vroeg ze.

'Laat maar,' zei ik. 'Weet je iets over de foto's die hij heeft gejat?'

Ze knipperde met haar ogen. 'Wat voor foto's?'

Ik bleef stil, in de hoop dat ze me er meer over zou vertellen. 'Dodie, je moet me vertrouwen. Ik kan zo geen kant op. Ik kan hem niet helpen tenzij ik weet wat er aan de hand is.'

'Je moet beloven dat je het niet zult doorvertellen.'

Ik wilde mijn ogen ten hemel slaan, maar in plaats daarvan knikte ik ernstig.

Ze legde haar hand op haar mond zodat iemand die haar van een afstand stond te begluren niet met behulp van liplezen kon zien wat ze zei. Het leek me een overbodige maatregel. Ik moest mijn oor zowat in haar mond stoppen om te horen wat ze fluisterde. 'Het zijn foto's van mij. Uit de tijd dat ik op ben gepakt voor tippelen. En de politiefoto's en de rapporten van de arrestatie zitten er ook bij. Die diender weet dat ik voor Glorious Womanhood werkt en als mijn regiomanager erachter komt dat ik in het gevang heb gezeten, kan ik naar mijn baantje fluiten. Ze kan het toch al niet uitstaan dat ik meer verkoop dan zij.'

'Chanteert Len jou?'

'Niet echt. Hij gebruikt de foto's om Pinky in het gareel te houden, zodat hij alles doorgeeft wat hij op straat hoort.'

'Dus Pinky is tipgever?'

'Ik neem aan van wel. Maar goed, hij heeft alles vernietigd, dus van hem kan Len de pot op.'

'Tenzij Len met zijn computer jouw criminele verleden oproept en het weer print.'

'O.'

'Maar toch snap ik het nog steeds niet. Pinky zei dat er nog een stel foto's was dat hij kon gebruiken om zijn hachje te redden. Weet jij daar iets van?'

'Jawel, maar dat weet hij niet, dus je moet me beloven dat je je mond erover houdt.'

'Ik sta al onder ede,' zei ik.

Ze zwaaide weer met haar vinger en deed toen de achterdeur open en trok me op de veranda. 'Hij heeft geld geleend van een woekeraar genaamd Lorenzo Dante en dat moet hij binnenkort aflossen.'

'Hoeveel geld?' Haar paranoia was besmettelijk en ik kon mezelf niet zover brengen om normaal te praten.

'Tweeduizend dollar. Hij probeert het geld overal vandaan te krijgen, maar het lukt maar niet. Hij heeft zijn auto verkocht en de Rolex verpand die hij van een onbekende bron had gekregen. Hij had ook mijn verlovingsring naar de lommerd gebracht, maar heeft dat toch maar weer teruggedraaid.'

Ik moest denken aan de witte streep op zijn pols waar zijn horloge had gezeten. Het was me opeens duidelijk dat zijn auto niet bij de garage stond. Tegen de tijd dat hij me om hulp kwam vragen, had hij hem al verkocht.

Ze keek me bezorgd aan. 'Kun jij hem anders het geld lenen? Hij betaalt je weer terug.' Ze was even stil en voegde er eerlijkheidshalve aan toe: 'Uiteindelijk.' Ze was wel zo fatsoenlijk erbij te blozen.

Ik was beledigd dat ze me om het geld vroeg, maar val maar eens woedend uit als je moet fluisteren. 'Hij is me al tweehonderdvijfentwintig dollar schuldig, daarvan heeft hij je verlovingsring teruggehaald.'

Ze keek me ongelovig aan. 'Heeft hij tweehonderd dollar geaccepteerd voor een ring die drieduizend waard is?'

'Maak je daar nu maar geen zorgen om. Waarom zijn die andere foto's zo waardevol?'

'Ja, dat weet ik niet. Ik weet alleen dat de politie ze graag in handen wil krijgen.'

'Dat kun je wel stellen, ja,' zei ik droogjes. 'Waar zit Pinky eigenlijk?'

'Het leek hem beter als ik dat niet wist. Hij zei dat als jij hem zocht je dat wel zou weten.'

'Heel fijn. Zei hij verder nog iets?'

'Nee, niets.'

Ik dacht er even over na, maar ik kon verder niets meer verzinnen om te ontdekken waar Pinky zich ophield. 'Het lijkt me het beste als jij ook onderduikt. Heb je een adresje?'

Ze keek me met haar grote blauwe ogen aan. Ik vond dat ze de mascara er wel erg dik had opgesmeerd, tot ik ontdekte dat het nepwimpers waren. 'Ik ben helemaal alleen.'

'Kom nou toch, je kunt toch wel ergens naartoe?'

Ze fluisterde nu zo zacht dat alleen dieren het konden verstaan. Ik boog me naar haar toe.

'Jouw appartement misschien?' stelde ze voor. 'Daar zou niemand me zoeken.'

'Ik zei: 'Ach, ja. Tja, dat is lastig. Len is al laaiend. Hij heeft me nog geen uur geleden met de dood bedreigd. Ik riskeer mijn leven door alleen al met jou te praten. Als je dan ook nog eens bij mij gaat logeren, gaat hij wellicht helemaal door het lint. Je hebt toch wel familie of vriendinnen?'

Ze schudde het hoofd. 'Ik heb alleen Pinky. Ik zou me geen raad weten als er iets met hem gebeurde.'

'Hij overleeft het wel.'

'En ik? Wat moet ik nu doen?'

'Je moet voor niemand opendoen. Als iemand hard aanklopt bel je het alarmnummer.'

'Ik ga liever bij jou logeren. Je zult geen last van ons hebben.'

'Van ons?'

'Van Cutie-pie de kat en van mij. Ik kan hem moeilijk hier in zijn eentje achterlaten.'

Ik keek om me heen, maar zag het dier nergens. Wat was dat toch met deze mensen? Ze was net als Pinky bezig me iets te laten doen waardoor ik in de puree kwam. Nadat ik al een keer nee had gezegd, was het een stuk makkelijker om dat nog een keer te doen. 'Sorry, maar dat gaat echt niet. Zal ik je bij een motel afzetten?'

'O nee, mop. Motels willen hem niet. In de eerste plaats sproeit hij en als hij het op zijn heupen krijgt, wat nogal eens het geval is, plast hij midden op het bed. Dus ik moet wel hier blijven.'

'Er schiet je vast wel iets te binnen,' zei ik, al wist ik niet wat.

Terwijl ze met me mee liep door de gang naar de voordeur wees ze naar de tv in de zitkamer. Ze gebaarde dat er afluisterapparatuur in zat en een zender en een ontvanger. Tenminste, ik vermoedde dat ze dat aangaf. Ik knikte en toen we bij de deur waren, zei ze: 'Nou, aardig dat je even langskwam. Als ik ooit weer iets van Pinky hoor, zal ik je bellen.'

Ze zei het op een overdreven normaal toontje waar niemand in zou trappen.

'Bedankt en veel succes,' zei ik.

Weer fluisterend zei ze: 'Weet je zeker dat we niet bij je kunnen logeren?'

'Heb ik je al verteld dat ik allergisch ben? Als ik maar in de buurt van een kat kom, zwel ik op als een kogelvis. Ik moest er verleden maand nog voor naar het ziekenhuis.'

'Jammer,' zei ze. 'Ik had je een make-over kunnen geven. Je kunt er wel een gebruiken.'

Eenmaal in de auto reed ik een eind rechtdoor en draaide toen rechts State Street in en reed een klein parkeerterrein op waar een Aziatische supermarkt en een acupuncturist naast elkaar zaten. Ik zag een plekje en ging daar zitten denken over Pinky en waar hij zou kunnen zijn. Hij had Dodie gezegd dat ik er wel achter zou komen. Wat hield dat in? Het enige wat ik kon verzinnen was het pandjeshuis. O. Ik startte de motor en reed de stad in. Ik kwam in het slechte gedeelte van State Street en reed langs de lommerd en toen ik de hoek omsloeg zag ik Len Priddy's donkergroene Chevrolet naast de stoep staan. June had duidelijk visite en ik moest ons gesprekje even uitstellen. Ik reed door terwijl de koude rillingen me over de rug liepen.

Ik ging terug naar kantoor, met het voornemen haar even later te bellen. In de tussentijd kon ik de boel opruimen. Ik pakte mappen op, deed de inhoud er weer in en stopte ze in de laden. Na een kwartier nam ik even pauze. Ik had nog geen koffie gehad. Ik had Pinky een kop aangeboden, maar dat had hij afgeslagen, omdat hij haast had. Daarna was ik afgeleid door Earldeen, de lunch met Cheney en het onverwachte bezoekje van Len. Ik ging naar het keukentje, pakte de koffiepot en draaide de kraan open. Heftig gesis en een knal volgden, waardoor ik zowat een gat in de lucht sprong van schrik, maar geen water. Wat was dit nu weer? Het schoot me opeens weer te binnen dat ik bericht had gehad van het waterbedrijf dat ik acht uur lang geen water zou hebben. Ik had daarom thuis willen werken en de tranen schoten me zowat in de ogen toen ik me realiseerde dat me dan een hoop ellende bespaard was gebleven.

De koffie kon ik dus wel vergeten en ik ging aan mijn bureau zitten. Ik keek op mijn horloge. Het was al ruim een half uur geleden dat ik langs de lommerd was gereden. Len zou nu toch zeker wel weg zijn. Ik pakte de telefoongids uit de onderste la. Het pandjeshuis was snel gevonden, ik schreef de gegevens over en draaide het nummer. Na drie cijfers bleef ik plotsklaps stokstijf zitten. Ik krijg zo af en toe een ingeving. Ergens in mijn achterhoofd hoorde ik Dodie weer fluisteren omdat ze dacht dat ze werd afgeluisterd. Ik had haar angst gepaard aan het beeld van de man die in de oprit tussen mijn kantoor en het huis ernaast zijn auto in de was aan het zetten was. Dat had ik wel eigenaardig gevonden, maar niet alarmerend. Wat wel bleef hangen, was het beeld van de tuinslang. Voor zover ik wist had ik geen nieuwe buren, dus wie was die vent? En hoe had hij verdorie zijn auto kunnen wassen en in de was kunnen zetten terwijl het water afgesloten was?

Ik stond op en keek door het raam naar buiten. Hij was allang weg en ik zag geen onbekende auto's op straat staan. Ik pakte de zaklamp uit mijn schoudertas en in plaats van door de voordeur liep ik via de achterdeur naar buiten. Ik wist niet zeker waar ik naar op zoek was. Hoewel het nog licht genoeg was, bevond de oprit zich in de schaduw. Ik keek naar het dak op zoek naar draden. Ik scheen met de zaklamp in de kruipruimte onder het gebouw. Ik bekeek de kraan waar de tuinslang netjes opgerold naast was gelegd. Daarboven zat een raampje waardoor een deel van mijn keukentje te zien was. Ik keek naar beneden. In de muur zat een aluminium houder waar iets met een vleugelmoer in was gedraaid. Ik ging op mijn hurken zitten en richtte het licht van de zaklamp erop. Ik zag een microfoontje dat reageerde op geluid, en dat je in elke elektriciteitswinkel kon kopen. Er was een gat in de baksteen geboord waar de microfoon in paste. De versterker, zender en recorder waren verstopt in een doos die op de muur was bevestigd. Het zag eruit als iets waar een energiebedrijf van vond dat je dat moest gebruiken en er vervolgens geld voor vroeg. Dit soort afluistermateriaal was beperkt, maar het was wel goedkoop en er was gemakkelijk aan te komen. Volgens mij maakte Len zich er niet druk over of het mocht of niet. De gegevens waar hij naar op zoek was zou hij toch niet in een rechtszaak gebruiken. Het was alleen voor zijn oren bestemd.

Ik ging terug naar mijn kantoor en kroop speurend langs de plint. De elektricien (ongetwijfeld een agent die in Lens zak zat) had de dikte van de muur verkeerd ingeschat en ik ontdekte een klein stipje in de muur waar de boor er bijna doorheen was gegaan. Ik wilde meteen het hele apparaat uit de muur rukken of in elk geval de draden lostrekken. Maar nadat ik het had overdacht, leek het me verstandiger om het te laten zitten waar het zat zodat Len dacht dat hij mijn privégesprekken kon volgen.

Ik gaf mezelf de rest van de dag vrijaf. Ik kon niet werken als alles wat ik zei werd vastgelegd. Daardoor kon ik geen telefoongesprekken voeren en met cliënten die onverwacht langskwamen – hoewel dat bedroevend weinig voorkwam – zou ik naar een plek moeten gaan waar we vrijuit konden spreken. Dat zou geen goede indruk maken. Aangezien het water afgesloten was, kon ik het toilet niet doorspoelen en mijn handen niet wassen. Bovendien was ik nog knap beroerd en omdat ik niet betaald werd om pijn te lijden, vond ik het welletjes. Eenmaal thuis ging ik in mijn appartement op zoek naar afluistermateriaal en pas toen ik ervan overtuigd was dat er echt niets was, ging ik naar Rosie's Tavern waar ik een glas slechte wijn dronk en een Hongaars gerecht voorgeschoteld kreeg waarvan ik de naam niet eens kon uitspreken. Ik vond het allemaal knap irritant worden en vroeg me af of ik een ander eettentje moest zoeken. Ach nee, toch maar niet.

De volgende ochtend ging het al een stuk beter. Ik nam Lens waarschuwing serieus en vond dat ik voortaan maar verre van Audrey Vance moest blijven. Ik had me misschien moeten schamen voor mijn lafheid, maar daar had ik geen last van. Ik zou me gewoon met mijn eigen zaken bemoeien zoals Cheney Phillips me had aangeraden. Dit voornemen bleef de hele rit naar kantoor hangen. Ik wist nog niet wat ik met het microfoontje in mijn muur aan moest, maar ik wist zeker dat ik daar nog wel wat op zou verzinnen. Ik zette de auto op een ruime plek en feliciteerde mezelf met dat gelukje. Ik liep naar de voordeur toen er een auto de hoek om kwam en achter de mijne tot stilstand kwam. Diana Alvarez stapte uit. Toen ik haar zag ging er een schok door me heen alsof ik mijn vinger in een stopcontact had gestoken. Ik wilde het liefst in de auto stappen en wegscheuren, maar ze had haar chique witte Corvette zo dicht op mijn achterbumper gezet dat ik alleen met een hoop gemanoeuvreer weg kon rijden, wat nogal gênant over zou komen als je er snel vandoor wilt gaan. Ik werd ook belemmerd door het feit dat er een jonge vrouw bij haar was. Misschien had ze een stagiaire bij zich omdat ze er genoeg van had om in haar eentje mij het leven zuur te maken.

Diana had een schitterende bruine rok en bijpassend vest aan die prachtig bij haar kortgeknipte bruine haar en bril met schildpadmontuur pasten. Ik had dolgraag willen weten waar ze de kleding had gekocht, maar ik wilde geen meisjesdingen met haar bespreken voor het geval ze zou gaan denken dat ik haar mocht. Ze stak haar linkerhand in de lucht als iemand die tegen haar hond 'Blijf' aangeeft. Ik keek of ze in haar rechterhand een hondenkoekje had voor als ik braaf was. 'Ik weet dat je niet met me wilt praten, maar je moet dit echt even horen. Het is heel belangrijk,' zei ze.

Ik hield wijselijk mijn mond.

'Dit is Melissa Mendenhall. Ze heeft het artikel over Audrey gelezen en heeft informatie over haar dood.'

Ik kon alleen maar denken aan het microfoontje dat nog geen acht meter verderop in mijn muur zat. Ik wist dat het bedoeld was om gesprekken in het kantoor mee op te pikken, maar zodra Audreys naam viel brak het zweet me aan alle kanten uit. Len had me gewaarschuwd mijn handen van Audreys zaak af te trekken, tenzij ik het leven moe was. Hoewel ik het dreigement niet echt serieus wilde nemen, wist ik wel dat de man me behoorlijk veel pijn kon toebrengen.

Ik zei: 'Ik doe daar niets meer mee. Marvin heeft me ontslagen.'

'Daar heb ik met hem over gesproken en hij heeft er spijt van,' zei ze. 'Wat zij heeft te zeggen wil je echt horen, dat meen ik.'

Ik dacht er vier seconden over na en zei toen: 'Niet hier buiten. Als je wilt praten, dan graag in de auto.'

Ze zei: 'Prima.'

De enige manier waarop we met z'n drieën in de Corvette zouden passen, was als Melissa op mijn schoot ging zitten. Mijn tweedeursauto was niet veel groter, maar in elk geval zat ik dan wel op de bestuurdersstoel.

Ik haalde de portieren van mijn Mustang van het slot en we namen plaats. Ik ging op de bestuurdersstoel zitten, Diana bukte zich, wurmde zich moeizaam om de passagiersstoel heen en nam plaats op de achterbank, waar nauwelijks genoeg ruimte was voor boodschappentassen. Melissa was een teer poppetje met kleine donkere ogen, dun donker haar in een pagekopje. Kinderen kennen deze term niet meer, maar het was een kort kapsel dat naar voren was gekamd. Ze had Diana raad moeten vragen om haar kleding. Zelfs ik droeg geen te groot T-shirt en een spijkerbroek met pijpen op hoog water.

Ik keek ze aan. 'Nou, zeg het maar.'

'Ik eerst,' zei Diana nadat ze Melissa even aankeek.

'Ga je gang.'

'Melissa belde me op de krant op. Ze wist pas dat Audrey dood was toen ze het artikel van afgelopen donderdag zag. Ze is meteen naar de politie gestapt, want haar vriend is twee jaar geleden op dezelfde manier omgekomen. Zij dacht dat ze wel wilden nagaan of er een verband was, dus vertelde ze hun alles wat ze wist. Vervolgens hoorde ze niets meer van hen.'

Ik zei: 'Dat is niet ongebruikelijk. Zo'n soort onderzoek vergt veel tijd.'

'De politieman werkte meteen al tegen. Ze dacht dat hij haar wel op de hoogte zou houden, maar hij beantwoordt zelfs haar telefoontjes niet.'

'Met wie heeft ze gesproken?'

'Daar gaat het nu juist om, met brigadier Priddy...'

Melissa zei: 'Wat een klootzak is dat. Hij was echt vreselijk. Hij behandelde me als een stuk stront.'

Ze zag er veel te lief en vrouwelijk uit om dat soort taal te gebruiken. Hierdoor steeg ze uiteraard in mijn achting en ik hoopte maar dat ze pas begonnen was. Mensen verwijten me voortdurend dat ik grof in de mond ben, dus ik vond het prachig dat ze nog erger was dan ik.

'Vertel haar maar wat je ook aan mij verteld hebt,' zei Diana.

Doordat we boven op elkaars lip zaten konden we elkaar niet aankijken. Melissa had tegen de voorruit zitten praten en Diana zat ijverig naar voren gebogen met haar hoofd tussen ons in als een hond die kwispelstaartend zit te wachten op het zondagse uitje met de auto. Dit was al de tweede keer dat ik door Diana aan honden moest denken en ik bood in stilte mijn verontschuldigingen aan alle honden aan.

'Mijn vriend heeft twee jaar geleden zelfmoord gepleegd, dat dacht ik althans. Ik was er stuk van. Ik had helemaal niet geweten dat er iets mis was, dus kon ik maar niet begrijpen waarom hij het had gedaan. Ik wist dat Phillip gokschulden had, maar hij was in wezen een optimist en ik had de indruk dat hij het eindelijk allemaal op orde kreeg. En opeens springt hij van een parkeergarage af...'

'Binion in Las Vegas. Van de zesde verdieping,' zei Diana, zoals altijd de puntjes op de i zettend.

Melissa ging door. 'Wat me opviel in het artikel van Diana was dat de pumps en tas van die vrouw naast elkaar op de passagiersstoel waren aangetroffen, maar dat er geen afscheidsbriefje was. Phillip had zijn portefeuille en schoenen precies zo in zijn Porsche achtergelaten en ook hij had geen briefje geschreven.'

Diana zei: 'Ze is ervan overtuigd dat hij geen zelfmoord heeft gepleegd en Marvin idem dito.'

De overeenkomsten vond ik wat magertjes, maar ik wilde graag de rest horen. 'De politie van Las Vegas heeft de dood van je vriend toch onderzocht?'

'Ze scheepten me af,' zei Melissa. 'Ik wou alleen maar dat ze het onderzochten en me konden vertellen of hij het nu wel of niet expres had gedaan. Dat geloofde ik niet, maar ik zat uiteraard in de ontkenningsfase. Misschien was het hem allemaal toch te veel geworden en had hij geen andere uitweg gezien.'

Diana zei: 'Haar banden werden kapotgesneden.'

'Dat wou ik nu net vertellen,' viel Melissa uit.

'Sorry.'

'Phillip was in drie weken tijd drie keer naar Las Vegas geweest en had een aardig bedrag met poker verloren, zei de brigadier. Dat zat me niet lekker, want hij heeft rijke ouders en ze hadden hem absoluut geld toegestoken als hij in de problemen zat. Dat legde ik uit aan de politie, maar die luisterde niet. Dat vond ik erg, maar ik wist dat dat soort verhalen schering en inslag zijn en ik verwachtte geen speciale behandeling. Toen kreeg ik last van vandalisme. Mijn banden werden lek gestoken, er werd bij me ingebroken en mijn skiuitrusting werd gejat.'

'Had je een skiuitrusting voor Las Vegas?'

'Nee, nee. Ik werkte in Vail, daar ben ik gaan wonen nadat ik was afgestudeerd, want je moet toch wat. Phillip kwam me een keer in de paar maanden opzoeken. We waren allebei gek op skiën en ik kon er makkelijk het hele jaar door werken omdat het daar zo mooi is dat mensen er ook in de zomer naartoe gaan.'

'Mag ik even iets zeggen?' vroeg Diana.

Ik wees naar haar alsof ze aan de beurt was.

Ze zei: 'Een vriendin van haar, die werkte in een van de casino's in Las Vegas, zei tegen Melissa dat ze waarschijnlijk op iemands tenen had getrapt, want zij had hetzelfde meegemaakt toen ze klaagde over een of andere hufter die haar had geslagen. Die vent heette Cappi Dante. Hij was net uit de gevangenis na een straf wegens geweldpleging. Zijn familie woont hier in de stad. Zijn oudste broer is woekeraar. Misschien heb je wel eens van hem gehoord, Lorenzo Dante? De zoon dan, niet de vader, hoewel ik heb gehoord dat die vader vroeger net zo erg was.'

Dodie had het ook over Lorenzo Dante gehad, de woekeraar van wie Pinky tweeduizend dollar had geleend. 'Ik ken de naam, maar ik heb de man nooit ontmoet.'

'Melissa kwam erachter dat Phillip tienduizend dollar van hem had geleend en dat had hij tijdens het pokerspel vlak voordat hij stierf verloren.'

'Of vermoord werd,' corrigeerde Melissa haar.

'Ga je me nu vertellen dat een woekeraar in zowel Las Vegas als in Vail een vinger in de pap heeft?'

'Moet je horen. Ik weet alleen maar dat er van alles gebeurde toen ik stennis maakte. Ik had over Dante gehoord en vond dat de politie van Las Vegas dat moest weten. Toen kreeg ik dus problemen en wat mij betrof was het wel goed zo. Ik pakte mijn spullen en ging weer naar Santa Teresa omdat mijn ouders hier wonen en ik de behoefte had aan een veilige omgeving. Ik ben bij hen ingetrokken en heb werk als kinderjuf gekregen, dus mijn naam komt nergens voor, niet in de telefoongids en niet bij de nutsbedrijven.'

'En dat heb je aan brigadier Priddy uitgelegd?'

'Woord voor woord. Ik zei dat Audreys zelfmoord en die van

Phillip wel erg veel overeenkomsten vertoonden en dat hij contact moest opnemen met de politie in Las Vegas. Misschien konden ze de zaak heropenen om te zien of Lorenzo Dante daar ook bij betrokken was.'

'De politie is er niet altijd blij mee als je zegt wat ze moeten doen,' merkte ik op.

Diana zei: 'Nu is ze bang. Zij denkt dat ze brigadier Priddy langs het huis van haar ouders heeft zien rijden, alsof hij haar wilde laten merken dat hij wist waar ze woonde.'

'Het was een donkergroene auto, maar het merk weet ik niet.'

'Wat vind je ervan?' wilde Diana weten. Het kwam niet vaak voor dat ze naar mijn mening vroeg.

'Dat weet ik niet, maar zo zie ik het: je had niet naar de politie in Santa Teresa moeten gaan. Len Priddy werkt voor de afdeling kleine misdrijven en hij had Audreys zaak wat de winkeldiefstal betreft onder zijn hoede. De afdeling moordzaken van het bureau van de sheriff van Santa Teresa onderzoekt haar dood. Je zou naar Colgate moeten gaan en het aan hen vertellen.'

'Zouden ze haar serieus nemen?'

'Nou, ik weet zeker dat zij niet langs komen rijden om haar te intimideren.'

26

Nora

Dante had haar de sleutel van het strandhuis gegeven. In haar fantasie zat ze daar al op hem te wachten. In werkelijkheid had Channing zijn terugkeer naar Los Angeles uitgesteld tot dinsdagmorgen, waar ze gillend gek van werd. Ze had Dante nog even snel kunnen bellen op zijn privénummer en een bericht achtergelaten dat ze hem die dag niet kon ontmoeten. Maandag ging maar niet voorbij, het was zo'n saaie en vervelende dag dat ze zich afvroeg hoe ze het voordat Dante in haar leven kwam uit had gehouden. Op dinsdagochtend ontbeet ze samen met Channing en hadden ze een aangenaam en vlot gesprek. De hele tijd zat ze aan Dante te denken. Het was bijna alsof hij aan tafel zat en ze vroeg zich af of Thelma er ook was. Ze dacht na over hoe de liefde iemand slim, ondoorzichtig, ondoorgrondelijk en onverschillig maakte. Het soort werk dat men deed mocht dan gelaakt worden, maar gedachten en gevoelens en dagdromen kon men geheimhouden door er eenvoudigweg niet over te praten. Het was gemakkelijk om Channing te bedriegen, want zijn gevoelens waren net zomin voor haar bestemd als andersom. Hoe vaak zouden ze aan deze tafel hebben gezeten terwijl ze net deden alsof? Beleefdheid was een kunstige vermomming die een diepgaand gesprek over fantasie en lust maskeerde. Geroosterd brood, koffie, een opmerking over haar afspraak in Santa Monica die dag. Ze zei tegen Channing dat ze met haar aandelenmakelaar had afgesproken om haar portefeuille te bekijken. Hij drong erop aan dat ze even langskwam op kantoor, en zij wimpelde dat af omdat ze nog heel veel dingen moest doen. Het gesprek was plichtmatig. Ze had Channing nog nooit zo goed begrepen en zo weinig om hem gegeven, maar gelukkig had haar ontrouw het gladgestreken. Misschien dat ze het hem een keer zou vertellen. Dat wist ze nog niet. Ze liep met hem mee naar de deur en ze gaven elkaar een kus. Ze zorgde ervoor dat haar ongeduld om hem de deur uit te krijgen niet naar bovenkwam, net zomin als de spanning over wat haar te wachten stond. Hij was nog niet het huis uit of ze trok haar joggingkleren en sportschoenen aan en reed naar het huis aan Paloma Lane.

Ze zette haar auto op de parkeerplaats van het motel en sjokte door het zachte zand naar het hardere stuk. Ze liep de gebruikelijke zes kilometer op het strand en lette erop in hoeveel tijd ze dat deed omdat ze de afstand niet kon meten. De toegang tot het strand was hier en daar afgesloten, dus moest ze een andere route nemen waarbij ze een steile houten trap op ging die in de heuvel was gebouwd. Zodoende kwam ze door twee omheinde woongemeenschappen die normaal gesproken afgesloten waren voor het publiek. Ze kwam uit op de tweebaansweg waar het Edgewater Hotel aan lag en bleef even staan om twee auto's te laten passeren. De voorste auto reed de oprit naar de ingang van het motel op. De andere kwam tot stilstand. Ze hoorde getoeter en zag dat de automobiliste het raampje naar beneden deed.

'Ik dacht al dat ik je herkende,' zei de vrouw, gespeeld vrolijk. 'Wat doe jij hier helemaal?'

Imelda Malcolm woonde vlak bij de Vogelsangs in Montebello. Ze was begin zestig en graatmager en had dunnend, bruingeverfd haar. Ze zette haar zonnebril op haar hoofd en keek haar met haar bleke grijze ogen aandachtig aan. Imelda wandelde in de buurt en Nora vermeed de vrouw door een andere route en op een ander tijdstip te lopen zodat ze elkaar niet tegen zouden komen. Imelda was een echte roddeltante en zag er geen been in valse verhalen door te vertellen. Nora had een paar keer met haar gewandeld toen ze pas in de stad waren komen wonen en had gemerkt dat Imelda zelfs in de openlucht altijd fluisterde, alsof de dingen die ze vertelde niet voor andermans oren waren bestemd. Nora kreeg daardoor het akelige gevoel dat ze Imelda's kwaadaardigheid ermee ondersteunde.

'Ik houd van afwisseling,' zei Nora. 'En wat doe jij hier?'

Imelda trok een gezicht. 'Ik had Polly gezegd dat ik haar facelift zou betalen. Je weet toch dat Rex zijn faillissement heeft aangevraagd? Dat is toch wel een stoot onder de gordel.'

'Ja, dat heb ik gehoord. Echt erg.'

'Verschrikkelijk gewoon,' zei Imelda. 'Polly zegt dat ze niet meer naar de club durft en niet alleen omdat ze daar nog rekeningen hebben openstaan. Ik weet zeker dat Mitchell wel een manier kan verzinnen om hen te laten weten dat ze niet meer welkom zijn, hoewel hij veel te beschaafd is om een scène te trappen. Zij zegt dat de vrouwen haar niet echt links laten liggen, maar dat ze het medelijden niet aankan. Heb jij haar onlangs nog gezien?'

'Niet sinds de nieuwjaarsborrel.'

'Lieve god. Ze ziet er echt niet uit. Niet zeggen dat ik je dat heb verteld, maar ik kan je verzekeren dat ze vijftien jaar ouder lijkt. En ze zag er daarvoor al niet al te best uit, moet ik tot mijn spijt zeggen.'

'Ze overleven het vast wel,' zei Nora. Ze keek op haar horloge en Imelda begreep de hint.

'Ik houd je niet langer op,' zei ze. 'Maar het kwam goed uit dat ik je nu net zag. Ik wilde je bellen over het bridgen morgenmiddag. Mittie moet een paar tests ondergaan voor de plastische operatie die ze wil laten doen, en omdat Channing er niet is heb jij misschien tijd?'

'Gaat niet lukken,' zei Nora meteen. 'Ik moet naar Los Angeles. Ik zit te wachten op een belletje van mijn accountant voor een afspraak. Bovendien heb ik in geen maanden gespeeld. Ik zou een vreselijk slechte speler zijn.'

'Doe niet zo gek. Het zijn maar vier potjes. Met lunch en veel wijn, dus niemand neemt het serieus. We spelen ook op vrijdag, dus dan noteer ik je wel voor dan.'

'Ik kijk in mijn agenda of dat gaat lukken en dan hoor je het wel.'

'Bij mij thuis. Om half twaalf. We zijn over het algemeen om drie uur uitgespeeld.'

Ze zwaaide gedag met haar vingers, draaide het raampje omhoog en zoefde weg.

Nora deed haar ogen dicht, ze had zich zo geërgerd aan dat mens dat ze even bij moest komen. Ze had een bloedhekel aan aanmatigend gedrag. Ze kon assertieve vrouwen als Imelda niet uitstaan. Zodra ze bij het strandhuis aankwam, zou ze een bericht op Imelda's antwoordapparaat inspreken dat ze een andere afspraak had. Heel erg jammer. Kus, kus. Wellicht een ander keertje. Imelda zou weten dat het een leugen was, maar wat kon ze ertegen doen? Nora liep voorzichtig de verweerde betonnen trap af naar het strand. Als Imelda ooit achter Nora's relatie met Dante zou komen, zou ze de dag van haar leven hebben.

Eerlijk gezegd schaamde ze zich dat ze met hem naar bed was geweest. Waarom had ze zo snel toegegeven? Ze wist dat haar boosheid op Channing er ook mee te maken had. Maar wat ze zo erg vond was wat het over haarzelf zei. Blijkbaar had ze de begrippen bestendigheid of vertrouwen of het huwelijk zelf niet hoog zitten. Zodra ze de kans kreeg, was ze binnen de kortste keren naakt en wild van verlangen. Oké, Dante was heel bijzonder, een goede minnaar, liefdevol en complimenteus, wat haar trouwens ook dwarszat. Als ze aan bepaalde dingen dacht die hij had gezegd, kreeg ze de indruk dat ze zich snel liet inpalmen. Een paar aardige opmerkingen en hup, daar lag ze al op haar rug met haar benen wijd. Had Thelma ook zo snel toegegeven? Lekkere wijn, een paar aaitjes en ze was zonder zich druk te maken over het feit dat Channing een getrouwde man was met hem het bed in gedoken. Nora had haar loyaliteit en trouw terzijde geschoven en hoewel ze zich schaamde over haar gedrag, had ze er geen spijt van. Toen ze eraan dacht ging er een rilling door haar heen, en door de rilling moest ze glimlachen.

Tegen tien uur had ze gedoucht en lag ze in haar blootje op een ligstoel op het terras van het strandhuis uit het zicht door het muurtje en de donkergetinte glazen opzet. De zon voelde heerlijk aan op haar huid. De spanning stroomde uit haar weg, en ongewild viel ze in slaap.

Ze werd wakker door geritsel en toen ze haar ogen opendeed zag ze Dante, ook naakt, op de ligstoel tegenover haar zitten. Haar tas stond naast hem op de grond en hij had haar paspoort in de hand.

'Wat ben je aan het doen?' vroeg ze.

'Ik wil je paspoortnummer onthouden. Als ik dat wil, lukt me het ook. Het is net alsof je een foto maakt.'

'Hoe kom je aan mijn paspoort?'

'Dat zat in je tas. Waarom heb je dat bij je, ga je ergens naartoe?'

'Ik heb het laatst bij de bank opgehaald en ben vergeten het thuis eruit te halen. Waarom zit je in mijn tas te snuffelen?'

'Ik wou je niet vragen hoe oud je was, dus wou ik er op deze manier achter komen.'

Ze glimlachte. 'Ik lieg niet over mijn leeftijd.'

'Dat kan nu ook niet meer. Je bent op 15 maart jarig,' zei hij. 'Ik op 13 november.'

Hij stopte het paspoort weer in haar tas en knielde naast haar neer. Hij nam haar tepel in zijn mond. Ze kreunde onwillekeurig terwijl de hitte toesloeg. Ze bedreven de liefde op een dusdanig vlotte manier dat het was alsof ze al jaren op elkaar afgestemd waren. Ze had nog nooit zo'n intensiteit ervaren, ze liet zich helemaal gaan en was net zo teder voor hem als hij voor haar.

Na afloop gingen ze samen onder de douche en wikkelden zich elk in een groot badlaken waarna ze weer op het terras gingen zitten. Dante nam een fles champagne en twee kristallen champagneglazen mee en ze dronken op elkaar. Schandelijk dat ze zo vroeg al champagne zat te drinken. 'O, dat is waar ook,' zei Dante. Hij stond op en liep de slaapkamer in en kwam even later terug met een stapeltje vakantiegidsen dat hij op haar schoot liet vallen.

'Wat is dit?'

'De Malediven. Daar wil ik te zijner tijd naartoe. Of naar de Filippijnen. Dat weet ik nog niet precies. Ik heb die vakantiegidsen gehaald voor het geval je ernaar wou kijken.' Hij ging op de rand van de ligstoel zitten en deed de handdoek af.

Ze sloeg de bovenste gids open waarin foto's van de Malediven stonden, een azuurblauwe zee met eilandjes als stapstenen erin verspreid. Ze keek hem verbaasd aan en vroeg zich af hoezeer hij het meende. 'Ik dacht dat je onder verdenking stond? Dan mag je het land niet uit, hoor.'

'Dat houdt me echt niet tegen.'

'Hebben ze jouw paspoort dan niet ingehouden?'

'Ik heb er nog een.'

'En als ze je nu op het vliegveld oppakken?'

'Dan moeten ze eerst weten dat ik daar ben, en daar komen ze niet achter. Ik heb heel veel geld op buitenlandse banken staan. Ik ben er al jaren mee bezig.'

Ze stak de gidsen in de lucht. 'Maar waarom wil je naar de Malediven? Ik weet niet eens waar dat is.'

'In de Indische Oceaan, zo'n vierhonderd kilometer ten zuiden van India. Het is daar het hele jaar door tussen de eenentwintig en de drieëndertig graden. Ze hebben geen uitwisselingsprogramma met de Verenigde Staten. Er zijn nog meer mogelijkheden: Ethiopië of Iran, als je dat liever hebt. Als jij Botswana leuk vindt, mag dat land ook meedoen.'

'Maar wat ga je daar in hemelsnaam doen?'

'Weet ik veel. Uitrusten, lezen, eten, drinken, met jou vrijen, de taal leren.'

'Wat spreken ze daar?'

'Dat weet ik nog niet. Daar kom ik wel achter als ik er eenmaal zit. Ik laat Lou Elle je wel de details doorbellen, als je tenminste met me meegaat. Anders kun je maar beter zo min mogelijk weten.'

'Denk je dan dat ik met je meega?'

'Waarom niet? Waarom zou je hier blijven? Je hebt alleen een weekendtas nodig. Voor de rest zorg ik wel.'

'Zullen we het nu weer over iets anders hebben?'

'Tuurlijk. Ik snap heel goed dat je er even over na moet denken. Ik zeg het je alleen maar zodat je weet waar je aan toe bent.'

'Je weet best dat ik niet meega.'

'Dat weet ik helemaal niet en jij ook niet.'

Ze kwam overeind en sloeg de handdoek om zich heen. 'Ga er nou niet meer van maken dan het is.'

'Hoe bedoel je?'

'We hebben het hier niet over de grote liefde. Ik heb gewoon de ochtend aangenaam doorgebracht in plaats van naar de kapper te gaan.'

'Dus ik ben een tussendoortje dat niks voorstelt?'

'Ik heb niet beweerd dat je niets voorstelt.'

'Maar ik ben wel een tussendoortje dus. Meer betekenenis heeft het niet voor jou?'

'Dat klopt.'

'Je liegt.'

'Oké, ik lieg. Laten we het daar maar op houden.' Ze knoopte de badhanddoek vast en stond op.

Hij greep haar bij de hand. 'Blijf nou. Loop niet weg. Ga weer zitten.'

'Het heeft geen nut om over een toekomst te praten als we die niet hebben samen.'

'Je moet naar me luisteren. Waarom luister je nou niet? Je moet jezelf niet voor me verbergen. Je moet eerlijk zijn. Je kunt gelijk hebben. Het stelt wellicht niets voor, maar voor mij stelt het wel degelijk iets voor. Als er verder niets voor ons in zit, kunnen we toch eerlijk tegen elkaar zijn? Oké?'

Ze keek naar hem. Ze hield van hem, maar dat kon ze hem niet vertellen. Hij trok aan haar hand en ze ging naast hem zitten.

Hij kuste haar vingers. 'Nora, wat er ook gebeurt, of je nu met me meegaat of niet, je moet van die man af. Misschien is dat mijn rol wel, dat ik je van hem verlos.'

'We hebben samen veel meegemaakt. Je gaat niet van elkaar af omdat het even tegenzit. Ons gezamenlijk verleden telt zeker mee.'

'Ach welnee. Je gaat toch niet beweren dat als je al heel lang in een slecht huwelijk zit het daardoor de moeite waard wordt? Echt niet. Dat is alleen nog meer zonde van je tijd. Veertien jaar ellende is veertien jaar te lang.'

'Channing en ik hebben het ook goed gehad. Ik ga er niet zomaar vandoor.'

'En je ex dan? Scheiden is toch ook een manier om ervandoor te gaan?'

'We zijn niet gescheiden, hij stierf.'

'Waaraan?'

'Domme pech, hij was geboren met een hartafwijking, iets wat de dokter niet was opgevallen. Hij was bankier. Hij had een fantastische baan. Hij was zesendertig en had geen idee dat hij nog maar kort te leven had. Hij genoot van het leven. We hadden elkaar, we hadden onze zoon. We hadden ook een hoge hypotheek en heel veel schuld bij de creditcardmaatschappij. We hadden echter geen levensverzekering, dus toen hij opeens dood neerviel, had ik geen stuiver meer. Ik was vierendertig en ik had nog nooit echt gewerkt. Ik was in paniek en wou alleen maar dat iemand voor me zou zorgen. Een half jaar later leerde ik Channing kennen en tegen de tijd dat Tripp een jaar dood was, trouwde ik met hem. Mijn zoon was elf. Channings tweeling was dertien.'

Dante keek haar met samengeknepen ogen aan. 'Wat zei je nou?'

'Wat bedoel je?'

'Zei je nou "Tripp"?'

'Ja.'

'Was je getrouwd met Tripp Lanahan?'

'Dat heb ik je al een keer verteld.'

'Maar niet zijn hele naam. Die wist ik niet.'

'Nou, dan weet je die nu,' zei ze. Ze keek naar hem. De kleur was uit zijn wangen weggetrokken en hij keek haar strak aan. 'Wat is er?'

'Niets.'

'Je bent lijkbleek.'

Hij schudde even het hoofd, alsof zijn oren suisden en hij ervanaf wilde. 'We hebben een keer zakengedaan. Hij keurde de lening goed toen ik mijn huis kocht. Er was verder geen enkele bankier in de stad die dat vanwege mijn werk wou doen.'

Ze glimlachte. 'Hij was heel goed in het inschatten van mensen en hij paste ook rustig de regels aan als hem dat uitkwam.'

Dante liet zijn hoofd hangen. Dat had hij ook altijd over Tripp gezegd. Hij wreef over zijn gezicht zodat het rimpelde.

Ze legde haar arm om hem heen en drukte hem even tegen zich aan. 'Ik moet ervandoor. Ik heb tegen Channing gezegd dat ik een afspraak had met mijn aandelenmakelaar in Santa Monica. Het leek een leugen toen ik hem dat vertelde, maar ik heb werkelijk een afspraak met hem. Gaat het weer een beetje? Je ziet eruit alsof je een geest hebt gezien.'

'Het gaat goed.' Hij legde zijn hand over die van haar zonder haar in de ogen te kijken.

Ze legde haar hoofd tegen hem aan. 'Zie ik je morgen weer?'

'Ik bel nog wel. Wees voorzichtig.'

'Zal ik doen.'

Het gesprek met de aandelenmakelaar duurde niet lang. Hij was begin zeventig, mager en gespeend van elk gevoel voor humor. Hij had haar portefeuille al twintig jaar onder zijn beheer, en had zo langzamerhand het gevoel dat het zijn aandelen waren. Toen ze hem vertelde dat ze ze wilde inwisselen voor geld, raakte hij in de war. 'Welke?'

'Allemaal.'

'Mag ik weten waarom?'

'Ik vertrouw de markt niet. Ik wil ermee ophouden.'

Hij was even stil en ze kon zien dat hij een antwoord zat te bedenken. 'Dat snap ik, maar dit is niet het juiste moment om te verkopen. Ik raad je ten sterkste aan ermee te wachten. Het zou niet slim zijn.'

'Prima. Je hebt me van advies gediend. Maak het geld maar over naar mijn rekening van de Wells Fargo-bank in Santa Teresa. Onder aftrek van je commissie, natuurlijk.'

'Heb je misschien problemen?' vroeg hij omzichtig. 'Want je kunt het er altijd met mij over hebben. Ik sta volledig achter je.'

'Dank je wel.'

'Moet je dit van Channing doen?'

'Toe, Mark. Doe nu maar gewoon wat ik je gevraagd heb. Geef opdracht tot de verkoop en ik hoor wel wanneer alles in de verkoop is.'

Terwijl ze vanuit Santa Monica over de Pacific Coast Highway in noordelijke richting reed, draaide ze het raampje naar beneden en liet ze de wind door haar haren spelen. Ze had niet geweten dat ze dat wilde totdat ze het hardop had gezegd. Ze vond het idee van zo veel contant geld wel prettig, het kon handig zijn. Ze dacht niet na over wat er de komende weken kon gaan gebeuren. Ze dacht niet na over haar spullen pakken en de afspraak met Dante nakomen op het vliegveld of een vliegtuig nemen. Dat soort dingen was niet gepast, beneden peil en onverstandig. Maar stel dat ze op het laatste moment van mening zou veranderen? Ze moest zich wel voorbereiden voor het geval het nodig mocht zijn. Zo zag ze dat. Als het nodig mocht zijn. Daarom was ze ook naar de bank gegaan en had ze alles uit haar safe gehaald voordat ze die morgen naar Santa Monica was gegaan. Daarom had ze de afgelopen week haar paspoort bij zich gehad, dat tot haar opluchting nog zes jaar geldig was. Mocht het nodig zijn; dat was de reden waarom ze het contante geld dat ze tot haar beschikking had had geteld, haar mooiste sieraden in haar tas had gedaan. Als ze uiteindelijk niet wegging – wat er dik in zat – dan kon het toch ook geen kwaad? Het geld kon ze weer naar de bank brengen en met het geld dat ze aan de verkoop van de aandelen zou overhouden, kon ze opnieuw investeren.

Ze sloeg van de snelweg af en nam de lange kronkelende weg naar het huis. Vier gigantische vogels vlogen in de lichtblauwe lucht, met uitgestrekte vleugels, hun zilveren veren blikkerden terwijl ze zweefden op de thermiek. Wat zou ze dat graag kunnen: elegant zwevend door de lucht, zonder enige moeite steeds hoger komen, meegevoerd op de wind, met de aarde als een lappendeken onder je terwijl jij steeg en zwenkte. Het zou rustig zijn daarboven, vredig, en de oceaan zou oneindig lijken.

Ze bleef naar ze kijken en vroeg zich af wat ze naar de berg had getrokken. Terwijl ze de weg volgde, besefte ze dat ze nog groter waren dan ze aanvankelijk had gedacht. Zo te zien waren het kalkoengieren, die hadden een vleugelwijdte van twee meter. Ze had ze wel eens van dichtbij gezien terwijl ze een karkas langs de weg aan het verscheuren waren, met een kop zonder veren en een rode, schubachtige nek. Ze hadden de reputatie zachtaardig en efficiënt te zijn, de nederige dienaren van de natuur die kadavers opruimden. Omdat ze kaal waren konden ze hun kop diep in het karkas steken om bij de ingewanden te komen.

Ze draaide de inrit op en liet de auto op de parkeerstrook staan. Ze had meneer Ishiguro's pick-up daar verwacht met een lading harken en bezems. De schoonmaakploeg was al geweest. Ze zag de overvolle vuilniszakken die ze achter hadden gelaten. De gieren vlogen als snelle wolken recht boven haar hoofd en hielden het zonlicht tegen. Er zat een gier boven op een vuilnisvat en hij staarde haar voorovergebogen en sluw aan. De gier siste naar haar en vloog moeizaam met luid fladderende vleugels op. Ze haalde het deksel van het vuilnisvat en deinsde achteruit door de stank en een zwerm vliegen. Meneer Ishiguro had er een rottend kippenkarkas in gegooid. Nora sloeg het deksel er weer op en hield haar hand voor de mond alsof ze zichzelf zo kon beschermen tegen de walgelijke vleesklomp.

Channing had gezegd dat hij kippen in de vallen zou doen, maar hoeveel waren het er wel niet? Op de ruit van de achterdeur zat met een stuk plakband een envelop geplakt. Erin zaten de bonnetjes voor de drie vallen die meneer Ishiguro had gekocht. De kippenkarkassen had hij waarschijnlijk gratis kunnen krijgen. Ze haalde de achterdeur van het slot en gooide haar tas en de envelop op de eetbar. Ze schopte haar sandalen uit en deed een paar sportschoenen aan haar blote voeten. Ze pakte twee stukken brandhout en liep weer naar buiten. Ze ging door het hek in de muur en nam de brandgang terwijl ze rondkeek naar de vallen. De eerste ontdekte ze in wat kreupelhout waarmee meneer Ishiguro de grote ijzeren klem had willen verbergen. Het karkas lag er nog in, en ze gebruikte een stuk brandhout om de val dicht te laten klappen. De tien centimeter dikke stok brak meteen doormidden en stukken hout vlogen alle kanten op. Nora schrok, slaakte een gil en liep door, daarbij handig de schijfcactussen vermijdend die overal stonden. Aan dat smalle paadje lagen verder geen vallen en toen ze bij een zijpad aankwam, ging ze daar voorzichtig naar beneden. Ze hield haar hart vast dat ze een smak zou maken.

Twee grote gieren zaten op de grond als een paar wachtposten die hun buit beschermden. De mannetjescoyote zat in de tweede val. Als de vogels er niet hadden gezeten en het wijfje niet nerveus op het pad voor haar heen en weer had getrippeld, was hij haar niet opgevallen. Meneer Ishiguro had de val in een berg droog gras verstopt. De coyote lag hijgend op zijn zij. Ze had geen idee hoe lang hij daar al lag. Zijn achterpoot was gebroken en het bot stak naar buiten. De grond onder hem was donker van het bloed. Ze bleef stokstijf staan omdat ze het dier niet wilde laten schrikken. Zijn instinct zou hem ingeven te vluchten. Hij rustte even. Even later tilde hij zijn kop weer op en draaide hij die om de wond te likken. Hij moest vreselijk veel pijn lijden, maar hij gaf geen kik. Zijn doffe ogen bleven onverschillig op haar rusten. Wat kon zij hem schelen nu hij voor zijn leven vocht?

Het was warm op de heuvel, de lucht stoffig door de kleine windstootjes die af en toe de kop opstaken. Nora draaide zich om en liep terug naar het huis. Ze was bang en in tranen en wilde wanhopig graag iets doen om het beest uit zijn lijden te verlossen. Ze liep naar boven. Ze pakte het pistool uit Channings nachtkastje. Hij had haar laten zien hoe ze het moest laden en afvuren. Hij had het liever niet gekocht, maar zij had erop gestaan. Ze was heel vaak alleen in het huis en wilde iets om zichzelf te verdedigen. Ze ging na of het geladen was. Het wapen woog anderhalve kilo en ze hield het met beide handen vast terwijl ze de trap af liep en de achterdeur uit ging.

De vrouwtjescoyote was er nog. Ze zat een stukje verderop, waar hij haar kon zien, zachtjes te janken. Het mannetje was gek van de pijn. Hij deed er alles aan om uit de val te komen. Hij keek Nora aan. Ze kon er bijna een eed op doen dat hij wist wat ze van plan was. In zijn gele ogen laaide een vonkje herkenning tussen hen op, zij erkende zijn pijn en hij accepteerde wat hem te wachten stond. Zij kon hem bevrijden en dat kon maar op een manier. Hij was een wild beest en ze kon niet bij hem in de buurt komen om de val los te maken, ook al had ze dat gekund. De gieren vlogen op en bleven, spiedend naar haar, boven hen rondvliegen.

Ze huilde. Ze kon amper naar hem kijken, maar ze vertikte het om weg te kijken. Dat dit fantastische dier het slachtoffer van een vreselijke wreedheid was geworden was ondenkbaar, maar toch lag hij daar, dodelijk vermoeid, nauwelijks ademhalend. Uitstel van zijn dood betekende nog meer pijn. Ze kon hem alleen op deze manier helpen. Ze schoot. Eén kogel en hij was dood. Het vrouwtje keek toe terwijl Nora op haar knieën bij het mannetje ging zitten. Het vrouwtje draaide zich om en liep weg. Ze ging terug naar haar pups. Ze zou voortaan in haar eentje moeten jagen. Ze zou hen leren om te jagen, om de bewoonde wereld in te gaan omdat alleen daar nog eten was. Ze zou hen tonen waar water was. Als er maar weinig konijnen en eekhoorns en mollen waren, zou ze hen laten zien waar ze insecten konden vinden, hoe ze katten moesten verschalken die ’s avonds buiten rondzwierven. Zij zou dat doen omdat het in haar zat, het was haar instinct.

Nora liep terug naar het huis met het wapen in de hand. Er stond een zwarte auto naast haar Thunderbird en terwijl ze aan kwam lopen zag ze twee mannen in pak uitstappen. Ze begroetten haar beleefd. Ze kwamen niet dreigend over, maar ze mocht hen meteen al niet. Ze waren allebei gladgeschoren, de een was in de vijftig, de andere halverwege de dertig. De jonge man zei: 'Mevrouw Vogelsang?'

Hij overhandigde haar zijn visitekaartje. 'Ik ben special agent Driscoll en dit is special agent Montaldo, we zijn van de FBI en willen graag even met u praten.'

'Waarover dan?'

'Over Lorenzo Dante.'

Ze knipperde met haar ogen en nam toen een beslissing. Ze ging zonder iets te zeggen het huis in. De twee mannen liepen achter haar aan.

27

Ik was pas rond een uur of drie bij het pandjeshuis. Lens auto was nergens te bekennen. Ik sloeg de bocht om en zette mijn Grabber Blue Mustang tussen twee pick-ups op het parkeerterrein. June zag me zodra ik de winkel binnen liep en trok meteen een nietszeggend gezicht.

Ik zei: 'Hoi, June. Hoe gaat het?'

'Prima.'

'Er is iets gebeurd en ik ben op zoek naar Pinky. Ik dacht dat jij wel wist waar hij zou zijn.'

'Ik zou het niet weten.'

'Wat jammer. Ik heb met Dodie gesproken en zij zei dat hij hier was.'

'Hoe komt ze daar nu bij?'

'Houd op, June. Je staat te liegen en ik weet dat je staat te liegen, dus je kunt me net zo goed de waarheid vertellen. Ik weet niet hoe Pinky's plannetjes precies in elkaar steken, maar ze zijn vast te onbezonnen om zijn leven ervoor te wagen.'

June keek me aan met de hulpeloze uitdrukking van iemand die naar een film kijkt waarvan ze weet dat die niet goed afloopt. Len had haar vast bedreigd, net zoals hij bij mij had gedaan. Ze was gespannen en ik wist niet goed hoe ik tot haar door moest dringen.

Ik waagde weer een poging. 'Ik weet dat brigadier Priddy hier gisteren is geweest, want ik heb zijn auto voor zien staan. Geloof me, wat hij je ook verteld heeft, het slaat nergens op. Je weet dat het een eikel is.'

Ze maakte met haar tong haar lippen nat en droogde toen met twee vingers de mondhoeken. 'Hij zei dat hij een bevel tot aanhouding voor Pinky heeft. Hij moet ondervraagd worden en als ik niet zeg waar hij is, krijg ik een aanklacht wegens medeplichtigheid aan mijn broek.'

'Er is helemaal geen bevel tot aanhouding,' schamperde ik. 'Waar heb je het over? Hij zit achter Pinky aan omdat die foto's heeft gestolen. Vraag me niet van wie, want dat weet ik niet. Len Priddy wil ze hebben en hij heeft me bijna gewurgd omdat hij dacht dat ik ze had. Hij heeft jou waarschijnlijk met nog ergere dingen bedreigd.'

Ze zei zacht: 'Hij kwam vanochtend bij me thuis langs voordat ik naar mijn werk ging. Hij drong naar binnen en haalde mijn hele huis overhoop.'

'Hij was op zoek naar de foto's.'

'Dat zal wel,' zei ze. 'Ik zei dat ik de politie zou bellen als hij niet meteen opdonderde. Hij ging weg en ik dacht dat hij het daarbij zou laten, maar toen kwam hij hier langs en wou de winkel doorzoeken. Ik had al met mijn baas gepraat en hij zei dat hij zonder huiszoekingsbevel geen poot had om op te staan, dus nu is brigadier Priddy er een gaan halen. Toen de deur net openging dacht ik dat hij het was.'

'En waarom zou hij zo'n bevel krijgen? Hij zit je gewoon te belazeren. Hij probeert maar wat. Hij krijgt echt geen rechter zover dat die toestemming voor een huiszoeking gaat geven. Dan moet hij daar wel een erg goede reden voor hebben.'

'Hij zei dat hij vast wel een anoniem telefoontje zou krijgen.'

'Gelul.'

'Dat kan zijn, maar stel dat hij er wel een kan ritselen?'

'Ik neem aan dat Pinky hier is?'

Ze knikte niet maar sloeg haar ogen neer, wat hetzelfde was als toegeven. 'Ik zat te denken, als het straks donker is, stop ik hem in mijn kofferbak en dan rijd ik hem ergens naartoe. Wat vind jij ervan?'

Ik schudde het hoofd. 'Dat is niet slim. Len heeft hier vast iemand zitten om de boel in de gaten te houden, dus je kunt maar beter hier blijven.'

'En jij? Hij zegt dat het alleen maar voor vanavond is.'

'Len houdt mij ook in de gaten. Hij weet donders goed dat Pinky hier zit, dus hij houdt er rekening mee dat hij in een auto wil ontsnappen. Maakt niet uit van wie die auto is. Ze zetten een verkeersversperring neer en dan kun je het verder wel vergeten.'

'We moeten iets doen.'

'Ik ben weg. Als ik hier te lang blijf denken ze nog dat we een plannetje zitten te smeden.'

'Laat je me in de steek?'

'Heel even maar. Ik heb iets bedacht en als dat werkt, zul je me zo weer terugzien. Doe niets tot ik weer terug ben.'

'Oké.'

Eenmaal buiten wandelde ik rustig naar de hoek. Ik ging ervan uit dat als iemand de winkel in de gaten hield en me weg zag gaan ze me moesten volgen of daar blijven vanwege June. Ik ging rechtsaf de zijstraat in, maar in plaats van naar mijn auto te gaan, liep ik door naar Chapel Street. Als Len een autosurveillance had geregeld, hielen ze waarschijnlijk de Mustang in het vizier. Zolang die daar bleef staan, kon ik hopelijk vrij rondlopen. Ik stak Chapel Street over en liep naar de volgende kruising, naar het rijtje winkels waar ook de tweedehandswinkel zich bevond.

Ik liep naar binnen. De vrouw aan de toonbank keek op en begroette me hartelijk. Dat deed ze om winkeldiefstal tegen te gaan, want dieven willen liever niet opgemerkt worden. Ik liep rond, bekeek wat kledingstukken, met name de jassen. Het is 's avonds in Santa Teresa vijf tot tien graden en hoewel dikke jassen niet erg gewild zijn, zijn wat dunnere jassen dat wel. Ik keek naar een paar prijskaartjes en verschoot van kleur. Het was tweedehandskleding, wat volgens mij toch overeenkwam met goedkoop. Hier dus niet. Ik zat te bedenken wat ik nog op mijn rekening had staan en vroeg me af of ik me de prijs van vijf- tot zeshonderd dollar kon veroorloven. Ik let er altijd heel goed op dat ik niet te veel in het rood kom te staan, maar ik kon me niet herinneren hoeveel krediet ik had. Wellicht bijna tienduizend dollar. Ik overwoog de situatie. Ik had het vermoeden dat de winkel betrokken was bij een georganiseerde winkeldiefstalbende, dus dan zou de vrouw van deze winkel een wetsovertreder zijn. Waarom had ik dan last van mijn geweten als zij de misdadigster was? Ze dook opeens naast me op.

'Zoekt u iets bijzonders?'

'Ja, een winterjas. Hebt u alleen deze?'

'Ik kijk wel even achterin. Er hangen een paar kledingstukken die ik nog niet in heb kunnen schrijven.'

Ze liep naar achteren en kwam even later met twee jassen aan hangertjes terug. De ene was een kameelharen jas met een dubbele sluiting voor 395 dollar. De andere, een lange zwarte jas van scheurwol, kostte slechts vijfhonderd dollar.

'Die vind ik mooi,' zei ik, wijzend naar de kameelharen jas.

'Prima. Eens kijken hoe die staat.'

Ze hielp me de jas aantrekken en trok hem toen recht zodat hij goed zat. Ze leidde me naar de spiegel aan de muur vlak naast me en ik bekeek mezelf van alle kanten. Het zag er eerlijk gezegd nog leuk uit ook. 'Wel een beetje duur, vindt u niet?'

'Het is een Lord and Taylor. Oorspronkelijk kostte hij vijftienhonderd dollar.'

'O. Nou, dan kan ik hem maar beter meteen kopen,' zei ik.

Ze sloeg het bedrag aan op de kassa. Ik kon gewoon met mijn creditcard betalen. Ik tekende en stak het bonnetje in de zak van mijn spijkerbroek, me afvragend of ik dat als onkosten kon opvoeren. Ik liet haar de jas in sitspapier verpakken voordat ze hem in een plastic tas deed.

Ik bedankte haar en ging de winkel uit. Buiten liep ik meteen de pruikenwinkel ernaast in, waar ik een halflange blonde pruik voor 29,95 dollar kocht. Ik zette hem op en stopte mijn haar onder de pruik zodat het niet meer te zien was. Ik keek naar mezelf in de spiegel, verbaasd door de vrouw die ik daar zag.

De verkoper had zo zijn eigen mening over wat iemand zoals ik, die er duidelijk geen verstand van had, zou moeten dragen. 'Misschien zou u iets moeten uitkiezen wat meer bij uw eigen haarkleur ligt,' stelde hij voor.

'Ik vind dit mooi. Het is perfect.' Hoewel ik me al gek zweette en het jeukte als de neten, zag ik mezelf als blondje helemaal zitten.

'Ik ben zelf niet zo weg van synthetische pruiken, als ik zo eerlijk mag zijn. De pruiken van echt haar zijn veel mooier. We hebben kapjes met antislip waar de haren er met de hand of machinaal in zijn gezet.'

'Het is maar voor een feestje. Een lolletje.'

Hij was wel zo verstandig om verder commentaar voor zich te houden, maar de teleurstelling droop van zijn gezicht af.

De aankoop nam meer tijd in beslag dan eigenlijk had gemoeten, maar ik had daardoor wel de kans om de jas uit de tas te halen en aan te trekken. Ik stopte mijn schoudertas in de plastic tas van de tweedehandswinkel, want ik wist dat vanaf een afstandje mijn schoudertas me evenzeer identificeerde als mijn kleding.

'Mooie jas,' zei hij terwijl hij me mijn wisselgeld gaf.
'Van Lord and Taylor.'
'Dat is te zien.'

Tijdens het korte wandelingetje terug naar de lommerd speurde ik de omgeving af naar surveillanten. Ik zag niemand die niet op zijn plek leek, maar dat wilde nog niet zeggen dat Len geen mannetjes had ingezet. Aan de andere kant dacht ik niet dat hij zo veel vriendjes had die vrijwillig hun diensten aanboden zonder zich druk te maken waarvoor het was.

Toen ik het pandjeshuis weer in liep was June een klant aan het helpen, maar ze keek wel op. Ze doorzag mijn vermomming, maar het was dan ook niet de bedoeling om haar voor de gek te houden. Zodra de klant weg was gebaarde ze dat ik naar haar toe moest komen. De twee mannen die voor haar werkten moesten geweten hebben waar we mee bezig waren, want ze keken niet op toen ze me naar achteren leidde.

Pinky had zich verscholen in een soort bezemkast annex wc, waar het toilet en een wastafeltje de ruimte deelden met moppen, een emmer op wieltjes en planken met verpand gereedschap en kleine huishoudelijke apparaten. Het rook er naar motorolie en een luchtverfrisser die helemaal niets verfriste, laat staan de lucht. Naast de wastafel stond een zwart-witte monitor waarop een gedeelte van de winkel te zien was. Toen Pinky doorhad dat ik het was, grijnsde hij mallotig, in de veronderstelling dat June me had overgehaald om hem te helpen. Hij pakte mijn hand en klopte erop. 'Dank je.'

Ik wilde hem erop wijzen dat ik nog niets had gedaan, maar ik had iets anders aan mijn hoofd. 'Wat doe je hier? Je had toch een afspraak met een vent om die foto's te overhandigen? Dat was toch de bedoeling?'

'Dat zal ik je vertellen. Ik heb die vent gebeld, maar op zijn werk weten ze niet waar hij zit. Van June mag ik twee keer per dag de telefoon in de winkel gebruiken, maar meer ook niet. Ze is bang dat Len opeens binnen komt zetten of iemand me door het raam zal zien. Maar de receptioniste van die vent was heel aardig en zei dat als ik haar vertelde waar ik was, ze me op zou laten halen zodra hij weer binnen was.'

Ik zei: 'Goh, dat is aardig. Waar denkt zij dan dat het om gaat?'

'Geen flauw idee. Ik heb niets verteld.' Hij tikte op zijn slaap ten teken dat hij zijn hersens gebruikte. 'En wat nu?'

'We maken een meisje van je en dan wegwezen.' Ik wendde me

tot June. 'Kun jij een taxi bellen? Zeg maar tegen de telefoniste dat het om een blonde vrouw in een kameelharen jas gaat die bij de zijingang van het Butler Hotel opgepikt moet worden.'

'Hoe laat?'

'Over tien minuten. En zeg dat de taxichauffeur even moet wachten voor het geval het wat langer duurt.'

'Ik laat jullie even alleen,' zei June, die weer naar de winkel ging.

Pinky nam plaats op de wc-bril terwijl ik de pruik afzette en hem op zijn hoofd zette. Hij kon het hebben, blond, hoewel hij er door zijn brede schouders en donkere teint uitzag als een travestiet uit Miami op middelbare leeftijd. Nadat hij de jas aan had getrokken, was bijna geen enkele tatoeage meer zichtbaar. Volgens mij kon hij van een afstandje voor een vrouw doorgaan. Met een beetje geluk kon hij het stukje naar het hotel lopen, daar naar binnen gaan en er bij de zijdeur weer uit gaan.

Ik schreef het adres van Rosies restaurant achter op het bonnetje van de pruikenzaak en gaf hem dertig dollar. 'Ik bel haar dat je eraan komt. Ze zorgt wel dat je je kunt verschuilen tot ik er ben. Dat zal pas in de avond worden, dus maak je geen zorgen. Is alles duidelijk?'

'Kun je Dodie bellen en haar zeggen dat alles goed met me is? Ik weet dat ze dodelijk ongerust is.'

'Dat komt wel. Ik heb haar kortgeleden nog gesproken en het gaat goed met haar.'

'Het zal nog beter gaan als ze mijn stem hoort.'

'Nu moet je heel goed naar me luisteren, ja? Je mag haar niet bellen. Zij vermoedt dat ze afgeluisterd wordt en ze kan gelijk hebben. Een telefoongesprek wordt dan ook opgepikt.'

'Ik ga toch niet zeggen waar ik ben?'

'En als er nu een apparaatje op jouw telefoon zit waarmee ze dat kunnen achterhalen?'

'Dat doet er niet toe. Ik zal heel snel zijn. Ik kan een speciale code gebruiken zodat ze weet dat het goed gaat.'

'Hoe kun je nu een code gebruiken als zij van niets weet?'

'Ik kan haar vragen hoe het met de papegaai gaat, want die hebben we niet. Ik kan zeggen: "Is alles goed met de papegaai?", zoiets.'

'Pinky, doe me een lol, het is allemaal al erg genoeg. Hier hebben we niets aan. Dodie zei dat je foto's van haar had. Waar zijn de andere foto's?'

Hij trok zijn overhemd een stukje open en ik zag de gele envelop. 'Die blijft daar zitten totdat ik hem overhandig.'

'Heel slim.'

Verlegen klopte hij op de blonde pruik. 'Hoe zie ik eruit?'

'Echt schattig,' zei ik. 'Zo gaan we het doen: ik ga via de voordeur naar buiten en dan loop ik de hoek om naar het parkeerterrein om in mijn auto te stappen. Jij wacht vijf tot zes minuten en dan ga je weg en loop je de andere kant uit. Weet je waar het Butler Hotel zit?'

'Tuurlijk. Hier op de hoek.'

'Heel goed. Jij stapt in de taxi, gaat naar Rosie en blijft daar zitten. Haar man brengt je als het eenmaal donker is naar mijn huis. Is alles duidelijk?'

'Ja, hoor.'

'Mooi. Als ik eenmaal weg ben, wacht je...'

'Dat weet ik ook wel. Ik wacht vijf minuten en dan ren ik naar het Butler Hotel.'

'Je moet niet rennen, je moet wandelen. Oké, tot straks.'

Ik mocht van June de telefoon gebruiken en ik belde Rosie. William nam op en nadat ik hem alles had uitgelegd, zei hij dat hij er graag aan mee wilde werken. Ik zei dat hij Pinky in een nisje moest zetten met zijn rug naar de deur. Het zou mooi zijn als Rosie hem wat te eten gaf, hoewel ik wel zei dat hij uit moest kijken met alcohol omdat ik niet wist hoeveel Pinky kon hebben. Zodra het helemaal donker was, zou William met Pinky via het steegje dat achter de huizen ligt naar Henry's huis lopen. Ik ging ervan uit dat een aardig ouder echtpaar niet erg de aandacht zou trekken.

Ik liep naar de auto. Ik haalde onderweg in de supermarkt melk en wc-papier, en reed toen rechtstreeks door naar huis. Ik hoopte de surveillanten de indruk te geven dat ik een beetje dom en naïef was. Ik had nog niemand opgemerkt, maar ik was ervan overtuigd dat ik werd gevolgd. Toen ik eindelijk Henry's inrit op reed, liet ik de Mustang voor de garage staan. Ik ging mijn huis in en deed de lampen aan. Ik trok de jaloezieën in de zitkamer dicht en liep de wenteltrap op naar de slaapkamer waar ik nog meer lampen aandeed. Eenmaal beneden kroop ik weer een paar minuten langs de plinten op zoek naar afluisterapparatuur. Er zat niets, voor zover ik kon bepalen. Ik zette de tv aan, het geluid iets harder dan ik prettig vind, voor het geval er toch iemand mee zat te luisteren. Ik deed de buitenlamp uit alsof ik van plan was de rest van de avond binnen te blijven en glipte toen de deur uit naar Henry's huis.

De lampen in zijn voorkamer werden door timers aangedaan, maar dat gold niet voor de keuken. Ik liet het licht daar uit en gebruikte mijn zaklamp voor het gebruikelijke rondje om er zeker van te zijn dat alles in orde was. Toen belde ik hem op zijn eigen telefoon in Michigan. Hoewel Len mijn huis op het eerste gezicht niet liet afluisteren, leek me dat in Henry's huis al helemaal niet het geval te zijn. Ik vroeg hoe het met Nell ging en hij bracht me op de hoogte van haar toestand die met sprongen vooruit was gegaan. Daarna vertelde ik hem over mijn ruzie met Marvin, het recordertje op mijn telefoon in kantoor en het probleem met Pinky. Ik hoefde hem niet uit te leggen waarom ik hem die avond in Henry's huis wilde onderbrengen. Ik beloofde hem de volgende ochtend weer te bellen om hem op de hoogte te houden.

Het was inmiddels donker. Ik ging naar Henry's achterdeur om daar te wachten. Tien minuten later hoorde ik geritsel in de struiken in het steegje. Als je tegen het kippengaas duwde kon je er onderdoor kruipen. Ik stond op en liep naar de garage. Toen Pinky onder het gaas door kroop hoefde ik hem alleen maar naar Henry's keuken te leiden. Het was te hopen dat William niet alles in geuren en kleuren uit de doeken deed aan de gasten die in Rosie's Tavern wat kwamen drinken.

Ik deed de deur achter ons op slot en liep met Pinky Henry's hal in. Ik deed de deuren naar de slaapkamers, de zitkamer en de keuken dicht en keek hem eindelijk aan. Zo te zien vermaakte hij zich prima, en dat ergerde me mateloos. Hij keek rond in het halletje alsof hij hoopte dat er nog iets te jatten viel.

'Woon je hier? Ik had iets heel anders verwacht.'

'Dit is het huis van een vriend die momenteel de stad uit is. Je kunt hier vannacht blijven slapen, maar je moet me beloven dat je uit de andere kamers blijft. Er zitten timers op de lampen dus die gaan aan en uit. Mensen in de buurt weten dat Henry er niet is, dus als je rondloopt, zou iemand wel eens de politie kunnen bellen in de veronderstelling dat er wordt ingebroken.'

'Nee, oké. We zitten nu bepaald niet op de politie te wachten.'

'Precies. Gedraag jij jezelf?'

'Zeker weten, maar ik klap van de honger, ik zou wel wat te eten lusten! Ik heb de hele dag in de lommerd gezeten en het enige wat June te eten had was een doosje Smarties waardoor het glazuur van mijn tanden sprong.'

'Rosie had je wat te eten moeten geven.'

'Dat heeft ze ook gedaan, maar je had het moeten zien. Ik wist niet eens wat het was. Kleine vette brokjes in een saus. Ik deed net of ik het lekker vond, maar ik heb een gevoelige maag en ik kon het maar met moeite binnenhouden. Heeft je vriend anders nog iets te eten?'

'Wacht, dan kijk ik even.'

Ik ging in Henry's keukenkastjes op zoek naar etenswaren. Er waren geen verse spullen meer, want die had hij aan mij gegeven. Er was nog een doos muesli, maar geen melk. Hij had wel een fles koude cola en een blikje V-8 staan. Ook waren er nog een blik cashewnoten, een pakje crackers en pindakaas. De fles Jack Daniel's had ook nog gekund, maar ik wilde het lot niet tarten. Ik pakte een dienblad, daar zette ik alles op plus nog een papieren servetje en een bord. Ik had zelf ook wel trek, maar ik kon maar beter niet bij Pinky blijven. Hij trok het flesje cola open en dronk het half op. Terwijl hij pindakaas op de crackers smeerde, ging ik naar de badkamer om de jaloezieën dicht te trekken.

Toen ik naar buiten kwam, zei ik: 'Je kunt gebruikmaken van de badkamer zolang je het licht maar niet aandoet. Beloofd?'

Pinky knikte met zijn mond vol en hij gaf de padvinderseed. Dat heb ik zelf ook vaak genoeg gedaan om te weten dat het niets voorstelde.

Hij slikte en haalde toen met zijn vingers pindakaas van zijn tanden. 'Heb je een deken en een kussen voor me?'

'Oké, dan.' De man was om achter het behang te plakken, maar ik wilde zelf helpen, dus ik mocht niet klagen. Ik liep naar de halkast waar Henry zijn beddengoed had liggen. Ik haalde er een kussen, een wollen deken en een groot donzen dekbed uit. 'Je kunt nog een paar dikke handdoeken op de grond leggen als die te hard is.'

'Bedankt. Hier heb ik genoeg aan.'

Ik keek hem streng aan. 'Gedraag je.'

'Ik doe toch niets?'

Ik ging terug naar mijn appartement. Ik had graag mijn badjas en pantoffels aangetrokken, maar dat kon nog niet. Tegen bedtijd moest ik nog even bij Pinky gaan kijken of alles goed ging. Hij leek mij het soort man dat maar weinig fantasie had, wat inhield dat hij er moeite mee zou hebben zichzelf te vermaken.

Voor het eten bereidde ik een boterham met een hardgekookt ei en mayonaise op een papieren bordje. Daarna schonk ik mezelf een glas chardonnay in en pakte de *Santa Teresa Dispatch* op, die nog steeds opgerold zat. Ik ging op de bank zitten, vouwde de krant open en at de boterham op terwijl ik het nieuws las. Het was voor het eerst die dag dat ik even rustig kon zitten. De rouwadvertenties waren niets bijzonders en het nieuws was zoals altijd: op zes verschillende plekken op aarde woedde er oorlog, er was een treinongeluk geweest, een ingestorte mijn en een vrouw van tweeenzestig die een kind had gebaard. De Dow Index stond laag, de NASDAQ hoog, of misschien was het wel andersom.

Het enige wat me opviel – en daardoor schoot ik wel overeind – was een berichtje op bladzijde 6 in een gedeelte bestemd voor korte mededelingen over plaatselijke misdaad. Het was de dagelijkse opsomming van vergrijpen die te weinig voorstelden om er een echt artikel aan te wijden. De meeste waren eenvoudig: een auto was opgekrikt en de banden verwijderd; de portemonnee van een vrouw was in State Street gestolen. Wat mij opviel was een enkele paragraaf waarin stond dat een huiseigenaar na een weekendje weg tot de ontdekking kwam dat er was ingebroken en dat er een kluis die in de vloer van een kast had gezeten, gestolen was. Abigail Upshaw (26) dacht dat de gestolen spullen (waaronder sieraden, geld, zilver en enkele dingen met gevoelswaarde) bij elkaar ongeveer drieduizend dollar waard waren.

Aha. Abbie Upshaw was Len Priddy's vriendin en ik kon er rustig van uitgaan dat Pinky de inbreker was. Volgens wat hij me had verteld, was hij naar de belastende foto's van Dodie op zoek gegaan. Hij had aangenomen dat die bij Len verstopt waren. Dat had echter niets opgeleverd en dus was Pinky naar de vriendin gegaan. Ik had nog steeds geen enkel idee wie er op de andere set foto's stond of waarom ze onderhandelingswaarde hadden, maar daar zou ik te zijner tijd wel achter komen.

Bijna onbewust hoorde ik mijn hek knarsen en ik keek op van de krant. Ik was meteen op mijn qui-vive. Ik legde de krant naast me neer en liep naar de voordeur, waar ik het buitenlicht aanknipte en door de patrijspoort naar buiten keek. Marvin Striker dook opeens op, met een beteuterde uitdrukking op zijn gezicht en duidelijk slecht op zijn gemak.

Ik deed de deur open. 'Wat doe je hier?'

'Ik moet met je praten.'

'Hoe kom je aan mijn adres?'

'Dat heb ik aan Diana Alvarez gevraagd. Die weet alles. Houd dat in je achterhoofd voor het geval je het nodig mocht hebben. Mag ik binnenkomen?'

'Waarom ook niet?' zei ik. Ik zette een stap opzij en liet hem erin.

'Mag ik even gaan zitten?'

Ik gebaarde naar de zithoek in mijn zitkamertje. Hij kon op de slaapbank of op een van de twee donkerblauwe regisseursstoelen plaatsnemen. Hij nam een van de stoelen en ik ging op de andere zitten, begeleid door gênante geluiden van de canvas bekleding.

Ik was niet nijdig op hem, maar ik had ook geen zin om net te doen of we vriendjes waren zoals voordat hij me wilde ontslaan. 'Wat is er?'

'Ik wil je mijn verontschuldigingen aanbieden.'

'Echt waar?'

Hij haalde een vensterenvelop met een gele streep aan de onderkant uit zijn binnenzak. Het retouradres dat linksboven, samen met een piepkleine postkoets, op de envelop stond was van de Wells Fargo Bank in San Luis Obispo. Ik nam de envelop aan en las het adres waar het naartoe was gestuurd. Audrey Vance. De gele streep hield in dat de post was doorgestuurd van het huisje in San Luis naar Marvins adres in Santa Teresa. Vivian Hewitt had bij het postkantoor blijkbaar een verhuisbericht ingevuld zodat hij Audreys post zou krijgen, zoals ik haar had verzocht. Hij had de envelop al opengemaakt.

Ik zei: 'Mag ik het zien?'

'Daarom heb ik hem meegenomen. Ga je gang.'

Het rekeningoverzicht was verdeeld in verschillende brokken informatie, enkele vetgedrukt, zoals de telefoonnummers voor mensen die Engels, Spaans of Chinees spraken. Sprak je een andere taal, dan had je pech. Er waren ook kolommen voor activa, passiva, beschikbaar krediet, rente, dividend en andere inkomsten. Audreys transacties stonden er vanaf de eerste dag van het jaar op vermeld. Ze had in totaal $ 4.000.944,44 op haar rekening staan. Ze had geen een keer geld opgenomen. Ik was onder de indruk hoe snel zelfs rente tegen een laag percentage bij vier miljoen optelde.

'Het lijkt mij niet dat ze zo veel geld heeft gekregen voor het runnen van een groothandel,' merkte hij op.

'Dat denk ik ook niet.'

'Zou jij misschien in overweging kunnen nemen om je onderzoek weer op te pakken?'

'Nou, Marvin, dat ligt nogal problematisch, en ik zal je vertellen waarom. Jouw goede vriend en vertrouwensman Len Priddy heeft met geweld gedreigd als ik de zaak doorzette.'

Er speelde heel even een glimlachje om zijn mond alsof hij zat te wachten op de clou. 'Wat voor geweld?'

'Hij zei dat hij me zou vermoorden.'

'Dat heeft hij vast niet met zoveel woorden gezegd. Hij zei toch niet...'

'Toch wel.'

In mijn ooghoek zag ik door het raam dat uitkeek op straat iets bewegen. Halverwege de jaloezieën zat een stokje waarmee je ze helemaal of gedeeltelijk open kon zetten of geheel kon sluiten. De onderkant was geheel gesloten maar de bovenkant stond open. Er was een auto voor mijn deur tot stilstand gekomen. Ik hoorde de motor draaien, dus ik nam aan dat hij dubbel geparkeerd stond.

Terwijl Marvin en ik over taalkwesties uitweidden, vroeg ik me af of er opeens een baksteen door mijn ruit zou komen zeilen. Of misschien een molotovcocktail waardoor Marvins standpunt dat ik Lens opmerking verkeerd had geïnterpreteerd werd weerlegd. Ik verzekerde hem ervan dat Len het echt meende en dat ik dus zo verstandig was om maar geen gedrag te vertonen dat lichamelijk geweld tot resultaat had. Hij vond dat ik wel heel erg snel geïntimideerd was en ik vond de belofte van vermoord worden toch genoeg om mijn dapperheid enigszins in te tomen. Opeens hoorde ik het hekje piepen en ik zei: 'Ik moet heel even weg, wacht je even?'

'Maar natuurlijk.'

Ik liet hem achter in mijn zitkamer, pakte Henry's sleutel en liep naar zijn huis. Door de timer in zijn woonkamer gingen twee seconden later de lampen uit en het licht in de slaapkamer ging aan. Dit was bedoeld om mensen ervan te overtuigen dat hij gewoon thuis was en naar bed ging. Ik liep de donkere keuken in en nam drie lange stappen naar de deur. Die deed ik open en terwijl ik de hal in keek riep ik: 'Pinky?'

Het dienblad stond op de grond en het viel me op dat hij alles had opgegeten. Hij had nog net geen gezellig nestje op de grond gemaakt. Maar hij had wel de telefoon uit de keuken de hal in getrokken zo ver het verlengsnoer het toeliet. Hierdoor kon hij bij de deur zitten en veilig binnen in Henry's huis blijven. De deur naar de badkamer was dicht. Ik klopte aan, want ik wilde hem niet verrassen terwijl hij met zijn broek op zijn enkels op de wc zat.

Ik legde mijn hoofd tegen de deur. 'Pinky, ben je daar?'

Ik deed de deur open en zag dat er niemand in de badkamer was. Ik draaide me om, zette twee stappen en maakte de deur naar de woonkamer open. Hierdoor kon ik door de voorramen zien dat een taxi wegreed, een grote gele vlek tegen een donkere achtergrond. Het silhouet op de achterbank leek verdacht veel op dat van Pinky.

28

Ik reed in mijn Mustang achteruit de oprit af, zette hem weer in drive en scheurde weg met zulke luid piepende banden dat de buren vast dachten dat ik een kat had overreden. Marvin stond op straat en keek me ongelovig na. Ik had hem met een mager excuus mijn appartement uit gewerkt. Die arme, lieve man. Had hij daar gestaan met zijn staart tussen zijn poten, zich vernederend zodat ik maar weer voor hem zou gaan werken, en maakte ik me zo veel zorgen om Pinky dat ik niet eens de tijd had om met hem te praten. Pinky had ongeveer vijf minuten voorsprong en ik wilde wedden dat hij naar huis ging. Dodie had hem niet kunnen bellen, want die wist niet waar hij zat. Als ze contact hadden gehad, was hij degene die haar gebeld had. Er waren natuurlijk nog meer mogelijkheden. Hij had ook een van de miljarden mensen verspreid over de aardbol kunnen hebben gesproken, maar aangezien hij erop gebrand was haar te spreken, leek mij dat veel logischer. Ik hoopte te weten te komen waarom hij een taxi had gebeld, als ik hem te pakken kreeg. Wat de reden ook mocht zijn, hij geloofde vast dat ik er niets van zou willen horen en daarom had hij maar niets gezegd.

Mijn appartement bij het strand ligt ongeveer twaalf straten, dus hoogstens drie kilometer, verwijderd van Pinky's huis aan Paseo Street. Binnen de bebouwde kom mocht je vijftig kilometer per uur rijden. Ik stond maar niet stil bij stopborden en rode lichten en andere verkeerszaken waardoor ik oponthoud zou krijgen. Ik hield het gaspedaal flink ingedrukt en lette bij elke kruising op verkeer van alle kanten. Ik reed nergens door het rode licht, maar het scheelde soms niet veel. Ik was me ervan bewust dat agenten in de buurt zouden zijn, omdat het politiebureau vlakbij was.

Ik reed op Chapel Street in noordelijke richting en op dit uur van de dag was het niet druk, dus ik schoot lekker op. Ik zag pas het probleem toen ik er bijna pal bovenop zat en ik naar links Paseo Street in wilde rijden. De weg was afgesloten. Er stond een keurig rijtje oranje verkeerskegels met daarachter een draagbaar hek en een bord waarop stond DOORGAAND VERKEER NIET TOEGESTAAN. Ik was al burgerlijk ongehoorzaam, maar reed toch door op Chapel Street met de bedoeling om dan maar de volgende bocht naar links te nemen, maar die straat was ook al afgesloten. Het leek wrede opzet, maar het waren eerder gemeentelijke wegwerkzaamheden die laat op de avond uit werden gevoerd en geen snood plannetje om mij tegen te werken. De volgende straat kon ik wel in, maar die was eenrichtingsverkeer. Er stond een bord met een pijl die me naar rechts dirigeerde terwijl ik naar links moest. Ze konden mooi mijn rug op en dus ging ik toch naar links en reed ik tegen het verkeer in. Ik was natuurlijk niet helemaal nuchter. Nog geen uur geleden had ik een glas wijn gedronken – ongeveer twee deciliter, schatte ik, maar het kon ook iets meer zijn – bij mijn boterham. Met mijn lengte en gewicht zat ik tegen de wettelijke limiet voor alcoholconsumptie aan. Ik zat er waarschijnlijk net onder, maar als ik werd aangehouden wegens een verkeersovertreding zou ik wel eens de molen in moeten gaan. En zelfs als ik niet hoefde te blazen of een bloedproef hoefde te ondergaan, zou een bon veel te veel tijd kosten.

Ik gaf gas tot Dave Levine Street, sloeg links af, reed een stuk door en draaide rechts Paseo Street op. Er stond een prachige nieuwe gele Cadillac bij de hoek met een bumbersticker waarop stond: DEZE SCHITTERENDE WAGEN IS VAN MIJ OMDAT IK VOOR GLORIOUS WOMANHOOD WERK. Op het portier aan de kant van de bestuurder stond een goudkleurige vrouwenfiguur met haar armen in de lucht, omringd door vallende sterren. Ik zag een parkeerplekje bij een stuk stoep met een rode streep. Ik parkeerde de Mustang dusdanig dat de brandkraan niet te zien was. Ik zette de motor uit en wilde net uitstappen toen ik me bedacht. Ik zat te dubben of ik nu wel of niet de H&K mee moest nemen. Pinky's vertrek had een soort urgentie opgewekt, maar dat was wellicht alleen te wijten aan mijn koortsachtige fantasie. Een vuurgevecht leek nogal vergezocht, dus liet ik het pistool maar onder de bestuurdersstoel in de Mustang liggen. Ik maakte de kofferbak open en trok het windjack aan dat daar altijd in ligt en deed toen mijn nogal grote schoudertas erin en sloot af. Ik stak de sleutels in de zak van mijn spijkerbroek en stak de straat over.

Ik zag dat er in het huis van de McWherters boven licht brandde. Ook de zitkamer van de Fords was verlicht. De gordijnen waren gedeeltelijk dicht, maar ik zag Pinky in een leunstoel zitten. Dodie zat op de bank rechts van hem, deels aan het zicht onttrokken door de gordijnen. Het licht van de tv flitste zwak over hun gezicht. Als het zo belangrijk voor hem was om Dodie te spreken, snapte ik niet waarom hij er zo bars uitzag. Met zijn uitstekende jukbeenderen en donkere teint leek hij wel uit hout gehouwen. Ik belde aan en even later deed hij open.

'Waarom ben je ervandoor gegaan zonder mij dat te laten weten?'

'Ik had haast,' zei hij.

'Ja, dat was duidelijk. Mag ik binnenkomen?'

'Waarom ook niet?' Hij deed een stap opzij.

De hal was ongeveer zo groot als een badhanddoek en de zitkamerdeur bevond zich meteen rechts. Er was een brandend haardvuur, maar de houtblokken waren nep en de vlammetjes laaiden uit gaatjes in de gaspijp onder het rooster op. De houtblokken waren gemaakt van een materiaal dat op berk en stukken eikenhout moest lijken, maar het vuur knapte en knisperde niet en het rook ook niet naar een open haard. Het was moeilijk te geloven dat zo'n soort kachel warmte afgaf. Niet dat het Pinky of Dodie iets uitmaakte. Zijn blik was gericht op de man die achter Dodie stond en een pistool tegen haar hoofd gedrukt hield. Ze te zien had die vent een stoel uit de eetkamer gehaald. Hij zat achter de bank en liet zijn hand op de rugleuning rusten.

Het was een semiautomatisch wapen, maar ik had geen idee wat voor fabrikaat. Wat mij betreft vallen pistolen en auto's in dezelfde algemene categorie: sommige kun je meteen herkennen, maar de meeste hebben alleen nut door hun vermogen om te verwonden en te doden. Wat mij opviel aan dit pistool was dat het groot was en dat de loop mat glansde en er een krullerig motief van bladeren in gegraveerd stond. Het kaliber maakte niet veel uit, omdat de loop tegen Dodies hoofd gedrukt was en ze het sowieso niet zou overleven als de trekker werd overgehaald.

Ze wierp me vanuit haar ooghoeken een blik toe. Ze was ervan overtuigd dat ze afgeluisterd werden en ze hoopte waarschijnlijk dat het gesprek gevolgd werd en dat er hulp onderweg was. Ik vermoedde dat als ze al werd afgeluisterd, dat door middel van een taperecorder gebeurde die werd geactiveerd door stemmen en die pas veel later zou worden opgehaald. Ik richtte mijn blik op de schutter. Hij was halverwege de veertig met een bos donkerblond haar dat alle kanten op stond. Hij had zich twee dagen niet geschoren en zijn neus stond een tikje scheef. Zijn mond stond open alsof hij er de voorkeur aan gaf op die manier adem te halen. Gymschoenen, spijkerbroek, een synthetisch overhemd dat er vormeloos en goedkoop uitzag. Als hij niet zo'n dom hoofd had gehad, had ik hem wel knap gevonden. Met slimme kerels kun je praten. Deze oen was gevaarlijk. Zijn ogen flitsten van Pinky naar mij. 'Wie is dat?'

'Een vriendin.'

'Ik ben Kinsey. Aangenaam kennis te maken. Sorry dat ik zomaar kom binnenlopen,' zei ik.

'Dat is Cappi Dante,' zei Pinky om het voorstelrondje af te sluiten.

Ik kon me de naam herinneren van mijn gesprek met Diana Alvarez en Melissa Mendenhall. Zijn broer was de woekeraar die wel of niet een rol had gespeeld in de dood van Melissa's vriend. Volgens haar had Cappi een vriendin van haar mishandeld en waren de rapen gaar toen de vriendin haar beklag deed bij de politie van Las Vegas. Fraai, hoor.

'Toen ik naar huis belde was hij al hier en hield hij haar onder schot. Daarom heb ik meteen een taxi gebeld en ben hiernaartoe gescheurd zonder jou ervan op de hoogte te stellen.'

Cappi zei: 'Kom samen met haar hiernaartoe, dan kan ik toekijken terwijl jij haar fouilleert.'

'Mijn pistool ligt nog in de auto,' zei ik.

'Dat zeg jij.' Hij gebaarde ongeduldig.

Pinky en ik liepen naar hem toe en de belager hield ons scherp in de gaten terwijl ik me omdraaide en mijn armen in de lucht stak zodat Pinky mijn zij en mijn benen kon betasten. 'Ze is ongewapend,' zei hij.

'Zei ik toch,' zei ik.

'Bek dicht en houd je armen in de lucht zodat ik ze kan zien,' zei Cappi.

Ik gehoorzaamde, want ik wilde de man niet nog meer tegen de haren instrijken. Pinky liep terug naar de leunstoel en ging zitten, terwijl ik daar met mijn handpalmen naar boven gekeerd stond alsof ik wilde nagaan of het regende. 'Mag ik misschien weten wat er aan de hand is?'

Cappi zei: 'Ik kom hier wat foto's ophalen.' Hij keek Pinky aan. 'Schiet eens een beetje op, ja?'

Pinky maakte de knopen van zijn overhemd los, haalde de gele envelop tevoorschijn en stak die hem toe. 'Ze zijn van Len. Hij zal niet blij zijn dat jij je ermee bemoeit.'

'Geef hem maar aan je vriendin. Nu ze er toch is, kan zij dat mooi doen.'

Ik pakte de envelop aan. Cappi gebaarde met het pistool dat ik naar de haard moest gaan.

Ik liep ernaartoe. 'Moet ik ze soms verbranden?'

'Goed geraden,' zei hij.

'Het gaat sneller als ik ze eruit haal en ze stuk voor stuk in het vuur gooi,' zei ik. Nadat ik voor deze foto's met de dood was bedreigd, was ik zeer benieuwd naar wat er dan wel op stond.

Cappi dacht even na, hij vroeg zich vast af of ik iets van plan was. Ik stond ruim vierenhalve meter bij hem vandaan, dus het moest zelfs voor hem duidelijk zijn dat ik weinig kon beginnen. Er stond geen haardset en er was ook niets wat als wapen dienst kon doen. 'Je doet maar,' zei hij.

Ik scheurde de envelop open en haalde de foto's er zo onverschillig mogelijk uit. Er zaten glanzende zwart-witfoto's in van twintig bij vijfentwintig centimeter groot. Op de bovenste stonden Len Priddy en Cappi in een stilstaande auto. Het was avond en de foto was met een zoomlens gemaakt. De belichting was niet om over naar huis te schrijven, maar op de close-up was duidelijk genoeg te zien wie het waren. Ik hield de foto bij het vuur en de hoek krulde om. Dodie keek een andere kant op en Pinky keek uitdrukkingsloos toe. Ik hield de foto schuin zodat de vlammen op konden laaien. Toen hij helemaal in brand stond liet ik hem boven op de nephoutblokken vallen waar hij bleef branden. Ik pakte de volgende foto en deed daar hetzelfde mee. Len en Cappi stonden op alle foto's, die steeds vanuit ongeveer dezelfde hoek maar wel op verschillende plekken waren geschoten. Ik deed mijn werk en liet het vuur de beelden verzwelgen. Afgaand op Cappi's slechte smaak in overhemden had hij zes keer met Len afgesproken.

Terwijl ik ermee bezig was, dacht ik weer aan Cheney Phillips' opmerking over dat ik een tipgever in gevaar bracht. Dodie had me verteld dat Len de foto's van haar gebruikte om zich ervan te verzekeren dat Pinky alle roddels van de straat aan hem doorvertelde. Als deze serie foto's waarde had, kon dat betekenen dat Len ze gebruikte om Cappi naar zijn pijpen te laten dansen. Len zelf hoefde niet bang te zijn voor de foto's. De naam van een tipgever wordt goed beschermd en als zijn relatie met Cappi aan het licht kwam, kon hij het afdoen als politiezaken, wat het waarschijnlijk ook waren. Aan de andere kant zat het er dik in dat als Dante erachter kwam dat zijn broer regelmatig met een brigadier een babbeltje maakte, Cappi ten dode opgeschreven was.

'En de negatieven,' zei Cappi nadat alle foto's tot as vergaan waren.

Ik pakte de negatieven en hield ze in het vuur. Ze vatten vlam en binnen de kortste keren was er niets meer van over behalve as en een zurige lucht. Toen de foto's en de negatieven vernietigd waren, dacht ik niet dat we nog gevaar liepen. Cappi was voorwaardelijk vrij en was al zwaar in overtreding doordat hij met een vuurwapen liep te zwaaien. Waarom zou hij daar nog meer aan toevoegen? Het zou er voor hem alleen maar een stuk slechter op worden als hij het wapen gebruikte. Wij vormden geen bedreiging. Zelfs als we onze mond voorbijpraatten over de foto's, dan was er nog geen bewijs. Ik bleef voor alle zekerheid maar op mijn hoede en zei niets.

Hij keek me aan en zei: 'Schuif de as heen en weer zodat er niets van overblijft.'

Ik wroette met de neus van mijn laars in de verbrande foto's. Van één foto was nog alleen de rand nog over en ik zou zweren dat vaag het beeld van Len en Cappi te zien was. De stukjes lieten los en tuimelden zonder geluid te maken over de houtblokken heen.

Cappi stond op en stak het wapen achter in zijn broek. Nu het bewijs weg was, leek hij zich te ontspannen en weer zin te hebben in een avondje lol. 'Jullie blijven hier zitten en ik ga weg. Bedankt voor de medewerking,' zei hij, om te tonen wat een aardige vent hij wel niet was. Hij had vast films gezien over misdadigers met goede manieren.

Dodie zat te huilen. Ze hield haar hand voor haar ogen en de tranen biggelden over haar wangen. Ze bleef stil zitten en onderdrukte de snikken. Cappi nam afscheid en slenterde naar de deur. Hij moest de waardigheid van een crimineel bewaren en wilde ons niet achterlaten met de indruk dat hij er als een haas vandoorging. Hij was vast net zo opgelucht als ik dat het zo vlotjes was verlopen. Pinky had zich niet bewogen en ik hield de adem in, me er terdege van bewust dat het pas afgelopen was als Cappi in zijn auto was gestapt en wegreed. Hij opende de voordeur, liep naar buiten en deed de deur met een brutale glimlach achter zich dicht.

Pinky riep: 'Godverdomme!'

Hij sprong overeind, scheurde de woonkamer door de hal in waar hij de kastdeur opentrok en allerlei spullen van de plank gooide tot hij zijn pistool te pakken had. Terwijl hij naar de deur rende stak hij het magazijn erin. Hij smeet de deur open onder het roepen van Cappi's naam. Ik zat hem op zijn hielen om hem tegen te houden. Cappi was al halverwege de straat en toen hij zich omdraaide, vuurde Pinky drie keer waarbij de loop elke keer weer omhoogschoot. Ik hoorde een hoog gilletje, maar dat was uit verontwaardiging en niet vanwege pijn. Cappi was niet geraakt, maar Pinky's brutaliteit verbijsterde hem. Hij was er blijkbaar niet aan gewend dat hij als doelwit diende en daardoor gilde hij als een klein meisje. Hij trok zijn pistool uit zijn broek en vuurde twee kogels af voordat hij zich omdraaide en met pompende armen door de straat sjeesde, begeleid door de doffe klappen die zijn sportschoenen veroorzaakten elke keer dat ze de straat raakten. Even later hoorde ik het portier van zijn wagen dichtslaan en de motor aanslaan. Door de haast knalde hij op de auto voor hem voordat hij wegreed.

Pinky stond te hijgen, zijn ademhaling gierend van woede en adrenaline. Ik keek om naar Dodie in de verwachting dat ze plat op de grond lag met de leunstoel als dekking. Toen zag ik het bloed. Een van Cappi's kogels was door de houten muur gegaan, waar de kogel door was vertraagd maar niet erg veel. Het was mijn beurt om een gilletje te slaken, maar het kwam er door het ongeloof zachtjes uit. Pinky bleef als versteend staan toen hij haar zag. Hij scheen niet te begrijpen wat er zich voor zijn ogen afspeelde. Bij mij drong de hoeveelheid bloed eindelijk door.

Hij ging op zijn knieën naast haar zitten en draaide haar op haar rug. Ze was rechts in haar borst geraakt. Zo te zien was haar sleutelbeen verbrijzeld en er vloeide bloed uit de wond. Pinky drukte zijn handen erop en keek me hulpeloos en doodsbang aan. Ik rende de kamer uit naar de keuken, waar ik de telefoon opgriste en het alarmnummer belde. Toen de telefoniste opnam vertelde ik haar in grote lijnen wat er aan de hand was: wat voor wond het was en waar de schietpartij had plaatsgevonden. Ik legde mijn hand op het mondstuk en riep naar Pinky: 'Hé, Pinky, wat is je huisnummer?'

Hij brulde het me toe en ik gaf het aan de telefoniste door.

Ze was methodisch en stelde vragen op een rustige manier totdat ze alles wist wat ze moest weten. Op de achtergrond hoorde ik een andere telefoniste een gesprek aannemen. De vrouw die ik aan de lijn had belde intussen de politie zodat er hulp onderweg was.

Weer terug in de zitkamer zag ik meteen Pinky's pistool op de grond liggen. Er was een ambulance onderweg naar een schietpartij, dus dat konden we niet gebruiken. Ik pakte het wapen, liep naar de gang die nog steeds vol lag met spullen uit de kast. Ik had de tijd niet om het op te ruimen, als ik daar al behoefte toe had gevoeld, dus liep ik terug naar de woonkamer en stopte het pistool onder een van de kussens van de bank. Pinky zag het, maar we konden ons nu niet druk maken over een betere verstopplek.

Het Santa Teresa-ziekenhuis was maar vier straten verderop, dus dat was in ons voordeel. Ik ging naast Pinky op mijn knieën zitten om Dodie te helpen, wier borstkas zwoegend op en neer ging. Ze lag te trillen door shock en bloedverlies. Ik weet niet zeker of ze besefte wat er aan de hand was, maar ze zag lijkbleek en er ging af en toe een schok door haar heen. Ik klopte haar op haar hand en sprak haar bemoedigend toe, terwijl Pinky alles zei wat hem maar te binnen schoot om haar te troosten. Het was de taal van angst en paniek, hysterie die alleen door de pure noodzaak in de hand kon worden gehouden. In een luttele seconde was alles misgegaan. Nadat de foto's waren verbrand, had ik gedacht dat we het ergste achter de rug hadden, maar dat bleek dus niet waar te zijn.

Ik keek naar Dodie met een vreemde afstandelijkheid. Ze was bij bewustzijn en hoewel ze niet wist hoe erg ze eraan toe was, had ze wel door dat het niet goed was. Ik ben ervan overtuigd dat onder dat soort omstandigheden het slachtoffer uitmaakt of hij wil blijven leven of niet. Hoe erg de wond ook was, we konden haar overhalen bij ons te blijven als ze accepteerde wat we zeiden: dat het goed ging, dat ze het heel goed deed, dat we bij haar waren. Het was een litanie van beloften voor het leven, de verzekering dat ze het zou overleven, dat ze weer beter zou worden, er helemaal bovenop zou komen en geen pijn meer zou lijden. Ze balanceerde op het randje en de afgrond opende zich voor haar. Ik zag haar in de donkere tunnel van de dood kijken en haar ogen draaiden weg. Ik schudde haar hand. Ze deed haar ogen weer open en keek eerst naar mij en toen naar Pinky. Ze keken elkaar betekenisvol aan. Als hij in staat was haar terug te halen, dan was hij daar nu mee bezig. De vraag was alleen of ze nog op zijn smeekbede kon reageren.

Ik hoorde sirenes en even later zag ik buiten de zwaailichten. Ik liet Pinky bij Dodie achter en rende naar de deur, zwaaiend met mijn armen alsof ze daardoor sneller zouden zijn. Het mooie van ambulancepersoneel is dat ze rustig blijven, ook in situaties die in een grote chaos kunnen ontaarden. Er waren vier mannen, allemaal jonkies, een team bestaande uit kinderen, optimistisch door hun ervaring en kennis, vier sterke jongens die de situatie aankonden. Ik zag dat Dodie hun zorgzame en vriendelijke blik in zich opnam. Zelfs Pinky scheen door hun snelle hulpmaatregelen er meer gerust op te worden. Pols, bloeddruk. Een van hen gaf haar een infuus en een ander zette een zuurstofmasker bij haar op. Met z'n allen wikkelden ze haar in dekens en tilden haar op de brancard. Het verliep allemaal geoefend en soepel en ze gaf zich als een kind aan hun goede zorgen over.

Zodra ze de deur uit was, legde ik mijn arm om Pinky's schouder, die zowel stevig als mager was, een kleine man in een beschermend pak bestaande uit spieren. Toen we het huis uit liepen viel het me op dat de buren hun lampen uit hadden gedaan, die wilden er duidelijk niet bij betrokken worden. Ik liep met Pinky naar mijn auto en hielp hem op de passagiersstoel. Hij deed de gordel om en ik sloeg voorzichtig het portier dicht zodat zijn hand er niet tussen kwam. Ik liep naar mijn kant en ging zitten. Ik draaide de sleutel om in het contact, schakelde in drive en reed voorzichtig bij de stoep weg. Het leek wel of de auto niet vooruitkwam naar het ziekenhuis. We praatten niet met elkaar, hoewel ik op een gegeven moment wel even in zijn hand kneep.

De ambulance was al voor ons bij de Spoedeisende Hulp aangekomen. Ik zette Pinky bij de ingang af en zei dat ik de auto ging parkeren. Omringd door mensen in witte kleding werd Dodies brancard naar binnen gereden. Zij werd door het ziekenhuis opgeslokt terwijl hij buiten bleef staan. Tegen de tijd dat ik een plekje had gevonden, ging mijn hart als een gek tekeer en had ik het niet meer. Ik pakte mijn tas uit de kofferbak en draafde naar de ingang. De hal werd verlicht door spotjes en er zat niemand in de wachtkamer. Pinky zat in een glazen hokje met een vrouw in gewone kleding die gegevens op een formulier intikte terwijl Pinky haar van de benodigde informatie voorzag.

Ik ging zitten en hield die twee in de gaten tot ze klaar waren. Hij zag er doodongelukkig uit toen hij het hokje uit liep en naar de uitgang sjokte. Ik kwam achter hem aan en keek toe terwijl hij buiten met zijn hoofd tussen zijn knieën op de stoep ging zitten. Ik plofte naast hem neer. Ik had het gevoel dat het twee uur 's nachts was, maar na een blik op mijn horloge zag ik dat het pas vijf over half negen was. Het was dinsdagavond en ik nam aan dat het ambulancepersoneel even uitrustte na de spoedgevallen in het weekend. Ik zag al snijwonden en bloedneuzen en allergische reacties, voedselvergiftigingen, hartaanvallen, gebroken botten voor me. En natuurlijk een groot aantal ziekten die gewoon de volgende dag bij de huisarts hadden kunnen worden behandeld. We hadden geluk dat Dodie alle aandacht kreeg. Waar ze haar ook naartoe hadden gebracht, ik wist dat ze in goede handen was. Ik stond op en liep naar binnen naar de informatiebalie, waar een jonge zwarte knul in ziekenhuiskleding zat.

Ik zei: 'Hoi. Heb je misschien nieuws over Dodie Ford? Ze is hier een paar minuten geleden per ambulance binnengebracht. Haar man was bezig met de papierwinkel en ik weet zeker dat hij graag meer zou willen weten.'

'Ik vraag het even.' Hij stond op en liep naar de dubbele deuren die leidden naar de behandelkamers. Ik ving een glimp op van twee kamertjes met een brancard erin en een opengetrokken gordijn. Er stonden allerlei apparaten maar er was geen verpleegkundige of dokter te bekennen en het scheen er ook niet verhit aan toe te gaan. De man deed de deur achter zich dicht en kwam even later weer terug.

'Ze is onderweg naar de operatiekamer. De dokter komt eraan. Ik kan jullie helaas niet meer vertellen. Ik kan alleen maar doorgeven wat zij me hebben gezegd.'

Ik liep naar buiten en gaf Pinky de luttele informatie door die ik had gekregen. Ik had mijn windjack aan, maar dat was maar een dun stofje en ik had er niet echt veel aan. Pinky had al vier sigaretten op en stak de vijfde aan met een brandende peuk. Ik zei: 'Zullen we maar naar binnen gaan? Ik ben zowat bevroren.'

'Ik mag binnen niet roken.'

Ik had de puf niet om ertegen in te gaan en ik wilde hem ook niet alleen laten. Dus ging ik maar weer zitten met mijn handen tussen mijn knieën om een beetje warm te blijven. Pinky zat naast me te zuchten en te steunen. 'Het is mijn schuld. Verdomme nog aan toe. Het is allemaal mijn schuld. Ik had niet achter hem aan moeten gaan.'

'Pinky, dit heeft geen nut. Hier schiet je niets mee op.'

'Maar waarom heb ik hem niet laten lopen? Dat vraag ik me nu voortdurend af. Het was afgelopen en klaar en als ik rustig was gebleven, was hij gewoon weggegaan.'

'Wil je erover praten? Prima. Als je je daardoor beter voelt, doen we dat.'

'Ik wil er niet over praten. Als er iets met haar gebeurt, maak ik die klootzak af. Dat zweer ik.'

'Dodie is in goede handen.'

Hij keek me aan. 'Hoe ga ik dat betalen? Je had moeten horen wat die vrouw me allemaal vroeg. En wat had ik dan moeten zeggen? We zijn niet verzekerd, kunnen niet lenen, hebben geen spaargeld en er staat niets op onze rekening. Dodie is zwaargewond en dat gaat duizenden dollars kosten. Ze is nog geen uur binnen en al mijn geld is al op. Het gaat vast een tijd duren voordat ze weer op de been is, dus zij verdient ook niets. Ik heb in de gevangenis gezeten, dus een baantje kan ik wel vergeten. En dan hebben we ook nog alle vaste kosten. Hoe gaan we dat betalen?'

'Je kunt toch wel steun van de gemeente krijgen?' zei ik.

'Ik wil geen aalmoezen. Wij hebben onze trots. We zijn geen klaplopers, we hebben alleen een beetje pech gehad en nu hebben we helemaal niets meer...'

Ik zei niets en liet hem doorratelen. Dodies lot was nog niet bekend. Hij durfde er niet klakkeloos van uit te gaan dat ze zou blijven leven, maar hij kon ook niet onder ogen zien dat ze net zo makkelijk zou kunnen sterven. Hij was bijgelovig genoeg om de goden niet te verzoeken. In plaats daarvan richtte hij zich op de financiële gevolgen, waar hij net zo slecht mee om kon gaan. Hij moest het een stuk veiliger vinden om aan de komende rekeningen te denken, want die waren reëel en daar kon hij iets meer aan doen dan aan Dodies levensbedreigende verwonding. Ik sloeg mijn armen over elkaar en boog me naar voren om warm te blijven en dacht bij mezelf dat hij net zo goed zijn zorgen in de wachtkamer kon spuien. Hij was niet van plan om de boel de boel te laten, maar zijn getob draaide in een kringetje rond. Ik voelde me net een Hallmark-kaart toen ik voorstelde dat hij de problemen met de dag het hoofd zou bieden. Het was toch geen bijeenkomst van de Anonieme Alcoholisten?

Ik zei: 'Zullen we het even over iets anders hebben?'

Hij zat in stilte te piekeren. 'Je weet waar dit mee is begonnen, toch?'

Ik schudde het hoofd.

'Met Audrey Vance.'

'Met Audrey?'

'Ja, ik dacht dat je dat inmiddels wel zou weten. Ik was erbij toen ze gearresteerd werd. Ik had Dodies Cadillac die middag gepakt om even een rondje te rijden en werd betrapt omdat ik gedronken had. Audrey werd tegelijkertijd opgepakt.'

'Kende je haar dan?'

'Zeker. We kennen elkaar al heel lang. Ik heb wel eens wat voor haar gedaan. Vraag me niet wat, dat neem ik mee het graf in.'

'Heb je haar gesproken?'

Hij schudde het hoofd. 'Ik zag haar alleen maar in het voorbijgaan, dus ik kreeg de kans niet. De volgende dag belde ze in paniek op omdat ze die avond iets had gezien.'

'Wat dan?'

'Toen ze het bureau uit liep nadat haar vriend de borg had betaald, zag ze Cappi samen met Len in een auto zitten. Ze wist wie hij was omdat ze voor zijn broer werkte. Het was wel duidelijk dat Cappi een tipgever was en Priddy alles zat te vertellen wat hij wist. Ze wist dat ze het wel kon schudden als hij besefte dat ze hen samen had gezien. Ik neem aan dat dat inderdaad gebeurd is, anders zou ze er nog zijn.'

'Wie heeft haar dan van de brug gegooid?'

'Wie denk je?'

'Cappi?'

'Wie anders? Hij moest ervoor zorgen dat ze het niet aan Dante kon doorvertellen. Priddy mag dan corrupt zijn, maar zoiets zou hij niet doen. Nog niet, in elk geval. Maar goed, daar hebben we het nu niet over. Ik had het je niet moeten vertellen, maar ik neem aan dat je wel benieuwd was hoe ik met hem in aanraking was gekomen.'

'Dat vroeg ik me inderdaad af,' zei ik.

'Die klootzak van een Cappi komt hier niet mee weg. Als ik hem te pakken krijg, is hij hartstikke dood.'

'Als hij op de vlucht is, gaat hij misschien de staat uit. Je weet niet eens waar hij kan zitten.'

'Daar kan ik anders wel achter komen. Ik ken een hoop mensen en ik weet waar hij woont. Een vent als hij kan niet zomaar verdwijnen. Daar is hij niet slim genoeg voor. Hij kon niet eens zelf een baan krijgen. Hij moet werken in het pakhuis van zijn broer. Zo weet hij al die dingen die hij aan de politie doorvertelt.'

'Houd je er nu maar buiten...'

'Nee, o, nee. Zo makkelijk komt hij er niet vanaf. Ik wil vergelding.'

'Dat kun je je niet veroorloven. Je maakt het er alleen maar erger op.'

'Je weet niet waar je het over hebt. Ik weet wat erger is. Ik zou hem helemaal lek moeten schieten, dan voelt hij het ook eens.'

'Toe, Pinky. Ik snap heel goed dat je vergelding wilt, maar dan moet je weer de bak in en hoe moet het dan verder? Dodie heeft het moeilijk. Ze heeft je nodig. Het heeft geen nut om op wraak te zinnen als je wat anders aan je hoofd hebt. Laat het nou maar aan de politie over.'

'Als ik met hem klaar ben, mogen ze hem hebben.'

'Laat nou maar en maak je druk om Dodie. Volgens mij moeten we ons voorstellen dat ze beter wordt, dat helpt misschien wel.'

'Ik maak me ook druk om Dodie. Daar gaat het nu juist om. Hij moet boeten voor wat hij haar heeft aangedaan. Klaar uit.'

Ik gaf het op. Wat ik ook zei, hij wilde per se wraak nemen. Het had geen nut om zijn woede nog meer aan te wakkeren door ertegenin te gaan. Om negen uur wilde hij eindelijk mee naar binnen en om elf uur kwam de chirurg naar ons toe. Op zijn naamplaatje stond een buitenlandse achternaam die ik met geen mogelijkheid kon uitspreken. Ik wierp een blik op zijn gezicht en ging weg zodat Pinky met hem kon praten. Ik wilde graag horen wat de arts te zeggen had, maar vond het niet kunnen om af te luisteren. Ik zag Pinky's gezicht betrekken, het nieuws was blijkbaar niet goed. Zodra de chirurg weg was, zakte Pinky neer op een stoel en barstte in snikken uit. Ik nam naast hem plaats en klopte hem op de rug. Ik dacht niet dat ze was overleden, maar durfde het niet te vragen, dus mompelde ik maar wat, klopte op zijn rug en wachtte. De vrouw aan de balie zag hem huilen en kwam met een doos tissues aanzetten. Pinky griste er een handvol uit en depte zijn ogen ermee.

'Sorry hoor. Jezus, ik trek het niet lang meer.'

'Wat had de dokter te vertellen?'

'Geen idee. Hij had zo'n sterk accent dat ik er geen woord van kon verstaan. Zodra hij ging praten, leek het wel alsof ik doof werd want ik was vreselijk bang dat het slecht nieuws zou zijn.'

'Wordt ze weer beter?'

'Dat kunnen ze nu nog niet zeggen, geloof ik dat hij zei. Erg vrolijk leek hij me niet en toen hij me met al die medische termen om de oren sloeg, werd ik subiet doof. Hij keek zo verdrietig dat ik bijna ter plekke in huilen uitbarstte. Hij dacht dat hij over twaalf uur meer zou weten... of zoiets. Ze ligt nu op de intensive care. Ik kan hier blijven als ik dat wil.'

Praten scheen te helpen en tegen de tijd dat hij zich weer in de hand had, stond ik zelf op het punt in te storten. Pinky wilde natuurlijk in de wachtkamer bij de intensive care blijven. Ik wilde ook wel blijven, maar hij drong erop aan dat ik naar huis zou gaan. Ik had niet erg veel overreding nodig. Ik zei tegen hem dat ik een paar uur zou gaan slapen en dan de volgende ochtend kwam kijken hoe het met haar ging. Voordat ik wegging bood ik aan een paar koppen koffie voor hem te halen in het restaurant en daar was hij blij mee. Ik was de enige die daar nog rondliep. Ik wist waar het restaurant was omdat ik er al vaker was geweest. Hij was op dit tijdstip dicht, maar ik kon me herinneren dat er van die trekautomaten stonden waar van alles in zat. Toen ik bij de gang kwam, haalde ik twee dollar uit mijn portemonnee en stopte die stuk voor stuk in het apparaat. Ik drukte op de knop voor koffie en op nog een knop om er koffiemelk aan toe te voegen en pakte een paar zakjes suiker van een karretje dat ernaast stond met servetten en houten roerstokjes. Ik nam nog een koffie en liep met de twee piepschuim bekers terug naar de Spoedeisende Hulp.

Toen ik bij de wachtkamer kwam zag ik een politiewagen de parkeerplek bij de ingang op rijden. Er stapte een agent uit die door de schuifdeuren naar binnen kwam en in het voorbijgaan even een blik op Pinky wierp. Ik maakte rechtsomkeert en bleef in de gang staan terwijl de tragedie zich voor mijn ogen afspeelde. Ik wist hoe het zou gaan. De agent zou bij de balie nagaan hoe het slachtoffer heette en of er familie was. Hij zou naar Pinky worden verwezen, en zou hem vragen naar de schietpartij, wat vast een eeuwigheid zou duren. Ik wilde daar niet bij zijn. Ik was moe. Ik was chagrijnig en ontdaan en had het geduld niet om ondervraagd te worden. Ik wilde de politie alles vertellen, maar niet nu. De agent zou hoe dan ook zijn visitekaartje aan Pinky geven voor het geval hij nog iets was vergeten. Pinky zou me zijn naam doorgeven en de volgende ochtend kon ik naar het bureau gaan. Als hij geen dienst had zou er wel iemand anders zijn die mijn getuigenverklaring op zou nemen.

Ik gluurde de wachtkamer in en zag ze in de hoek zitten, Pinky voorovergebogen, pratend met zijn hoofd in de handen terwijl de agent aantekeningen zat te maken. Ik gooide de twee bekers in de prullenbak en liep via een andere vleugel naar de uitgang. Het was wat langer lopen naar de auto, maar dat had ik er wel voor over. Ik reed met de Mustang door de onverlichte verlaten straten terug naar huis. Ik zette de verwarming hoog tot het net een oven leek en nog steeds kon ik het maar niet warm krijgen. Eenmaal thuis kroop ik meteen zonder me uit te kleden onder de dekens.

De volgende ochtend sloeg ik het hardlopen over. Na een douche kleedde ik me aan en at ik zoals gewoonlijk een kom muesli met melk. Ik pakte de telefoongids en zocht Lorenzo Dante op. Er stond geen huisadres bij, maar wel een voor Dante Enterprises, dat in het Passages Shopping Plaza was gevestigd. Hoewel het natuurlijk niet mijn zaken waren, vond ik het toch tijd worden om Cappi's broer erbij te betrekken. Ik wist niet hoe het tussen die twee zat, maar Cappi was duidelijk niet van plan om de verantwoording voor zijn daad op zich te nemen, en misschien dat zijn broer dat wel zou doen. Aangezien er een politierapport was zouden de gerechtelijke molens gaan draaien en uiteindelijk Cappi oppakken. De reclasseringsambtenaar zou het doorgeven en hij zou opgepakt worden en tot de hoorzitting achter de tralies worden gezet. Als schutter zijnde had hij een hele rits rechten, onder andere het recht op een advocaat. Terwijl Dodie als slachtoffer totaal geen rechten had. Als Cappi's voorwaardelijke vrijlating opgeschort werd, zou hij weer de gevangenis in moeten, terwijl Dodie naar een revalidatiecentrum zou gaan om daar lange tijd en met veel pijn weer te herstellen, als ze het tenminste overleefde. Voor Pinky zou hoe dan ook de prijs hoog zijn en dat zat me niet lekker.

Ik reed de parkeergarage onder het winkelcentrum in. De winkels waren nog niet open, dus ik kon de auto kwijt waar ik maar wilde. Ik ging helemaal achterin staan, vlak bij de liften. Ik keek op het bord waarop alle kantoren op de eerste en tweede etage boven de winkels vermeld stonden. Dante Enterprises bevond zich op de bovenste verdieping. Ik ging met de lift naar boven. Ik wist niet wat ik van het onderkomen van een woekeraar moest verwachten, maar het zag er chic en schitterend gemeubileerd uit, met lichtgrijs laagpolig tapijt en binnenmuren van glas, omlijst door glanzend teakhout. De receptie was onbemand en het leek me beter om daar te blijven wachten. Ik nam plaats op een luxe grijze leren stoel en bladerde door een tijdschrift terwijl ik de lift in de gaten hield. Eindelijk gingen de liftdeuren open en stapte er een lange, kalende man uit met een bril op die naar de deur liep en met zijn hand op de kruk zei: 'Wordt u al geholpen?'

Ik legde het tijdschrift neer en stond op. 'Ik ben op zoek naar Lorenzo Dante, de zoon. Ik heb gehoord dat er twee zijn.'

'Hebt u een afspraak?'

Ik schudde het hoofd. 'Ik hoopte dat hij even tijd had. Ik ben op de bonnefooi langsgekomen.'

'Normaal gesproken is hij al binnen, maar ik heb zijn auto niet in de garage gezien. Kan ik u anders van dienst zijn?'

'Nee, dat lijkt me niet. Het is privé. Weet u hoe laat hij er zal zijn?'

De man keek op zijn horloge. 'Elk moment denk ik zo. Als u plaatsneemt, laat ik de receptioniste u een kop koffie brengen.'

Tegen die tijd maakte ik me zorgen omdat ik opeens niet meer goed wist wat ik daar deed en wat ik ermee wilde bereiken. Ik kan met iedereen een kletspraatje aanknopen, maar het is toch makkelijker als je iemand kent. Tot nu toe had ik geen idee wat ik kon verwachten. 'Weet u wat? Ik ga even wat dingen doen en dan kom ik straks weer terug.'

'Als u nog koffie wilt, hoeft u dat alleen maar aan de receptioniste te vragen,' zei hij. Hij liep de gang in en op dat moment kwam de receptioniste aan en ging ze aan de balie zitten. Ik stond al bij de lift en drukte op de knop naar beneden. Ik wilde graag weg zijn voordat Dante op kwam dagen, dus het was puur geluk dat ik omkeek terwijl zij plaatsnam. Het viel haar op dat ik naar haar keek en ze schonk me de ongeïnteresseerde blik van mensen die niet beseffen wat er aan de hand is.

Ik zei: 'Jij bent toch Abbie Upshaw?'

Nog steeds ongeïnteresseerd. 'Ja.'

'Ik ben Kinsey Millhone. Ik heb je laatst met de lunch ontmoet. Je bent de vriendin van Len Priddy.'

Ze keek me recht aan en ik kon zien dat ze zich me weer herinnerde en waar we elkaar ontmoet hadden. Het drong opeens tot haar door dat ik bevriend was met Cheney Phillips en meer van haar afwist dan leuk was. Ik was nog steeds alles in elkaar aan het passen, maar het was me inmiddels wel duidelijk hoe het zat. Pinky had bij haar ingebroken om Lens foto's te bemachtigen. Ze had de foto's waarschijnlijk zelf gemaakt om de band tussen de brigadier en Dantes broer vast te leggen. Wat mij wel duidelijk was, was dat zij in Dantes kantoor was neergezet om dezelfde soort informatie op te pikken als Cappi aan de politie zat door te vertellen.

Ik hoorde een zacht belletje. De liftdeuren gleden open en ik stapte de lift in. Ze keek gebiologeerd toe terwijl de deuren weer dichtgingen. Ze zag bleek en de uitdrukking op haar gezicht was omgeslagen van angst in afgrijzen.

Niet zo mooi van me, maar ik genoot er met volle teugen van.

29

Dante

Achter in de limousine zette Dante zijn leesbril op om de spreadsheet te bestuderen die Saul de vorige avond per koerier bij hem thuis had laten bezorgen. Het was een duidelijk overzicht van zijn boekhouding, en hij verscheurde de bladzijden toen hij het uit zijn hoofd had geleerd. Hij had het verslag al meteen willen lezen toen het bezorgd werd, maar hij was afgeleid door Nora's nonchalante onthulling in het strandhuis. Hij vroeg zich af of hij had kunnen weten dat ze uitgerekend met Tripp Lanahan getrouwd was geweest. Dante kende maar een stuk of vijf mannen die voor hem in de bres zouden springen. Tripp had iets in hem gezien, had de bankregels voor hem aangepast, iets wat nog niet eerder was gebeurd, en wat aangaf hoeveel vertrouwen en geloof hij in hem had. Tripp had de hele bank over zich heen gekregen omdat hij de hypotheek had goedgekeurd, maar dat had hij van zich af laten glijden, hij had zich niet van zijn voornemen af laten brengen. Dante was er nooit achter gekomen waarom Tripp het had gedaan, maar hij was hem er eeuwig dankbaar voor geweest. Hij vond dat hij bijna een eerzaam persoon was geworden toen hij dat huis had gekocht en hij was dan ook nooit een betaling vergeten. Hij had de hypotheek zelfs zes jaar te vroeg afgelost en het huis was nu helemaal van hem. Vervolgens had hij er alles aan gedaan om de smet van het gangster-zijn kwijt te raken. Maar die reputatie leek hij maar niet van zich af te kunnen schudden. De last drukte zwaar op hem en hij was moe van de strijd om macht. Hij had altijd al van een ontsnapping gedroomd, maar sinds kort was die dichtbij gekomen. Het was een opluchting te weten dat hij het achter zich kon laten, maar nu de kans voor het grijpen lag, had hij er moeite mee. Het zou een stuk schelen als Nora met hem mee zou gaan, maar als ze erachter kwam dat hij iets met Phillips dood te maken had, kon hij het wel schudden. Hij was de pineut als hij bleef en de pineut als hij zonder haar wegging. Oom Alfredo telde ook zwaar mee. Alfredo hield van hem zoals zijn vader nooit had gedaan, en ook al was hij aan zijn eindje, hij was nog steeds Dantes rots in de branding. Dante kon zich niet voorstellen dat hij weg zou gaan zolang de man nog leefde.

Dan was er ook nog het feit dat zijn relatie met Lola afgelopen was, en dat vond hij heel erg. Die morgen nadat hij had gedoucht en zich had aangekleed, was hij de slaapkamer in gelopen en bleek ze al op te zijn en in reiskleding te zijn gestoken. Er lag een open koffer op het bed en een opengeritste kledingzak hing aan de kastdeur. Er hingen al een paar jurken, rokken en mantelpakjes aan hangertjes in.

'Waar ben jij mee bezig?'

'Dat zie je toch? Ik ben aan het pakken.'

'Je hoeft toch niet meteen weg?'

'Tuurlijk wel. De wereld draait niet alleen om jou, hoor. Ik heb ook zo mijn behoeften en verlangens.'

'Waar ga je naartoe?'

'Dat weet ik nog niet. Ik ga met de auto naar Los Angeles. Ik logeer in het Bel Air Hotel totdat ik weet wat ik ga doen. In elk geval naar Londen en daarna zie ik wel.'

'Heb je geld nodig?'

'Nee, Dante. Ik heb een vermogen aan gouden munten onder mijn matras verstopt. Ik dacht dat je dat wel wist.'

Ondanks alles moest hij glimlachen. 'Hoeveel heb je nodig?'

'Vijftigduizend dollar om te beginnen zou mooi zijn.'

Hij pakte zijn geldclip, telde de bankbiljetten uit en gaf die aan haar. 'Hier heb je tienduizend dollar. Ik laat Lou Elle de rest bij je in het hotel afleveren. En ze opent ook een rekening voor je.'

'Dank je. Ik verblijf sowieso op jouw kosten daar, maar er zijn natuurlijk altijd fooien en dat soort dingen. Misschien moet je American Express ervan op de hoogte stellen, dat scheelt een hoop gezeur. Ik heb er een pesthekel aan als die klootzakken een creditcard niet accepteren. Ze doen er altijd zo neerbuigend over.'

'Doe ik.' Hij ging op de rand van het bed zitten, dat nog niet was opgemaakt. De dekens lagen op het voeteneind en de lakens roken naar haar: eau de toilette, badzout, shampoo. Er ging een steek door hem heen. Wat moest hij nu als ze eenmaal weg was? Na acht jaar zou ze een grote leegte in zijn leven achterlaten.

Ze maakte de elastische banden om de hangende kleding vast en ritste de binnenzak dicht. Ze deed nog wat spullen in de grote koffer en maakte ook die dicht. 'Kun jij die voor me naar beneden brengen? Ik krijg liever geen hernia.'

Hij liep naar de kast en pakte de kledingzak bij de haak beet. Hij legde hem op bed en keek toe terwijl ze de buitenste rits dichttrok. 'Neem je alleen maar dit mee? Het lijkt me wel erg weinig.'

'Ik houd er rekening mee dat ik er zelf mee moet gaan sjouwen. De koffer heeft wieltjes, maar ik kan niet alles in één keer mee krijgen.'

'Daar heb je nu kruiers en piccolo's voor.'

'Als ik eenmaal op mijn bestemming ben, ja. Maar daar tussendoor zit ik in taxi's en op vliegvelden en noem maar op. Ik kan maar beter weinig bagage meenemen anders lijk ik straks nog een pakezel,' zei ze. 'En jij? Ik neem aan dat je nu met je nieuwe liefde verdergaat. Hoe heet ze?'

'Nora. Hoe ben je daar achter gekomen?'

'Ik weet hoe je werkt en krijg informatie uit dezelfde bronnen als jij.'

'Ze heeft nog niet toegezegd dat ze met me meegaat en nu is er nog iets anders aan de hand.'

'Hm, dat klinkt niet goed.'

'Dat is het ook niet. Twee jaar geleden heb ik een knul wat geld geleend vanwege een gokschuld. Hij was geld schuldig aan een casino in Las Vegas en wou contant geld om dat te kunnen betalen. We kwamen tot een mondelinge overeenkomst. Ik gaf hem het geld en vervolgens deed hij er alles aan om onder de terugbetaling uit te komen. Hij bood me zijn Porsche aan in plaats van geld en ik gaf Cappi opdracht het te regelen. De bedoeling was dat hij zou gaan kijken of de auto wel goed was. Cappi gooide de jongen van de parkeergarage af.'

'Ik neem aan dat Cappi daar niet voor opgepakt is, anders zou hij nog in de gevangenis zitten,' zei ze.

'Daar gaat het niet om. Het punt is dat die jongen Nora's enige zoon was. Ik kende haar man van vroeger, Tripp Lananhan. Op zijn zesendertigste overleden aan een hartaanval. Ze vertelt hoe haar eerste man heette en opeens valt alles op zijn plaats. Ik dacht dat ik ter plekke zelf een hartaanval kreeg.'

Lola ging naast hem zitten. 'Wat ga je nu doen?'
'Wat denk je? Ik zal het haar wel moeten vertellen.'
'Nee, dat moet niet. Ben je nou gek geworden? Je houdt je klep dicht. Anders verknal je het helemaal.'
'Maar stel dat ze het dan van iemand anders hoort? Dan kan ik het echt wel schudden.'
Lola wierp hem een gepijnigde blik toe. 'Hou toch op. Weet je waar me dit aan doet denken? Dat je buiten de pot hebt gepiest en het vervolgens eerlijk opbiecht, zodat jij je niet langer schuldig hoeft te voelen. Jij bent het kwijt en je hebt weer een rein geweten. Maar intussen heb je wel je vrouw ermee opgezadeld terwijl die niets verkeerds heeft gedaan.'
'Ik wil gewoon eerlijk tegen haar zijn. Het goed aanpakken.'
'Doe normaal. Ze gaat het je echt niet vergeven en vergeten al helemaal niet. Als jij het haar vertelt is het einde oefening. Wil je dat?'
'Ik wil me er niet de hele tijd druk om maken of ze er nu wel of niet achter zal komen.'
'En hoe kan ze er dan achter komen? Je gaat met haar het land uit. De wereld is groot, hoor. Hoe groot zal de kans zijn dat ze iemand tegenkomt die weet hoe de vork in de steel steekt? Er zijn maar een stuk of wat mensen die de ware toedracht kennen en die werken allemaal voor jou. Ik zou het van me afzetten als ik jou was.'
Hij keek haar aan. 'Nu zijn we al zo lang samen en ik had geen idee dat je zo tegen de dingen aankijkt.'
'Het is gewoon gezond verstand. Je hersens gebruiken. Eerst denken, dan doen.'
'Het is meer goedpraten. Je eigen hachje redden ten koste van iemand anders.'
'Maar het kost haar niets. Hoe zou ze het te weten moeten komen?'
En met die vraag bleef hij achter, nadat hij haar bagage naar de auto had gedragen en haar nakeek. Dat was dan Lola. Over en uit.
Door de getinte ramen van de limousine nam het licht af en hij besefte dat Tomasso bij de parkeergarage was aangekomen en de auto de helling af reed. Dante stopte het rapport in zijn koffertje en keek toe terwijl hij langs de betonnen muren, de pilaren, onder het lage plafond reed en de uitrit rechts van hem zag opdoemen. Tomasso zette de limousine naast de ingang van Macy. De liften naar de kantooretages waren aan de rechterkant. Ze vielen het

winkelend publiek vaak niet op omdat ze met hun hoofd ergens anders zaten als ze er langsliepen.

Hubert stapte aan de passagierskant uit en liep om de wagen heen om het portier voor hem open te doen. Terwijl Dante uitstapte, gleden de liftdeuren open en kwam er een jonge vrouw uit. Dante nam haar in zich op – spijkerbroek, zwarte coltrui en een grote schoudertas – en ze kwam hem eigenaardig bekend voor. Zo vroeg waren er maar zelden mensen in de parkeergarage. Hubert plaatste zich automatisch voor zijn baas. De vrouw bleef staan en Dante zag dat ze hem herkende terwijl ze zijn grote lijfwacht en de limousine in zich opnam. Dante kon zich niet herinneren dat hij haar ooit had gezien, maar ze scheen hem wel te kennen.

Hij wilde net langs haar heen lopen toen ze hem aansprak. 'Zou ik u even kunnen spreken?'

'Waarover?'

Hubert zei: 'Mevrouw...'

'U bent Lorenzo Dante. Ik was net in uw kantoor omdat ik u wilde spreken.'

'En u bent?'

Hubert zei: 'Mevrouw, kunt u alstublieft uit de weg gaan...' Dat soort zinnen had hij uit zijn hoofd geleerd. Als je hem zo hoorde dacht je dat hij goed Engels sprak, maar in zijn werk was het niet nodig om de taal vloeiend te spreken zolang hij maar goed met wapens was, en dat was zeker het geval.

'Hubert, rustig aan, ja? Ik ben in gesprek.'

Hij zei: 'Sorry, baas', maar hield de vrouw angstvallig in de gaten.

'Ik ben Kinsey Millhone. Ik ben bevriend met Pinky.'

'En wat heeft dat met mij te maken?'

'Gisteravond hebben Pinky en uw broer op elkaar geschoten en werd Pinky's vrouw geraakt door een kogel. Ze is er slecht aan toe en Pinky maakt zich zorgen over de ziekenhuisrekening.'

'Ik snap nog steeds niet wat ik daarmee te maken heb.'

'Pinky was in het bezit van een aantal foto's die hij aan u wilde geven, maar uw broer stak daar een stokje voor en verbrandde niet alleen de afdrukken maar ook de negatieven.'

'Wat stond er op de foto's?'

'Cappi die met Len Priddy bij zes verschillende gelegenheden in een auto zat te praten. Uw broer heeft u verraden.'

Dante keek hij haar even aan terwijl hij zat te bedenken wat hij moest doen. Toen zei hij: 'Stap in.'

Hij zette een stap opzij terwijl zij de schoudertas achter in de limousine gooide en er achteraan schoof waarna ze met de tas op de brede zijstoel plaatsnam. Toen ze eenmaal zat dook hij ook de auto in en hij ging op zijn gebruikelijke plek zitten. Tegen Tomasso zei hij: 'Ga een eindje rijden. Ik zeg wel wanneer ik weer terug wil.'

Voordat Tomasso optrok, drukte hij op het knopje waardoor de glazen wand tussen de bestuurdersstoel en de achterbank omhoog gleed. Tegen die tijd zat Hubert ook voorin. Dante keek aandachtig naar de vrouw die links van hem zat. Ze was in de dertig, meer een meisje dan een vrouw wat hem betrof. Hij wist haar niet goed in te schatten. Ze was slank en had een grote bos donker haar dat ze zo te zien zelf knipte. Bruine ogen, een tikje scheve neus. Ze had duidelijk klappen gehad, maar hij kon zich niet voorstellen waarom. Hij zei: 'Waar ken je Pinky van? Je lijkt me niet het type dat in dat soort kringen thuishoort.'

'Ik ben privédetective. Hij heeft me mijn allereerste inbrekersset gegeven, dus daar ben ik hem eeuwig dankbaar voor. Bovendien mag ik hem graag, ook al is hij dan een boef.'

'Waar heeft hij je voor ingehuurd?'

'Dat heeft hij niet gedaan. De verloofde van Audrey Vance had me in de arm genomen.'

Hij snapte het al. 'Jij bent degene die mijn geld heeft ingepikt en het aan de politie heeft gegeven. Samen met haar verhuurster in San Luis Obispo. Dat was geen slimme zet van je.'

'Hé, u hebt anders wel iemand gestuurd om bij me thuis in te breken. Dat was een inbreuk op mijn privacy en dat was evenmin slim.'

Het verbijsterde hem dat ze het lef had verontwaardigd te zijn, terwijl zij nota bene hém tekort had gedaan. Hij moest bijna glimlachen maar hield zich in. 'Dat was maar liefst honderdduizend dollar die je me door de neus hebt geboord.'

Ze haalde haar schouders op. 'De koerier heeft het aan Audreys verhuurster overhandigd. Waarom heb ik het nu opeens gedaan?'

'Wacht eens even. Nu weet ik weer waar ik je naam van ken. Je stond in de krant. Jij was degene die Audrey aanbracht.'

'Dat is toch logisch? Ik zag dat ze ondergoed stal en in haar tas stopte.'

'Je had een andere kant op kunnen kijken. Audrey was een schatje. Ze werkte al jaren voor me.'

'Gek dan dat ze het zo slecht deed.'

'Je hebt ook een vriendin van mij achtervolgd en die was daar niet blij mee. Waarom doe je dat soort dingen?'

'O ja, Helpende harten, helende handen. Volkomen nep,' zei ze. 'Wilt u het nog over Cappi hebben of gaan we door met beschuldigingen? Als u het mij vraagt staan we quitte.'

'Jij durft. Waarom kom je naar mij toe met een of ander lulverhaal over Pinky? Wat kan mij dat verdomme schelen? Het is gewoon een hufter.'

'Hij heeft hulp nodig. Ik dacht dat we misschien iets konden regelen.'

'Iets regelen?'

'Ja, waarom niet? Ik vertel u wat ik heb ontdekt en u betaalt de ziekenhuisrekening en hun levensonderhoud tot Dodie weer hersteld is.'

Hij staarde haar verbluft aan. 'Ik ben een slechterik. Ben je daar nog niet achter?'

'Zo slecht komt u anders niet over.'

'Ik ben niet het soort man op wie je afstapt om even iets te regelen,' zei hij. 'Dat bedoel ik.'

Ze keek hem aan met een... tja, het was misschien niet echt een schaamteloze, maar dan toch zeker een vrijpostige blik. 'En waarom niet?'

'Waarom niet? Kijk eens naar de andere mensen die hierbij betrokken zijn. Jij zegt dat Cappi me verraden heeft. Ken je hem een beetje? Zo'n bewering kan je wel de kop kosten.'

'Len Priddy is nog erger.'

'Erger dan Cappi? Hoe kom je daar nou bij?'

'Len is politieman, hij heeft gezworen de wet na te leven. Als hij corrupt is, wat betekent dat dan voor ons?'

'O, op die manier. Jij gaat ervan uit dat ik sowieso corrupt ben, dus wat maakt het verder uit.'

'Helemaal niet. Ik denk dat u het eerlijk speelt en dat u uw beloftes nakomt.'

'Hoe kom je daarbij?'

'Dat denk ik omdat u macht hebt en dat al jarenlang. U hoeft niemand te belazeren.'

'Mooi gezegd, maar je hebt er verder niets aan. Je kunt niet onderhandelen, want je hebt niets. Dat Cappi met de politie onder één hoedje speelt is niet echt groot nieuws. Ik heb al zo mijn verdenkingen sinds zijn ontslag uit Soledad.'

'Nu weet u het dan zeker. Ik heb de foto's gezien.'

'Jouw woord tegen het zijne. Je zegt dat hij ze allemaal heeft vernietigd, dus je hebt er geen bewijs voor.'

'Dat doet er niet toe. U sleept hem toch niet voor de rechter, dus het maakt niet uit of er nu wel of geen bewijsmateriaal is.'

'Twee dingen. Ten eerste weet je niet wat ik met hem van plan ben en ten tweede heb je er geen idee van wat nu wel en niet belangrijk is. Als je me iets vertelt waar ik niet van op de hoogte ben, kunnen we misschien zakendoen. Je gelooft het wellicht niet, maar ik mag Pinky ook graag.'

Ze keek hem strak aan en hij merkte dat er nog iets was wat ze kwijt wilde. Ze zat te dubben of ze het hem nu wel of niet moest vertellen, en dat wekte eindelijk zijn interesse.

'Vooruit, zeg het maar.'

'Wist u dat Abbie Upshaw Len Priddy's vriendin is?'

Hij was meteen bij de les. 'Hoe kom je daarbij?'

'Ik heb ze een week geleden in de Nine Palms ontmoet. Daar ken ik haar van. Vraag het haar maar.'

'Je hebt haar net in mijn kantoor gezien.'

'Uiteraard. Ik was naar u op zoek en toen zag ik haar.'

'En zij is erbij betrokken, dus. Ook bij die foto's?'

'Ik denk dat zij die heeft gemaakt. Len had ze bij haar thuis verstopt. Ze was het afgelopen weekend de stad uit, vast om met hem te rollebollen. Pinky heeft eerst bij Len thuis naar de foto's gezocht en toen hij ze niet kon vinden, is hij naar haar huis toe gegaan. Hij heeft haar kluisje meegenomen, dat opengeboord en daar waren ze.'

'En wat heeft hij ermee te maken?'

'Len had ook foto's om hem in het gareel te houden. Daar was hij eigenlijk naar op zoek. De opnamen van Len en Cappi waren een extraatje. Een gelukje. Hij had gehoopt dat u hem de tweeduizend dollar schuld zou kwijtschelden in ruil voor de foto's.'

Dante moest het even verwerken. 'Goed dan,' zei hij. 'Zeg maar tegen Pinky dat hij langs moet komen, dan regel ik het wel. Ben je met de auto?'

'Die staat in de ondergrondse garage.'

Dante drukte op een knopje op het paneel. 'Je kunt nu terugrijden. We zetten de dame af bij haar auto.'

Hij ging met de lift naar boven. Toen de deuren opengleden liep hij naar de receptie toe waar Abbie zat te werken en hij bleef bij de balie staan. Het was ontegenzeggelijk een mooie meid met haar lange donkere haar. Ze stak het soms op met een grote schildpadkleurige haarspeld die eruitzag als een val met tanden. Ze was een betrouwbare, verantwoordelijke en waardevolle werkneemster. Ze keek hem onderzoekend aan alsof ze in wilde schatten hoe zijn bui was. Misschien was het bij haar opgekomen dat hij de privédetective onderweg was tegengekomen.

'Je moet iets voor me doen,' zei hij rustig.

'Ik?'

Haar warme lichtbruine huid had een grijzig tintje aangenomen en hij wist dat haar vingers ijskoud zouden zijn. 'Je moet twee eersteklastickets boeken van de luchthaven in Los Angeles naar Manilla. Zorg ook voor een limousine om ons naar het vliegveld te brengen.'

'Gaat u niet met uw eigen chauffeur?'

'Die heeft recht op drie weken betaald verlof. Hij heeft vrij, net als mijn lijfwacht.'

Ze aarzelde. 'Lou Elle is van de reizen.'

'En nu doe jij het een keer. Gaat het lukken, denk je?'

'Ja, meneer.'

Hij boog zich voorover en trok het notitieblok voor ingekomen telefoontjes naar zich toe. Hij gaf de voorkeur aan een ander soort blokje, een met een carbon erachter waarbij je het bovenste blaadje eraf kon scheuren en op zijn bureau neer kon leggen. Hij schreef er twee namen en een paar getallen op en schoof het blokje weer naar haar toe.

Ze wierp er een blik op. 'Mevrouw Vogelsang?'

'Als je daar een mening over hebt, kun je die voor je houden.'

'Moet ik haar geboortedatum en paspoortnummer niet hebben, dan?'

Hij wees naar het blokje. 'Wat denk je dat dat zijn?'

'O, sorry. Met welke luchtvaartmaatschappij wilt u vliegen?'

'Verras me maar. Ik wil aan het einde van de dag alles geregeld hebben. Je moet ook het politiebureau even bellen en naar brigadier Priddy vragen. Dat spel je p-r-i-d-d-y. Ik wil hem zo snel mogelijk hier op kantoor spreken. Binnen een uur als dat kan.'

Hij liep naar de deur en ging de hal in zonder achterom te kijken, maar hij kon zich haar ongenoegen wel voorstellen. Wat moest ze doen als Len Priddy hier was? Toegeven dat ze het bed deelde met een politieman? Net doen of ze die vent niet kende?

Hij liep naar Lou Elles kantoortje waar ze op het toetsenbord zat te rammelen met haar bril op het puntje van haar neus.

'Ik moet je even storen. Ik heb Abbie gevraagd een paar vliegtickets te boeken. Maar je moet niet denken dat zij jouw werk overneemt.'

'Fijn dat je me dat even komt vertellen. Verder nog iets?'

'Dat vind ik nou zo leuk aan jou. Een en al zakelijkheid.'

'Daar word ik voor betaald.'

'Kennen we iemand in het Santa Teresa-ziekenhuis?'

'Medisch of administratief personeel?'

'Zeg het maar. Ik wil alles over deze twee te weten komen.' Opnieuw noteerde hij wat op een blocnote, hij scheurde het blad eraf en gaf het aan haar. Hij schreef nog iets op terwijl Lou Elle las wat er op het blaadje papier stond. 'Pierpont? Dat is een mooie.'

'Ik heb die naam niet verzonnen, dat heeft zijn moeder gedaan. Open een rekening op zijn naam. We beginnen met honderdduizend dollar. Eens zien hoe het verder verloopt. Zorg ervoor dat alles voor hem geregeld wordt, wat er ook gebeurt.'

Ze keek hem recht aan. 'Wat er ook gebeurt?'

'Het leven zit vol verrassingen. Je weet maar nooit wat je te wachten staat.'

'Kun je dit aftrekken?'

Hij glimlachte. 'Daar zeg je zoiets. Neem het met Saul op, eens zien wat hij voor elkaar kan krijgen,' zei hij. 'En als je toch bezig bent, er is nog iets wat je voor me kunt doen. Een kleine omwisseling.' Hij gaf haar het volgende blaadje uit de blocnote.

Ze keek er even naar. 'Oooo, is dat voor mij?'

'Ik neem aan dat jij wel eens met je man weg wilt.'

Ze vouwde het papiertje dubbel en stopte het onder de bureaulegger. 'Dank je. Heel erg fideel. Ik zal het aan Saul doorgeven, want dat is zijn afdeling.'

Hij zei: 'Alles is Sauls afdeling.'

'Begrepen.'

Hij was de rest van de ochtend bezig dingen af te wikkelen. Toen Abbie hem om twaalf uur belde was hij bijna vergeten waar het over ging, totdat ze hem vertelde dat brigadier Priddy in de hal zat. 'Laat hem even wachten en begeleid hem dan naar mijn kantoor. Het kan geen kwaad als hij even in de wacht wordt gezet.'

'Wilt u dat ik koffie serveer?'

'Waarom niet? Dat zal die man fijn vinden.'

Hij haalde zijn vinger van de knop van de intercom. Het had geen nut om boos te worden over Abbies misleiding. Zo waren mensen nu eenmaal. Mensen keerden zich tegen je voor je het wist.

Dat had zijn vader hem altijd al voorgehouden. Hij zei dat je moest roeien met de riemen die je had. Het had geen nut je druk te maken over dat je het graag anders zou willen, want de dingen gaan zoals ze gaan.

Hij stond op en liep naar de muurkluis, voerde de cijfercombinatie in en maakte hem open. Hij stopte de Sig Sauer in de binnenzak van zijn sportjasje. Toen hij weer ging zitten, belde hij Abbie en zei dat hij klaar was voor Priddy. Een paar minuten later kwamen de twee aan lopen. Als hij een beveilingscamera in de hal had hangen, had hij misschien kunnen genieten van hun bedriegerij.

Ze klopte op de deur en terwijl ze naar binnen liep drukte hij op een knopje van het antwoordapparaat. Priddy en zij hadden blijkbaar besloten net te doen of er niets aan de hand was. Ze keek uitdrukkingsloos en onverschillig en Len negeerde haar opzettelijk. Dante stond op, gaf Len een hand en bood hem een stoel aan. Hij had de man nooit gemogen. Hij kwam over als een stroopsmeerder. Zijn haar was grijs en steil en achterovergekamd. Zijn huid was bleek en hij had een bolle kop. Er zaten wallen onder zijn ogen en zijn oogleden waren zo zwaar dat het een wonder was dat hij nog iets kon zien. Hij kon zich niet voorstellen wat een prachtige meid als Abbie in zo'n vent zag. Misschien had ze wel een suikeroompje nodig en kickte hij erop om met iemand naar bed te gaan die twee keer zo jong was.

'Brigadier Priddy, leuk u weer te zien. Dat is alweer even geleden.'

'Het gaat goed met u, zie ik?'

'Tot voor kort wel, ja.'

'O?'

'Zeg dat wel, "O". Om een lang verhaal kort te maken, mijn broer is gezien terwijl hij met u in gesprek was. Dat heb ik van meerdere mensen gehoord en daar ben ik niet blij mee.' Len bleef hem aankijken. Het was Dante duidelijk dat hij de bewering niet wilde beamen en dat hij te slim was om het te ontkennen. Len zei: 'Ik weet eigenlijk niet of we daar wel over moeten praten.'

'Waarom niet? Ik word niet afgeluisterd. Dat wordt om de dag gecontroleerd,' zei Dante, en hij ging door: 'Ik stel me zo voor dat u allerlei informatie hebt gekregen over hoe ik mijn zaken regel. Niet dat Cappi trouwens een betrouwbare bron is.'

'Ik denk niet dat ik daarover iets hoef te zeggen. U kent uw broer beter dan ik.'

'Ik zal u iets vertellen wat hij nog niet weet en daardoor ook niet door kon vertellen. Ik houd ermee op. Dat wil ik al jaren, maar het was er nooit het juiste moment voor.'

Len glimlachte. 'U houdt ermee op omdat u aangeklaagd bent en naar de gevangenis gaat.'

'De reden doet er niet toe,' zei Dante. 'Ik geef toe dat ik het vanwege mezelf doe, maar weet wel dat ik een goede zakenman ben. Ik geloof in gezonde financiële praktijken, net als bij een bank. Ik heb ook zo min mogelijk geweld gebruikt en als het al voorkwam, was dat aan Cappi te wijten.'

'U hebt nooit iemand laten vermoorden,' zei Len schertsend.

'Nee, zeer zeker niet. Moord is slecht voor zaken. Niet dat Cappi het daarmee eens is. Hij staat te popelen om me op te volgen. Als dat eenmaal een feit is, hebt u echt een probleem.'

'Ik denk wel dat ik dat aankan.'

'Daar gaat het hier dus om. Hij wil u misschien best wat geld toeschuiven, maar vast niet zoveel als ik heb gedaan. Het zou slim zijn als u van tevoren een regeling opstelt en wel op uw voorwaarden, niet op die van hem.'

'Is dat de reden voor dit gesprek? Ongewenst advies van een gangster?'

'Ik zie mezelf niet als gangster. Dat vind ik een belediging. Ik ben nog nooit ergens voor veroordeeld.'

'Dat komt binnenkort wel.'

'U mag best zelfvoldaan overkomen, want u hebt hoe dan ook gewonnen. Wie er van ons tweeën nu de zaken regelt maakt u geen moer uit. U denkt dat u uw handen al vol aan mij hebt, maar wacht maar tot Cappi aan het roer staat. Hij zal deze stad te gronde richten.'

'Waarom doet u ons dan geen lol en ruimt u hem op?' zei Len.

Dante glimlachte. 'Waarom doet u dat zelf niet? Ik heb al genoeg ellende om daar ook nog eens een moord aan toe te voegen.'

'De enige ellende die u hebt, vriend, is dat we u in het gevang gooien.'

'Ach, hou toch op. Hoe lang zijn jullie nu al niet met het onderzoek bezig? Twee jaar, drie? Jullie spelen onder één hoedje met de FBI en met wie nog meer? Met DEA, ATF? Al dat soort overheidsinstellingen zijn geen knip voor de neus waard. Ik heb u al gezegd dat ik ermee kap. Cappi is nu degene over wie u zich zorgen moet maken. Als u hem weg weet te werken, is het bedrijf helemaal van u.'

Len stond op. 'Einde gesprek. Tot ziens en veel succes.'

'Denk er maar eens over na. Meer zeg ik niet. Neem ontslag bij de politie en ga voor de verandering eens van het goede leven genieten. Dat kan toch geen kwaad?'

'Ik zal erover nadenken,' zei hij. 'Wanneer gaat u precies weg?'

'Dat maakt verder niet uit. Ik heb het u alleen verteld omdat ik u na al uw hulp eerlijk wil behandelen.'

Dante ging vroeg weg van kantoor. Hij was rusteloos, maakte zich druk over Nora en wist niet wat hij nu moest doen. Hij wilde haar vertellen over Phillip, maar dat zou het einde van hun relatie betekenen. Maar wat stelde liefde nou voor als het niet gebaseerd was op de waarheid? Hij liet zich door Tomasso thuis afzetten, waar hij in zijn eigen auto stapte. Hij reed naar het huis van de Vogelsangs in Montebello, reed de Maserati de oprit op en zette hem naast de Thunderbird van Nora. Het was woensdag en hij nam aan dat Channing weer in Los Angeles zat. Dante had een zwaar gemoed, een uitdrukking die hij nooit had begrepen.

Hij liep naar de voordeur, zich bewust van hoe gewoon het allemaal leek. Hij speelde de rol van Lorenzo Dante, niet alsof hij zichzelf was, maar afstandelijk, alsof hij er niet echt bij betrokken was. Ze had de auto vast gehoord, want toen hij aanbelde deed ze de deur al open. Haar gezicht stond strak. Ze hield de deur vast waardoor hij gedwongen was buiten te blijven staan.

Iemand had uit de school geklapt. 'Wie heeft het je verteld?'

'Twee FBI-agenten kwamen langs in het huis in Malibu. Wat erg dat je me het niet zelf hebt verteld. Hoe lang wilde je hier nog mee doorgaan?'

'Ik wist niet eens dat je met Tripp was getrouwd tot je het gisteren in het strandhuis vertelde.'

'Dat wist je wel, dat zag ik in je ogen. Waarom zei je niks?'

'Dat kon ik niet. Toen het eindelijk tot me doordrong kon ik alleen maar denken dat ik je niet kwijt wilde. Ik wist dat als ik het op zou biechten het uit zou zijn.'

Nora zei: 'Ik walg van je.'

'Ik wilde je niet bedriegen. Ik ben juist hier om koste wat kost schoon schip te maken.'

'Goh, wat edelmoedig van je.'

'Nora. Ik zweer je met mijn hand op het hart dat ik je jongen geen haar heb gekrenkt. Ik zit me hier niet te verontschuldigen. Hij is door mij omgekomen. Ik ben er verantwoordelijk voor, maar het was absoluut niet mijn bedoeling. Ik maakte een losse opmerking en Cappi dacht dat het iets anders betekende. Hij is gemeen en kan zichzelf niet in de hand houden. Zo is hij altijd al geweest. Ik had hem aan moeten geven. Ik kon mezelf er niet toe zetten, maar ik had het evengoed moeten doen. Ik wist niet hoe gevaarlijk hij was.'

'Dat wist je wel. Dat wist je heel goed, maar je deed of je neus bloedde.'

'Ik wil geen ruzie met je. Daar ben ik niet voor gekomen. Je hebt gelijk. Wat je ook zegt, je hebt gelijk. Ik had hem twee jaar geleden aan moeten geven toen ik erachter kwam dat hij Phillip van dat dak af had gegooid. Ik dacht dat mijn broer er meer toe deed dan gerechtigheid. Ik had het mis.'

'Je had hem gisteren op kunnen laten pakken. Dan had ik misschien geloofd dat je oprecht was.'

'Ik maak het allemaal in orde. Ik ga naar de officier van justitie toe en vertel hem alles.'

'Wat maakt het verdomme uit wat je nu nog doet? Hij blijft je broer. Waarom zou je nu opeens iets doen wat je jaren geleden had moeten doen?'

'Moet je horen. Alles is veranderd. Cappi heeft me aan de politie verlinkt en dus ben ik hem niets meer verschuldigd.'

'Weet je wel wat je zegt? Jij zegt dat als hij loyaal was geweest je hem nog steeds in bescherming had genomen. Oké, hij mag dan een paar mensen hebben vermoord, maar jij zou hem de hand boven het hoofd hebben gehouden zolang jou dat uitkwam.'

'Dat deed ik omdat mijn vader het niet had overleefd. Ik dacht dat als ik voor hem zorgde, mijn vader me niet meer in de kou zou laten staan.'

'Nou, je staat nog steeds in de kou.'

'Prima. Ik hou erover op. Ik ga daar niet met jou over bekvechten. Maar als we nu toch open kaart spelen, heb ik ook nog iets te zeggen. Je doet maar wat je niet laten kunt, maar dit moet me van het hart. Phillip was een goede knul, maar hij was wel verkeerd bezig. Hij zei tegen me dat hij al gokte zolang hij al studeerde. Hij beweerde dat hij er geld mee verdiende, maar dat was gelul. Elke pokerspeler beweert dat. Het is een soort afwijking, ze vergeten de verliezen en overdrijven de winsten. Heb je wel eens berekend hoeveel Channing en jij hebben neergelegd om zijn schulden te betalen? Je zou nu nog bezig zijn, want hij zou er niet mee zijn gestopt. Dat kon hij niet. Hij was eraan verslaafd... Zo rekende hij af met het verdriet en de angsten die hij had.'

'Je hebt geen idee waar je het over hebt.'

'Nou en of. Ik krijg mannen als hij de hele dag te zien. Ik leen ze geld zodat ze zichzelf kunnen bevrijden uit welke piepzak dan ook. Channing en jij waren voortdurend bezig hem te helpen. Het was een slappeling.'

'Hoe durf je mijn zoon te beledigen! Het was nog een kind! Hij was pas drieëntwintig.'

'Nora, hij had gigantische problemen. Hij was druk, onvolwassen, hoogdravend. En dat was allemaal prima zolang hij in zijn eigen wereldje bleef, maar in de echte wereld ging het mis.'

'Hoe weet jij nou dat het nooit iets met hem zou zijn geworden? Hij had altijd pech. Nu is hij dood en voor niets!'

'Ja, misschien zou hij ooit zijn leven op orde hebben gekregen. Dat weet ik niet en jij ook niet. Hij had in elk geval niet mogen sterven. Dat was mijn schuld en dat ga ik niet ontkennen. Ik weet dat je het me nooit zult vergeven. Dat hoeft ook niet. Ik wil alleen dat je Phillip niet mooier maakt dan hij was. Ik vind het echt erg dat hij er niet meer is. Dat meen ik oprecht. Ik weet dat hij veel voor je betekende en ik leef met je mee.'

'Verder nog iets?' vroeg ze afgemeten.

Dante haalde diep adem. 'Nu ik toch eerlijk ben, kan ik je net zo goed alles vertellen. Ik heb hem erin geluisd. Ik wilde hem een lesje leren, dat had Tripp ook gedaan als hij was blijven leven.'

'Een lesje? Waar heb je het goddomme over?'

'Ik had ervoor gezorgd dat er een vrouw aan zijn tafel zat, een van mijn werkneemsters. Georgia is een pokerspeelster van wereldniveau. Ik wist dat hij het wel kon vergeten als hij tegen haar moest spelen. Ik wou dat hij ten onder ging zodat hij inzag dat hij verkeerd bezig was. Dat zou hij nooit begrijpen als iedereen hem steeds maar te hulp schoot. Dat was eerlijk waar mijn bedoeling, zodat hij weer op het rechte pad zou komen.'

Ze wilde de deur dichtdoen.

Hij stak zijn hand uit om haar tegen te houden. 'Hoor nou even. Mijn broer heeft jouw zoon vermoord. Phillip heeft geen zelfmoord gepleegd. Zijn dood had niets met jou te maken. Geef mij maar de schuld als je je daar beter door voelt. Je bent je kind kwijt en dat zou geen ouder mee moeten maken, dat kan door niets worden goedgemaakt. Maar Phillip is hoe dan ook dood. In elk geval weet je dat hij het niet zelf heeft gedaan.'

'Hou op. Je hebt je zegje gedaan. Ga nu weg. Ik ben moe.'

'Godsamme, Nora, wie is er nu niet moe?'

Ze deed de deur dicht. Hij stond een volle minuut voor de deur, draaide zich toen om en liep naar zijn auto.

Hij dacht dat hun gesprek het ergste van die dag was, maar er lag nog iets in het verschiet. Toen hij thuiskwam waren de slaapkamers niet verlicht. De lampen brandden in de keuken, de eetkamer en de woonkamer, maar er wachtte niemand op hem. Lola was allang weg. Hij liet zijn auto op de oprit staan zodat Tomasso hem in de garage kon zetten en liep door de voordeur naar binnen. Tot zijn opluchting was zijn vader nergens te bekennen. Hij ging naar de bibliotheek en schonk een borrel in. Hij ging via de achterdeur naar buiten en zei Sophie in het voorbijgaan even gedag. Ze keek hem betekenisvol aan, waarschijnlijk wist ze dat Lola weg was. Hoewel ze wel beter wist dan haar medeleven te betuigen, was ze bezig zijn lievelingskostje te bereiden: biefstuk in deeg en haricots verts. Aardappelpartjes stonden op een laag vuur te sudderen en hij wist dat ze er een puree met boter en zure room van zou maken. De terrine stond al klaar voor de verse tomatensoep die ze had bereid. Ze had ook nog een groene salade gemaakt die ze net voor het opdienen zou voorzien van een dressing. Dit was de enige moederliefde die hij kende: iemand die eten voor hem kookte, alles bereidde waar hij dol op was. Hij betaalde haar er grof geld voor, maar dat maakte niet uit. Zolang hij zich maar gekoesterd voelde.

Sophie zei: 'Je oom heeft naar je gevraagd. Cara is hier al zes keer geweest.'

'Ik ga er nu naartoe. Ik ben over een half uur weer terug. Is mijn vader er ook?'

'Hij is met de limousine met Tomasso aan het stuur weggegaan. Hij zei dat hij naar Cappi ging en met hem ging dineren.'

Dante leverde er geen commentaar op. Wat kon het hem schelen wat zijn vader met Cappi deed? Het was buiten nog steeds licht, maar het was al enigszins aan het schemeren waardoor de lampen het gastenverblijf een gezellige aanblik verleenden. Hij rook een houtvuur en stelde zich voor dat Cara de haard had aangestoken om de oude man die met de dag zwakker werd warm te krijgen. Ze deed de deur voor hem open en over haar schouder zag hij zijn oom zitten. Zijn stoel was zo dicht mogelijk bij de haard getrokken.

Ze keek hem bevreemd aan en zei zachtjes: 'Ga je weg of zo? Je oom zegt maar steeds dat je de kuierlatten neemt. Hij is helemaal ontdaan.'

'Nee hoor. Maar Lola is wel weg. Die is vanochtend naar Los

Angeles gegaan, dus misschien dat hij haar weg zag rijden en dacht dat ik het was?'

'Nou, doe je best om hem tot bedaren te brengen. Ik heb hem nog nooit zo slecht gezien.'

Dante liep naar de haard waar Cara al een stoel voor hem had klaargezet. Alfredo was in een gewatteerde deken gewikkeld en zijn hoofd was op zijn borst gezakt. Als hij niet af en toe licht snurkte had Dante gedacht dat hij niet meer leefde. Dante wilde hem niet wakker maken, dus nam hij plaats en dronk wat. Hij kon beter in een gemoedelijke stilte daar zitten dan de stilte van het grote huis te moeten verdragen. Hij keek naar het vuur en vervolgens naar zijn oom, die hem met zo indringende aankeek als Dante al in jaren niet meer had gezien. Dante zei: 'Hoe gaat het? Wil het nog een beetje?'

'Ik droomde dat je op reis ging. Je keek steeds achterom en gebaarde dat ik mee moest komen.' Hij glimlachte. 'Dat is zo'n droom waarin je alle moeite doet om iemand in te halen, maar het niet wil lukken. Alsof je in zulk hoog water waadt.' Hij legde zijn trillende hand op zijn borst.

'Dat heb ik soms ook als ik wakker ben,' zei Dante. 'Maar ik ga nergens naartoe, dus je hoeft je geen zorgen te maken.'

'Ik heb niet veel tijd meer en er moet me iets van het hart.'

'Dat hoeft toch niet nu...'

Alfredo schudde het hoofd. 'Luister nu maar naar me. Ik weet dat nu eenmaal. De schaduwen lengen zich en ik heb het koud. De bloeddruk zakt. Cara wil er niet over praten, maar ik voel het in mijn ziel. Die stervensbegeleiders weten precies wanneer je sterft en daarom wil ik ze niet om me heen hebben. Cara ziet er stukken beter uit en ze heeft natuurlijk grote tieten.'

Dante glimlachte. 'Ik dacht wel dat je dat zou waarderen.'

'Wat ik je wil vertellen is iets wat je niet wilt weten, anders had je het jaren geleden al uitgevogeld. Ik zeg je dit niet om je verdriet te doen, maar om je je vrijheid te schenken. Jij denkt misschien dat je nergens naartoe gaat, maar jij hebt al net zo weinig tijd als ik.'

'Ik ben hier nu toch?' zei Dante.

'Het punt is dat ik altijd verdriet om je heb gehad. Je kreeg als kind meer ellende te verduren dan ieder ander, dus laat me het je nu vertellen zolang ik de kans heb.'

Dantes gezicht werd strak omdat hij de tranen tegen wilde houden.

'Het gaat over je moeder.'

Dante stak zijn hand op. 'We hebben het nu over ons, over onze relatie. Jij bent degene die ik ga missen.'

'Maar lang niet zo erg als je haar hebt gemist. Weet je nog dat je vader het zwembad leeg liet lopen?'

'Pure boosaardigheid. Dat had ik zelfs op mijn twaalfde door...'

'Omdat haar bloed in het water zat.'

Dante kreeg het ijskoud. Hij zag het opeens voor zich alsof hij er bij was geweest, wat niet het geval was. 'Heeft hij haar vermoord?'

'Daar was hij goed in, in mensen vermoorden. Nu is hij een wrak, maar dat was toen wel anders. Je weet vast nog wel hoe kwaad hij kon worden. Vreselijk. De man was een maniak als hij in woede ontstak. Ik weet zelfs niet meer waarom hij boos werd. Het was in elk geval niet haar schuld. Hij verbeeldde zich dat alleen. Ik was erbij. Ik wilde tussenbeide komen, maar hij ging als een gek tekeer. Jullie lagen te slapen. Ik moest hem helpen haar te begraven en toen haar kleren en alle andere dingen waar ze gek op was geweest weg te doen. Jij was haar lievelingetje en daarom nam hij daarna elke gelegenheid te baat om jou te grazen te nemen. Hij wilde jou kwaad doen om haar pijn te doen.'

'Hoe heeft hij haar gedood?'

'Hij heeft haar de keel doorgesneden.'

'God nog aan toe.'

'Ze zou je nooit in de steek hebben gelaten. Dat had je moeten weten. Ze hield zo veel van jullie, ze was een toegewijde moeder. Ik dacht dat je er op een gegeven moment wel naar zou vragen. Ik dacht dat je zou beseffen dat hij het had gedaan, dat haar geen schuld trof. Maar nu snap ik dat toen zij er niet meer was je alleen hem nog had om je aan vast te klampen. Dat is een speciale hel voor kinderen. Hoe meer je je best deed om hem terwille te zijn, des te meer je hem eraan herinnerde wat hij had gedaan.'

Dantes cellen herschikten zich, herinneringen verschoven, de waarheid scheurde door zijn ziel. Hij wist het inderdaad. Hij had het geweten. Niets anders in zijn leven had betekenis gehad, alleen zijn moeder... prachtig, jong, en uiteindelijk toch trouw aan hem.

Alfredo zei: 'Kon ik je maar helpen, maar dat kan niet. Ik heb geen advies voor je. Geen goede raad. Verwerk het en doe ermee wat je wilt. Ik kon geen afscheid van je nemen zonder het je te vertellen. Dat had ik jaren geleden al moeten doen, maar ik ben nu eenmaal een lafbek. Ik schaamde me voor mezelf, maar ik ben altijd trots op jou geweest. Je bent een goed mens en ik hou zielsveel van je. Als jij mijn zoon was geweest, was het allemaal heel anders verlopen. Je moet het land uit zien te komen nu het nog kan. Ik red het wel. Ik heb toch niet zo lang meer te leven en ik wil niet dat je hier rond blijft hangen vanwege mij. Dit is ons afscheid. Ga nu. Ik geef je rugdekking. Ik ben net degene die in het fort achterblijft terwijl de rest de dood ontvlucht. Ik zal geruster zijn in de wetenschap dat jij veilig bent, dus doe dat voor mij.'

Dante knikte. Hij stak zijn hand uit en de mannen drukten elkaars hand zo stevig alsof ze op die manier de band voor de eeuwigheid bestendigden. Dante was gedrevener en sterker en beter dan hij ooit in zijn leven was geweest. Het was Alfredo's afscheidscadeau.

30

Op woensdagmiddag kwam er eindelijk een agent langs mijn kantoor om de kopieën van het rapport dat ik aan Cheney Phillips had gegeven op te halen. In wezen had ik hem het origineel gegeven, en had ik verder geen exemplaren meer, buiten de doorslag dan, waar ik na ons gesprek snel nog een paar kopietjes van maakte. Ik wist dat hij het een prettig idee vond als hij al mijn exemplaren in zijn bezit had, dus gaf ik de agent de twee kopietjes en zo waren we allemaal tevreden. De doorslag legde ik weer in de geheime bergplaats. Zodra de agent weg was, belde ik Cheney in de hoop hem op de hoogte te brengen van Lens aanval, de schietpartij tussen Cappi en Pinky en mijn gesprek met Dante. Hij nam niet op en ik maakte een notitie dat ik hem een andere keer weer zou bellen.

Ik ging na het werk naar huis en er stond een bericht van Henry op mijn antwoordapparaat. Hij had me op kantoor gebeld maar ik was toen waarschijnlijk net weg. Hij zei dat hij onderweg was naar het revalidatiecentrum om Nell te bezoeken. De dokter dacht dat ze in de loop van de volgende week ontslagen zou worden. Hij belde mij om me te laten weten dat hij de volgende dag weer thuis zou komen. Hij gaf me het vluchtnummer en de aankomsttijd door: vijf over vier 's middags. Hij zei dat het geen punt was als ik niet naar het vliegveld kon komen, dan zou hij een taxi nemen. Hij zei ook dat hij me op een etentje bij Emile's-at-the-Beach zou trakteren als ik wel kon. Dat was leuk nieuws. Ik wist zonder in mijn agenda te kijken dat ik niets anders had en ik keek ernaar uit dat hij weer thuis zou zijn. Ik ging snel even naar zijn huis om me ervan te verzekeren dat zijn plantjes nog leefden. Ik ruimde meteen de rommel op die Pinky in de gang had achtergelaten toen hij er als een speer vandoor ging. Dat nam niet veel tijd in beslag. Vervolgens nam ik stof af, ik dweilde en stofzuigde en zette toen de achterdeur open om de boel te luchten.

Ik ging snel even naar de supermarkt om wat boodschappen te halen zodat hij dat niet zelf hoefde te doen zodra hij thuis was. De rest van de dag vloog voorbij. Ik belde het ziekenhuis twee keer om te horen hoe het met Dodie was, en het leek goed te gaan. Ze hielden zich op de vlakte en gaven niet veel medische details prijs, maar aangezien ik geen familie was, mocht ik al in mijn handjes knijpen dat ze me sowieso iets vertelden. Pinky kreeg ik niet te pakken. De verpleegkundigen hadden geen tijd of geen zin om hem de wachtkamer uit te krijgen en naar een telefoon te dirigeren. Als hij al even de tijd kon vinden om thuis te douchen en wat te slapen, zou hij het niet fijn vinden als ik hem stoorde.

Pas op donderdagochtend had ik tijd om naar het Santa Teresaziekenhuis te gaan. Ik ging eerst langs kantoor en zat lang genoeg aan mijn bureau om Cheney te bellen. Lens aanval was alweer even geleden en de angst die ik toen voelde maakte langzaam plaats voor woede. Toen Cheney eindelijk opnam, was hij behoorlijk kortaf. Hij was niet onbeschoft, maar ik kon aan zijn toon merken dat hij niet wilde praten. Ik zei dat ik hem nog wel zou spreken, maar door zijn manier van doen vroeg ik me toch af wat er aan de hand was. Ik had nog niet opgehangen of de telefoon rinkelde weer.

Ik nam op in de hoop dat Cheney spijt had gekregen. Maar in plaats daarvan had ik Diana Alvarez aan de lijn.

'Hoi, Kinsey, met Diana.' Ze zei het vrolijk en hartelijk alsof we goed bevriend waren en ik had de puf niet om haar eraan te herinneren dat dat absoluut niet het geval was. 'Heeft Cheney jou nog iets verteld over iets groots dat eraan staat te komen?'

'Wat voor groots?'

'Dat weet ik niet zeker. Ik was in gesprek met een van mijn contacten bij de politie en kreeg van hem die indruk. Ik zou er graag meer over willen weten zodat ik er een verhaal over kan schrijven.'

'Ik kan je daar niet bij helpen. Hij heeft me niet in vertrouwen genomen,' zei ik.

'Maar het moet iets goeds zijn. Je weet hoe politiemensen zich gedragen als er iets leuks in het verschiet ligt. Als je er iets over te weten komt, laat je mij dat weten?'

Ik zei: 'Ja, hoor.' We praatten zelfs even over koetjes en kalfjes voordat ze ophing. Ik zat een tijdje peinzend naar de telefoon te staren. Cheney was ergens mee bezig. Dat kon niet missen. Ik zat te denken aan een speciale eenheid en een onderzoek waar ze al mee bezig waren voordat ik met mijn onderzoek was begonnen. Stonden ze op het punt toe te slaan? Als dat het geval was, hoe kon Diana daar dan wel iets van hebben opgevangen en ik niet?

Het ritje naar het ziekenhuis nam tien minuten in beslag. Ik zette de auto neer op hetzelfde parkeerterrein als op dinsdagavond toen Dodie werd opgenomen. Ik hoopte dat ze inmiddels van de intensive care af was en op een eigen kamer lag. In elk geval hoopte ik Pinky even te spreken om te zien hoe hij ermee omsprong. Ik zat te popelen om hem te vertellen dat Dante de rekeningen en het levensonderhoud wilde betalen, want dat moest toch een opluchting voor hem zijn. Ik wist niet of ik Pinky kon overreden het aanbod niet als liefdadigheid te beschouwen. Zelf zag ik het als een eerlijke betaling voor geleverde diensten. Hij had Dante nuttige informatie over het verraad van zijn broer gegeven, zodat Dante er iets aan kon doen. Wat mij betrof kon de straf niet zwaar genoeg zijn.

In de hal vroeg ik aan de vrijwilligster aan de informatiebalie in welke kamer Dodie lag. Ze keek het na op een rooster dat elke dag werd bijgewerkt en geprint, aangezien het verloop van patiënten groot was. Ze was in de zeventig, vast al grootmoeder en overgrootmoeder, hoewel ze er nog heel goed uitzag. Ze leek even in de war en belde de intensive care om te vragen hoe het met Dodie ging, aangezien haar naam niet te vinden was. Toen ze ophing zei ze: 'Mevrouw Ford is er niet meer.'

'Is er niet meer?' vroeg ik.

'Ze is vanochtendvroeg heengegaan, meer is me niet verteld.'

'Heengegaan,' zei ik. 'Ze is toch niet dood?'

'Ik vind het heel erg.'

'Is ze gestorven? Maar dat kan niet waar zijn. Hoe kan dat nou?'

'Ze hebben me niet verteld hoe of wat.'

'Maar ik heb gisteren twee keer gebeld en toen zeiden ze dat het goed ging. En nu vertelt u me dat ze is heengegaan? Wat een rare uitdrukking is dat ook. Waarom zegt u niet gewoon dat ze gestorven is?'

De vrouw kreeg een rood hoofd en twee bezoekers die in de hal zaten hadden zich omgedraaid om naar me te kijken.

'Wilt u anders even met de geestelijke spreken?'

'Nee, ik wil niet even met de geestelijke spreken,' snauwde ik. 'Ik wil met haar man spreken. Is hij er?'

'Ik weet niets over de nabestaanden. Ik neem aan dat hij momenteel met een begrafenisondernemer in gesprek is. Ik vind het echt heel erg dat ik u van streek heb gemaakt. Als u gaat zitten, laat ik iemand u een glaasje water brengen.'

'Doe me een lol, zeg,' zei ik.

Ik draaide me om en liep naar de uitgang. Ik twijfelde niet aan wat ze had gezegd. Ik vond het alleen zo gek dat Dodie was gestorven terwijl het nog goed met haar ging toen ik belde. Mijn oude verdedigingsmechanismen traden in dit soort gevallen meteen in werking en ik werd boos om de schok te compenseren. Ik was niet verdrietig. Ik kende Dodie niet genoeg om haar te missen. Pinky moest er kapot van zijn en de belofte die hij had gedaan om haar te wreken schoot me meteen weer te binnen. Nu ze was overleden, zou hij best eens eropuit kunnen gaan om dood en verderf te zaaien met Cappi als doelwit.

Ik reed naar zijn woning toe. Ik had geen idee hoe hij eraan toe zou zijn of wat ik tegen hem moest zeggen. Ik zette de auto aan de overkant van de straat en zag dat Dodies opzichtige gele Cadillac er niet meer stond. Er ging een steek van bezorgdheid door me heen alsof iemand me met een mes tussen mijn schouders prikte. Ik rende het trapje met twee treden tegelijk op en bonsde op de voordeur terwijl ik tegelijkertijd op de bel drukte. Niemand deed open, dus keek ik of de deur open was. Dat bleek het geval te zijn. Ik stak mijn hoofd om de deur. 'Pinky?'

Het huis zag er verlaten uit, er hingen alleen wat flauwe etensluchtjes en er zoemden een paar apparaten. Ik riep weer zijn naam, hoewel ik wist dat hij er niet was. Ik ging naar de woonkamer. Een van de kussens van de bank lag op de grond en Pinky's pistool was weg. Ik liet me in een stoel vallen en stopte mijn hoofd in mijn handen. Ik wist zeker dat hij op zoek was naar Cappi. Dat was nu precies wat ik van hem kon verwachten. Kon ik eerder bij Cappi komen dan hij? Maar waar zat die in hemelsnaam? Ik ging razendsnel de mogelijkheden na. Ik wilde eigenlijk meteen het alarmnummer bellen. Maar wat moest ik zeggen? Ik kon Dodies auto beschrijven. Ik kon de man aan het stuur beschrijven, maar daar hield het wel mee op. Ik kon Dante bellen en zeggen dat Pinky op wraak uit was. Hij zou het beste kunnen weten waar zijn broer was. Misschien kon hij mensen binnen het bedrijf hem laten waarschuwen.

De derde mogelijkheid was dat ik Cappi zelf op de hoogte bracht van wat er aan de hand was, maar dan moest ik wel weten waar hij zat.

Ik dacht goed na. Pinky had iets gezegd toen hij bedreigingen uitte nadat Dodie was neergeschoten. Wat was het ook weer? Dat Cappi geen werk kon krijgen en dus in het pakhuis van zijn broer moest werken en dat hij op die manier de politie op de hoogte kon brengen van wat Dante deed. Ik had een pakhuis in Colgate gezien dat volgens mij onderdeel uitmaakte van hun winkeldiefstaloperatie. Ik stond op en liep naar mijn auto.

Ik reed de 101 op. Ik kon me niet meer herinneren hoe ik daar was gekomen. Het liefst wilde ik plankgas geven, wat in een Mustang erop neer kwam dat ik er als een speer vandoor zou gaan. Maar terwijl ik het pedaal indrukte zag ik dat een zwart-witte wagen me van links inhaalde. Ik nam gas terug en was blij dat ik het net op tijd had gezien. Het zou toch wel ontzettend stom zijn om weg te scheuren als er een politiewagen voorzien van radar naast je reed. Ik bleef in de middelste baan rijden en was er zo op gericht om me netjes te gedragen dat het me bijna niet opviel dat er ook een politiewagen rechts naast me opdook. De twee auto's reden niet erg hard, maar de chauffeur die het dichtst bij me zat had een zeer doelgerichte uitdrukking op zijn gezicht. Hij zat erbij alsof hij niet te laat wilde zijn voor een partijtje waar ik niet voor was uitgenodigd. Een feestje, een parade, een of andere politieactiviteit waar hij op tijd bij aanwezig moest zijn.

De twee politiewegens verlieten de snelweg bij de afslag Fairdale en ik reed achter hen aan. Wat was er aan de hand? Toen ik nog een dienstauto achter me aan zag rijden, ging ik naar de rechterbaan zodat hij de andere in kon halen. Ik moest bij het kruispunt voor een rood licht stoppen. De politiewagens remden af en reden vervolgens door. Tegen de tijd dat ik rechts afsloeg, waren de drie dienstauto's nergens meer te bekennen. Ik reed nog een kilometer door totdat ik bij het grote scherm van de inmiddels gesloten openluchtbioscoop aankwam, die in mijn jeugd erg populair was geweest. Ik nam de bocht naar rechts de parallelweg op. Het oerwoud aan speakers op standaards was verwijderd. Ik wierp een blik op het verlaten stuk asfalt en raakte bijna de macht over mijn stuur kwijt. De hele parkeerplek was in beslag genomen door politieauto's en gewone wagens. Er hingen een stuk of vijfentwintig politiemensen in uniform rond, wetsdienaars met een jack aan bedrukt met FBI, POLITIE, SHERIFF. Ik nam aan dat iedereen een kevlar vest onder zijn overhemd droeg. Ik richtte mijn blik weer op de weg, maar wist dat wat ik had gezien erg belangrijk was. Diana had gehoord dat er iets groots op stapel stond, en dat moest dit wel zijn. Niet zo gek dat Cheney kortaf was geweest. De enige locatie in de buurt van belang was het pakhuis van Allied Distributors. De gezamenlijke instanties waren zich aan het voorbereiden op een inval. Wat ze ook voor informatie in de afgelopen maanden en jaren hadden verzameld, het had tot een gewapende inval geleid. Mijn hart ging als een razende tekeer en de adreline spoot door mijn aderen waardoor ik strakgespannen als een veer stond. Mocht Pinky de revolverheld Cappi hier weten te vinden, dan zou hij midden in een menigte politiemensen en FBI-agenten terechtkomen die nog opgefokter waren dan hijzelf.

Op ongeveer een halve kilometer afstand doemde het pakhuis op. Achter het pand lagen rails. Het was mogelijk dat in vroeger tijden de goederen per trein werden vervoerd, dat het toen een station was alleen bestemd voor zakelijke doeleinden. De rails waren inmiddels het eigendom van Amtrak en drie, vier keer per dag denderden er goederen- en passagierstreinen door het stadje. Ik stond opeens boven op mijn rem. Rechts van me stond Dodies gele Cadillac schuin geparkeerd met twee wielen van de straat af en een eindje in de berm gezakt. Pinky had de moeite niet genomen fatsoenlijk te parkeren. Maar goed, hij was wel op weg om een man dood te schieten, dus waarschijnlijk kon hij zich om dat soort futiliteiten niet echt druk maken.

Het grote hek naar het pakhuis stond open. Het parkeerterrein voor de werknemers bevond zich rechts van me en het pakhuis links. Er stonden zes open vrachtwagens bij de laadplatforms en de metalen roldeuren waren open. Een stuk of vijf mannen rookten een sigaretje terwijl twee mannen op een vorkheftruck het pakhuis in en uit reden. Helemaal naar achteren stonden twee dichte witte vrachtwagens naast elkaar met de achterdeuren open en waren mannen bezig dozen van de pallets in te laden. Ik keek rond of ik Cappi ergens zag, maar er was niemand te bekennen die fysiek op hem leek. Pinky zag ik ook niet en dat bevreemdde me enigszins. Dantes mensen waren rustig aan het werk, geen urgentie, geen gevaar, geen reden om zich druk te maken.

Ik zette de auto op het parkeerterrein bestemd voor werknemers en zette koers naar het hoofdgebouw. Het pand bestond uit een oud en een nieuw gedeelte. Er waren deels oude bakstenen en raamkozijnen gebruikt en aan de voorkant was een moderne stalen uitbouw eraan gebouwd. Het gebouw besloeg samen met de bovenetage in totaal zo'n zevenhonderd vierkante meter, schatte ik. Ik liep door de zijdeur naar binnen want de ontvangsthal kon ik onder de gegeven omstandigheden maar beter vermijden. De kantoren bevonden zich op de tussenetage. Met stevige kabels en stalen palen waren rondom het plafond loopbruggen bevestigd. De kantoren keken uit op de goederen die door brede gangpaden van elkaar werden gescheiden. Om de dertig meter waren stalen trappen bevestigd. Alles scheen goed georganiseerd te zijn op een manier die ik als leek niet begreep.

Ik kwam langs de toiletten, een kleedkamer en vervolgens een kantine met automaten aan de muur. Er stonden tien tafels waar een paar arbeiders koffiepauze hielden. Ik liep zo snel mogelijk over de betonnen vloer naar de trap en ging die op naar de kantoren. Ik kan me niet meer goed herinneren waar ik op dat moment aan dacht. Ik had daar eigenlijk helemaal niet mogen zijn, maar ik wilde Pinky onderscheppen voordat de hel losbrak. Aan de koortsachtige activiteiten die ik bij de voormalige bioscoop had gezien, stonden ze op het punt de inval uit te voeren. Ze hadden het goed voorbereid en de politiemensen waren er helemaal klaar voor. Hun opzet was het pakhuis in te nemen, tegenstand met harde hand te onderdrukken en zo snel mogelijk de kantoren in te rennen om te voorkomen dat er iemand ontsnapte of dat er bewijs werd vernietigd. Ze hadden arrestatiebevelen en huiszoekingsbevelen bij zich en ze zouden dossiers, documenten, computers en alles waarop illegale activiteiten konden staan in beslag nemen. Wie weet hoeveel mensen ze in zouden rekenen?

Eenmaal boven zag ik dat het wandje van het kantoor half uit glas bestond. De deur stond open en een jong meisje met een bos blonde krullen zat aan haar bureau. Er bevond zich een computer voor haar en een ouderwetse tikmachine stond op een tafeltje op wieltjes naast haar. In tegenstelling tot Dantes kantoor in de stad zag het er hier armoedig uit: zeil op de grond, tl-buizen aan het plafond, oude houten bureaus en goedkope bureaustoelen. De ruimte stond vol archiefkasten en ik wist dat de politie ze straks leeg zou halen. Ze keek me aan. 'Kan ik iets voor u doen?'

Ik keek met open mond naar de kalender op haar bureau. Het was zo'n dikke kalender met voor elke dag een blaadje dat je eraf kunt scheuren. Zelfs ondersteboven was duidelijk dat het donderdag 5 mei was en ik kon amper een kreetje onderdrukken. Ik ben jarig op 5 mei. Geen wonder dat Henry per se thuis wilde komen.

Daarom wilde hij me uit eten nemen. Het nadeel van single en alleen zijn is dat je niet stilstaat bij je verjaardag. Ik was opeens achtendertig. Nog steeds afgeleid vroeg ik: 'Is meneer Dante er?'

'Hij is daarbinnen, maar hij wilde niet gestoord worden.'

Dante deed de deur open en stapte zijn privékantoor uit de receptie binnen. 'Ik handel het wel af, Bernice,' zei hij tegen haar. Hij keek me uitdrukkingsloos aan. 'Wat kan ik voor je doen, mevrouw Millhone? Je hebt hier niets te zoeken, dat weet je hopelijk wel.'

Hij was in de limousine een stuk vriendelijker geweest, maar ik had zijn hulp nodig, dus trok ik me niets van zijn boerse houding aan. Ik legde mijn hand op zijn arm en dirigeerde hem zijn kantoor in. 'Pinky is gewapend en bevindt zich hier in het pakhuis of ergens in de buurt. Dodie is vanochtend overleden en hij zal Cappi doodschieten zodra hij hem ziet.'

Ik verwachtte een reactie van hem, maar hij had wel iets anders aan zijn hoofd. Zijn wandkluis stond open en hij was bezig dikke pakketjes geld in een koffer die op zijn bureau lag over te hevelen. Het scheen hem niet te deren dat Cappi gevaar liep of dat Pinky elk moment met een geladen pistool binnen kon komen stormen. Hij was rustig, en deed alles efficiënt en geordend zonder tijd te verspillen.

'Weet u waar Cappi is?' vroeg ik.

'Ik heb hem een klusje gegeven zodat hij niet in de weg zou lopen. Wat erg van Pinky's vrouw. Ik kende haar wel niet, maar ik weet hoe dol hij op haar was. Je kunt maar beter wegwezen voordat Cappi en hij elkaar ontmoeten. Wij hebben daar niets mee te maken.'

'Kunt u het niet voorkomen?'

'Nee, net zomin als jij.'

Ik keek hem aan, gefascineerd door de rust die hij uitstraalde terwijl ik in paniek was. Ik zei: 'Het is nog veel erger. Er staan even verderop vijfendertig politiemensen paraat om hier een inval te doen.'

'Typisch Cappi. Die knul kan zijn bek niet houden en dan krijg je dit soort dingen. Hij zal ook wel opgepakt worden zodat het net lijkt alsof hij er niets mee te maken heeft. Het is te hopen dat het hem lukt. In dit soort zaken komt een aanbrenger er niet zo makkelijk van af. Als Pinky hem niet vermoordt doet iemand anders het wel.'

'Waar bent u mee bezig?'

'Wat denk je?'
Precies op dat moment werd er beneden opeens geschreeuwd en weergalmde Pinky's stem door de grote opslagruimte. 'Cappi! Ik ben het, Pinky. Ik kom een rekening vereffenen. Kom tevoorschijn, gore klootzak.'
Ik liep naar de deur.
Dante zei: 'Niet naar buiten gaan.'
Ik lette niet op hem en liep het kantoor uit. Ik ging naar de overloop toe en keek over de reling. Pinky was dronken en stond te zwaaien op zijn benen. Zo te zien had hij al dagen niet geslapen en als het hem al gelukt was, dan in de kleren die hij nog steeds aanhad. Zijn arm met het wapen hing langs zijn zij. Mocht Cappi zijn neus laten zien, dan wilde hij niet dat die het wapen zag totdat hij op hem richtte en afdrukte.
Ik riep naar hem: 'Hé, Pinky! Hierboven.'
Pinky keek lui om zich heen totdat hij me op de tussenverdieping zag staan. 'Heb je Cappi gezien?'
'Wat moet je met hem?'
'Dodie is overleden. Ik ga hem afmaken.'
'Dat heb ik gehoord. Ik vind het heel erg voor je. Zal ik naar je toe komen, dan kunnen we even praten?'
'Zodra ik hem heb neergeknald, kunnen we zo veel babbelen als je wilt.'
De wanhoop spreidde zich van mijn tenen uit tot aan het kruintje van mijn hoofd. Pinky had niets te verliezen. De inval kon elk moment plaatsvinden en ik wilde niet dat hij omkwam. Hoe kon ik hem overreden van zijn plan af te zien? Hij was te ver heen om naar me te willen luisteren. Hij was gewapend en moordlustig, ik zou hem nooit om kunnen praten.
Buiten op het laadplatform hadden mannen hun bezigheden gestaakt. De meesten leken op het punt te staan om iets te doen, wegrennen, waarschijnlijk. Ze keken toe of er werkelijk schoten zouden vallen. Het was waarschijnlijk alleen maar grootspraak van een dronkenlap met een pistool, maar voor hetzelfde geld werd het een duel als in de film, maar dan met echt bloed en iemand die echt doodging.
Cappi dook op bij de zij-ingang. Hij bleef verrast staan toen hij iedereen bewegingloos zag kijken naar een man die onzeker op zijn benen stond te zwabberen. Cappi richtte ook zijn blik op die man. Zodra hij besefte dat het Pinky was, ging hij er als een haas vandoor. Pinky draaide zich op zijn hakken om. Hij strekte zijn

arm, richtte het wapen op Cappi en rende met twee treden tegelijk de trap op terwijl hij zich aan de leuning omhoogtrok. Ik hoorde hem de trap op roffelen een tel nadat zijn schoenen de metalen treden echt raakten. Het was hetzelfde effect als wanneer een straaljager overkomt, omdat het vliegtuig sneller vliegt dan het geluid. Gek genoeg was dit een uitstekende afleiding voor de inval.

Zes politiewagens kwamen met piepende banden voor het pand tot stilstand. De agenten sprongen eruit en gingen ieder een kant op. Enkelen hadden een moker bij zich en twee droegen een stormram met zich mee. Werknemers renden alle kanten op. De agenten met een moker sloopten de muur bij een computer. Door de metalen constructie werden de doffe dreunen versterkt. Een man haalde zo hard met de moker uit dat zijn armen en ellebogen trilden en hij dwars door de buitenste muur met B-2-blokken heen sloeg.

Het was net alsof ik naar een film keek. Een man in een overall klom over het hek en rende het lange gras in. Drie mannen vlogen de achteringang uit en een afvoergoot in waarin zich al een paar collega's bevonden. Van de andere kant kwamen politiemensen aanlopen, waardoor ze geen kant meer op konden. Hoewel ik ze niet kon zien, hoorde ik mannen schreeuwen terwijl ze over de rails holden. Geen enkele werknemer van het pakhuis was gewapend. Waarom zouden ze een wapen bij zich hebben voor zo'n saai baantje?

Cappi en Pinky hadden als een paar geliefden alleen maar oog voor elkaar. Pinky rende Cappi achterna de trap op die zijn pistool uit zijn broeksband had getrokken. Ze vuurden in het wilde weg zonder iets te raken. Kogels kaatsten op de stalen balken in de zoldering af en drongen in de gegolfde metalen muren achterin. Ik deinsde achteruit, me maar al te zeer bewust van hoe wild en roekeloos de schietpartij was. Dit was geen duel tussen twee edellieden van tien passen afstand met getrokken pistool. Dit was een oorlog tussen twee mensen. Het raam naast me brak en ik liet me op de grond vallen. Dante dook plotseling naast me op, en tilde me onder de oksels omhoog en duwde me zijn kantoor in.

'Blijf bij me. Ik krijg je hier wel weg.'

'Nee! Ik wil zeker weten dat Pinky het redt.'

'Laat hem. Hij is ten dode opgeschreven.'

Door al het geschreeuw vanaf het laadperron was het bijna onmogelijk politiebevelen te onderscheiden. Ik trok me los en liep naar het raam toe zodat ik kon zien wat er gebeurde. Dante liep zijn kantoor uit. Ik bleef staan en hield mijn hart vast. Ik ben als de dood voor geweld, maar vond het laf om weg te rennen als Pinky's leven gevaar liep. Van een van de open vrachtwagens werd de motor gestart. De chauffeur trapte op het gaspedaal. De wagen schoot naar voren, voortrazend naar de weg waar twee politiewagens de toegang hadden gebarricideerd. De politiemensen zochten dekking met getrokken pistool. De chauffeur denderde door en reed vol in een van de auto's, die even werd opgetild voordat hij met een smak op de grond terechtkwam. Door de schok klapte de chauffeur op het stuur en hij viel opzij met een bebloed gezicht. Ik verwachtte dat hij het portier open zou maken en ervandoor zou gaan, maar hij was buiten westen. Inmiddels waren de meeste werknemers zo verstandig geweest zich over te geven. Ze werden buiten bijeengedreven, waar ze met hun armen boven het hoofd op de grond moesten gaan zitten.

Gebiologeerd keek ik naar het laadplatform toen ik opeens Cheney Phillips zag. Naast hem stond Len Priddy met zijn blik omhooggericht. Ze doken allebei weg en kwamen weer aan de andere kant van een truck tevoorschijn waarbij ze de wagen als scherm gebruikten toen ze binnen bereik van de twee schutters kwamen. Ik wist zeker dat alle agenten gewaarschuwd waren dat ze niet zomaar mochten schieten. Pinky en Cappi hadden dat soort restricties uiteraard niet.

Achter me had Dantes secretaresse zich onder haar bureau verscholen met de telefoon in de hand. Haar eerste ingeving was waarschijnlijk om de politie te bellen, maar daar liepen er al genoeg van rond. Cappi was intussen via de loopbrug aan de andere kant van het pakhuis terechtgekomen. Hij kwam van rechts naar me toe rennen. Hij duwde me opzij en zette koers naar de trap. Hij dacht vast dat als hij eenmaal op de begane grond was hij via de uitgang kon ontsnappen. Hij was te gericht op veilig wegkomen dat hij volkomen voorbijging aan het feit dat er een paar agenten voor de uitgang stonden. Pinky bevond zich nog rechts van me en kwam steeds dichterbij. Cappi draaide zich om en vuurde twee keer en Pinky viel om, zijn rechterbeen had het begeven. Cappi had geen kogels meer en daardoor werd het een heel ander spel. Hij draaide zich met een grimmige uitdrukking op zijn gezicht om. Doordat hij Pinky had verwond, zag hij zichzelf misschien niet meer als prooi maar als jager. Hij kwam met afgemeten passen naar me toe en herlaadde ondertussen het pistool. Pinky krabbelde overeind. Ik schreeuwde: 'Rennen, Pinky!'

De bedoeling was dat hij zich omkeerde en terug rende, maar hij hobbelde mijn kant op, met zijn blik op mij gericht. Hierdoor kwam hij precies in Cappi's vizier terecht. Zonder erbij na te denken greep ik hem beet en trok hem uit de vuurlinie. Dante had waarschijnlijk hetzelfde willen doen, maar dan bij mij. Hij keek me woedend aan. 'Ik zei dat je op de grond moest gaan liggen!'

Ik wierp een blik achterom en besefte dat hij pal achter me in mijn oor stond te schreeuwen. Hij greep me opnieuw beet en sleurde me naar zijn kantoor.

'Laat me los!' Ik rukte me los. Ik wilde wanhopig graag Pinky beschermen als ik daar de kans voor kreeg. Achteraf gezien had ik wijzer moeten zijn. Ik weet niet hoe ik er iets aan had kunnen veranderen. In plaats van te helpen liep ik zelf gevaar. Dante draaide me zo snel om dat ik mijn evenwicht verloor en hij zei: 'Sorry, hoor.'

Ik struikelde en had nog op de been kunnen blijven als ik niet stomverbaasd was geweest door de aanblik van zijn vuist die recht op me af kwam. Ik kon de klap niet ontwijken. Hij raakte me recht op mijn neus en ik zakte door mijn knieën. Ik stak mijn armen uit om de voorwaartse beweging tegen te gaan en zat op handen en voeten. Mijn hersens kletterden rond in mijn schedel als een klepel in een bel. Ik draaide me in een zittende positie en verstopte mijn hoofd in handen. Bloed sijpelde door mijn vingers en mijn ogen draaiden weg toen ik het zag. Ik hoorde nog een schot, maar dat was ver weg en ik wist dat het niet op mij gericht was. Ik was even buiten westen en kwam weer enigszins bij toen de politiemensen de trap op kwamen rennen.

31

Dante

Santa Teresa, 5 mei 1988

Dante liep op de tast de steile trap af die in de muur van zijn kantoor was gebouwd. Door een druk op de knop was een grendel opengegaan en hij had de deur weer achter zich dichtgedaan voordat hij verderging. Tijdens de Drooglegging had zijn vader de trap laten bouwen in geval van nood. Voor zijn vader was een onverwacht bezoekje van de politie of een boze concurrent reden genoeg om snel de aftocht te blazen. Dante had als kind in de ondergrondse gang gespeeld, lang nadat de Drooglegging was opgeheven, en hij wist zich in het pikdonker door de doolhof van kamertjes een weg te vinden. Oorspronkelijk stonden er distilleervaten voor het maken van allerlei alcoholische dranken die in kratten werden verpakt voordat ze per trein werden vervoerd. De gang besloeg anderhalve straatlengte en er waren diverse gangetjes om onbekenden de verkeerde richting op te sturen. De gang bestond uit vastgestampte aarde en liep langzaam omhoog naar een overwelfd riool dat om de niet meer in gebruik zijnde bioscoop liep. Toen Dante eruit stapte, kwam hij uit op een van de twee zijweggetjes bij de bioscoop. Het andere zijweggetje leidde naar het pakhuis. Dante bevond zich ver van de herrie en hij had het vermoeden dat ze bezig waren met afronden. Aan deze kant van de bioscoop stonden vijf gebouwen van twee etages die tot een industrieterrein behoorden waar zo veel verkeer was dat zijn plotselinge verschijning niet opviel.

Lou Elle zat met draaiende motor in haar auto op hem te wachten. Dante kwam van rechts aan lopen met de grote koffer in de hand. Hij maakte het achterportier open en legde de koffer op de achterbank, vervolgens stapte hij aan de voorkant in. Lou Elle schakelde naar drive en reed de straat op, rustig gas gevend tot ze dertig kilometer per uur reed. Bij Holloway nam ze de bocht naar rechts en ze reed nog een meter of veertig door. Dante wierp een blik achterom, maar er waren geen politiewagens te bekennen en ook geen teken dat er alarm was geslagen omdat hij was ontsnapt.

Hij wreef over de knokkels van zijn rechterhand, die blauw en gezwollen waren, maar geen pijn meer deden.

Lou Elle keek even naar hem. 'Wat heb je?'

'Ik heb een vrouw knock-out geslagen. Ik was even vergeten hoe het is om iemand buiten westen te slaan. Dat doet verdomme hartstikke zeer.'

'Heb je een vrouw geslagen?'

'Anders was ze midden in een schietpartij terechtgekomen.'

'Een schietpartij?'

'Cappi en een vent genaamd Pinky Ford waren tijdens de inval op elkaar aan het schieten. Over wildwesttoestanden gesproken. Pinky werd geraakt, maar hij redt het wel. Het is nog een wonder dat er verder geen gewonden zijn gevallen.'

'Ik ken hem. Hij is een keer op kantoor geweest. Hij is toch een tanig mannetje met o-benen en draagt een satijnen overhemd?'

'Dat is hem inderdaad.'

'Hoe gaat het met Cappi?'

'Die is dood. Een agent heeft hem door het hoofd geschoten. Net op tijd, anders had Cappi een gat in Pinky's borst geschoten.'

'Zit je daar niet mee?'

'Nee, hoor. Maak je maar geen zorgen. Anders had ik het zelf moeten doen. Mijn vader zal er kapot van zijn, en daar zit ik ook niet mee. Eigen schuld, dikke bult. Heb je Nora nog gesproken?'

'Nou, ik heb haar wel gebeld, maar het leek haar niet veel te kunnen schelen. Ik heb haar de informatie doorgegeven, maar ze was niet enthousiast.'

'Nou ja, jij hebt in elk geval je best gedaan.'

Hij haalde een dikke envelop voorzien van een naam en adres uit de binnenzak van zijn colbert. 'Je kunt haar dit over een paar weken geven. Zeg maar dat ze ermee kan doen wat ze wil. Het geld is ter compensatie van de vuistslag.'

Dante stopte de envelop in de handtas die bij hem op de grond stond. Lou Elle draaide links een weggetje in dat leidde naar een kleine terminal in gebruik voor vrachtvervoer. Hij zei dat ze bij de ingang van het vliegveld moest gaan staan en op de knop moest drukken. Toen iemand via de intercom reageerde, gaf ze de naam door die Dante gebruikte voor op reis en vijf seconden later ging het hek open zodat ze naar binnen kon rijden. Op het vliegveld stond een middelgroot privévliegtuig, een Gulfstream Astra, klaar. Hij kon een afstand van vierduizend kilometer afleggen, meer dan genoeg om Dante bij het volgende vliegtuig af te zetten. Daarna moest hij nog een keer overstappen om zijn bestemming te bereiken. Lou Elle zette de auto zes meter bij het vliegtuig vandaan.

Dante pakte zijn koffer van de achterbank en liep naar de bestuurderskant waar Lou Elle het raampje omlaag deed. Hij stak zijn hoofd naar binnen en kuste haar op de wang. 'Je bent een schat. Heel erg bedankt.'

'Veel succes,' zei ze. 'Zal ik wachten tot het vliegtuig opstijgt?'

'Ik heb liever dat je weer naar kantoor gaat,' zei hij. 'De politie zal je voorlopig niet met rust laten, sorry.'

'Ik kan ze toch niets vertellen? Ik weet van niets.'

'Je bent een goede vriendin.'

'Ik vond het leuk om met je te werken. Een goede reis. Hopelijk heb je een fijn leven verder.'

'Je hoort het als ik overstap. Maar daarna neem ik geen contact meer op.'

'Duidelijk.'

Dante liep naar het vliegtuig waar een van de piloten naast de opklapbare trap stond. Ze gaven elkaar een hand en Dante liet zijn paspoort zien ter identificatie. De piloot keek er even naar en gaf het toen weer terug. De piloot werd goed betaald en was niet nieuwsgierig.

'Ik had gehoopt dat een vriendin er ook zou zijn: Nora Vogelsang. Haar naam staat ook op de passagierslijst.'

'Ze is er nog niet. Hoe lang wilt u op haar wachten?'

'Nog een kwartier. Ze weet dat we niet veel tijd hebben. Als ze niet komt opdagen, houdt het op. Hebben we al toestemming om te vertrekken?'

'Bijna. Zal ik de koffer voor u achterin zetten?'

'Ik hou hem wel bij me.'

De piloot ging aan boord en Dante bleef bij de trap staan. Dante keek naar het hek. Hij zag Lou Elle wegrijden en het hek dichtgaan. Er stonden een paar auto's voor het hek geparkeerd, maar er kwamen geen auto's aanrijden. Hij had van iedereen afscheid genomen behalve van Nora, en dat speet hem zeer. Maar misschien was het achteraf gezien maar beter zo. Nu Cappi dood was en Lola weg, zou zijn vader in zijn eentje in dat huis zitten. Alfredo zou nog een week of op zijn hoogst tien dagen leven, en dan zou ook hij er niet meer zijn. Dante wist dat zijn zussen de oude man wel zouden helpen, maar geen van hen zou hem in huis willen nemen. Saul Abramson had opdracht gekregen om zolang het nut had het huis aan te houden. Dante had hem volmacht en instructies gegeven dat als de rekeningen te hoog zouden worden, hij het huis te koop mocht zetten. Als hij het kon verkopen, prima. Zijn vader kon dan naar een rusthuis gaan en wat hem betrof wegrotten.

Dante keek naar de kleine wachtkamer met de glazen schuifdeuren. Nora was nergens te bekennen en de politie ook niet, dus misschien kwam hij er zonder kleerscheuren vanaf. Hij had Abbie genoeg onjuiste informatie gegeven om de politie op het verkeerde been te zetten. Hij wist dat ze dat aan Priddy had doorgegeven, die zich vast op de borst klopte omdat hij zo goed op de hoogte was. Dante had intussen Lou Elle opdracht gegeven om de eersteklastickets naar Manilla niet op zijn en Nora's naam te zetten, maar op haar eigen naam en die van haar echtgenoot. Dat reisje was een beloning voor de vijftien jaar dat Lou Elle voor hem had gewerkt. Als de verkeerspolitie van Californië de limousine onderweg naar het vliegveld van Los Angeles onderschepte, zouden ze tot de ontdekking komen dat de vogel gevlogen was.

Dante liep de trap op, bukte zich en ging het vliegtuig in. De stoelen waren bekleed met roomwit leer en afgewerkt met glanzend kersenhout. Achterin bevonden zich een kombuisje en een wc. Er zat een tandenborstel in zijn zak, maar verder had hij alleen geld bij zich. Hij nam plaats op een van de fauteuils aan de rechterkant. De andere piloot kwam de cockpit uit en liep naar Dante toe om hem op de hoogte te stellen van waar de nooduitgangen waren en dat er zuurstofmaskers naar beneden zouden komen als het vliegtuig hoogte zou verliezen. Hij vertelde hem ook dat er verse koffie was en allerlei snacks buiten de maaltijden om die Dante van tevoren had besteld.

'Wilt u verder nog iets weten?'

'Nee hoor, ik heb wel vaker met een privévliegtuig gevlogen.'

'Ik hoor het wel als u iets nodig hebt. Over enkele ogenblikken vertrekken we.'

Dante pakte een van de kranten die voor hem waren neergelegd. Hij deed zijn gordel om en draaide de dop van een fles water.

De motoren werden gestart en hij zag de twee piloten de checklist uitvoeren. Het vliegtuig taxiede over de startbaan. Hij kon het bekende gevoel van opstijgen en klimmen al voelen. Nog even, en hij was onderweg. Hij had niet verwacht dat hij verdrietig zou zijn. Maar hij was nu eenmaal zeer patriottisch. Hij hield van zijn land. Nu hij op het punt stond te vertrekken, kon hij zich niet voorstellen dat hij nooit meer naar Amerika terug zou keren. Maar er was geen andere mogelijkheid. Door de vele misdaden die hij had begaan, kon hij niet in de Verenigde Staten blijven zonder in de gevangenis te belanden. Het vliegtuig kwam tot stilstand.

Hij zag dat de piloot zijn riem afdeed en de cabine in kwam. Toen hij bij de deur aankwam, draaide hij de hendel naar links om hem te openen. De deur ging naar buiten open en de trap klapte naar buiten. Dante keek door het raampje en zag Nora's turquoise Thunderbird aan komen scheuren. De auto kwam tot stilstand. Ze stapte uit aan de bestuurderskant en pakte een weekendtas en een kledingtas uit de kofferbak. Ze zag er prachtig uit in een goed zittend zwart joggingpak dat uitermate geschikt was om in te reizen. Een jonge man stapte aan de passagierskant uit en liep om de auto heen om aan het stuur plaats te nemen. Ze wierp hem de autosleutels toe en liep naar het vliegtuig. De piloot kwam de trap af zodat hij haar bagage aan kon pakken.

Terwijl ze het vliegtuig in kwam zei ze: 'Ik heb voor Channing een briefje achtergelaten om hem gedag te zeggen en veel succes te wensen. Ik heb mijn advocaat instructies gegeven om alles af te handelen. Ik lijk wel gek, ja toch?'

Dante zei: 'Zolang dat maar op mij is.'

Erna

Santa Teresa, 27 mei 1988

Een verhaal is nooit helemaal afgelopen. Dat kan ook niet. Het leven bestaat nu eenmaal niet uit keurige pakketjes, netjes ingepakt met een strik eromheen. De inval had zeventien arrestaties tot gevolg en twaalf van de mannen werden aangeklaagd. De bende was opgerold en de winkeldiefstalorganisatie was daarmee een forse slag toegediend waardoor ze voorlopig niet meer draaide. Zonder Len had Pinky Ford het niet kunnen navertellen, waar Pinky volgens zichzelf de voorkeur aan had gegeven. Nu Dodie er niet meer was, had hij niets meer om voor te leven, maar dat zou na verloop van tijd wel eens anders kunnen worden. Len nam betaald verlof, maar ging toch maar vervroegd met pensioen voordat Interne Zaken hem onder de loep zou nemen. Er waren dertig politiemensen en nog eens vijfentwintig getuigen bij aanwezig geweest, dus de toedracht van Cappi's dood werd niet in twijfel getrokken. Na wijs beraad vond de openbaar aanklager het niet nodig er verder op door te gaan. Len werd als held geprezen, waar ik behoorlijk de pest over in had. Ik kon me nog maar al te goed de schietpartij van jaren geleden herinneren, toen hij op het matje werd geroepen nadat hij per ongeluk een andere politieman had neergeschoten tijdens een drugsinval die mis was gegaan. Hij werd daarvoor vrijgesproken, maar ik was niet van zijn onschuld overtuigd. Naar verluidt had die politieman Len gedreigd dat hij bepaalde dubieuze transacties die hij tijdens hun werk samen had bijgewoond zou rapporteren. Wat Cappi's dood betreft ging men ervan uit dat Len de belastingbetaler een gunst had bewezen, dus niemand kon het iets schelen dat ik hem dat niet gunde.

Wat Dante aangaat, die verliet het land terwijl ik nog op zijn oude zeil lag te bloeden. Ik weet nog dat hij, nadat hij me had neergeslagen en de koffer van het bureau had gepakt, het kantoor uit liep en uit het zicht verdween. Toen de FBI-agenten binnen kwamen stormen, had ik verwacht dat ze hem in handboeien naar buiten zouden leiden. Maar tegen die tijd was hij al weg. Er gingen geruchten over hoe hij weg was gekomen. Er zou een geheime kamer zijn waar hij zich had schuilgehouden totdat de politie het gebouw had verlaten. Of hij zou door het raam naar buiten zijn gegaan en vervolgens met koffer en al het dak op zijn geklommen en via de brandtrap aan de andere kant van het gebouw zijn ontsnapt. Tegen de tijd dat de geheime trap aan het licht kwam, was de man met de noorderzon vertrokken.

Len Priddy was daarentegen wel duidelijk aanwezig: zelfvoldaan, vol van zichzelf en klaarblijkelijk kogelbestendig. Hij was een slechterik, maar wel een slimme, en het was hem gelukt de wet te ontduiken. Aangezien Dante weg was en Cappi dood, was er geen bewijs meer dat Priddy met die misdaadfamilie te maken had gehad. De mensen die hem graag in het gevang hadden zien belanden, waren diep teleurgesteld dat er in zijn geval geen gerechtigheid bestond.

Drie weken later kreeg ik bezoek. Ik zat aan mijn bureau toen een vrouw mijn kantoor binnenstapte en zei: 'Hoi, ik ben Lou Elle. En jij bent Kinsey?'

'Jazeker.' Tegen die tijd waren de blauwe plekken in mijn gezicht bijna weg en mijn neus was lang niet zo dik meer, dus voelde ik me niet meer geroepen om uit te leggen wat er was gebeurd. Ze kende me niet, dus zag het wellicht niet eens. Ik zei: 'Wat kan ik voor je betekenen?'

'Ik werk voor Lorenzo Dante. Of beter gezegd: ik werkte voor hem. Mag ik even plaatsnemen?'

'Ga je gang. Hopelijk kun je mij vertellen wat er met hem gebeurd is.'

'Ja en nee. Hij heeft nog wel een keer contact met me opgenomen, maar dat was volgens hem de laatste keer. Dat is ook wel het beste. Hoe minder ik weet hoe beter het voor ons allebei is. Dante Enterprises is opgeheven.'

'Maar daar zit je niet mee?'

'Nee hoor. Hij heeft ervoor gezorgd dat ik er geen nadeel van zou ondervinden. Ik weet niet of je daar blij mee zult zijn, maar hij had Abbie een paar tickets laten boeken voor hem en nog iemand anders voor Manilla op donderdagavond. Hij liet mij nog een paar tickets kopen, dus toen de verkeerspolitie de limousine onderweg naar het vliegveld van Los Angeles aanhield, zaten mijn man en ik op de achterbank en niet hij. Je had ze moeten zien. De teleurstelling droop van de gezichten af. Ze stonden helemaal te trappelen van ongeduld om hem te arresteren en in plaats daarvan moesten ze ons een gezellige vakantie toewensen.'

'Hoe is het hem gelukt om weg te komen?'

'Door misleiding. Over een jaar of twee zal ik je het allemaal uit de doeken doen, maar voorlopig laat ik het erbij dat hij veilig geland is en hij een mooi nieuw leven zal beginnen.'

'Dat hoop ik voor hem. Ik heb hem maar één keer ontmoet, maar ik mocht hem graag.'

'Hij mocht jou vast ook graag. Ook al heeft hij je op je neus gestompt,' voegde ze eraan toe.

'Die zag ik dus echt niet aankomen.'

'Hij vond het heel erg. Ik weet zeker dat als hij de tijd had gehad hij je zijn excuses ervoor had aangeboden.' Ze maakte de tas open en haalde er een dikke envelop uit die ze op het bureau legde. 'Dit is voor jou.'

Ik pakte de envelop en opende de flap net genoeg om te zien dat er een stapeltje geld in zat met een elastiekje eromheen. Het bovenste biljet was een honderdje en ik nam aan dat dat ook voor de andere biljetten opging.

'Het is geen geschenk,' maakte ze duidelijk. 'Het is een vergoeding voor het leed dat hij heeft veroorzaakt.'

'Dat hoeft niet,' zei ik. 'Daar heb ik een ziekteverzekering voor.'

'Het is tevens betaling voor een karweitje dat hij graag door jou zou willen laten verrichten, als jij dat ook wilt.'

'Een karweitje?'

'Het stelt weinig voor. Je hoeft er bijna niets voor te doen.'

'En wat is dat dan wel?'

'Kijk nog maar eens in de envelop. Er zit nog iets in.'

Toen ik de envelop weer openmaakte, ontdekte ik een cassettebandje verpakt in een stuk wit papier.

'Hij vond dat daar publiciteit aan moest worden gegeven.'
'Wat is het?'
'Geen idee. Hij zei dat jij dat wel zou weten. Je mag ermee doen wat je wilt, zolang het maar naar buiten komt.'
'Heb jij ernaar geluisterd?'
'Nee, maar ik ken hem goed genoeg om te weten dat het de moeite waard zal zijn.'
Ze stond op en liep naar de deur.
'En als ik er nu niets mee wil doen?'
'Dan mag je het geld sowieso houden.'
Ik zei: 'Hoe dat zo?'
Ze glimlachte. 'Hij zei dat je het eerlijk zou spelen en hij denkt dat je je aan je woord houdt.'
Toen ik de buitendeur hoorde dichtvallen, trok ik de middelste la van mijn bureau open en haalde mijn cassettespeler eruit. Ik had hem al zo lang niet gebruikt dat ik de batterijen moest vervangen voordat het ding het deed. Eenmaal klaar, stopte ik het bandje erin en drukte op play.
De kwaliteit van het geluid was uitstekend. Ik hoorde Dante zeggen:

'Brigadier Priddy, leuk u weer te zien. Dat is alweer even geleden.'
'Het gaat goed met u, zie ik?'
'Tot voor kort wel, ja.'
'O?'
'Zeg dat wel, "O". Om een lang verhaal kort te maken. Mijn broer is gezien terwijl hij met u in gesprek was. Dat heb ik van meerdere mensen gehoord en daar ben ik niet blij mee.'

Het hele gesprek nam zes minuten in beslag en eindigde met Len die zei:

'Is dat de reden voor dit gesprek? Ongewenst advies van een gangster?'
'Ik zie mezelf niet als gangster. Dat vind ik een belediging. Ik ben nog nooit ergens voor veroordeeld.'
'Dat komt binnenkort wel.'
'U mag best zelfvoldaan overkomen, want u hebt hoe dan ook gewonnen. Wie er van ons tweeën nu de zaken regelt

maakt u geen moer uit. U denkt dat u uw handen al vol aan mij hebt, maar wacht maar tot Cappi aan het roer staat. Hij zal deze stad te gronde richten.'
'Waarom doet u ons dan geen lol en ruimt u hem op?' zei Len.
Dante glimlachte. 'Waarom doet u dat zelf niet? Ik heb al genoeg ellende om daar ook nog eens een moord aan toe te voegen.'
'De enige ellende die u hebt, vriend, is dat we u in het gevang gooien.'
'Ach, houd toch op. Hoe lang zijn jullie nu al niet met het onderzoek bezig? Twee jaar, drie? Jullie spelen onder één hoedje met de FBI en met wie nog meer? Met DEA, ATF? Al dat soort overheidsinstellingen zijn geen knip voor de neus waard. Ik heb u al gezegd dat ik ermee kap. Cappi is nu degene over wie u zich zorgen moet maken. Als u hem weg weet te werken, is het bedrijf helemaal van u.'
Len stond op. 'Einde gesprek. Tot ziens en veel succes.'
'Denk er maar eens over na. Meer zeg ik niet. Neem ontslag bij de politie en ga voor de verandering eens van het goede leven genieten. Dat kan toch geen kwaad?'
'Ik zal erover nadenken,' zei hij. 'Wanneer gaat u precies weg?'
'Dat maakt verder niet uit. Ik heb het u alleen verteld omdat ik u na al uw hulp eerlijk wil behandelen.'

Daar hield de tape op.

Ik zat de mogelijkheden te overwegen en wreef bedachtzaam over mijn neus. Cheney zou in de wolken zijn, net als de openbaar aanklager. Het punt was dat ik geen van tweeën kon vertrouwen alles uit de tape te halen. Zij zouden eerder de publicatie van het bandje tegenhouden totdat ze er iets mee konden doen. Dat kan in dat soort kringen jaren duren. Er moest toch iemand zijn die niet bangig maar agressief was, iemand die met de feiten kon spelen en duidelijk kon maken wat er aan de hand was zonder er zelf de dupe van te worden?

Ik stond op, trok het tapijt weg en legde zonder het geld te tellen het pakketje bankbiljetten in de kluis. Ik ging weer op de draaistoel zitten, pakte de telefoon en belde Diana Alvarez.

Toen ze opnam, zei ik: 'Hoi, Diana, met Kinsey Millhone.'

Het was even stil. Ze was vast mijn toon aan het verwerken die eerlijk gezegd een stuk vriendelijker was dan normaal. Op haar hoede zei ze: 'Wat kan ik voor je betekenen?'

'Ik kan eerder iets voor jou betekenen. Als je me trakteert op een goed glas chardonnay, heb ik iets moois voor je.'

Dankwoord

De schrijfster is de volgende mensen dankbaar voor hun waardevolle hulp: Steven Humphrey; Jay en Marsha Glazer; Barbara Toohey; inspecteur Paul McCaffrey van de politie van Santa Barbara; brigadier (in ruste) Bill Turner; en Deb Linden, hoofd van politie in San Luis Obispo; Andrew Blankstein van de *Los Angeles Times*; Renn Murrell, begrafenisondernemer bij Arch Heady & Son; Dana Hanson, begrafenisondernemer bij Neptune Society; Kelly Petersen, manager bij Cherry Post; Andi Doyle en Emily Rosendahl bij Wendy Foster; Tracy Pfautch van Mall Security in Paseo Nuevo, Santa Barbara; Matt Phar van de Santa Barbara Loan en Jewelry; en Kevin Frantz en Liz Gastiger